ROBERT (
Der Ruf (

Robert Galbraith

Der Ruf des Kuckucks

Roman

Aus dem Englischen von
Wulf Bergner, Christoph Göhler
und Kristof Kurz

blanvalet

Die Originalausgabe erschien 2013 unter dem Titel *The Cuckoo's Calling*
bei Sphere, An Imprint of Little, Brown Book Group, London.

Verlagsgruppe Random House FSC® N001967

9. Auflage
Taschenbucherstausgabe November 2014 bei Blanvalet,
einem Unternehmen der Verlagsgruppe Random House GmbH,
Neumarkter Str. 28, 81673 München

Der Originaltitel des Gedichts von Christina G. Rossetti asuf S. 7 lautet »A Dirge«.
Die Gedichtzeilen auf S. 638 stammen aus Alfred Tennysons »Ulysses«.
Redaktion: Leena Flegler

Umschlaggestaltung: www.buerosued.de, nach einer Originalvorlage
von © LBBG – Sian Wilson
Umschlagmotive: Figur © Arcangel Images/Ilona Wellmann. Zaungitter
© Trevillion Images/Yolande de Kort. Straßenszene © LBBG – Sian Wilson
Satz: Uhl + Massopust, Aalen
Druck und Bindung: GGP Media GmbH, Pößneck
Printed in Germany
ISBN 978-3-442-38321-4

www.blanvalet.de

Dem echten Deeby
mit großem Dank

Warum kamst du zur Welt, als der Schnee sie bedeckte?
Hättest kommen sollen, als der Ruf des Kuckucks sie weckte,
Wenn die Weinstöcke grüne Trauben tragen
Oder die Schwalben hoch durch die Lüfte jagen,
Bevor sie in weite Ferne fliegen,
Vom sterbenden Sommer vertrieben.

Warum musstest du gehen, als die Lämmer sprangen?
Wärst doch erst gestorben, wenn die Äpfel rot prangen,
Wenn die Grillen nicht mehr ihre Lieder singen,
Die kahlen Felder keine Ernte mehr bringen
Und die Winde klagend wehen,
Weil die süßen Dinge vergehen.

CHRISTINA G. ROSSETTI, »EIN KLAGELIED«

PROLOG

Is demum miser est, cuius nobilitas miserias nobilitat.

Unglücklich ist letztlich, wessen Berühmtheit auch das eigene Elend berühmt macht.

LUCIUS ACCIUS, *TELEPHUS*

Die Menge, die sich auf der Straße versammelt hatte, brummte wie ein Fliegenschwarm. Vor den Absperrungen patrouillierten Polizisten, dahinter standen scharenweise Fotografen, die Kameras mit den langen Objektiven im Anschlag. Ihr Atem stieg wie eine Dampfwolke über ihnen auf. Beständig fiel Schnee auf Hüte, Mützen und Schultern. Behandschuhte Finger wischten über Kameralinsen. Hin und wieder ertönte ein Klicken, wenn sich einer der Umstehenden die Wartezeit damit vertrieb, Fotos von dem weißen Zelt mitten auf der Straße, dem Eingang zu dem hohen Backsteingebäude dahinter oder dem Balkon im obersten Stock zu machen – jenem Balkon, von dem der Körper gefallen war.

Hinter den dicht gedrängten Paparazzi standen weiße Übertragungswagen mit gewaltigen Satellitenschüsseln auf den Dächern. Tontechniker mit Kopfhörern lungerten zwischen den einheimischen und ausländischen Journalisten herum. In den Aufnahmepausen stampften die Reporter auf und ab und wärmten sich die Hände an heißen Kaffeebechern aus einem nur wenige Straßen entfernten, hoffnungslos überfüllten Café. Um die Zeit totzuschlagen, filmten die Wollmützen tragenden Kameramänner die Rücken der Fotografen, den Balkon und das Zelt, das den Leichnam verbarg. Dann wieder hielten sie nach einer Position Ausschau, von der aus sie eine Totale von dem Chaos ergattern konnten, das in der beschaulichen, verschneiten Straße in

Mayfair mit ihren glänzenden schwarzen Haustüren und den weißen, von sorgfältig gestutzten Büschen flankierten Säuleneingängen ausgebrochen war. Vor dem Eingang zu Nummer 18 war Absperrband angebracht. Im Flur dahinter konnte man mehrere Polizisten erkennen, darunter auch die Beamten von der Spurensicherung in ihren weißen Schutzanzügen.

Die Fernsehsender hatten die Nachricht bereits vor mehreren Stunden gebracht. Zu beiden Enden der Straße hatte sich daraufhin ein interessiertes Publikum versammelt, das von weiteren Polizisten in Schach gehalten wurde. Einige waren eigens zum Gaffen gekommen, andere auf dem Weg zur Arbeit stehen geblieben. Viele hielten ihre Handys in die Höhe, um vor dem Weitergehen noch ein Foto zu machen. Ein junger Mann, der ganz offensichtlich nicht wusste, um welchen Balkon es sich handelte, fotografierte einfach alle nacheinander, obwohl der mittlere mit drei sorgfältig zu akkuraten Kugeln gestutzten Büschen so vollgestellt war, dass ein Mensch nur mit Mühe darauf Platz gefunden hätte.

Eine Gruppe junger Mädchen hatte Blumen mitgebracht. Sie wurden dabei gefilmt, wie sie sie den Polizisten überreichten. Diese wussten nicht so recht, wohin damit, und legten sie behutsam in einen Einsatzwagen – im Bewusstsein, dass die Kameralinsen jede ihrer Bewegungen beobachteten.

Die von den Nachrichtensendern ausgesandten Reporter hielten den stetigen Fluss der Kommentare und Spekulationen um die wenigen bekannten, aber umso sensationelleren Fakten aufrecht.

»...heute um zwei Uhr morgens aus ihrer Penthouse-Wohnung. Die Polizei wurde vom Sicherheitsdienst des Anwesens alarmiert...«

»...keine Anstalten gemacht, den Leichnam abzutransportieren, was Anlass zu der Vermutung gibt...«

»…noch unbekannt, ob sie zum fraglichen Zeitpunkt allein…«

»…haben das Gebäude betreten, um eine gründliche Durchsuchung…«

Kaltes Licht durchflutete das Innere des Zeltes. Zwei Männer kauerten neben dem Körper und warteten darauf, ihn endlich in einen Leichensack legen zu können. Um den Kopf der Toten war ein wenig Blut in den Schnee geflossen. Ihr Gesicht war zerschmettert und geschwollen. Ein Auge ähnelte nur noch einer Falte in der Haut, das andere war lediglich als mattweißer Spalt zwischen den aufgedunsenen Lidern sichtbar. Ihr Paillettentop glitzerte im Licht und erweckte dadurch beinahe den Anschein, als würde sie noch atmen oder die Muskeln anspannen, um sich im nächsten Moment aufzurichten. Die Schneeflocken klopften wie sanfte Fingerspitzen auf die Zeltleinwand über ihr.

»Wo bleibt der gottverdammte Rettungswagen?«

Detective Inspector Roy Carvers Zorn wuchs zusehends.

Das Gesicht des dicken Mannes hatte die Farbe von Corned Beef, und für gewöhnlich befanden sich auf seinen Hemden in Achselnähe große Schweißflecken. Sein von Natur aus äußerst kurzer Geduldsfaden war schon vor geraumer Zeit gerissen. Er war schon fast so lange hier wie der Leichnam. Vor Kälte spürte er seine Füße nicht mehr, und ihm war schwindlig vor Hunger.

»Rettungswagen kommt in zwei Minuten«, teilte Detective Sergeant Eric Wardle beim Betreten des Zeltes dem Handy an seinem Ohr mit und beantwortete damit unbeabsichtigt die Frage seines Vorgesetzten. »Habe gerade einen Parkplatz organisiert.«

Carver grunzte. Seine Gereiztheit wurde noch geschürt

durch die Vermutung, dass sein Kollege die Anwesenheit der vielen Fotografen aufregend fand. Seiner Meinung nach hatte der jungenhaft gut aussehende Wardle, auf dessen dichten braunen Locken nun eine dünne Schneeschicht lag, bei den wenigen Malen, als sie das Zelt verlassen hatten, auffällig lange herumgetrödelt.

»Zumindest sind wir die los, sobald die Leiche weg ist«, sagte Wardle mit einem Blick zurück auf die Fotografen.

»Nicht, wenn wir weiterhin so tun, als wäre das hier ein beschissener Tatort.«

Wardle überhörte den unausgesprochenen Vorwurf geflissentlich. Und Carver geriet nur noch mehr in Rage.

»Das dumme Ding ist gesprungen. Da war niemand bei ihr. Ihre sogenannte Zeugin war zugekokst bis zum …«

»Sie kommen«, sagte Wardle. Zu Carvers Missfallen schlüpfte er wieder aus dem Zelt, um im Scheinwerferlicht die Ankunft des Rettungswagens abzuwarten.

Die Story verdrängte Politik, Kriege und Naturkatastrophen von den Titelseiten. Kein Artikel, kein Bericht verzichtete auf ein Bild des makellosen Gesichts und des geschmeidigen, wohlgeformten Körpers der toten Frau. Innerhalb von Stunden hatten sich die wenigen bekannten Fakten wie ein Virus über ein Millionenpublikum verbreitet; der öffentlich ausgetragene Streit mit ihrem ebenso bekannten Lebensgefährten, der einsame Nachhauseweg, das angebliche Geschrei in der Wohnung und schließlich der tödliche Sturz …

Der Lebensgefährte floh in eine Entzugsklinik; die Polizei verweigerte jeden Kommentar. Fieberhaft wurde nach all jenen Personen gesucht, die sie an dem besagten Abend zu Gesicht bekommen hatten. Das Thema füllte Tausende von Zeitungsspalten und stundenlange Sondersendungen. Die

Frau, die Stein und Bein schwor, kurz vor dem Aufschlag des Körpers einen weiteren Streit gehört zu haben, gelangte zu kurzzeitigem Ruhm und wurde auf kleineren Bildern neben den Fotos der toten Schönheit gezeigt. Dann stellte sich – gefolgt von einem fast hörbaren enttäuschten Aufstöhnen der Öffentlichkeit – heraus, dass die Zeugin gelogen hatte, woraufhin diese sich in eine Entzugsklinik zurückzog, während der prominente Hauptverdächtige wieder auf der Bildfläche erschien. Wie in einem Wetterhäuschen, wo die Sonnenfrau und der Regenmann niemals gleichzeitig zu sehen sind.

Also doch Selbstmord. Nach kurzem sprachlosem Innehalten bekam die Story noch einmal etwas Rückenwind. Jetzt hieß es, die Tote sei unausgeglichen und labil gewesen; dem Status als Superstar, den ihre Wildheit und Schönheit ihr eingebracht hatten, nicht gewachsen; dass die sittenlosen Superreichen, mit denen sie sich umgeben hatte, sie verdorben hätten; dass die Dekadenz ihres neuen Lebens ihre ohnehin schon fragile Persönlichkeit völlig aus dem Gleichgewicht gebracht habe. Ihr Ende wurde zu einer Moralgeschichte, die vor Schadenfreude triefte. Und die Vergleiche mit Ikarus waren so zahlreich, dass *Private Eye* dazu einen Extrabeitrag brachte.

Dann endlich flaute die Sensationsgier ab, und die Journalisten konnten nur noch berichten, dass schon viel zu viel berichtet worden war.

DREI MONATE SPÄTER

TEIL EINS

Nam in omni adversitate fortunae infelicissimum est genus infortunii, fuisse felicem.

Welche Wendung zum Schlechten das Schicksal auch nehmen mag, so ist der Unglücklichste unter den Unglücklichen jener, der einst glücklich war.

BOËTHIUS, *ÜBER DEN TROST DER PHILOSOPHIE*

1

Obwohl Robin Ellacotts fünfundzwanzigjähriges Leben nicht frei von aufregenden und dramatischen Ereignissen gewesen war, so hatte sie doch nie zuvor das Bett in der festen Gewissheit verlassen, dass sie den anbrechenden Tag für den Rest ihres Lebens im Gedächtnis behalten würde.

Gestern um kurz nach Mitternacht hatte ihr langjähriger Lebensgefährte Matthew ihr unter der Eros-Statue mitten auf dem Piccadilly Circus einen Heiratsantrag gemacht. In dem Taumel der Erleichterung, der auf ihr Ja hin folgte, gestand er ihr, dass er sie eigentlich schon während des gemeinsamen Abendessens in dem Thai-Restaurant hatte fragen wollen; ein Vorhaben, das jedoch von dem schweigenden Pärchen am Nebentisch, das jedem Wort ihrer Unterhaltung lauschte, durchkreuzt wurde. Deshalb schlug er trotz Robins Protesten – schließlich mussten sie beide am nächsten Tag früh zur Arbeit – einen Spaziergang durch die dämmrigen Straßen vor. Da kam ihm die rettende Idee, und er führte die verwirrte Robin bis zu den Stufen vor der Statue. Er schlug (ganz Matthew-untypisch) alle Diskretion in den frostigen Wind, kniete nieder und machte ihr den Antrag. Vor drei auf den Stufen zusammengekauerten Pennern, die sich anscheinend eine Flasche Brennspiritus teilten.

Aus Robins Sicht war es, in der gesamten Geschichte der Heiratsanträge, der perfekteste Antrag aller Zeiten. Matthew hatte sogar einen Ring in der Tasche gehabt – jenen Ring mit dem Saphir und den beiden Diamanten, den sie jetzt trug und der ihr wie angegossen passte. Auf dem Weg in die Innenstadt starrte sie ständig auf die Hand, die in ihrem Schoß ruhte. Jetzt hatten Matthew und sie eine Geschichte auf Lager, die sie ihren Kindern erzählen konnten: wie sein Plan (und sie war begeistert, dass er es geplant hatte) schiefgegangen war und er improvisieren musste. Sie war begeistert von den Pennern, dem Mond und natürlich von dem nervös und verlegen vor ihr knienden Matthew gewesen; begeistert von der Eros-Statue, dem guten alten schmuddeligen Piccadilly Circus und dem schwarzen Taxi, das sie zurück nach Clapham gebracht hatte. Sie war kurz davor, sich sogar für London selbst begeistern zu können, obwohl sie in dem Monat, seit sie hier wohnte, mit der Stadt noch nicht warm geworden war. Selbst die blassen, aggressiven Pendler, die sich um sie herum im U-Bahn-Wagen drängten, erstrahlten im Glanz des Rings. Als sie an der Haltestelle Tottenham Court Road in das Licht des kühlen Märztages trat, streichelte sie die Unterseite des Platinbands mit dem Daumen. Bei der Vorstellung, dass sie sich in der Mittagspause ein paar Hochzeitsmagazine kaufen würde, platzte sie fast vor Glück.

Während sie sich einen Weg durch die Baustelle an der Oxford Street bahnte und dabei immer wieder auf einen Zettel in ihrer rechten Hand sah, folgten ihr die Blicke der Männer. Man konnte Robin mit Fug und Recht als hübsche Frau bezeichnen. Sie war groß und kurvig, das rotblonde Haar wippte, während sie flott voranschritt, und die kalte Luft verlieh ihren blassen Wangen etwas Farbe.

Heute war der erste Tag eines einwöchigen Aushilfsjobs als Sekretärin. Seit sie zu Matthew nach London gezogen war, hatte sie sich mit solchen Tätigkeiten durchgeschlagen – aber nicht mehr lange. Sie hatte bereits ein paar, wie sie es nannte, »richtige« Vorstellungsgespräche vereinbart.

Die größte Herausforderung dieser langweiligen Gelegenheitsjobs war in der Regel, den betreffenden Arbeitsplatz überhaupt zu finden. Nach der Kleinstadt in Yorkshire, aus der sie hergezogen war, wirkte London auf sie riesig, kompliziert und undurchdringlich. Matthew hatte ihr eingeschärft, nicht mit einem Stadtplan vor der Nase herumzulaufen, damit sie nicht wie eine Touristin und somit wie leichte Beute aussah. Deshalb verließ sie sich, mit wechselndem Erfolg, auf die kruden, von Hand gezeichneten Karten, die jemand bei der Zeitarbeitsagentur für sie anfertigte. Obwohl sie sich kaum vorstellen konnte, dass sie damit eher als waschechte Londonerin durchging.

Die Metallzäune und die blauen Plastikcontainer rund um die Baustelle erschwerten ihr die Orientierung zusätzlich, da sie die Sicht auf rund die Hälfte der auf der Karte markierten Wegpunkte versperrten. Sie überquerte den aufgerissenen Asphalt vor einem gigantischen Bürokomplex, der auf ihrer Karte mit »Centre Point« beschriftet war und mit seinem strengen Gittergeflecht aus gleichförmigen rechteckigen Fenstern an eine riesige Betonwaffel erinnerte. Danach hielt sie sich grob in Richtung Denmark Street.

Ihr Ziel erreichte sie mehr oder weniger zufällig, als sie einer schmalen Seitengasse namens Denmark Place folgte, die in eine kurze Straße mit farbenfrohen Ladenfronten und Schaufenstern voll mit Gitarren, Keyboards und allen möglichen musikalischen Modeerscheinungen mündete. Rot-weiße Bauzäune umgaben ein weiteres gähnendes Loch in der Straße. Bauarbeiter in grellen Sicherheitswesten begrüßten sie mit frühmorgendlichen Pfiffen, die Robin geflissentlich überhörte.

Sie sah auf die Uhr. Da sie in ihren Zeitplan stets die Möglichkeit einrechnete, sich zu verlaufen, war sie eine Viertelstunde zu früh dran. Die unscheinbare schwarze Eingangstür zu dem Büro, in dem sie arbeiten würde, befand sich gleich neben dem 12 Bar Café; der Name des Büroinhabers stand auf einem zerfledderten Zettel, der mit Klebestreifen neben dem Klingelknopf für die zweite Etage befestigt war. An einem anderen Tag und ohne den funkelnagelneuen Ring am Finger hätte sie so etwas abgeschreckt; heute jedoch waren das schmutzige Papier und der abblätternde Lack der Eingangstür genau wie die Penner in der vergangenen Nacht nur pittoreske Details der Kulisse, vor der sich ihre große Liebesgeschichte abspielte. Sie sah noch einmal auf die Uhr (wobei der Saphir glitzerte und ihr Herz einen Satz machte; ihr ganzes Leben lang würde sie dieses Glitzern betrachten können) und entschied sich in einem Anfall von Euphorie, früher als vereinbart zu erscheinen und Begeisterung für einen Job zu zeigen, der sie nicht im Geringsten interessierte.

Sie wollte eben auf die Klingel drücken, als die schwarze Tür von innen aufgerissen wurde und eine Frau auf die Straße stürmte. Einen seltsam gedehnten Augenblick lang starrten die beiden Frauen einander direkt in die Augen und bereiteten sich auf einen Zusammenprall vor. Robins Sinne waren an diesem magischen Morgen ungewöhnlich scharf; sie sah das bleiche Antlitz ihres Gegenübers nur einen Sekundenbruchteil, bevor es ihnen gerade noch rechtzeitig gelang, einander auszuweichen. Dann war die dunkelhaarige Frau auch schon die Straße hinuntergeeilt und um die Ecke verschwunden. Trotzdem hatte sich Robin das Gesicht derart ins Gedächtnis geprägt, dass sie es ohne Probleme hätte nachzeichnen können – was nicht nur an seiner außergewöhnlichen Schönheit lag, sondern auch an seinem Ausdruck: wütend und zugleich seltsam euphorisch.

Robin ergriff die Tür, bevor sie zufallen konnte, und betrat das schäbige Treppenhaus. Eine altertümliche Wendeltreppe wand sich um einen ebenso altmodischen, von einem Gitterkäfig umgebenen und funktionsuntüchtigen Aufzug. Vorsichtig, um mit ihren hohen Absätzen nicht in den schmiedeeisernen Trittflächen stecken zu bleiben, stieg sie hinauf. Im ersten Stock kam sie an einer Tür vorbei, an der ein laminiertes und gerahmtes Schild mit der Aufschrift *Crowdy Graphics* hing. Erst als sie die Glastür im nächsten Geschoss erreichte, wurde Robin klar, in welcher Branche sie diese Woche aushelfen sollte – bei der Zeitarbeitsagentur hatte ihr niemand darüber Auskunft geben können. In die Glasscheibe war der Name eingraviert, den sie schon neben der Türklingel gelesen hatte: *C. B. Strike.* Und darunter: *Privatdetektiv.*

Robin blieb mit offenem Mund stehen, gefangen in einem Moment der Verblüffung, die selbst diejenigen, die sie gut kannten, nicht hätten nachvollziehen können. Sie hatte nie auch nur einer Menschenseele (nicht einmal Matthew) von diesem immer schon gehegten, geheimen, kindischen Wunschtraum erzählt. Und das ausgerechnet heute! Es kam ihr vor wie ein Wink des Schicksals (was sie zwangsläufig mit der Magie des heutigen Tages, mit Matthew und dem Ring in Verbindung brachte, obwohl zwischen diesen Dingen bei näherer Betrachtung überhaupt keine Verbindung bestand).

Langsam, um den Moment auszukosten, trat sie auf die Glastür zu. Sie streckte die linke Hand nach der Klinke aus (der Saphir wirkte dunkel im trüben Licht), doch noch bevor sie sie ergreifen konnte, flog die Tür auf.

Diesmal konnte sie nicht ausweichen. Hundert Kilogramm ungepflegter Mann krachten in sie hinein. Robin wurde von den Beinen gerissen und nach hinten geschleudert. Die Handtasche entglitt ihren Fingern, und mit rudernden Armen stürzte sie rücklings dem tödlichen Nichts des Treppenhauses entgegen.

2

Strike spürte den Zusammenprall, hörte den gellenden Schrei und reagierte intuitiv, indem er einen seiner langen Arme vorschnellen ließ und eine Handvoll Stoff und Fleisch packte; ein zweiter Schmerzensschrei ertönte, dann schaffte er es mit Müh und Not, die Frau wieder auf festen Boden zu ziehen. Ihr Kreischen hallte noch immer von den Wänden wider, und ihm wurde bewusst, dass auch er selbst »Herr im Himmel!« gebrüllt hatte.

Die Frau kauerte wimmernd und vor Schmerzen gekrümmt vor der Bürotür. Aus ihrer schiefen Körperhaltung und der Tatsache, dass sie eine Hand tief unter das Mantelrevers geschoben hatte, schloss Strike, dass er bei ihrer Rettung wohl ihre linke Brust gepackt hatte. Ein dichter, welliger Vorhang aus blondem Haar verbarg den Großteil ihres Gesichts, doch aus dem unverdeckten Auge konnte Strike Schmerzenstränen fließen sehen.

»Scheiße – tut mir leid!« Seine laute Stimme schallte durch das Treppenhaus. »Ich hab Sie nicht gesehen … Ich konnte ja nicht ahnen, dass da jemand …«

»Was ist denn da oben los?«, rief der verschrobene, eigenbrötlerische Grafikdesigner aus dem Büro im ersten Stock, und eine Sekunde später war auch über ihnen eine gedämpfte Beschwerde zu hören. Offensichtlich fühlte sich der Wirt der Kneipe im Erdgeschoss, der in der Mansardenwohnung über Strikes Büro lebte, ebenfalls gestört oder war womöglich von dem Krach geweckt worden.

»Kommen Sie rein …«

Strike drückte die Tür mit den Fingerspitzen auf, damit er die davor kauernde Frau nicht aus Versehen berührte, und komplimentierte sie in sein Büro.

»Alles in Ordnung?«, rief der Grafikdesigner in quengelndem Tonfall herauf. Strike warf die Bürotür hinter sich zu.

»Geht schon wieder«, log Robin mit zitternder Stimme. Sie stand vornübergebeugt mit dem Rücken zu ihm da und hielt noch immer die Hand auf die Brust gepresst. Nach ein, zwei Sekunden richtete sie sich auf und drehte sich um. Ihr Gesicht war puterrot, die Augen noch feucht.

Ihr Angreifer wider Willen war gewaltig; durch seine Größe und beträchtliche Körperbehaarung, gepaart mit einem deutlichen Bauchansatz, erinnerte seine Erscheinung an einen Grizzly. Er hatte ein angeschwollenes blaues Auge; unter der Augenbraue befand sich ein Schnitt. Geronnenes Blut füllte die weiß umrandeten Kratzspuren auf seiner linken Wange und auf der rechten Seite seines dicken Halses, soweit dieser unter dem offen stehenden, verknitterten Hemdkragen sichtbar war.

»Sind Sie M-Mr. Strike?«

»Ja.«

»I-Ich bin die Aushilfe.«

»Die was?«

»Die Aushilfe. Von Temporary Solutions Personallösungen.«

Selbst die Nennung der Zeitarbeitsagentur konnte den ungläubigen Ausdruck nicht von seinem zerschundenen Gesicht vertreiben. Sie starrten einander fassungslos und beinahe feindselig an.

Genau wie für Robin stellten die letzten zwölf Stunden auch für Cormoran Strike einen Wendepunkt im Leben dar.

Diese Nacht würde er so schnell nicht vergessen. Und jetzt, so schien es, hatte ihm das Schicksal auch noch eine Botin in einem hübschen beigefarbenen Trenchcoat geschickt, um ihm unter die Nase zu reiben, dass sein Leben auf eine Katastrophe zusteuerte. Er konnte sich keine Aushilfe leisten. Als er Robins Vorgängerin entlassen hatte, war er davon ausgegangen, dass dies auch den Vertrag mit der Zeitarbeitsagentur beenden würde.

»Wie lange sollen Sie denn hier arbeiten?«

»Ei-eine Woche erst mal«, sagte Robin, die noch nie mit so wenig Begeisterung an einem neuen Arbeitsplatz willkommen geheißen worden war.

Strike überschlug es kurz im Kopf: Eine Woche zu den exorbitanten Preisen der Zeitarbeitsagentur würde seinem Dispokredit einen irreparablen Schaden zufügen. Wahrscheinlich würde diese Ausgabe sogar den Tropfen darstellen, der das Fass endgültig zum Überlaufen brachte – worauf sein Kreditgeber nur wartete.

»Entschuldigen Sie mich einen Moment.«

Er verließ den Raum durch die Glastür, wandte sich nach rechts und betrat die winzige, nasskalte Toilette. Er schob den Riegel vor und starrte in den gesprungenen, verdreckten Spiegel über dem Waschbecken.

Es war kein schöner Anblick. Strike hatte die hohe, gewölbte Stirn, die breite Nase und die dichten Brauen eines jungen Beethoven, der regelmäßig in den Boxring stieg – ein Eindruck, der durch das angeschwollene blaue Auge noch bekräftigt wurde. Sein dickes Haar – mit Locken wie Matratzenfedern – war der Grund, warum man ihm in seiner Jugend unter anderem den Spitznamen »Muschikopf« verpasst hatte. Er wirkte älter als seine fünfunddreißig Jahre.

Strike steckte den Stöpsel in den Abfluss, ließ kaltes Wasser in das ramponierte, schmutzige Waschbecken laufen, holte tief Luft und tauchte den pochenden Kopf komplett unter. Dass dabei Wasser über seine Schuhe schwappte, nahm er angesichts wohltuender zehn Sekunden eisiger, blinder Stille gern in Kauf.

Unzusammenhängende Bilder der vergangenen Nacht jagten durch sein Gehirn: wie er drei Schubladen mit seinen Habseligkeiten in eine Sporttasche leerte, während Charlotte ihn anschrie; wie ein Aschenbecher ihn an der Augenbraue traf, als er sich an der Tür noch einmal umdrehte; wie er zu Fuß durch die dunkle Stadt zu seinem Büro lief, wo er auf dem Schreibtischstuhl ein, zwei Stunden Schlaf fand; und die abschließende, grässliche Szene, als Charlotte ihn in den frühen Morgenstunden hier aufspürte, um ihm wie beim Stierkampf auch noch die letzten *banderillas* ins Genick zu stoßen; sein Entschluss, sie ziehen zu lassen, nachdem sie sein Gesicht zerkratzt hatte und aus der Tür gerannt war; und der Augenblick geistiger Umnachtung, als er ihr doch hinterherstürzte; die Verfolgungsjagd, die ebenso schnell endete, wie sie begonnen hatte – dank der unabsichtlichen Intervention jener unachtsamen und völlig überflüssigen Frau, die er erst hatte retten und dann beruhigen müssen.

Prustend und grunzend tauchte er wieder auf. Sein Gesicht und seine Kopfhaut prickelten angenehm betäubt. Er trocknete sich mit dem bretthasten Handtuch ab, das hinter der Tür hing, und starrte erneut auf sein grimmiges Spiegelbild. Die vom Blut gesäuberten Kratzer wirkten nun so harmlos wie die Abdrücke eines Kopfkissens. Charlotte saß jetzt bestimmt schon in der U-Bahn. Einer der irrwitzigen Gedanken, die ihn dazu bewogen hatten, ihr nachzulaufen, war die Angst, sie könnte sich auf die Gleise werfen. In ihren Mittzwanzigern war sie einmal nach einem besonders heftigen

Streit auf ein Dach geklettert, wo sie betrunken herumgetaumelt war und gedroht hatte zu springen. Vielleicht sollte er sich glücklich schätzen, dass die Personallösung dieser Hetzjagd ein Ende gesetzt hatte. Nach der Szene am frühen Morgen gab es kein Zurück mehr. Diesmal war es endgültig aus.

Er lockerte den Hemdkragen, der nass an seinem Hals klebte, dann zog er den Riegel zurück, verließ die Toilette und trat wieder durch die Glastür.

Von der Straße dröhnte ein Presslufthammer zu ihnen herauf. Robin stand mit dem Rücken zur Tür vor dem Schreibtisch. Als er eintrat, zog sie die Hand aus dem Trenchcoat. Er vermutete, dass sie wieder ihre schmerzende Brust betastet hatte.

»Ist… Geht es Ihnen gut?«, fragte Strike und vermied sorgsam, den verletzten Körperteil in Augenschein zu nehmen.

»Ja, alles in Ordnung. Hören Sie, wenn Sie mich nicht brauchen können, dann gehe ich wieder«, sagte Robin würdevoll.

»Nein, nein, nicht doch«, verkündete eine Stimme aus Strikes Mund, der er selbst nur mit Verachtung zuhören konnte. »Eine Woche, das geht schon. Äh… Die Post ist hier…« Er klaubte sie von der Fußmatte und legte sie als Friedensangebot vor Robin auf den leeren Schreibtisch. »Ja, die müssten Sie durchsehen, außerdem ans Telefon gehen, vielleicht ein bisschen aufräumen… Das Passwort für den Computer ist Hatherill23, ich schreibe es Ihnen auf…« Was er unter ihrem misstrauischen, zweifelnden Blick auch tat. »Bitte schön. Ich bin dort drinnen.«

Er betrat sein Büro, schloss vorsichtig die Zwischentür hinter sich, stand dann eine Weile da und starrte die Sporttasche unter dem leeren Schreibtisch an. Sie beinhaltete sein gesamtes Hab und Gut, denn er bezweifelte, dass er die restlichen neun Zehntel seiner Besitztümer, die er bei Charlotte gelassen hatte, je wiedersehen würde. Wahrscheinlich würde sie die Sachen noch vor dem Mittagessen verbrannt, auf die Straße geworfen, zerschnitten, zertrampelt, mit Bleichmittel übergossen haben. Der Presslufthammer auf der Straße unter ihm dröhnte unablässig weiter.

Die Aussichtslosigkeit, seinen riesigen Schuldenberg je zurückzuzahlen, die entsetzlichen Konsequenzen, die der bevorstehende Bankrott seiner Firma haben würde, und die drohenden, noch unbekannten, aber gewiss grässlichen Folgen seiner Trennung von Charlotte ließen ein Kaleidoskop des Schreckens vor seinem erschöpften inneren Auge aufscheinen.

Ohne bemerkt zu haben, dass er sich überhaupt bewegt hatte, fand er sich auf dem Stuhl wieder, auf dem er die letzten Stunden der vergangenen Nacht verbracht hatte. Durch die dünne Wand hörte er gedämpfte Geräusche aus dem Vorzimmer. Die Personallösung fuhr bestimmt gerade den Computer hoch und würde bald herausfinden, dass er in den vergangenen drei Wochen keine einzige geschäftliche E-Mail erhalten hatte, und unausweichlich würde sie in der Post auf zahlreiche letzte Mahnungen stoßen. Erschöpft, geschunden und hungrig ließ Strike den Kopf auf den Schreibtisch sinken und bedeckte Augen und Ohren mit den Armen, um nicht mit anhören zu müssen, wie nebenan eine ihm völlig Fremde seine beschämende Situation bloßlegte.

3

Fünf Minuten später klopfte es an der Tür. Strike, der kurz vor dem Einschlafen gewesen war, schreckte auf dem Stuhl hoch.

»Entschuldigung?«

Sein Unterbewusstsein hatte sich wieder mit Charlotte beschäftigt, und er war überrascht, die fremde Frau eintreten zu sehen. Sie hatte den Trenchcoat abgelegt. Darunter war ein fast verführerisch eng anliegender cremeweißer Pullover zum Vorschein gekommen. Strike konzentrierte sich auf ihren Haaransatz.

»Ja?«

»Ein Klient für Sie. Soll ich ihn hereinbitten?«

»Ein was?«

»Ein Klient, Mr. Strike.«

Er sah sie mehrere Sekunden lang verständnislos an und versuchte, die Information zu verarbeiten.

»Ja, in Ordnung, Sandra … Nein, geben Sie mir bitte noch ein paar Minuten, dann führen Sie ihn herein.«

Sie zog sich ohne Kommentar zurück.

Strike verschwendete keine Zeit darauf, sich zu fragen, weshalb er sie Sandra genannt hatte, sondern sprang auf und machte sich daran, ein bisschen weniger wie ein Mann auszusehen und zu riechen, der in seinen Klamotten geschlafen hatte. Er wühlte eine Zahnpastatube aus der Sporttasche unter dem Schreibtisch hervor und drückte sich gut sieben Zentimeter Zahncreme in den Mund. Dann bemerkte er, dass seine Krawatte vom Waschbecken nass war und sein Hemd blutbefleckt. Er riss sich beides vom Leib, dass die Knöpfe nur so von der Wand und vom Aktenschrank abprallten, zerrte ein sauberes, wenn auch stark verknittertes Hemd aus der Tasche, zog es über und knöpfte es ungeschickt mit seinen dicken Fingern zu. Anschließend versteckte er die Sporttasche hinter dem leeren Aktenschrank und setzte sich, wischte sich den Schlaf aus den Augen und fragte sich, ob dieser angebliche Klient tatsächlich ein solcher und noch dazu bereit war, Geld für detektivische Dienstleistungen auszugeben. Während seines achtzehnmonatigen Abstiegs in den finanziellen Ruin hatte Strike lernen müssen, dass beides keineswegs selbstverständlich war. Noch immer hatten zwei seiner Klienten ihre Rechnungen nicht vollständig bezahlt. Ein dritter hatte sich sogar geweigert, überhaupt einen Penny zu berappen, da ihm Strikes Ermittlungsergebnisse nicht behagt hatten. Aufgrund seiner wachsenden Schuldenlast und der Tatsache, dass eine Mietanpassung für das Innenstadtbüro drohte, das er einst so freudig bezogen hatte, konnte sich Strike auf keinen Fall einen Anwalt leisten. Daher waren seit Kurzem unsanftere, gröbere Methoden des Geldeintreibens bevorzugter Gegenstand seiner Tagträume. Nur zu gern hätte er mit angesehen, wie der selbstgefälligste seiner Schuldner zitternd vor Angst im Schatten eines Baseballschlägers kauerte.

Wieder öffnete sich die Tür. Schnell zog Strike den Zeigefinger aus der Nase, setzte sich kerzengerade hin und versuchte, so aufgeweckt und geistesgegenwärtig wie möglich zu wirken.

»Mr. Strike? Mr. Bristow für Sie.«

Der potenzielle Klient trat hinter ihr in das Büro. Der erste Eindruck sprach für ihn – obwohl der Fremde mit seiner zu kurz geratenen Oberlippe, die die großen Schneidezähne nicht ganz verdeckte, etwas eindeutig Hasenhaftes an sich hatte. Sein Teint war teigig, und der Dicke seiner Brillengläser nach zu urteilen war er stark kurzsichtig. Sein dunkelgrauer Anzug hingegen war elegant geschnitten und wirkte ebenso teuer wie der schimmernde eisblaue Schlips, die Armbanduhr und die Schuhe.

Beim Anblick des blütenweißen Hemds wurde sich Strike der tausend Falten in seiner eigenen Kleidung gleich doppelt bewusst. Er stand auf, um sich Bristow in seiner vollen Größe von eins zweiundneunzig zu präsentieren, hielt ihm die am Rücken stark behaarte Hand hin und versuchte, den Kleidungsvorteil seines Besuchers mit der Aura eines Mannes wettzumachen, der zu beschäftigt war, als dass er sich um seine Wäsche kümmern könnte.

»Cormoran Strike. Sehr erfreut.«

»John Bristow.«

Sie gaben sich die Hand. Bristows Stimme war angenehm, kultiviert und ein wenig unsicher. Sein Blick verharrte auf Strikes Veilchen.

»Kann ich Ihnen Tee oder Kaffee anbieten?«, fragte Robin.

Bristow bat um einen schwarzen Kaffee, Strike antwortete gar nicht; er hatte soeben eine junge Frau mit buschigen Augenbrauen in einem altbackenen Tweedkostüm entdeckt, die auf dem abgewetzten Sofa neben der Zwischentür im Vorzimmer saß. Dass gleich zwei mutmaßliche Klienten zur selben Zeit erschienen, war denkbar unwahrscheinlich. Ob sie ihm etwa noch eine weitere Aushilfe geschickt hatten?

»Und für Sie, Mr. Strike?«

»Was? Oh – schwarz, zwei Stück Zucker bitte. Danke, Sandra«, sagte er gedankenverloren. Ihr Mund zuckte leicht, bevor sie die Tür wieder hinter sich schloss. Erst da fiel ihm ein, dass er weder Kaffee noch Zucker im Haus hatte. Von Tassen ganz zu schweigen.

Auf Strikes Aufforderung ließ Bristow sich nieder, um sich dann mit einer Miene in dem schäbigen Büro umzusehen, die Strike zu seinem Bedauern nur als Enttäuschung deuten konnte. Der potenzielle Klient wirkte nervös – auf eine schuldbewusste Art, die Strike intuitiv mit argwöhnischen Ehemännern in Verbindung brachte; und doch strahlte er eine gewisse Autorität aus, die nicht zuletzt seinem offensichtlich teuren Anzug geschuldet war. Strike fragte sich, wie Bristow auf ihn gekommen war. Durch Mundpropaganda an Auftraggeber zu gelangen gestaltete sich schwierig, wenn die einzige Klientin (wie sie oft genug schluchzend am Telefon bekannte) keine Freunde hatte.

»Mr. Bristow, was kann ich für Sie tun?«, fragte er und setzte sich ebenfalls.

»Es… äh… Nun, vielleicht könnten wir zuerst… Ich glaube, wir sind uns schon mal begegnet.«

»Wirklich?«

»Sie erinnern sich sicher nicht mehr an mich. Es ist viele Jahre her… Aber ich glaube, Sie waren ein Freund meines Bruders Charlie. Charlie Bristow? Er starb… Er verunglückte, als er neun war.«

»Verdammt noch mal«, sagte Strike. »Charlie… Ja, ich erinnere mich.«

Tatsächlich erinnerte er sich sehr gut. Charlie Bristow war einer von vielen Freunden gewesen, die er während seiner schwierigen, turbulenten Kindheit gehabt hatte. Charlie war ein wilder, waghalsiger Junge mit einer geradezu magnetischen Ausstrahlung gewesen, außerdem Anführer der coolsten Gang der Londoner Schule, an die Strike kurz zuvor gewechselt war. Charlie hatte einen Blick auf den hünenhaften Neuzugang mit dem starken Cornwall-Akzent geworfen und ihn sofort zu seinem besten Freund und Adjutanten ernannt.

Zwei aufregende Monate der Busenfreundschaft und des groben Unfugs folgten. Strike war von der wohlgeordneten Routine, die in anderen – vernünftigeren, konventionelleren – Familien herrschte, immer fasziniert gewesen, genau wie von der Vorstellung, jahrelang ein und dasselbe Kinderzimmer zu bewohnen. Daher hatte er auch Charlies geräumiges, luxuriöses Haus noch in lebhafter Erinnerung: den großen, sonnenbeschienenen Rasen, das Baumhaus, die Zitronenlimonade, die Charlies Mutter ihnen servierte.

Und dann brach am ersten Schultag nach den Osterferien beispielloser Schrecken über ihn herein, als ihnen die Klassenlehrerin mitteilte, dass Charlie nicht mehr zurückkommen werde, dass er tot sei, im Urlaub in Wales in einem Steinbruch mit dem Fahrrad in den Abgrund gefahren. Da die Lehrerin eine gemeine alte Hexe war, konnte sie nicht widerstehen, der Klasse zu predigen, dass Charlie, wie sie wohl wüssten, *des Öfteren nicht auf die Erwachsenen gehört* habe, die ihm *ausdrücklich verboten* hätten, in der Nähe des Steinbruchs Fahrrad zu fahren, dass er es aber trotzdem getan habe, *möglicherweise aus Angeberei*. Hier war sie gezwungen, sich etwas zurückzunehmen, da zwei Mädchen in der ersten Reihe anfingen zu schluchzen.

Von diesem Tag an hatte Strike stets das Gesicht eines lachenden blonden Jungen vor Augen, sobald er einen Steinbruch sah oder sich nur vorstellte. Es hätte ihn nicht überrascht, wenn ein jeder seiner damaligen Mitschüler die gleiche Angst vor dem großen schwarzen Abgrund, dem tiefen Fall und dem unbarmherzigen Stein zurückbehalten hätte.

»Ja, ich erinnere mich an Charlie.«

Bristows Adamsapfel hüpfte ganz leicht.

»Wissen Sie, mir ist Ihr Name im Gedächtnis geblieben. Ich sehe Charlie noch ganz deutlich vor mir, wie er im Urlaub, in den letzten Tagen vor seinem Tod, von Ihnen sprach: ›mein Kumpel Strike‹, ›Cormoran Strike‹. Ungewöhnlicher Vorname. Woher kommt ›Cormoran‹ eigentlich? Hab ich noch nie zuvor gehört. Hat das irgendetwas mit dem Vogel zu tun?«

Bristow war beileibe nicht Strikes erster Klient, der versuchte, ein Gespräch über das Anliegen, das ihn hierhergeführt hatte, so lange wie möglich hinauszuzögern, indem er über das Wetter, die City-Maut oder seine Heißgetränkvorlieben plauderte.

»Nein. Angeblich mit einer Legende aus Cornwall«, erklärte Strike.

»Ach, wirklich? Aha. Wissen Sie, ich war auf der Suche nach Unterstützung in einer bestimmten Angelegenheit, und da bin ich im Telefonbuch auf Ihren Namen gestoßen.« Bristows Knie federte auf und ab. »Sie können sich sicher vorstellen, wie mir … Nun ja, es kam mir vor wie … wie ein Zeichen. Ein Zeichen von Charlie. Dass ich das Richtige tue.«

Er schluckte, und sein Adamsapfel hüpfte wieder.

»Okay«, sagte Strike vorsichtig. Er hoffte, dass Bristow ihn nicht mit einem Medium verwechselte.

»Es geht um meine Schwester«, fuhr Bristow fort.

»Verstehe. Steckt sie in Schwierigkeiten?«

»Sie ist tot.«

Strike hätte fast ausgerufen: »Was, die auch?«, konnte sich aber gerade noch zurückhalten. »Das tut mir leid«, sagte er höflich.

Bristow quittierte die Beileidsbezeugung mit einem knappen Nicken.

»Ich … Es fällt mir nicht leicht. Zuallererst sollten Sie wissen, dass meine Schwester Lula Landry ist … war.«

Strikes Hoffnung, die sich ob der unerwarteten Aussicht

auf einen neuen Klienten ein wenig aufgerichtet hatte, neigte sich, kippte vornüber und schlug ihm mit dem Gewicht eines Granitgrabsteins auf den Magen. Der Mann vor ihm litt offenbar unter Wahnvorstellungen, war womöglich sogar völlig durchgeknallt. Die Wahrscheinlichkeit, dass dieser käsige, hasenhafte Mann den Genpool mit Lula Landrys bronzehäutiger, gazellenhafter, strahlender Schönheit teilte, war so gering wie die, zwei identische Schneeflocken zu finden.

»Meine Eltern haben sie adoptiert«, sagte Bristow verlegen, als hätte Strike seine Gedanken laut ausgesprochen. »Wir alle wurden adoptiert.«

»Aha«, sagte Strike. Er hatte ein außergewöhnlich gutes Gedächtnis; wenn er sich das große, kühle, gepflegte Anwesen und den sonnendurchfluteten, weitläufigen Garten vor Augen führte, tauchte auch eine blonde Mutter in seinen Erinnerungen auf, die über den Picknickkorb wachte; die einschüchternde, dröhnende Stimme des Vaters aus der Ferne; ein mürrischer älterer Bruder, der vom Obstkuchen naschte; natürlich Charlie selbst, der seine Mutter mit seinen Albernheiten zum Lachen brachte; aber kein kleines Mädchen.

»Sie konnten sie gar nicht kennenlernen«, fuhr Bristow fort, als hätte er erneut Strikes Gedanken gelesen. »Meine Eltern haben sie erst nach Charlies Tod adoptiert. Sie ist im Alter von vier Jahren zu uns gekommen. Davor war sie längere Zeit im Heim. Damals war ich fast fünfzehn. Ich weiß noch, wie ich in der Eingangstür stand und zusah, wie mein Vater sie die Auffahrt herauftrug. Sie hatte eine kleine rote Strickmütze auf dem Kopf. Die hat meine Mutter bis zum heutigen Tag aufbewahrt.«

Völlig unerwartet brach John Bristow in Tränen aus. Er schluchzte hinter vorgehaltenen Händen und ließ die zitternden Schultern hängen. Tränen und Rotz quollen zwischen seinen Fingern hervor. Jedes Mal, wenn er sich wieder unter Kontrolle zu haben schien, wurde er von neuen Schluchzern geschüttelt.

»Tut mir leid ... Verzeihung ... oh Gott ...«

Keuchend und hicksend tupfte er sich die Augen hinter den Brillengläsern mit einem Papiertaschentuch ab und versuchte, die Fassung zurückzugewinnen.

Die Bürotür öffnete sich, und Robin schlüpfte mit einem Tablett herein. Bristow wandte sich mit bebenden Schultern von ihr ab. Durch die offen stehende Tür erhaschte Strike einen weiteren Blick auf die Frau im Kostüm; sie funkelte ihn über eine Ausgabe des *Daily Express* hinweg böse an.

Robin stellte zwei Tassen, ein Milchkännchen, ein Zuckerdöschen und einen Teller mit Schokoladenkeksen vor ihnen auf den Tisch – Strike hatte keinen dieser Gegenstände je zuvor gesehen –, lächelte routiniert und wollte schon wieder gehen, als Strike sie aufhielt.

»Einen Moment, Sandra. Könnten Sie ...«

Er nahm ein Blatt Papier vom Schreibtisch und legte es auf sein Knie. Während Bristow leise Schluckgeräusche von sich gab, schrieb Strike so schnell und leserlich, wie es ihm unter diesen Umständen möglich war:

Bitte googeln Sie Lula Landry, finden Sie heraus, ob sie adoptiert wurde und, wenn ja, von wem. Sprechen Sie nicht mit der Frau im Vorzimmer darüber! (Wer ist das überhaupt?) Schreiben Sie die Antworten auf einen Zettel und bringen Sie ihn mir, ohne laut darüber zu reden.

Er reichte Robin das Blatt Papier. Sie nahm es wortlos entgegen und verließ den Raum.

»Tut mir leid … Tut mir wirklich leid«, keuchte Bristow, nachdem sich die Tür wieder geschlossen hatte. »Es ist … Normalerweise bin ich nicht … Ich war wieder bei der Arbeit, in einem Mandantengespräch …« Er atmete ein paarmal tief durch. Die geröteten Augen verliehen ihm Ähnlichkeit mit einem Albinokaninchen. Sein rechtes Knie federte immer noch auf und ab. »Es war eine schwere Zeit«, flüsterte er und holte tief Luft. »Erst Lula … und meine Mutter liegt im Sterben …«

Beim Anblick der Schokokekse lief Strike das Wasser im Mund zusammen. Er war so hungrig, als hätte er seit Tagen nichts gegessen. Allerdings hätte es wohl den falschen Eindruck erweckt, wenn er sich vor dem zitternden, schniefenden, sich die Augen wischenden Bristow über das Gebäck hergemacht hätte. Der Presslufthammer knatterte noch immer wie ein Maschinengewehr von unten herauf.

»Lulas Tod hat ihr das Herz gebrochen. Seitdem hat sie sich völlig aufgegeben. Angeblich hatte sich der Krebs zurückgebildet, doch jetzt ist er wieder da, und die Ärzte können nichts mehr für sie tun. Kein Wunder, immerhin handelt es sich um das zweite Kind, das sie verliert. Nach der Sache mit Charlie hatte sie einen Zusammenbruch. Mein Vater dachte, eine weitere Adoption könnte ihr darüber hinweghelfen. Sie hatten sich immer ein Mädchen gewünscht. Natürlich mussten sie gewisse Hürden überwinden, bis sie erneut als Adoptiveltern anerkannt wurden. Andererseits war Lula aufgrund ihrer Hautfarbe nur schwer vermittelbar; daher«, schloss er mit einem erstickten Schluchzen, »wurde sie ihnen schließlich doch zugeteilt.

Sie war schon immer sehr sch-schön. Sie wurde auf der Oxford Street entdeckt, als sie mit meiner Mutter shoppen war. Sie kam sofort bei Athena unter Vertrag, das ist eine der renommiertesten Agenturen überhaupt. Mit s-siebzehn modelte sie bereits Vollzeit. Zum Zeitpunkt ihres Todes war sie gut zehn Millionen schwer. Ich weiß nicht, wieso ich Ihnen das alles überhaupt erzähle. Sie wissen das ja sicher. In Bezug auf Lula hält sich jeder für einen Experten.«

Ungeschickt griff er nach seiner Tasse. Seine Hände zitterten so stark, dass der Kaffee über den Rand der Tasse auf die scharfe Bügelfalte seiner Anzughose schwappte.

»Was genau kann ich für Sie tun?«, fragte Strike.

Umständlich stellte Bristow die Tasse auf den Tisch zurück, dann rang er die Hände.

»Angeblich hat meine Schwester Selbstmord begangen. Aber das kann ich nicht glauben.«

Strike erinnerte sich an die Fernsehbilder: der schwarze Leichensack auf einer Bahre, die im Blitzlichtgewitter in einen Rettungswagen geladen wurde; die Fotografen, die sich um das Fahrzeug drängten, als es sich in Bewegung setzte; die schwarzen Fensterscheiben, die das weiße Blitzlicht der hochgehaltenen Kameras zurückwarfen. Er wusste mehr über den Tod von Lula Landry, als er je hatte wissen wollen, und so gut wie jedem anderen auch nur halbwegs aufmerksamen Einwohner Großbritanniens ging es wohl ähnlich. Man war so lange mit der Story bombardiert worden, bis man gegen seinen Willen Interesse gezeigt hatte. Und ehe man sichs versah, war man dermaßen gut informiert und derart von der wertenden Berichterstattung eingenommen, dass einen jedes Gericht wegen Befangenheit als Geschworenen abgelehnt hätte.

»Es gab eine polizeiliche Untersuchung, oder nicht?«

»Ja, aber der leitende Detective war von vornherein der Ansicht, dass es Selbstmord war – und das nur, weil sie Lithium verschrieben bekommen hatte. Er hat so vieles übersehen –

manches davon kann man sogar im Internet nachlesen.« Bristow deutete widersinnigerweise mit dem Zeigefinger auf Strikes leeren Schreibtisch, auf dem man eigentlich einen Computer erwartet hätte.

Ein höfliches Klopfen ertönte. Robin trat ein, ging zu Strike hinüber, reichte ihm einen gefalteten Zettel und zog sich wieder zurück.

»Verzeihung. Darf ich?«, fragte Strike. »Eine dringende Nachricht.«

Er faltete den Zettel so auf, dass Bristow im Gegenlicht nichts erkennen konnte, und las:

Lula Landry wurde im Alter von vier Jahren von Sir Alec und Lady Yvette Bristow adoptiert. Sie wuchs als Lula Bristow auf, nahm aber zu Beginn ihrer Modelkarriere den Mädchennamen ihrer Mutter an. Ihr älterer Bruder John arbeitet als Anwalt. Die Frau im Vorzimmer ist seine Lebensgefährtin. Sie ist als Sekretärin für die Kanzlei Landry, May, Patterson tätig, die von Lulas und Johns Großvater mütterlicherseits gegründet wurde und bei der auch John Bristow angestellt ist. Ein Foto auf der Homepage der Kanzlei zeigt denselben Mann, der vor Ihnen sitzt.

Strike zerknüllte den Zettel und warf ihn in den Papierkorb zu seinen Füßen. Er war wie vom Donner gerührt. Bristow war also kein Fantast; und er, Strike, schien mit einer Aushilfe gesegnet zu sein, die mehr Initiative und eine bessere Interpunktion an den Tag legte als jede ihrer Vorgängerinnen.

»Entschuldigung. Bitte fahren Sie fort«, sagte er zu Bristow. »Wo waren wir – die polizeiliche Untersuchung?«

»Ja«, sagte Bristow und tupfte sich die Nasenspitze mit

dem feuchten Taschentuch ab. »Nun, ich will nicht leugnen, dass Lula Probleme hatte. Tatsächlich ist Mum ihretwegen durch die Hölle gegangen. Alles fing ungefähr zu der Zeit an, als unser Vater starb – aber wahrscheinlich ist Ihnen auch das bereits bekannt. Darüber wurde weiß Gott ausführlich in den Medien berichtet … Sie wurde mehrfach wegen Drogenkonsums von der Schule geworfen und haute nach London ab, wo sie mit ein paar Süchtigen auf der Straße lebte. Mum holte sie zurück. Aber die Drogen zogen ihre geistige Gesundheit in Mitleidenschaft. Sie floh aus einer therapeutischen Einrichtung; es folgten endlose Streitereien und Dramen. Schließlich wurde eine bipolare Störung bei ihr diagnostiziert. Mit den richtigen Medikamenten verhielt sie sich – solange sie sie einnahm – unauffällig; niemand hätte je bemerkt, dass mit ihr irgendetwas nicht stimmte. Selbst der Untersuchungsrichter musste einräumen, dass sie ihre Medikamente eingenommen hatte. Das konnte bei der Obduktion zweifelsfrei nachgewiesen werden. Trotzdem sahen sowohl der Untersuchungsrichter als auch die ermittelnden Beamten in ihr nur eine junge Frau mit psychischen Problemen. Sie behaupteten, sie sei depressiv gewesen, aber ich kann Ihnen versichern, dass Lula nicht im Geringsten depressiv war. Ich traf sie am Morgen ihres Todestages. Sie war bester Laune. Es lief glänzend für sie, ganz besonders was ihre Karriere anging. Sie hatte gerade einen Vertrag bekommen, der ihr innerhalb von zwei Jahren fünf Millionen eingebracht hätte. Sie hatte mich gebeten, den Vertrag für sie zu prüfen – und es wäre ein verdammt gutes Geschäft gewesen. Somé, der Modedesigner, war ein guter Freund von ihr; Sie haben sicher schon von ihm gehört. Lula war auf Monate ausgebucht. Ein Shooting in Marokko stand kurz bevor, und sie reiste doch so gern. Sie hatte also nicht den geringsten Grund, sich das Leben zu nehmen.«

Strike nickte höflich, war insgeheim aber wenig beeindruckt. Seiner Erfahrung nach waren Suizidgefährdete wahre Meister darin, in schillerndsten Farben eine Zukunft auszumalen, an der sie jedoch letztlich überhaupt kein Interesse hatten. Landrys goldglänzende, rosige Morgenstimmung konnte im Lauf des Tages und der halben Nacht, die ihrem Tod vorausgegangen waren, durchaus in finstere, hoffnungslose Verzweiflung umgeschlagen sein. Das hatte er schon einmal erlebt, bei einem Lieutenant des King's Royal Rifle Corps. Er war in der Nacht nach seiner eigenen Geburtstagsfeier, auf der er allen Beteiligten zufolge das blühende Leben gewesen war, aus dem Bett gestiegen und hatte einen Abschiedsbrief geschrieben. Darin hatte er seine Familie gebeten, die Polizei zu rufen und nicht in die Garage zu sehen. Der von der Decke hängende Leichnam wurde von seinem fünfzehnjährigen Sohn gefunden, der den Brief nicht bemerkt hatte, als er durch die Küche gestürmt war, um sein Fahrrad aus der Garage zu holen.

»Aber das ist noch nicht alles«, fuhr Bristow fort. »Es gibt Beweise, stichhaltige Beweise. Tansy Bestigui zum Beispiel.«

»Die Nachbarin, die behauptet hat, einen Streit in der Wohnung über ihr gehört zu haben?«

»Exakt. Sie hörte einen Mann schreien, unmittelbar bevor Lula vom Balkon fiel. Die Polizei schenkte ihrer Aussage keine Beachtung, einzig und allein weil sie … Nun ja, sie hatte Kokain genommen. Aber das bedeutet doch nicht zwangsläufig, dass sie sich das alles nur eingebildet hat! Tansy beteuert bis heute, dass Lula nur Sekunden vor ihrem Tod mit einem Mann gestritten hat. Das weiß ich, weil ich erst kürzlich mit ihr darüber gesprochen habe. Unsere Kanzlei vertritt sie in ihrem Scheidungsprozess. Ich könnte sie bestimmt dazu bewegen, sich mit Ihnen zu treffen. Außerdem«, sagte

Bristow, während er Strike mit bangem Blick beobachtete, als versuchte er seine Reaktion einzuschätzen, »wären da noch die Aufnahmen der Überwachungskameras. Zwanzig Minuten vor Lulas Tod geht ein Mann in Richtung Kentigern Gardens. Und nach ihrem Sturz rennt derselbe Mann in die entgegengesetzte Richtung davon, als wäre der Teufel hinter ihm her. Die Polizei hat nie herausgefunden, wer das war. Man konnte ihn nicht aufspüren.«

Mit verschwörerischer Miene zog Bristow einen unbeschrifteten, leicht verknitterten Briefumschlag aus der Innentasche seines Jacketts und hielt ihn Strike hin.

»Ich habe alles aufgeschrieben. Sämtliche Zeiten, Orte und so weiter. Sie werden sehen: Alles passt zusammen.«

Der Umschlag trug nicht unbedingt dazu bei, Strikes Vertrauen in Bristows Mutmaßungen zu befördern. Derartige Aufzeichnungen waren ihm nicht unbekannt: hastig hingeschmierte Ergebnisse einsamer, verbissener Spekulationen; beharrliche Auslassungen über abseitige Theorien, denen jede Objektivität fehlte; komplexe Zeittabellen, die auf Biegen und Brechen unmöglichen Umständen angepasst wurden. Das linke Augenlid des Anwalts zuckte, das Knie federte unablässig auf und nieder, und die Finger, die den Umschlag hielten, zitterten.

Strike wog diese Stresssignale mehrere Sekunden lang gegen Bristows zweifellos handgenähte Schuhe und die Vacheron Constantin ab, die beim Gestikulieren an seinem blassen Handgelenk zum Vorschein kam. Dieser Mann konnte und würde ihn bezahlen; womöglich sogar lange genug, um die Rate des Kredits zurückzuzahlen, die die drängendste seiner Schulden darstellte.

»Mr. Bristow…«, begann Strike, seufzte und verfluchte insgeheim seine Skrupel.

»Nennen Sie mich John.«

»John… Ich will ehrlich zu Ihnen sein. Ich glaube nicht, dass es anständig von mir wäre, Ihr Geld anzunehmen.«

Rote Flecken erblühten auf Bristows blassem Hals und auf seinem unscheinbaren Gesicht. Er hielt Strike den Umschlag unverwandt entgegen.

»Wie meinen Sie das, nicht anständig?«

»Der Tod Ihrer Schwester wurde ganz sicher so ausführlich untersucht, wie es den Behörden nur möglich war. Millionen Menschen und Medien aus aller Welt haben jeden Schritt der Ermittler minutiös verfolgt. Die Polizei ist doppelt so gründlich vorgegangen wie sonst, das können Sie mir glauben. Natürlich ist ein Selbstmord für die Hinterbliebenen nur schwer zu akzeptieren…«

»Und ich werde es auch nicht akzeptieren. Niemals! Sie hat sich nicht selbst umgebracht. Irgendjemand hat sie von diesem Balkon gestoßen.«

Der Presslufthammer hielt abrupt inne, sodass Bristows Stimme laut durch den Raum hallte – der unvermittelte Wutausbruch eines sonst sanften, schwachen Mannes am Rand der Verzweiflung.

»Aber natürlich. Ich verstehe. Sie gehören also auch zu denen, ja? Sie sind auch nur einer dieser beschissenen Hobbypsychologen. Charlie ist tot, mein Vater ist tot, Lula ist tot, und meine Mutter liegt im Sterben – ich habe alle Menschen verloren, die mir wichtig sind, daher brauche ich einen Seelenklempner und keinen Privatdetektiv, nicht wahr? Glauben Sie nicht, dass ich diesen Mist mittlerweile schon hundertmal gehört habe?«

Bristow stand auf und wirkte trotz seiner Hasenzähne und der roten Flecken auf der Haut fast schon ein wenig einschüchternd.

»Ich bin ein sehr reicher Mann, Strike. Tut mir leid, dass ich das so unverblümt sagen muss, aber bitte sehr. Mein Vater hat mir einen beträchtlichen Treuhandfonds hinterlassen. Ich habe nachgesehen, wie hoch der übliche Tarif für derlei Ermittlungen ist, und würde Ihnen mit Freuden das Doppelte bezahlen.«

Das Doppelte. Das war der K.o. für Strikes sonst so felsenfestes und unbeugsames, aber durch wiederholte Schicksalsschläge angezähltes Gewissen. Sein innerer Schweinehund hingegen vergnügte sich bereits mit fröhlichen Spekulationen: Ein Monat in Bristows Diensten, und er könnte die Aushilfe und einen Teil der ausstehenden Miete bezahlen. Zwei Monate, und er wäre die dringendsten Schulden los … Drei Monate, und das überzogene Konto wäre so gut wie ausgeglichen … Vier Monate …

John Bristow ging auf die Tür zu, wobei er den Umschlag, den Strike nicht hatte annehmen wollen, fest umklammerte und zerknickte. Über seine Schulter hinweg sagte er: »Ich wollte Sie um Charlies willen engagieren, aber ich habe selbstverständlich Erkundigungen über Sie eingeholt. Ich bin ja kein Volltrottel. Sonderermittlungseinheit der Militärpolizei, nicht wahr? Hochdekoriert. Ihr Büro beeindruckt mich allerdings weniger.« Bristow brüllte jetzt fast, und Strike bemerkte, dass die gedämpften Frauenstimmen im Vorzimmer verstummt waren. »Aber anscheinend habe ich mich geirrt, was Ihre finanzielle Situation angeht, und Sie können es sich leisten, diesen Auftrag abzulehnen. In Ordnung! Vergessen Sie's einfach. Ich finde bestimmt einen anderen, der diese Aufgabe übernimmt. Entschuldigen Sie vielmals, dass ich Ihre Zeit gestohlen habe!«

4

Mehrere Minuten lang war die Unterhaltung der beiden Männer auf der anderen Seite der dünnen Wand mit zunehmender Deutlichkeit zu hören gewesen; in der plötzlichen Stille, die auf das Verstummen des Presslufthammers folgte, war Bristows Stimme mit einem Mal laut und klar zu verstehen.

Nur zum Spaß – und aus der ausgelassenen Stimmung dieses Freudentages heraus – hatte Robin versucht, in die Rolle von Strikes ständiger Sekretärin zu schlüpfen und Bristows Freundin zu verheimlichen, dass sie erst seit einer halben Stunde für den Privatdetektiv arbeitete. Deshalb unterdrückte sie auch, so gut es ging, jeden Anflug von Überraschung oder Nervosität angesichts des Wutausbruchs nebenan. Rein intuitiv war sie auf Bristows Seite, worum immer es bei dieser Auseinandersetzung auch gehen mochte. Strikes Beruf und sein blaues Auge besaßen einen gewissen schäbigen Glamour; sein Betragen ihr gegenüber hatte jedoch sehr zu wünschen übrig gelassen. Außerdem tat ihr die linke Brust immer noch weh.

Seitdem das Rattern des Presslufthammers von den Stimmen der Männer übertönt worden war, hatte Bristows Freundin den Blick nicht von der geschlossenen Tür genommen. Die stämmige Frau mit dem dunklen, schlaffen Bob und den Augenbrauen, die einen durchgehenden schwarzen Balken unter dem Pony bilden würden, sobald sie aufhörte, sie regelmäßig zu zupfen, wirkte von Natur aus mürrisch. Robin hatte schon häufiger die Beobachtung gemacht, dass Menschen mit annähernd gleichem Attraktivitätsgrad sich zu Liebespaaren zusammenfanden. Natürlich konnten andere Faktoren – wie beispielsweise Geld – dabei helfen, einen Partner von bedeutend besserem Aussehen zu finden. Robin fand es daher äußerst liebenswert, dass Bristow, der mit seinem Maßanzug und seiner angesehenen Kanzlei durchaus Chancen bei einer wesentlich hübscheren Kandidatin gehabt hätte, sich für diese Frau entschieden hatte, die sicher warmherziger und freundlicher war, als es der Anschein vermuten ließ.

»Möchten Sie wirklich keinen Kaffee, Alison?«, fragte sie.

Die Frau drehte ruckartig den Kopf, als wäre sie überrascht, angesprochen zu werden; als hätte sie vergessen, dass Robin sich ebenfalls im Raum befand.

»Nein danke«, sagte sie mit einer tiefen und verblüffend melodiösen Stimme. »Ich habe gleich gewusst, dass er sich wieder aufregen würde«, fügte sie mit einer merkwürdigen Genugtuung hinzu. »Ich habe versucht, es ihm auszureden, aber er wollte einfach nicht auf mich hören. Klingt ganz so, als würde dieser sogenannte Detektiv sein Angebot ablehnen. Ist auch besser so.« Anscheinend stand Robin die Verwirrung ins Gesicht geschrieben, da Alison leicht ungeduldig weitersprach: »Es wäre besser für John, wenn er den Tatsachen endlich ins Auge blicken würde. Sie hat sich umgebracht. Seine Familie hat sich längst damit abgefunden. Wieso nur kann er es nicht einfach auf sich beruhen lassen?«

Robin konnte unmöglich so tun, als wüsste sie nicht, wovon die Frau sprach. Jeder wusste über Lula Landrys Schicksal Bescheid. Robin konnte sich sogar noch genau daran erinnern, wo sie gewesen war, als sie erfahren hatte, dass das Model in einer eiskalten Januarnacht in den Tod gestürzt war. Sie hatte am Spülbecken in der Küche ihres Elternhauses gestanden. Als sie die Nachricht im Radio hörte, rannte sie mit einem kleinen Schrei der Überraschung hinaus, um Matthew – der das Wochenende über zu Besuch gekommen war – davon zu berichten. Wie konnte einem der Tod einer Fremden, der man noch nie begegnet war, so nahegehen? Robin hatte Lula Landrys Schönheit zutiefst bewundert und sie auch ein wenig darum beneidet. Ihre eigene Milchmädchenblässe fand sie nicht sonderlich attraktiv. Das Model hingegen war dunkelhäutig, strahlend, zartgliedrig und wild gewesen.

»Es ist doch noch gar nicht so lange her, oder?«

»Drei Monate«, antwortete Alison und wedelte mit dem *Daily Express*. »Taugt der Kerl was?«

Robin war Alisons verächtliche Miene, mit der sie den unbestreitbar heruntergekommenen und reinigungsbedürftigen Zustand des kleinen Vorzimmers zur Kenntnis genommen hatte, nicht entgangen. Außerdem hatte sie im Internet gerade Bilder des makellosen, palastartigen Büros bewundern dürfen, in dem ihr Gegenüber arbeitete.

»Oh ja«, sagte sie kühl und eher aus Stolz als aus dem Verlangen, Strike in Schutz zu nehmen. »Er ist einer der Besten.«

Mit dem Gebaren einer Frau, die sich tagaus, tagein mit Problemen herumschlug, die in ihrer Komplexität und Faszination Alisons Horizont weit überstiegen, öffnete sie einen rosafarbenen, mit Kätzchen bedruckten Briefumschlag.

Unterdessen starrten im benachbarten Raum Bristow und Strike einander an – der eine wütend, der andere bemüht, seine Meinung zu ändern, ohne dabei die Selbstachtung zu verlieren.

»Alles, was ich will«, sagte Bristow heiser und mit hochrotem Kopf, »ist *Gerechtigkeit*.«

Als hätte er eine göttliche Stimmgabel angeschlagen, hallte dieses Wort durch das schäbige Büro und erzeugte einen unhörbaren und dennoch durchdringenden Ton in Strikes

Brust. Bristow hatte jenen Funken entfacht, der auch dann noch in Strike glomm, wenn alles andere bereits in Rauch aufgegangen war. Natürlich plagten ihn verzweifelte Geldsorgen – jetzt aber hatte Bristow ihm einen weiteren, noch viel besseren Grund gegeben, seine Skrupel über Bord zu werfen.

»Gut. Ich verstehe. Wirklich, John. Ich verstehe. Setzen Sie sich wieder. Wenn Sie noch immer an meinen Diensten interessiert sind, stehe ich Ihnen gerne zur Verfügung.«

Bristow funkelte ihn wütend an. Bis auf die gedämpften Rufe der Bauarbeiter unten auf der Straße war es in dem Büro vollkommen still.

»Möchten Sie Ihre – äh, Frau, ja? – nicht hereinbitten?«

»Nein«, sagte Bristow immer noch erregt, ohne die Hand von der Türklinke zu nehmen. »Alison hält das hier für Zeitverschwendung. Ich weiß nicht, wieso sie überhaupt mitgekommen ist. Vielleicht hat sie gehofft, dass Sie mich wieder wegschicken würden.«

»Bitte, setzen Sie sich doch. Gehen wir alles noch mal in Ruhe durch.«

Bristow zögerte, dann kehrte er zu seinem Stuhl zurück.

Strike konnte nicht länger an sich halten. Er nahm einen Schokoladenkeks, stopfte ihn sich in den Mund, holte ein unbenutztes Notizbuch aus der Schreibtischschublade, klappte es auf, griff nach einem Stift und hatte den Keks hinuntergeschluckt, noch ehe Bristow wieder Platz genommen hatte.

»Darf ich?«, fragte er und deutete auf den Umschlag, den Bristow nach wie vor umklammert hielt.

Der Anwalt überreichte ihn argwöhnisch, als wüsste er nicht so recht, ob er ihn Strike wirklich anvertrauen konnte. Da der jedoch den Inhalt nicht in Bristows Gegenwart prüfen wollte, klopfte er nur kurz darauf – wie zur Bestätigung, dass es sich dabei mit sofortiger Wirkung um einen wichtigen

Bestandteil der Ermittlungen handelte –, legte ihn zur Seite und hob den Stift.

»John, wären Sie so freundlich, mir kurz zu beschreiben, was an dem Tag geschah, an dem Ihre Schwester starb? Das wäre sehr hilfreich.«

Strike war nicht nur von Natur aus methodisch und gründlich, sondern auch in Ermittlungsmethoden ausgebildet, die den höchsten Ansprüchen genügten. Daher wusste er: Dem Zeugen musste zunächst die Möglichkeit gegeben werden, die Vorkommnisse in eigenen Worten zu schildern. Ein ungehinderter Redefluss förderte oft Details und sogar Unstimmigkeiten zutage, die später wertvolle Hinweise darstellen konnten. Sobald die erste Fuhre an Eindrücken und Erinnerungen eingeholt war, mussten die Fakten gründlich und gewissenhaft präzisiert und sortiert werden: Wer, wann, wo, wie …

»Oh«, sagte Bristow, der nach seinem vehementen Gefühlsausbruch unsicher war, wo er anfangen sollte. »Ich weiß nicht … also …«

»Wann haben Sie sie zum letzten Mal gesehen?«, fragte Strike.

»Das war … Ja, das war am Morgen ihres Todestags. Um ehrlich zu sein: Wir haben uns gestritten, uns dann aber Gott sei Dank wieder vertragen.«

»Wann war das?«

»Ziemlich früh. Vor neun. Ich war gerade auf dem Weg ins Büro. Um Viertel vor neun etwa?«

»Worum ging es bei diesem Streit?«

»Oh, um ihren Freund, Evan Duffield. Sie hatten sich gerade wieder versöhnt. Ich – die ganze Familie – war heilfroh gewesen, als endlich Schluss war. Er ist ein schrecklicher Mensch, er nimmt Drogen, und er ist ein chronischer Selbstdarsteller; der schlimmste Einfluss auf Lula, den man sich nur vorstellen kann.

Möglicherweise bin ich zu grob mit ihr umgesprungen. Ich … Das ist mir jetzt klar geworden. Ich bin elf Jahre älter als Lula und war der Meinung, sie beschützen zu müssen, verstehen Sie? Da bin ich wohl manchmal zu rechthaberisch gewesen. Sie behauptete immer, dass ich es nicht verstehen würde …«

»Was verstehen würde?«

»Nun … alles. Sie hatte viele Probleme. Mit ihrer Adoption, damit, eine Schwarze in einer weißen Familie zu sein. Sie hielt mir immer vor, wie leicht ich es gehabt hätte … Keine Ahnung. Vielleicht hatte sie recht.« Er blinzelte heftig hinter seinen dicken Brillengläsern. »Dieser Streit war eigentlich nur eine Fortsetzung dessen, worüber wir am Abend zuvor am Telefon gestritten hatten. Ich konnte einfach nicht glauben, dass sie so dumm war, erneut auf Duffield hereinzufallen. Unsere Erleichterung, als sie sich trennten … Verstehen Sie, nach ihren eigenen Drogenerfahrungen musste sie sich ausgerechnet mit einem Süchtigen zusammentun …« Er holte tief Luft. »Doch sie wollte nichts davon hören. Gar nichts. Sie war wütend auf mich. Sie hatte sogar dem Mann vom Sicherheitsdienst die Anweisung gegeben, mich nicht mehr ins Haus zu lassen, aber … Nun, Wilson hat mich am nächsten Morgen natürlich trotzdem durchgewinkt.«

Wie demütigend, dachte Strike, dem Wohlwollen des Pförtners ausgeliefert zu sein.

»Ich wäre am liebsten gar nicht zu ihr hinaufgegangen«, sagte Bristow unglücklich. Wieder bildeten sich rote Flecken auf seinem dünnen Hals. »Aber ich musste ihr ja Somés Vertrag zurückgeben. Sie hatte mich gebeten, ihn durchzusehen, und sie hatte ihn noch nicht unterzeichnet … In solchen

Dingen war sie manchmal etwas nachlässig. Wie auch immer, sie war nicht gerade erfreut, als ich vor ihrer Wohnungstür stand, und wir gerieten erneut in Streit, der sich jedoch bald wieder legte. Sie beruhigte sich. Ich sagte ihr noch, dass Mum es sehr schätzen würde, wenn sie ihr einen Besuch abstattete. Unsere Mutter war gerade aus dem Krankenhaus entlassen worden, müssen Sie wissen. Eine Hysterektomie. Lula meinte, sie würde versuchen, später bei ihr vorbeizuschauen, sie konnte es mir jedoch nicht versprechen. Sie sei sehr beschäftigt, sagte sie.«

Bristow holte tief Luft. Sein rechtes Knie federte wieder auf und ab. Unablässig rieb er sich die Hände mit den knubbeligen Knöcheln, als wüsche er sie.

»Sie dürfen nicht schlecht von ihr denken! Viele hielten sie für egoistisch, aber sie war das jüngste Familienmitglied und deshalb ein bisschen verwöhnt, und dann wurde sie krank und rückte dadurch erst recht in den Mittelpunkt der Aufmerksamkeit. Und dann wurde sie in dieses außergewöhnliche Leben katapultiert, in dem sich alles nur um sie drehte. Die Paparazzi folgten ihr überallhin. Das kann man wohl kaum als normale Existenz bezeichnen.«

»Nein«, sagte Strike.

»Jedenfalls erzählte ich Lula, wie schlecht es Mum gehe und wie schwach sie sei, und sie sagte, sie würde eventuell später bei ihr vorbeischauen. Dann ging ich. Ich machte einen Abstecher ins Büro, um bei Alison ein paar Akten abzuholen. Ich wollte an diesem Tag in Mums Wohnung arbeiten, um ihr Gesellschaft leisten zu können. Dort traf ich später am Vormittag auch Lula wieder. Sie saß eine Weile bei Mum am Bett, bis mein Onkel zu Besuch kam. Anschließend kam sie kurz bei mir im Arbeitszimmer vorbei, um sich zu verabschieden. Sie umarmte mich, bevor sie …«

Bristow versagte die Stimme. Er starrte auf seinen Schoß.

»Noch einen Kaffee?«, schlug Strike vor. Bristow schüttelte den gesenkten Kopf. Um ihm Gelegenheit zu geben, die Fassung zurückzugewinnen, nahm Strike das Tablett und ging damit in Richtung Vorzimmer.

Als er dort auftauchte, sah Bristows Freundin von ihrer Zeitung auf und funkelte ihn böse an. »Sind Sie immer noch nicht fertig?«

»Ganz offensichtlich nicht«, entgegnete Strike und versuchte nicht einmal zu lächeln.

Sie beobachtete mit finsterer Miene, wie er sich an Robin wandte.

»Ist noch, ähem, Kaffee da …?«

Robin stand auf und nahm ihm wortlos das Tablett ab.

»John muss um halb elf wieder im Büro sein«, verkündete Alison mit etwas lauterer Stimme. »Wir müssen in spätestens zehn Minuten gehen.«

»Ich behalte es im Hinterkopf«, entgegnete Strike ausdruckslos, bevor er zu Bristow zurückkehrte, der wie ins Gebet vertieft den Kopf auf die gefalteten Hände gesenkt hatte.

»Verzeihung«, murmelte er, als Strike sich wieder setzte. »Es fällt mir immer noch schwer, darüber zu sprechen.«

»Kein Problem«, sagte Strike und nahm erneut das Notizbuch zur Hand. »Lula hat also Ihre Mutter besucht. Wann war das?«

»Gegen elf. Die Polizei konnte rekonstruieren, was sie danach tat. Ihr Chauffeur sagte aus, dass sie sich zu einer ihrer Lieblingsboutiquen und dann zurück zu ihrer Wohnung fahren ließ, wo sie einen Termin mit einer befreundeten Visagistin hatte. Ciara Porter war auch anwesend. Sie kennen Ciara Porter sicher, sie ist ebenfalls Model. Sehr blond. Das Bild, auf dem sie beide als Engel zu sehen sind, ist Ihnen bestimmt geläufig: nackt bis auf Handtaschen und Engelsflügel. Nach Lulas Tod benutzte Somé die Aufnahme für eine Werbekampagne, was viele für geschmacklos hielten.

Lula und Ciara verbrachten den Nachmittag in Lulas Wohnung. Dann trafen sie sich zum Abendessen mit einigen Bekannten. Hinterher ging die ganze Gruppe in einen Club namens Uzi, wo sie bis nach Mitternacht blieben. Dort gerieten Duffield und Lula in einen Streit. Das können Zeugen bestätigen. Er war grob zu ihr, bestand darauf, dass sie blieb, aber sie verließ den Club. Allein. Im Nachhinein war er natürlich der Hauptverdächtige, doch er konnte ein hieb- und stichfestes Alibi vorweisen.«

»Hat ihn nicht die Aussage seines Drogendealers entlastet?«, fragte Strike, ohne den Stift abzusetzen.

»Ja, genau. Also – Lula kam ungefähr um zwanzig nach eins daheim an. Sie wurde beim Betreten des Hauses fotografiert. Vielleicht erinnern Sie sich an das Bild – es war später überall zu sehen.«

Strike erinnerte sich tatsächlich; eine der meistfotografierten Frauen der Welt mit gesenktem Kopf, hängenden Schultern, traurigen Augen und eng um den Körper geschlungenen Armen, das Gesicht von den Kameras abgewandt. Sobald die Öffentlichkeit auf Selbstmord entschieden hatte, hatte das Bild einen morbiden Beigeschmack bekommen. Die reiche, schöne Frau, die nur noch weniger als eine Stunde zu leben hatte, versuchte, ihr Elend vor den Kameras, die sie so umschwärmt und angebetet hatten, zu verbergen.

»War es normal, dass Fotografen vor ihrer Tür warteten?«

»Ja, besonders wenn sie wieder einmal mit Duffield zusammen war oder die Meute darauf spekulierte, sie in betrunkenem Zustand zu erwischen. An diesem Abend waren sie allerdings nicht nur ihretwegen gekommen. Ein amerikanischer Rapper namens Deeby Macc beabsichtigte, an diesem Tag eine Wohnung im selben Haus zu beziehen. Seine Plattenfirma hatte das Apartment direkt unter ihrem gemietet. Letzten Endes entschloss er sich jedoch aufgrund der starken Polizeipräsenz im Gebäude für ein Hotel. Die Fotografen, die Lulas Wagen nach dem Verlassen des Uzi verfolgt hatten, gesellten sich zu denjenigen, die auf Macc warteten, sodass vor dem Eingang ein ziemlicher Auflauf entstand, der sich allerdings schnell wieder auflöste, nachdem sie das Haus betreten hatte. Irgendjemand hatte ihnen wohl gesteckt, dass Macc in den nächsten Stunden nicht erscheinen würde. Es war eine bitterkalte Nacht. Es schneite, die Temperatur lag unter dem Gefrierpunkt. Niemand war auf der Straße, als sie fiel.«

Bristow blinzelte und nahm einen Schluck von seinem kalten Kaffee.

Strike dachte an die Paparazzi, die gegangen waren, bevor Lula vom Balkon gefallen war. Man stelle sich vor, dachte er, was ein Foto der in den Tod stürzenden Landry wohl wert gewesen wäre; wahrscheinlich genug, um sich zur Ruhe zu setzen.

»John, Ihre Freundin sagte mir eben, dass Sie um halb elf irgendwo sein müssten.«

»Wie bitte?« Bristow kehrte ins Hier und Jetzt zurück, sah auf die teure Uhr und keuchte.

»Meine Güte, ich habe ja völlig die Zeit vergessen! Was … Und was passiert jetzt?«, fragte er etwas verwirrt. »Werden Sie sich meine Aufzeichnungen ansehen?«

»Selbstverständlich«, versicherte ihm Strike. »Ich werde gewisse Vorbereitungen treffen und mich in ein paar Tagen bei Ihnen melden. Dann werde ich mit Sicherheit weitere Fragen an Sie haben.«

»Sehr gut«, sagte Bristow und richtete sich benommen auf. »Hier, meine Karte. Bezüglich der Zahlungsmodalitäten …«

»Ein Monatshonorar im Voraus käme mir sehr gelegen«, sagte Strike. Er unterdrückte seine leichten Gewissensbisse, rief sich in Erinnerung, dass Bristow selbst ihm das Doppelte angeboten hatte, und nannte eine exorbitante Summe. Zu seiner großen Genugtuung versuchte Bristow gar nicht erst zu feilschen, fragte nicht, ob er mit Kreditkarte bezahlen könne, und versprach ihm auch nicht, das Geld später vorbeizubringen. Stattdessen zückte er ein Scheckheft samt Füllfederhalter.

»Wäre es möglich, dass Sie mir, sagen wir, ein Viertel in bar auszahlen?«, fügte der nun zunehmend risikofreudige Strike hinzu und war zum zweiten Mal an diesem Vormittag wie vom Donner gerührt, als Bristow mit einem »Natürlich, ich wusste nicht, wie es Ihnen lieber ist« einen Stapel Fünfziger neben dem Scheck auf den Tisch zählte.

Sie betraten das Vorzimmer in genau dem Augenblick, in dem Robin Strike die zweite Tasse Kaffee bringen wollte. Bristows Freundin war aufgestanden, als sich die Tür geöffnet hatte, und faltete nun ihre Zeitung mit der Ungeduld einer Person zusammen, die man zu lange hatte warten lassen. Sie war fast so groß wie Bristow, hatte einen massigen Körperbau, einen verdrießlichen Gesichtsausdruck und breite, männlich wirkende Hände.

»Also haben Sie sich geeinigt, ja?«, fragte sie, als hätte sie Strike im Verdacht, sich an ihrem wohlhabenden Lebensgefährten bereichern zu wollen. Womit sie nicht ganz unrecht hatte.

»Ja, John hat mich engagiert«, antwortete Strike.

»Na schön«, sagte sie unwirsch. »Bist du jetzt zufrieden, John?«

Der Anwalt lächelte sie an, woraufhin sie mit einem Seufzer seinen Arm tätschelte wie eine leicht entnervte, aber duldsame Mutter den Kopf ihres Kindes. John Bristow hob die Hand zum Gruß und folgte seiner Freundin durch die Tür. Ihre Schritte entfernten sich mit hallendem Klang die eisernen Treppenstufen hinunter.

5

Strike wandte sich Robin zu, die sich wieder vor den Computer gesetzt hatte. Sein Kaffee stand neben der ordentlich aufgestapelten Post auf dem Schreibtisch.

»Danke«, sagte er und nahm einen Schluck. »Und vielen Dank für die Informationen. Warum arbeiten Sie als Aushilfe?«

»Wie meinen Sie das?«, fragte sie argwöhnisch.

»Sie beherrschen sowohl Rechtschreibung als auch Zeichensetzung. Sie sind nicht auf den Kopf gefallen. Und Sie zeigen Initiative – woher kommen eigentlich die Tassen und das Tablett? Und der Kaffee und die Kekse?«

»Die habe ich von Mr. Crowdy ausgeborgt. Ich muss die Sachen bis Mittag zurückbringen.«

»Mr. wer?«

»Mr. Crowdy, der Grafikdesigner von unten.«

»Und das alles hat er Ihnen einfach so überlassen?«

»Ja«, sagte sie leicht defensiv. »Ich dachte mir, wenn wir unserem Klienten schon Kaffee anbieten, sollten wir ihm auch wirklich einen bringen.«

Dass sie das Personalpronomen im Plural verwendete, wirkte wie Balsam auf seine angeschlagene Moral.

»Nun, ein solches Engagement hat noch keine andere Aushilfe von Temporary Solutions an den Tag gelegt, das können Sie mir glauben. Entschuldigen Sie im Übrigen, dass ich Sie Sandra genannt habe. Das war der Name Ihrer Vorgängerin. Wie heißen Sie wirklich?«

»Robin.«

»Robin«, wiederholte er. »Wie das Rotkehlchen. Leicht zu merken.«

Er wollte schon eine launige Bemerkung über Batman und seinen zuverlässigen Helfer machen, doch der platte Scherz blieb ihm im Halse stecken, als er ihr hochrotes Gesicht bemerkte. Zu spät begriff er, dass seine unschuldigen Worte auf fatale Weise missverstanden werden konnten. Robin drehte den Bürostuhl wieder in Richtung Bildschirm, sodass Strike nur noch den Rand einer feuerroten Wange sehen konnte. Der Moment des peinlichen Schweigens schien den Raum auf die Größe einer Telefonzelle schrumpfen zu lassen.

»Ich werde mal frische Luft schnappen«, sagte Strike, stellte den praktisch unberührten Kaffee ab, schlich im Krebsgang zur Tür und nahm den Mantel vom Haken. »Wenn jemand anruft ...«

»Mr. Strike, bevor Sie gehen, sollten Sie hierauf vielleicht einen Blick werfen.«

Robin, deren Wangen immer noch gerötet waren, nahm ein Blatt hellrosa Briefpapier samt zugehörigem Umschlag von dem Stapel geöffneter Post neben dem Computer. Sie hatte beides in eine durchsichtige Plastikhülle gesteckt, die sie ihm jetzt entgegenhielt. Strike bemerkte ihren Verlobungsring.

»Eine Morddrohung«, sagte sie.

»Ach ja? Keine Sorge. Die kommen fast jede Woche.«

»Aber ...«

»Ein verärgerter Exklient. Ein bisschen durchgeknallt. Er glaubt, dass er mich mit dem Briefpapier auf eine falsche Fährte locken kann.«

»Natürlich, aber ... Sollten Sie das nicht der Polizei zeigen?«

»Damit die was zu lachen haben?«

»Das ist nicht lustig, das ist eine Morddrohung!«, sagte sie.

Erst jetzt begriff Strike, weshalb sie den Brief samt Umschlag in die Plastikhülle gesteckt hatte. Er war gerührt.

»Legen Sie sie einfach zu den anderen«, sagte er und deutete auf den Aktenschrank in der Ecke. »Wenn er mich wirklich umbringen wollte, hätte er das schon längst versucht. Irgendwo da drinnen sind die Briefe der letzten sechs Monate. Können Sie hier die Stellung halten, solange ich weg bin?«

»Wird schon gehen«, sagte sie. Ihr nüchterner Tonfall amüsierte ihn ebenso wie ihre offensichtliche Enttäuschung darüber, dass niemand die kätzchenbedruckte Morddrohung auf Fingerabdrücke untersuchen würde.

»Sollten Sie mich brauchen – meine Handynummer steht auf den Visitenkarten in der obersten Schublade.«

»In Ordnung«, sagte sie, sah dabei aber weder ihn noch die Schublade an.

»Wenn Sie auch etwas essen wollen, dann gehen Sie ruhig. Irgendwo im Schreibtisch müsste noch ein Ersatzschlüssel liegen.«

»Alles klar.«

»Dann bis später.«

Hinter der Glastür blieb er kurz stehen und zauderte, ob er die winzige, klamme Toilette aufsuchen sollte. Der Druck auf seine Gedärme wurde langsam schmerzhaft. Andererseits fand er, dass sie sich durch ihre Effizienz und ihre selbstlose Sorge um seine Sicherheit ein wenig Rücksicht verdient hatte. Strike beschloss zu warten, bis er den Pub erreicht hatte, und ging die Treppe hinunter.

Auf der Straße zündete er sich eine Zigarette an und lief linker Hand am geschlossenen 12 Bar Café vorbei die schmale Gasse hinauf. Er passierte ein mit in allen Farben leuchtenden Gitarren vollgestelltes Schaufenster und mit flatternden, halb abgerissenen Flyern beklebte Wände – nur weg von dem unaufhörlichen Rattern des Presslufthammers. Er umrundete den Bauschutt und die Asphalttrümmer vor dem Centre Point und marschierte an der überdimensionalen Goldstatue von Freddie Mercury vorbei, die mit gesenktem Kopf und erhobener Faust wie ein heidnischer Gott des Chaos über den Eingang des Dominion Theatre auf der anderen Straßenseite wachte.

Hinter den Schuttbergen der Baustelle war die verschnörkelte Fassade des Tottenham zu erkennen. Strike, erfreut über die beträchtliche Summe Bargeld in seiner Tasche, drückte die Tür auf und fand sich in einer beschaulichen viktorianischen Szenerie aus blank polierten dunklen Holzschnitzereien und Messingornamenten wieder. Die niedrigen Trennscheiben aus Milchglas, die bejahrten Lederbänke, der Goldrahmen um den Spiegel über dem Tresen, die Putten und Füllhörner erinnerten an eine frohgemute und geordnete Welt, die in befriedigendem Kontrast zu der lärmenden Baustelle stand. Strike bestellte ein Pint Doom Bar und nahm es mit in das Hinterzimmer des nur spärlich besuchten Pubs. Dort stellte er sein Glas auf einen hohen runden Tisch unter einer hellen Glaskuppel in der Decke, bevor er sich schnurstracks auf die Herrentoilette begab, in der es durchdringend nach Pisse stank.

Zehn Minuten später und beträchtlich erleichtert hatte Strike ein Drittel des Pints geleert, was seine betäubende Erschöpfung noch verstärkte. Das Bier aus Cornwall schmeckte nach Heimat, Frieden und längst verlorener Geborgenheit. Direkt vor ihm hing ein großes, fleckiges Ölbild, das ein tanzendes viktorianisches Fräulein mit Rosen in den Händen darstellte. Mit verschämter Fröhlichkeit beobachtete sie ihn durch einen Blütenregen; weißer Stoff verdeckte ihre gewaltigen Brüste. Mit einer echten Frau hatte sie in seinen Augen ebenso wenig Ähnlichkeit wie der Tisch, auf dem sein Pint stand, oder der fettleibige Mann mit Pferdeschwanz, der hinter dem Tresen das Bier zapfte.

Strikes Gedanken wanderten zu Charlotte, die wiederum sehr echt war; wunderschön, so gefährlich wie eine in die Enge getriebene Füchsin, schlau, manchmal witzig und, um es mit den Worten von Strikes ältestem Freund auszudrücken, »verdorben bis ins Mark«. War es diesmal wirklich, wirklich vorbei? Aus dem Kokon seiner Müdigkeit heraus ließ Strike die Szenen der letzten Nacht und des heutigen Morgens noch einmal Revue passieren. Was sie diesmal getan hatte, war unverzeihlich. Sobald die Betäubung nachließ, würde der Schmerz zweifellos unerträglich sein. In der Zwischenzeit musste er sich allerdings um die naheliegenden Dinge kümmern. Nicht zuletzt hatte er sich durch die Trennung eigenhändig aus Charlottes eleganter, kostspieliger Maisonettewohnung in der Holland Park Avenue befördert – was bedeutete, dass er seit gestern Nacht um zwei Uhr aus freien Stücken obdachlos war.

(»Bluey, zieh doch einfach bei mir ein. Herrgott noch mal, das ist doch nur vernünftig. So kannst du Geld sparen, während du dein Geschäft aufziehst, und ich kann mich um dich kümmern. Du solltest nicht allein sein, solange du noch nicht auf dem Damm bist. Jetzt stell dich nicht so an, Bluey…« Niemand würde ihn mehr Bluey nennen. Bluey war tot.)

Zum ersten Mal in ihrer langen und turbulenten Beziehungsgeschichte hatte er sie verlassen. Die vorigen drei Mal war es Charlotte gewesen, die das Ganze beendet hatte. Eine unausgesprochene Übereinkunft zwischen ihnen hatte gelautet, dass es erst dann wirklich vorbei war, wenn er ging; wenn er entschied, dass er genug hatte. Diese Trennung war von einer völlig anderen Qualität als diejenigen, die sie vom Zaun gebrochen hatte und von denen keine – so schmerzhaft und chaotisch sie auch gewesen sein mochten – etwas Endgültiges gehabt hatte.

Charlotte würde erst Ruhe geben, wenn sie ihm aus purer Vergeltungssucht so viel Schaden wie möglich zugefügt hatte. Dass sie ihm heute Morgen ins Büro gefolgt und eine Szene gemacht hatte, war zweifelsohne bloß ein Vorgeschmack auf das, was ihm in den kommenden Monaten oder gar Jahren blühen würde. Er kannte niemanden, der einen auch nur annähernd vergleichbaren Rachedurst besaß.

Strike humpelte zum Tresen, besorgte sich ein zweites Bier und kehrte zu seinem Tisch zurück, um weiter seinen finsteren Grübeleien nachzuhängen. Die Trennung von Charlotte brachte ihn an den Rand echter Armut. Er war so hoch verschuldet, dass allein John Bristow ihn noch von einem Schlafsack in einem dunklen Hauseingang trennte. Wenn Gillespie tatsächlich das Darlehen zurückforderte, mit dem er die Kaution für sein Büro bezahlt hatte, würde Strike auf der Straße enden.

(»Ich hoffe, Sie sind wohlauf, Mr. Strike. Mir ist aufgefallen, dass Ihre Rate für diesen Monat noch nicht eingegangen ist … Ich darf sie doch in den nächsten Tagen erwarten?«)

Und schließlich (wenn er sich schon mit den Unzulänglichkeiten seines Lebens beschäftigte, weshalb sollte er sich da nicht gleich einen vollständigen Überblick verschaffen?) war da noch die jüngst erfolgte Gewichtszunahme von satten zehn Kilo. Er fühlte sich nicht nur fett und schlaff; die zusätzlichen Pfunde stellten auch eine völlig unnötige Belastung für seine Unterschenkelprothese dar, die derzeit auf der Messingstange unter dem Tisch ruhte. Der Extraballast scheuerte den Stumpf wund und war der Grund für sein immer stärker werdendes Humpeln. Der nächtliche Fußmarsch durch London mit der Sporttasche auf der Schulter hatte das Ganze nur noch verschlimmert. Doch er war fest entschlossen gewesen, seine Reise in die Armut so kostengünstig wie möglich anzutreten.

Er trat erneut an den Tresen, um ein drittes Bier zu bestellen. Wieder am Tisch unter der Kuppel angekommen, zog er sein Handy heraus und rief einen Bekannten bei der Metropolitan Police an, dessen Freundschaft er – obwohl sie erst wenige Jahre zählte – unter außergewöhnlichen Umständen gewonnen hatte.

Genau wie Charlotte die einzige Person war, die ihn »Bluey« nannte, war Detective Inspector Richard Anstis der Einzige, der ihn mit »Mystic Bob« anredete. Und genau diesen Namen bellte er in den Hörer, sowie er die Stimme seines Freundes vernahm.

»Du musst mir einen Gefallen tun«, sagte Strike.

»Schieß los!«

»Wer hat im Fall Lula Landry ermittelt?«

Während Anstis die entsprechenden Informationen heraussuchte, erkundigte er sich nach Strikes Geschäften, seinem rechten Bein und seiner Verlobten, was Strike zu drei Lügen in Folge zwang.

»Freut mich zu hören«, sagte Anstis fröhlich. »Also, hier hab ich Wardles Nummer. Er ist in Ordnung, ein bisschen selbstverliebt, aber immer noch besser als Carver, dieses Arschloch. Ich werde bei Wardle ein gutes Wort für dich einlegen. Wenn du willst, kann ich ihn gleich anrufen.«

Strike zog eine Touristenbroschüre aus einem Holzständer an der Wand und schrieb Wardles Nummer neben ein Foto der Horse Guards.

»Komm doch mal vorbei«, sagte Anstis. »Und bring Charlotte mit.«

»Ja, auf jeden Fall. Ich melde mich. Momentan hab ich ziemlich viel um die Ohren.«

Nachdem er aufgelegt hatte, saß Strike eine Zeit lang tief in Gedanken versunken da, dann rief er einen weitaus älteren Bekannten als Anstis an – einen Bekannten, dessen Lebensweg die genau entgegengesetzte Richtung eingeschlagen hatte.

»Du bist mir noch einen Gefallen schuldig, Kumpel«, sagte Strike. »Ich hätte gerne ein paar Informationen.«

»Worüber?«

»Sag du's mir. Ich bräuchte was, um mich bei einem ganz bestimmten Bullen beliebt zu machen.«

Das Gespräch dauerte fünfundzwanzig Minuten, immer wieder unterbrochen von Pausen, die jedes Mal länger und bedeutungsschwangerer wurden, bis Strike endlich eine ungefähre Adresse und zwei Namen erhalten hatte, die er ebenfalls auf die Broschüre schrieb – außerdem eine Warnung, die er sich nicht notierte, aber zu Herzen nahm. Die Unterhaltung endete versöhnlich. Dann wählte Strike laut gähnend Wardles Nummer.

Fast augenblicklich antwortete eine laute, barsche Stimme.

»Wardle.«

»Ja, hallo. Ich bin Cormoran Strike, und ...«

»Sie sind was?«

»Cormoran Strike«, sagte Strike. »Das ist mein Name.«

»Ach so«, sagte Wardle. »Anstis hat gerade angerufen. Sie sind der Privatschnüffler? Anstis hat gesagt, dass Sie über Lula Landry reden wollen.«

»Stimmt genau«, sagte Strike und unterdrückte ein weiteres Gähnen, während er zu den Gemälden auf der Deckenvertäfelung aufsah. Sie stellten ein ausschweifendes Bacchanal dar, dessen Teilnehmer sich bei näherer Betrachtung als Feen herausstellten. Dann entdeckte er einen Mann mit Eselskopf. *Ein Sommernachtstraum*, kein Zweifel. »Die Akte wäre mir allerdings noch lieber.«

Wardle lachte.

»*Mein* Leben haben Sie noch nicht gerettet, Sportsfreund.«

»Ich hätte da ein paar Informationen, die Sie möglicherweise interessieren könnten. Wie wär's mit einem Tausch?«

Eine kurze Pause folgte.

»Ich nehme an, dass dieser Tausch nicht am Telefon stattfinden soll?«

»Richtig«, sagte Strike. »Wohin gehen Sie denn nach der Arbeit auf ein kühles Bierchen?«

Nachdem er sich den Namen eines Pubs in der Nähe von Scotland Yard notiert und nach langem Hin und Her einen Termin in sieben Tagen (vorher hatte Wardle keine Zeit) vereinbart hatte, legte Strike auf.

So war es nicht immer gewesen. Noch vor ein paar Jahren hatten sowohl Zeugen als auch Verdächtige seinen Anordnungen nur zu gern Folge geleistet; seine Zeit war kostbarer gewesen als die jener Personen, mit denen er verkehrte. Genau wie Wardle heute hatte Strike Ort, Termin und Dauer von Befragungen und Vernehmungen diktiert. Und genau wie Wardle hatte er keine Uniform tragen müssen, um von einer ständigen Aura respekteinflößender bürokratischer Macht umgeben zu sein. Jetzt war er nur noch ein humpelnder Mann in einem verknitterten Hemd, der alte Bekannte um Gefallen bat und versuchte, Deals mit Polizisten auszuhandeln, die früher seine Anrufe mit Ehrfurcht entgegengenommen hätten.

»Arschloch«, sagte Strike so laut, dass es in seinem Glas

widerhallte. Das dritte Pint war so schnell seine Kehle hinabgeflossen, dass kaum noch ein Fingerbreit Bier übrig war.

Sein Handy klingelte. Er warf einen Blick auf das Display und erkannte die Nummer seines Büros. Zweifellos wollte Robin ihm mitteilen, dass Peter Gillespie nach seinem Geld gefragt hatte. Er ließ die Mailbox drangehen, leerte das Glas und verließ den Pub.

Auf der Straße war es hell und kalt, der Gehweg war feucht, und die Pfützen glänzten silbern, sobald sich die Wolken vor die Sonne schoben. Vor dem Eingang des Tottenham zündete sich Strike eine Zigarette an und beobachtete die Bauarbeiter in dem Loch in der Straße. Nachdem er fertig geraucht hatte, schlenderte er die Oxford Street hinunter, um sich die Zeit zu vertreiben, bis die Personallösung Feierabend machen würde und er sich endlich schlafen legen konnte.

6

Robin hatte zehn Minuten gewartet. Als sie sich sicher sein konnte, dass Strike nicht zurückkommen würde, tätigte sie von ihrem Handy aus eine Reihe freudiger Anrufe. Die Nachricht von ihrer Verlobung hatte bei ihren Freundinnen entweder Begeisterungsrufe oder neidische Kommentare zur Folge, die Robin gleichermaßen befriedigt zur Kenntnis nahm. Um die Mittagszeit gönnte sie sich eine volle Stunde Pause, in der sie eine Packung Kekse für den Grafikdesigner (sie hinterlegte in einer leeren, mit »Kaffeekasse« beschrifteten Shortbread-Dose eine Notiz, die besagte, dass Strike ihr zweiundvierzig Pence schuldig war) sowie drei Hochzeitsmagazine kaufte. Zurück im Büro, verbrachte sie ebenso glückselige wie anregende vierzig Minuten damit, Hochglanzbilder von Hochzeitssträußen und Brautkleidern zu betrachten.

Sobald ihre selbst verordnete Mittagspause zu Ende war, spülte sie Mr. Crowdys Tassen und das Tablett ab und brachte alles zusammen mit den Keksen zurück. Bei ihrer zweiten Begegnung war er deutlich gesprächiger, und sein Blick wanderte wiederholt von ihrem Mund zu ihren Brüsten, woraufhin sie beschloss, ihn für den Rest der Woche zu meiden.

Strike war immer noch nicht zurück. In Ermangelung einer anderen Beschäftigung sortierte Robin den Inhalt der Schreibtischschubladen und entsorgte die mutmaßlichen Hinterlassenschaften früherer Aushilfskräfte: zwei verstaubte Milchschokoladetafeln, eine stumpfe Nagelfeile und zahlreiche Zettel mit Kritzeleien und Telefonnummern ohne dazugehörige Namen. Des Weiteren stieß sie auf eine Schachtel mit altmodischen Heftstreifen aus Metall und eine beträchtliche Menge kleiner, unbenutzter blauer Notizbücher, die einen Hauch von Bürokratie verströmten. Robin, mit ihrer Erfahrung in der Welt der Büros, vermutete, dass sie aus dem Büromateriallager irgendeiner Behörde entwendet worden waren.

Hin und wieder klingelte das Telefon. Ihr neuer Chef schien viele Namen zu tragen. Ein Mann fragte nach »Oggy«, ein anderer nach »Monkey Boy«, und eine trockene Stimme verlangte knapp, »Mr. Strike« möge Mr. Peter Gillespie so schnell wie möglich zurückrufen. Nach jedem Telefonat wählte Robin Strikes Handynummer und wurde zur Mailbox weitergeleitet, auf der sie ihm eine Nachricht hinterließ. Dann notierte sie den Namen und die Kontaktinformationen eines jeden Anrufers auf einem Post-it, trug diesen in Strikes Büro und klebte ihn fein säuberlich auf seinen Schreibtisch.

Der Presslufthammer dröhnte währenddessen unentwegt weiter. Gegen zwei Uhr knarzte die Decke. Der Bewohner des über ihnen liegenden Stockwerks wurde allmählich aktiv; davon abgesehen war es so still, als wäre Robin allein im Gebäude. Die Einsamkeit sowie das überwältigende Glücksgefühl, das ihr jedes Mal die Brust zu sprengen drohte, wenn ihr Blick auf den Ring an ihrer linken Hand fiel, ließen sie kühner werden, und sie fing an, den winzigen Raum, der sich derzeit in ihrer Verantwortung befand, aufzuräumen und zu putzen.

Unter der Schäbigkeit und der alles bedeckenden Schmutzschicht entdeckte Robin schnell eine strenge Ordnung, die ihrem eigenen strukturierten und akkuraten Wesen durchaus entgegenkam. Die braunen Aktendeckel in den Regalen hinter ihrem Schreibtisch (die in den heutigen Zeiten neonfarbenen Plastiks seltsam antiquiert wirkten) waren nach Datum sortiert und auf dem Rücken aufsteigend durchnummeriert. Sie öffnete eine Akte und stellte fest, dass die Heftstreifen lose, mit einer schwer entzifferbaren Handschrift beschriebene Blätter zusammenhielten. Vielleicht arbeitete die Polizei ja so; vielleicht war Strike ein ehemaliger Polizist.

In der mittleren Schublade des Aktenschranks entdeckte Robin neben dem Stapel rosaroter Morddrohungen, den Strike erwähnt hatte, ein dünnes Bündel Vertraulichkeitsvereinbarungen. Sie nahm eine davon heraus: Es war ein einfaches Formular, in dem sich der Unterzeichnende verpflichtete, außerhalb der Arbeitszeiten mit niemandem über die Namen und Informationen zu sprechen, die Gegenstand seiner Tätigkeit waren. Robin überlegte einen Augenblick, dann versah sie eines der Formulare sorgfältig mit Datum und Unterschrift, trug es in Strikes Büro und legte es auf seinen Schreibtisch, damit er es auf der gepunkteten Linie gegenzeichnen konnte. Dieses einseitige Schweigegelübde gab ihr etwas von dem geheimnisumwitterten Glanz zurück, den sie hinter der gravierten Glastür erwartet hatte – bevor diese sich geöffnet und Strike sie um ein Haar die Treppe hinabgestoßen hatte.

Als sie das Formular auf dem Tisch platziert hatte, fiel ihr Blick auf die Sporttasche in der Ecke hinter dem Aktenschrank. Ein dreckiger Hemdzipfel, ein Wecker und ein Kulturbeutel lugten zwischen den Zähnen des geöffneten Reißverschlusses hervor. Robin eilte ins Vorzimmer zurück und schloss die Zwischentür hinter sich, als hätte sie versehentlich etwas Peinliches und sehr Privates zu Gesicht bekommen. Sie ahnte, dass die Tasche etwas mit der dunkelhaarigen Schönheit, die am Morgen aus dem Haus gestürmt war, mit Strikes diversen Verletzungen und mit seiner – wie ihr im Nachhinein klar wurde – zwar verspäteten, aber entschlossenen Verfolgung dieser Frau zu tun hatte. Ihre Verlobung hatte sie in einen Freudentaumel versetzt, in dem Robin bereitwillig jeden Menschen, dem ein weniger erfülltes Liebesleben beschert war, aus tiefstem Herzen hätte bedauern müssen – was ihr jedoch angesichts der Verzückung, die sie empfand, wenn sie an ihr eigenes paradiesisches Glück dachte, derzeit schlichtweg unmöglich war.

Da ihr vorübergehender Chef um fünf Uhr immer noch nicht aufgetaucht war, beschloss Robin, Feierabend zu machen. Sie summte leise, während sie ihren Stundenzettel ausfüllte. Als sie den Trenchcoat zuknöpfte, war aus dem Summen ein Liedchen geworden. Dann schloss sie das Büro hinter sich ab, warf den Ersatzschlüssel durch den Briefschlitz, stieg vorsichtig die Eisenstufen hinab und machte sich auf den Weg nach Hause, zu Matthew.

7

Strike hatte den frühen Nachmittag im Gebäude der University of London Union verbracht. Er war entschlossenen Schrittes und mit leicht finsterem Blick an der Rezeption des Studentenwerks vorbeimarschiert und ungehindert und ohne einen Studentenausweis vorzeigen zu müssen in den Duschraum gelangt. Danach hatte er ein altbackenes Schinkensandwich und einen Schokoriegel in der Cafeteria gegessen. Von Müdigkeit leicht benebelt, war er anschließend rauchend durch die Stadt gezogen und hatte mit Bristows Geld in mehreren Billigläden jene notwendigen Dinge besorgt, die ihm jetzt, da er sein Dach über dem Kopf eingebüßt hatte, fehlten. In den frühen Abendstunden hatte er sich in einem italienischen Restaurant wiedergefunden, mit mehreren großen Pappschachteln, die übereinandergestapelt an der hinteren Wand neben der Bar standen, und sich so lange an seinem Bier festgehalten, bis er beinahe vergessen hatte, weshalb er überhaupt die Zeit totschlug.

Gegen acht Uhr machte er sich auf den Rückweg zu seinem Büro. Zu dieser Stunde mochte er London am liebsten; der Arbeitstag war zu Ende, die Fenster der Pubs verströmten warmes, goldenes Licht. Die unverwüstlichen, altehrwürdigen Gebäude entlang der belebten Straßen waren in den sanften, seltsam tröstlichen Schein der Straßenlaternen getaucht. Wir haben schon viele wie dich gesehen, schienen sie ihm beruhigend zuzuflüstern, als er seine neu erworbene Campingliege durch die Oxford Street trug. Siebeneinhalb Millionen Herzen pochten dicht an dicht in dieser alten, pulsierenden Stadt, und mit Sicherheit schmerzten viele davon weit mehr als sein eigenes. Müde ging er an geschlossenen Geschäften vorbei, während sich der Himmel über ihm indigoblau färbte, und fand Trost in der Anonymität der gewaltigen Metropole.

Nur mit Mühe gelang es ihm, die Campingliege über die Eisentreppe in den zweiten Stock zu bugsieren. Als er endlich die Tür mit seinem Namen darauf erreicht hatte, waren die Schmerzen in seinem rechten Bein kaum mehr zu ertragen. Er lehnte sich einen Augenblick lang gegen die Tür, verlagerte das Gewicht aufs linke Bein und beobachtete, wie die Glasscheibe von seinem keuchenden Atem beschlug.

»Du fettes Schwein«, sagte er laut. »Du kaputter alter Dinosaurier.«

Er wischte sich den Schweiß von der Stirn, öffnete die Tür und wuchtete seine Einkäufe über die Schwelle. In seinem Büro rückte er den Schreibtisch zur Seite, baute die Campingliege auf, rollte den Schlafsack darauf aus und füllte den billigen Wasserkocher am Waschbecken in der Toilette.

Zum Abendessen gab es Instantnudeln, die er gekauft hatte, weil sie ihn an die Verpflegung beim Militär erinnerten. Eine tief in ihm verwurzelte Verbindung zwischen gefriergetrocknetem, schnell erhitztem Essen und improvisierten Nachtlagern hatte ihn wie automatisch danach greifen lassen. Auf seinem Bürostuhl sitzend, aß er die Fertignudeln mit der Plastikgabel, die er in der Cafeteria hatte mitgehen lassen, betrachtete die fast menschenleere Straße und den Verkehr, der an ihrem Ende im Zwielicht vorbeirauschte, und lauschte dem aggressiven Wummern einer Bassgitarre aus dem 12 Bar Café zwei Etagen tiefer.

Er hatte schon an schlimmeren Orten geschlafen. Beispielsweise auf dem Steinboden eines mehrstöckigen Parkhauses in Angola oder in einem zerbombten Metallwerk, in dem sie ihre Zelte aufgeschlagen und am nächsten Tag schwarzen Ruß gehustet hatten; oder – was am schlimmsten gewesen war – im nasskalten Schlafsaal der Gemeinde in Norfolk, in die seine Mutter ihn und eine seiner Halbschwestern im Alter von acht beziehungsweise sechs Jahren verschleppt hatte. Er erinnerte sich an die trostlosen, aber halbwegs erträglichen Lazarettbetten, in denen er monatelang gelegen hatte, an mehrere besetzte Häuser (in denen er wiederum mit seiner Mutter untergekommen war) und an die eiskalten Wälder, in denen er während verschiedener Militärmanöver hatte campieren müssen. Wie spartanisch und wenig einladend die Liege unter der einsamen nackten Glühbirne auch wirken mochte, verglichen mit alldem war das hier der reinste Luxus.

Die Beschaffung der lebensnotwendigen Grundgüter hatte Strike auf die wohlvertraute soldatische Tugend des Tuns, was getan werden muss, zurückgeworfen. Ohne Wenn und Aber. Er warf den Nudelbecher in den Abfall, schaltete die Lampe ein und setzte sich an den Schreibtisch, hinter dem Robin den Großteil des Tages verbracht hatte.

Gerade als er Aktendeckel, Schreibpapier und Heftstreifen, das Notizbuch, in dem er Bristows Schilderungen festgehalten hatte, die Broschüre aus dem Tottenham und Bristows Visitenkarte zu einer neuen Akte zusammenstellen wollte, bemerkte er, dass die Schubladen aufgeräumt, der Computermonitor abgestaubt, die leeren Tassen und der Unrat weggeräumt waren und ein leichter Allzweckreinigerduft in der Luft hing. Neugierig öffnete er die Kaffeekasse und entdeckte dort die in Robins säuberlicher runder Handschrift verfasste Notiz, der zufolge er ihr zweiundvierzig Pence für Schokoladenkekse schuldete. Strike nahm vierzig Pfund von

Bristows Geld aus seinem Portemonnaie und legte sie in die Dose; nach kurzem Nachdenken zählte er überdies zweiundvierzig Pence in Münzen ab und legte sie auf die Scheine.

Danach nahm Strike einen der von Robin ordentlich in die oberste Schreibtischschublade sortierten Kugelschreiber und schrieb auf ein leeres Blatt Papier das heutige Datum, gefolgt von seinen bisherigen Unternehmungen. Unter anderem nahm er die Gespräche mit Anstis und Wardle samt ihren Telefonnummern in die Akte auf (die Kontaktdaten jenes anderen Bekannten, der ihn mit nützlichen Namen und Adressen versorgt hatte, jedoch nicht). Die Notizen, die er sich beim Gespräch mit Bristow gemacht hatte, riss er aus dem Buch und heftete sie separat ab.

Schließlich teilte Strike dem neuen Fall eine Nummer zu, die er zusammen mit der Erläuterung *Ungeklärter Todesfall: Lula Landry* auf den Rücken des Aktendeckels schrieb, bevor er diesen an seinen Platz am äußersten rechten Rand des Regals stellte.

Jetzt endlich öffnete er den Umschlag, der laut Bristow jene zentralen Hinweise enthielt, die der Polizei entgangen waren. Die ordentliche, flüssige Handschrift des Anwalts neigte sich auf den eng beschriebenen Zeilen leicht nach links. Wie Bristow angekündigt hatte, befasste sich ihr Inhalt hauptsächlich mit einem Mann, den er den »Läufer« nannte.

Der Läufer war ein groß gewachsener Schwarzer, dessen Gesicht von einem Schal verdeckt wurde und der von der Überwachungskamera eines Nachtbusses aufgenommen worden war, der von Islington ins West End fuhr. Er hatte den Bus ungefähr fünfzig Minuten vor Lula Landrys Tod bestiegen. Die nächsten Bilder von ihm stammten von einer Überwachungskamera in Mayfair. Er war um 1.39 Uhr in Richtung von Landrys Wohnung gegangen und mitten im Bild stehen geblieben, um auf einen Zettel zu sehen. *Evtl. Adresse oder Wegbeschreibung?*, hatte Bristow hilfsbereit dazu notiert.

Dann war er weitergegangen.

Die nächste Aufnahme derselben Kamera zeigte den Läufer, wie er um 2.12 Uhr daran vorbeirannte und verschwand. *Zweiter Schwarzer rennt ebenfalls – evtl. Komplize? Ertappter Autodieb? Autoalarm um dieselbe Zeit in der Nähe*, hatte Bristow angemerkt.

Schließlich gab es noch Aufnahmen eines *dem Läufer auffällig ähnlichen Schwarzen*, der später in jener Nacht auf einer Straße in der Nähe des mehrere Meilen entfernten Gray's Inn Square unterwegs gewesen war – *immer noch vermummt*, so Bristows Notiz.

Strike hielt inne, um sich die Augen zu reiben, und verzog vor Schmerz das Gesicht, weil er das Veilchen vergessen hatte. Er befand sich in jenem leicht benommenen, unruhigen Zustand, der von völliger Erschöpfung zeugte. Begleitet von einem langen, grunzenden Seufzen machte er sich an Bristows Notizen, den Kugelschreiber in der Hand, um jederzeit eigene Anmerkungen hinzufügen zu können.

Bristow mochte ja in seiner Kanzlei, die ihn mit den edlen geprägten Visitenkarten versorgte, das Gesetz sachlich und objektiv auslegen. Der Inhalt des Umschlags hingegen bestärkte Strike in seinem Verdacht, dass das Privatleben seines Klienten von einer völlig ungerechtfertigten Obsession bestimmt war. Woher Bristows Besessenheit in Bezug auf diesen sogenannten Läufer auch stammte – ob er eine heimliche Furcht vor jenem urbanen Schreckgespenst, dem sprichwörtlichen und selbstverständlich kriminellen schwarzen Mann, hegte oder ob sie eine tiefere, persönlichere Ursache hatte –, es war undenkbar, dass die Polizei dem Läufer und seinem Kompagnon (oder Komplizen oder Autodieb) nicht auf den

Zahn gefühlt hatte. Strike war sich sicher, dass die Beamten gute Gründe gehabt hatten, ihn von der Liste der Verdächtigen zu streichen.

Mit einem herzhaften Gähnen wandte sich Strike der zweiten Seite der Notizen zu.

Um 1.45 Uhr fühlte sich Derrick Wilson, der in dieser Nacht am Empfangstresen eingeteilte Mann vom Sicherheitsdienst, unwohl und ging zur Toilette, wo er etwa fünfzehn Minuten lang blieb. Das Foyer des Mietshauses war folglich eine Viertelstunde vor Lulas Tod unbeaufsichtigt. Jeder hätte das Gebäude ungesehen betreten und wieder verlassen können. Wilson selbst verließ erst nach Lulas Sturz und aufgrund von Tansy Bestiguis Schreien die Toilette.
Der Läufer, der um 1.39 Uhr an der Kamera Ecke Alderbrook und Bellamy Road vorbeikam, hätte die Kentigern Gardens 18 in genau diesem Zeitfenster erreichen können.

»Und wie«, murmelte Strike, »konnte er durch die Vordertür hindurch erkennen, dass der Wachmann auf der Schüssel saß?«

Derrick Wilson ist gerne bereit, Auskunft zu geben.

Und ich wette, genau dafür hast du ihn bezahlt, dachte Strike, als sein Blick auf die Telefonnummer des Wachmanns unter dieser Anmerkung fiel.

Er legte den Stift beiseite, mit dem er sich eigentlich hatte Notizen machen wollen, und heftete Bristows Aufzeichnungen in die Akte. Anschließend schaltete er die Schreibtischlampe aus und humpelte zur Toilette, um zu pinkeln. Er putzte sich über dem gesprungenen Waschbecken die Zähne, schloss die Glastür ab, stellte den Wecker und machte sich bettfertig.

Im Neonlicht der Straßenlaterne vor dem Fenster löste er die Riemen der Prothese, nahm sie von dem schmerzenden Stumpf und entfernte das Gelkissen, das seine Qualen inzwischen nur noch unzureichend milderte. Er legte das falsche Bein neben das Netzteil, an dem er sein Handy auflud, schlüpfte in den Schlafsack, bettete den Kopf auf die Hände und starrte an die Decke. Wie befürchtet kam die bleierne Müdigkeit seines Körpers nicht gegen seinen rasenden Verstand an. Die alte Krankheit war zurück – marterte ihn, nagte an ihm.

Was sie jetzt wohl gerade machte?

Noch gestern Abend – was ihm jetzt wie ein Paralleluniversum vorkam – hatte er in einem wunderschönen Apartment in einem der begehrtesten Viertel Londons gewohnt; mit einer Frau, um die ihn jeder Mann beneidete, sobald sein Blick auf sie fiel.

»Warum ziehst du nicht einfach bei mir ein? Nun zier dich nicht so, Bluey, das ist doch nur vernünftig. Warum denn nicht?«

Er hatte von Anfang an gewusst, dass es ein Fehler war. Sie hatten es schon früher versucht, und jedes Mal war es noch unglückseliger verlaufen als zuvor.

»Wir sind verlobt, verdammt noch mal. Wieso sollten wir dann nicht zusammenziehen?«

Sie hatte ihm Dinge gesagt, die angeblich beweisen sollten, dass sie sich während der Zeit, in der sie ihn beinahe für immer verloren hatte, ebenso unwiderruflich verändert hatte wie er selbst nach dem Verlust eines halben Beins.

»Ich will keinen Ring. Mach dich nicht lächerlich, Bluey! Du brauchst das Geld doch für deine neue Firma.«

Er schloss die Augen. Nach diesem Morgen gab es kein Zurück mehr. Sie hatte ihm ein Mal zu oft zu einem viel zu ernsten Thema eine viel zu große Lüge aufgetischt. Trotzdem ging er alles in Gedanken noch einmal durch wie eine Gleichung, die er längst gelöst hatte, in der er jedoch einen schwerwiegenden Fehler vermutete. Akribisch erinnerte er sich an ihre sich ständig ändernden Zeitangaben, ihre Weigerung, einen Arzt oder Apotheker zu konsultieren, an ihre Wut, als er um Klärung der Angelegenheit gebeten hatte, schließlich die plötzliche Ankündigung, dass es vorbei sei – ohne auch nur den geringsten Beweis dafür zu liefern, dass das, was sie behauptet hatte, der Wirklichkeit entsprach. Er hatte Zweifel angemeldet – neben diversen anderen Verdachtsmomenten auch aufgrund ihrer Neigung zur Mythomanie, Provokation und Stichelei, mit der er schon schmerzhaft häufig konfrontiert worden war und die ihre Beziehung des Öfteren auf eine harte Probe gestellt hatte.

»Wage es ja nicht, gegen mich zu ermitteln! Wage es nicht, mich wie einen von deinen gottverdammten zugedröhnten Soldaten zu behandeln! Ich bin kein Scheißfall, den du lösen musst. Wie kannst du behaupten, dass du mich liebst, wenn du mir nicht einmal *hier* vertraust…«

Doch ihre Lügen waren ein Teil ihrer Natur, ihrer Existenz; mit ihr zu leben und sie zu lieben bedeutete, sich langsam in ihrem Netz zu verfangen, mit ihr um die Wahrheit zu ringen, mühsam darum zu kämpfen, den Bezug zur Realität nicht zu verlieren. Wie war es möglich, dass er, der von frühester Jugend an den brennenden Wunsch nach Klarheit und Wahrheit verspürt hatte, das Bedürfnis, Gewissheit zu haben und selbst den unbedeutendsten Dingen auf den Grund zu gehen, so heftig und so lange in eine Frau verliebt gewesen war, für die lügen so natürlich war wie atmen?

»Es ist vorbei«, ermahnte er sich. »Es hat so kommen müssen.«

Was er natürlich weder Anstis noch irgendjemandem sonst eingestehen wollte. Noch nicht. Er hatte in der ganzen Stadt Freunde, die ihn mit offenen Armen aufgenommen, die hilfsbereit und tröstend ihre Gästezimmer und Kühlschränke für ihn geöffnet hätten. Aber nachdem die Kinder ordentlich in ihre Pyjamas und dann ins Bett gesteckt worden wären, hätte er den Preis für die bequemen Nachtlager und hausgemachten Mahlzeiten bezahlen müssen, und der hätte darin bestanden, an einem fremden Küchentisch die letzte hässliche Schlacht mit Charlotte noch einmal zu durchleben; das betroffene Mitleid der Partnerinnen und Ehefrauen seiner Freunde über sich ergehen zu lassen. Da waren ihm die trostlose Einsamkeit, die Instantnudeln und der Schlafsack lieber.

Er spürte den Fuß, der ihm vor zweieinhalb Jahren vom Körper gerissen worden war, noch immer. Er war hier, in seinem Schlafsack. Wenn er wollte, konnte er mit den nicht mehr vorhandenen Zehen wackeln.

Trotz aller Erschöpfung dauerte es lange, bis er einschlief und eine hinreißende, keifende und rastlose Charlotte durch seine Träume geisterte.

TEIL ZWEI

Non ignara mali miseris succurrere disco.

Unglück lehrte mich, den Unglücklichen zu helfen.

VERGIL, *AENEIS*, BUCH I

I

»›Trotz der Unmenge an Druckerschwärze, trotz endloser Sondersendungen, die Lula Landrys Tod gewidmet waren, wurde eine Frage nur selten gestellt: Warum trauern wir überhaupt um sie?

Natürlich war sie wunderschön, und schöne Frauen lassen die Auflagen in die Höhe schnellen, seit Dana Gibson für den *New Yorker* seine Sirenen mit Schlafzimmerblick zeichnete.

Außerdem war sie schwarz, vielmehr hatte sie einen appetitlichen *Café-au-Lait*-Teint, was – wie immer wieder betont wurde – als Zeichen des Fortschritts in einer Branche zu deuten sei, die sich ausschließlich mit Äußerlichkeiten beschäftigt. (Eine Behauptung, an der ich zweifeln möchte; ist es nicht möglich, dass *Café au Lait* einfach nur die Trendfarbe der Saison war? Hat die Modewelt seit Landry einen Zustrom schwarzer Frauen erlebt? Hat ihr Erfolg unseren Begriff von weiblicher Schönheit revolutioniert? Verkaufen sich schwarze Barbiepuppen heutzutage besser als weiße?)

Die Familie und die Freunde des Menschen Lula Landry haben in ihrer Verzweiflung mein tiefstes Mitgefühl. Wir jedoch, das lesende und fernsehende Publikum, können unsere maßlose Neugier nicht mit persönlich empfundener Trauer entschuldigen. Täglich sterben junge Frauen unter *tragischen* (sprich unnatürlichen) Umständen: bei Autounfällen, an einer Überdosis und gelegentlich auch, weil sie sich in dem Versuch, den von Landry und ihresgleichen propagierten Körperidealen zu genügen, zu Tode hungern. Verschwenden wir auf diese Frauen mehr als einen flüchtigen Gedanken? Haben wir ihre Allerweltsgesichter nicht schon nach wenigen Minuten vergessen?‹«

Robin hielt inne, um einen Schluck Kaffee zu trinken und sich zu räuspern.

»So weit, so scheinheilig«, murmelte Strike.

Er saß am Ende von Robins Schreibtisch, sortierte Fotos in einen Ordner, die er anschließend nummerierte, und trug eine kurze Beschreibung dessen, was darauf zu sehen war, in ein Verzeichnis am Ende der Akte ein. Robin las den Artikel auf dem Bildschirm weiter laut vor.

»›Diese ungleiche Verteilung unseres Interesses, ja unserer Trauer gilt es zu untersuchen. Bis zu jenem tödlichen Sturz wäre die Vermutung, dass zehntausende Frauen liebend gern mit ihr getauscht hätten, wohl durchaus gerechtfertigt gewesen. In Tränen aufgelöste junge Mädchen legten Blumen unter den Balkon von Landrys Viereinhalb-Millionen-Penthouse, nachdem man ihren zerschmetterten Körper abtransportiert hatte. Ob sich auch nur ein einziges angehendes Model durch Lula Landrys Aufstieg und brutalen Fall von seinem Berufswunsch abschrecken lassen wird?‹«

»Komm zum Punkt«, sagte Strike. »Ich meinte die Autorin, nicht Sie«, fügte er hastig hinzu. »Der Artikel ist doch von einer Frau geschrieben worden, oder?«

»Ja, von einer gewissen Melanie Telford«, sagte Robin und scrollte zu dem Foto einer Blondine mittleren Alters mit Hamsterbacken, das am Anfang der Seite eingefügt war. »Soll ich aufhören?«

»Nein, nein, lesen Sie weiter.«

Wieder räusperte sich Robin. Dann fuhr sie fort: »›Die Antwort ist sicherlich Nein.‹ Es geht wohl immer noch um die angehenden Models.«

»Schon kapiert.«

»Genau. Also … ›Ein Jahrhundert nach Emmeline Pankhurst scheint es der größte Lebenstraum einer ganzen Generation pubertierender Mädchen zu sein, auf einen zweidimensionalen Avatar reduziert zu werden, eine Anziehpuppe, deren vorgeblich so schillernde Abenteuer eine Seelenqual verdecken, die bei Lula Landry derart groß war, dass sie sich aus einem Fenster im dritten Stock stürzte. Aussehen ist alles – Modedesigner Guy Somé wies die Presse umgehend auf den Umstand hin, dass sie in einer seiner Kreationen in den Tod gesprungen war, was dazu führte, dass sie innerhalb von vierundzwanzig Stunden restlos ausverkauft war. Welche Werbebotschaft könnte überzeugender sein als die Tatsache, dass Lula Landry ihrem Schöpfer in Somé gegenübertreten wollte?

Nein, es ist nicht die junge Frau, um die wir trauern. Für uns war sie kaum realer als die Grazien aus Dana Gibsons Feder. Wir betrauern die physische Hülle, die uns aus unzähligen Boulevardmagazinen und Klatschblättchen entgegenstarrte; den Körper, das Image, das uns Kleider und Handtaschen verkaufte und einen Hauch Prominenz bescherte, sich nach seinem Ableben allerdings als ebenso leer und flüchtig wie eine Seifenblase erwies. Was wir wirklich vermissen – wenn wir uns diese schreckliche Wahrheit nur eingestehen könnten! –, sind die unterhaltsamen Anekdoten aus dem Leben dieses superschlanken Gutelaune-Girls, dessen überzeichnete Existenz mehr oder weniger aus Drogenmissbrauch, Ausschweifungen, Designermode und der unsteten Beziehung zu ihrem berüchtigten Lebensgefährten bestand.

Landrys Beerdigung wurde von der Boulevardpresse so detailliert wie eine Promihochzeit abgefeiert. Die Journaille lebt vom Ruhm anderer, und ihre Herausgeber werden Landrys Tod sicherlich länger betrauern als die meisten anderen. Wir durften tränenüberströmte Berühmtheiten bewundern; doch ihrer Familie, die sich überraschenderweise als wenig fotogen erwies, wurden nur winzige Abbildungen zugestanden.

Tatsächlich ging mir allein die Reaktion einer Trauernden zu Herzen. Auf die Frage eines Mannes, den sie möglicherweise nicht als Reporter erkannte, berichtete sie, Landry in einer therapeutischen Einrichtung kennengelernt und sich mit ihr angefreundet zu haben. Sie hatte auf einer der hinteren Bänke Platz genommen, um Abschied zu nehmen, und verließ die Trauerfeier so still und leise, wie sie gekommen war. Anders als viele andere, mit denen Landry zu Lebzeiten Umgang hatte, hat diese Frau ihre Geschichte nicht an die Medien verkauft. Dieser Umstand könnte uns etwas über die echte Lula Landry verraten – jene Lula Landry, die eine herzliche Freundschaft zu einer ganz gewöhnlichen Frau unterhielt. Was den Rest von uns angeht …‹«

»Hat diese ganz gewöhnliche Frau aus der therapeutischen Einrichtung auch einen Namen?«, unterbrach Strike.

Robin überflog schweigend den Artikel.

»Nein.«

Strike kratzte sich das nachlässig rasierte Kinn.

»Bristow hat nichts von einer Bekannten aus einer therapeutischen Einrichtung gesagt.«

»Glauben Sie, dass die Frau wichtig ist?«, fragte Robin neugierig und drehte sich auf ihrem Bürostuhl zu ihm um.

»Es wäre bestimmt interessant, mit jemandem zu reden, der Landry aus der Therapie und nicht aus irgendeinem Club kannte.«

Strike hatte Robin nur deshalb mit der Recherche nach Landrys Bekanntenkreis beauftragt, weil ihm sonst keine Tätigkeit für sie eingefallen war. Sie hatte bereits mit Derrick Wilson, dem Mann vom Sicherheitsdienst, der in jener

Nacht am Empfang gesessen hatte, telefoniert und für Strike einen Termin am Freitagmorgen im Phoenix Café in Brixton vereinbart. Die heutige Post hatte lediglich aus zwei Wurfsendungen und einer Mahnung bestanden; in Ermangelung zu beantwortender Anrufe hatte sie inzwischen alles, was sich in dem Büro alphabetisch, nach Gattung oder Farbe ordnen ließ, sortiert.

Beeindruckt von ihren am Vortag zur Schau gestellten Google-Fähigkeiten, hatte er ihr also diese zugegebenermaßen sinnlose Aufgabe übertragen. Sie hatte die letzte Stunde damit verbracht, ihm alte Artikel und Meldungen über Landry und ihr Umfeld vorzulesen, während Strike selbst einen Stapel Quittungen, Telefonrechnungen und Fotos gesichtet hatte, die seinen einzigen anderen aktiven Fall betrafen.

»Soll ich versuchen, mehr über diese Frau herauszufinden?«, fragte Robin.

»Bitte«, sagte Strike abwesend und betrachtete gleichzeitig das Foto eines stämmigen Mannes mit schütterem Haar und Anzug und einer reifen Rothaarigen in engen Jeans. Besagter Mann war Mr. Geoffrey Hook; die Frau an seiner Seite indes hatte nicht die geringste Ähnlichkeit mit Mrs. Hook, die Strikes einzige Klientin gewesen war, bevor Bristow sein Büro betreten hatte. Strike steckte das Bild in Mrs. Hooks Akte und beschriftete es mit der Nummer 12.

Robin wandte sich wieder dem Computer zu.

Einige Augenblicke lang herrschte Stille, unterbrochen nur vom Rascheln des Fotopapiers und dem Klackern von Robins kurz geschnittenen Fingernägeln auf der Tastatur. Die Tür zu Strikes Büro war geschlossen, um die Campingliege und die anderen Hinweise darauf, dass es derzeit bewohnt war, zu verbergen. Künstlicher Limettenduft lag schwer in der Luft; Strike hatte vor Robins Ankunft großzügigen Gebrauch von einem billigen Raumspray gemacht. Bevor er sich zu ihr an den Schreibtisch gesetzt hatte, hatte er so getan, als würde er den Verlobungsring erst jetzt bemerken – damit sie nicht auf den Gedanken kam, er würde ihr Avancen machen. Er hatte ihr fünf Minuten lang höfliche und betont unpersönliche Fragen über ihren Zukünftigen gestellt und herausgefunden, dass es sich um einen Bilanzbuchhalter namens Matthew handelte, der erst kürzlich seine Ausbildung beendet und eine neue Stelle in der Hauptstadt angetreten hatte; dass Robin im vergangenen Monat aus Yorkshire zu ihm gezogen war und dass die Aushilfstätigkeit nur zur Überbrückung diente, bis sie eine Festanstellung gefunden hatte.

»Glauben Sie, dass sie auf einem dieser Bilder zu sehen ist?«, fragte Robin nach einer Weile. »Die Frau aus der Therapie, meine ich.«

Auf dem Bildschirm waren Reihe um Reihe gleich großer Fotos von einer oder mehreren Personen in dunkler Kleidung angeordnet, die sich von links nach rechts bewegten und offenbar auf dem Weg zu Lula Landrys Trauerfeier waren. Im Hintergrund eines jeden Bildes konnte man die unscharfen Gesichter einer Menschenmenge hinter einer Absperrung erahnen.

Aus den Fotos stach die Aufnahme einer sehr großen, blassen Frau heraus. Sie hatte ihr hellblondes Haar zu einem Pferdeschwanz zusammengebunden, und auf ihrem Kopf saß ein Arrangement aus schwarzem Netz und Federn. Strike erkannte sie sofort – jeder wusste, wer sie war: Ciara Porter, das Model, in deren Gegenwart Lula die längste Zeit ihres letzten Tages auf Erden verbracht hatte; die Freundin, die zusammen mit ihr auf einer der berühmtesten Aufnahmen ihrer Karriere zu sehen gewesen war. Sie schritt ebenso anmutig wie betroffen und offenbar ohne Begleitung zu der Beerdigung, da keine körperlose Hand ihren dünnen Arm oder ihren langen Rücken stützte.

Neben Porter war ein Paar abgebildet. Die Fotografie war mit *Filmproduzent Freddie Bestigui mit Gattin Tansy* unterschrieben. Bestigui hatte mit seinen kurzen Beinen, dem breiten Brustkorb und dem massigen Nacken die Statur eines Bullen. Das Gesicht unter dem grauen Bürstenhaarschnitt stellte eine verknitterte Ansammlung von Falten, Dellen und Muttermalen dar, aus der wie ein Tumor die fleischige Nase ragte. Nichtsdestotrotz machte er in seinem teuren schwarzen Mantel und mit seiner spindeldürren jungen Frau am Arm eine beeindruckende Figur. Tansy selbst versteckte sich hinter dem hochgeschlagenen Pelzkragen ihres Mantels und einer gewaltigen runden Sonnenbrille.

Das letzte Foto in der obersten Reihe zeigte *Designer Guy Somé*. Der schlanke Schwarze trug einen mitternachtsblauen, extravagant geschnittenen Gehrock. Da das Licht ungünstig auf seinen geneigten Kopf fiel und sich das Blitzlichtgewitter in drei großen Diamantohrringen in seinem Ohrläppchen spiegelte, war sein Gesichtsausdruck kaum zu erkennen. Wie Porter schien auch er allein gekommen zu sein, obwohl eine kleine Gruppe Trauernder, die einer eigenen Bildunterschrift offenbar nicht würdig waren, ebenfalls auf der Aufnahme zu sehen war.

Strike rückte den Stuhl näher an den Bildschirm, hielt dabei aber eine Armeslänge Distanz zu Robin. Eines der unbenannten Gesichter, zur Hälfte am Bildrand abgeschnitten, gehörte John Bristow – leicht zu erkennen an der kurzen Oberlippe und den Hasenzähnen. Er hatte den Arm um eine untröstlich anmutende ältere Dame mit weißem Haar gelegt; die unverhohlene Trauer auf ihrem eingefallenen, totenbleichen Gesicht war geradezu ergreifend. Hinter den beiden stand ein großer, arrogant wirkender Mann, dem die Umstände, in denen er sich befand, sichtlich zu missfallen schienen.

»Ich kann diese gewöhnliche Frau nirgends entdecken«, sagte Robin, die sich weiter durch die Bilder der würdevoll trauernden Reichen und Schönen klickte. »Oh, sehen Sie mal… Evan Duffield!«

Er trug ein schwarzes T-Shirt, schwarze Jeans und einen schwarzen Armeemantel. Selbst sein Haar war schwarz. Sein Gesicht schien nur aus scharfkantigen Flächen zu bestehen; eisblaue Augen starrten direkt in die Kamera. Er war größer, wirkte jedoch viel zerbrechlicher als die beiden Personen an seiner Seite: ein breit gebauter Mann im Anzug und eine ängstlich dreinblickende ältere Frau, die den Mund geöffnet hatte und mit einer Handbewegung den Weg für sie freizumachen versuchte. Das Trio erinnerte Strike an ein Elternpaar, das sein Kind von einer Geburtstagsparty abholte, weil ihm übel geworden war. Strike bemerkte außerdem, dass es Duffield trotz seiner augenscheinlichen Desorientierung und Trauer gelungen war, den Eyeliner korrekt aufzutragen.

»Sehen Sie sich diese Blumen an!«

Duffield wanderte den Bildschirm hinauf und wich der Aufnahme eines riesigen Trauerkranzes, dessen Umriss Strike zunächst für ein großes Herz hielt, bis er erkannte, dass es sich dabei um zwei aus weißen Rosen geformte Engelsflügel handelte. Auf einer kleineren Abbildung daneben war eine starke Vergrößerung der Trauerkarte zu sehen.

»›Lula, mein Engel. Ruhe in Frieden. Deeby Macc‹«, las Robin vor.

»Deeby Macc? Der Rapper? Also kannten die beiden sich persönlich.«

»Nein, das glaube ich nicht. Aber er hatte doch eine Wohnung im selben Haus gemietet, oder nicht? Außerdem hat er sie in mehreren seiner Songs erwähnt. Die Presse war ganz aus dem Häuschen, weil er dort einziehen wollte …«

»Sie scheinen sich ja gut auszukennen.«

»Ach, Klatschblätter und so«, sagte Robin ausweichend und durchforstete weiter die Fotografien.

»Was ist ›Deeby‹ überhaupt für ein Name?«, überlegte Strike laut.

»Das steht für seine Initialen: D.B.«, verkündete sie. »Sein richtiger Name ist Daryl Brandon Macdonald.«

»Sie mögen Rap?«

»Nein«, sagte Robin, ohne den Blick vom Bildschirm zu nehmen. »Ich kann mir solche Sachen einfach merken.«

Sie schloss das Fenster mit den Fotos und hackte weiter auf die Tastatur ein. Strike kehrte zu seinen eigenen Fotos zurück. Auf dem nächsten war Mr. Geoffrey Hook gerade dabei, vor dem Eingang zur U-Bahn-Haltestelle Ealing Broadway seine rothaarige Gefährtin zu küssen, wobei eine Hand auf ihrem breiten, leinenbedeckten Hintern ruhte.

»Sehen Sie mal, das habe ich auf YouTube gefunden«, sagte Robin. »Hier spricht Deeby Macc über Lula. Nach ihrem Tod.«

»Zeigen Sie her«, sagte Strike, rollte mit dem Stuhl näher zu ihr und, nach kurzer Überlegung, wieder ein Stück zurück.

Das grobkörnige, kaum acht mal zehn Zentimeter große Video zeigte einen großen Schwarzen in einem Kapuzenpullover, auf dessen Vorderseite ein aus zahllosen Nieten in Form einer Faust bestehendes Design prangte. Er saß in einem schwarzen Ledersessel und hatte sich seinem unsichtbaren Interviewer zugewandt. Er war kahl rasiert und trug eine Sonnenbrille.

»… Lula Landrys Selbstmord?«, fragte der hörbar britische Journalist.

»Das war echt abgefuckt, Mann, total abgefuckt«, antwortete Deeby und fuhr sich mit der Hand über den glatten Schädel. Er hatte eine sanfte, tiefe und heisere Stimme mit der fast unmerklichen Andeutung eines Lispelns. »Das passiert, wenn du Erfolg hast, Mann: Die hetzen dich zu Tode, die machen dich fertig. Das ist der pure Neid, mein Freund. Die Motherfucker von der Presse haben sie aus dem Fenster getrieben. Sie soll in Frieden ruhen, sag ich. Jetzt hat sie endlich ihren Frieden, Mann.«

»Das muss ein wirklich schockierendes Willkommen in London für Sie gewesen sein«, sagte der Journalist. »Ich meine, immerhin ist sie sozusagen direkt an Ihrem Fenster vorbei in den Tod gestürzt.«

Deeby Macc antwortete nicht sofort. Er saß nur still da und beobachtete sein Gegenüber durch die schwarzen Brillengläser.

»Ich war nicht dabei, Mann«, sagte er schließlich. »Oder kennst du jemanden, der das behauptet?«

Der Interviewer stieß ein ersticktes Kichern aus. »Du lieber Himmel, nein, aber nicht doch, ich …«

Deeby wandte sich jemandem zu, der neben der Kamera zu stehen schien.

»Yo, hätt ich meine Anwälte mitschleppen sollen oder was?«

Der Journalist gab ein wieherndes, kriecherisches Lachen von sich. Deeby wandte sich ihm wieder zu. Ohne dabei auch nur zu lächeln.

»Deeby Macc«, sagte der nervöse Journalist. »Vielen Dank, dass Sie sich Zeit für uns genommen haben.«

Eine ausgestreckte weiße Hand schob sich ins Bild. Deeby ballte seine eigene zur Faust. Die weiße Hand machte eine ungelenke Bewegung, dann stießen die Knöchel der beiden

Fäuste gegeneinander. Aus dem Off ertönte verächtliches Gelächter. Dann war das Video zu Ende.

»›Die Motherfucker von der Presse haben sie aus dem Fenster getrieben‹«, wiederholte Strike und rollte seinen Stuhl auf die ursprüngliche Position zurück. »Interessanter Standpunkt.«

Er spürte, wie sein Handy in der Hosentasche vibrierte, und angelte es hervor. Dass Charlotte ihm eine SMS schickte, jagte einen Adrenalinstoß durch seinen Körper, als hätte er soeben ein sprungbereites Raubtier neben sich entdeckt.

Ich bin am Freitagmorgen zwischen 9 und 12 nicht daheim, falls du deine Sachen abholen willst.

»Was?«

Hatte Robin nicht gerade etwas gesagt?

»Ich sagte, hier ist ein ziemlich gemeiner Artikel über ihre leibliche Mutter.«

»Okay. Lesen Sie vor.«

Er ließ das Handy in die Hosentasche zurückgleiten. Während er seinen Kopf wieder über Mrs. Hooks Akte beugte, hallten seine Gedanken kreuz und quer durch seinen Schädel, als hätte dort jemand einen Gong geschlagen.

Charlottes SMS klang beunruhigend vernünftig: Sie täuschte reife Gelassenheit vor. Damit verlieh sie ihrem unendlich komplizierten Zwist eine neue, bislang unbekannte Note. *Verhalten wir uns wie Erwachsene.* Wahrscheinlich würde sie ihm ein Messer zwischen die Schulterblätter rammen, sobald er ihre Wohnung betrat; vielleicht würde er im Schlafzimmer auf ihren leblosen Körper stoßen – mit aufgeschnittenen Pulsadern in einer getrockneten Blutlache, vor dem Kamin.

Robins Stimme war wie das Dröhnen eines Staubsaugers im Hintergrund. Er konnte sich nur unter beträchtlicher Anstrengung darauf konzentrieren.

»›…verkaufte die romantische Geschichte ihrer Beziehung zu einem jungen Schwarzen jedem Boulevardblatt, das bereit war, dafür zu bezahlen. In der Erinnerung ihrer damaligen Nachbarn hat Marlene Higsons Geschichte allerdings wenig Romantisches. *Sie ging anschaffen*, so Vivian Cranfield, die über Higson lebte, als diese bereits mit Landry schwanger gewesen sein musste. *Die Männer gingen zu jeder Tages- und Nachtzeit bei ihr ein und aus. Woher hätte sie wissen sollen, wer der Vater war? Da kam doch jeder infrage. Sie wollte das Kind überhaupt nicht. Ich weiß noch, wie das kleine Mädchen ganz allein im Hausflur saß und weinte, während ihre Mutter einen Freier bediente. Das arme Ding war noch in den Windeln und konnte kaum laufen… Irgendjemand hat dann wohl das Jugendamt verständigt und das keine Minute zu früh! Die Adoption war das Beste, was dem Mädchen passieren konnte.*

Die Wahrheit wird Landry, die sich in der Presse ausführlich über das glückliche Wiedersehen mit ihrer lange verschollenen leiblichen Mutter ausgelassen hat, mit ziemlicher Sicherheit vor den Kopf stoßen…‹ Der Artikel wurde übrigens vor Lulas Tod geschrieben«, erklärte Robin.

»Aha«, sagte Strike und klappte schlagartig den Aktenordner zu. »Wie wär's mit einem Spaziergang?«

2

Die beiden Kameras auf den hohen Masten wirkten wie bösartige Schuhschachteln. Die leeren schwarzen Zyklopenaugen überwachten die von Fußgängern wimmelnde und verkehrsreiche Alderbrook Road. Auf beiden Straßenseiten befanden sich eine Menge kleinerer Geschäfte, Bars und Cafés. Doppeldeckerbusse polterten auf eigens für sie reservierten Fahrspuren vorüber.

»Hier wurden die Aufnahmen von Bristows sogenanntem Läufer gemacht«, bemerkte Strike und wandte der Alderbrook Road den Rücken zu, um die weitaus ruhigere Bellamy Road in Augenschein nehmen zu können, die – gesäumt von großen, erhabenen Anwesen – in den exklusiven Wohnbezirk im Herzen Mayfairs führte. »Er ist zwölf Minuten nach ihrem Sturz hier vorbeigekommen … auf dem schnellsten Weg von den Kentigern Gardens. Die Nachtlinie hält hier, und auf ein Taxi muss man auch nicht lange warten – obwohl ein Taxi zu nehmen nicht unbedingt ein cleverer Schachzug wäre, wenn man gerade eine Frau ermordet hat.«

Erneut konsultierte er einen hoffnungslos zerfledderten Stadtplan. Allem Anschein nach befürchtete Strike nicht im Geringsten, für einen Touristen gehalten zu werden. Warum auch, dachte Robin. Bei seiner Statur.

Während ihrer kurzen Zeit als Aushilfskraft hatte man von Robin immer wieder Dinge verlangt, die ganz und gar nicht im Rahmen einer üblichen Sekretärinnentätigkeit gelegen hatten. Daher hatte sie Strikes Vorschlag, spazieren zu gehen, zunächst einigermaßen irritiert. Beruhigenderweise schien es Strike nicht auf einen Flirt anzulegen. Sie hatten den langen Weg hierher mehr oder weniger schweigend zurückgelegt. Strike hatte nur gelegentlich auf den Stadtplan gesehen und schien ansonsten tief in Gedanken.

Erst als sie die Alderbrook Road erreicht hatten, hatte er endlich den Mund aufgemacht: »Wenn Ihnen irgendetwas Ungewöhnliches auffällt, das mir entgangen sein sollte, oder wenn Ihnen eine zündende Idee kommt, dann sagen Sie mir Bescheid, ja?«

Das fand sie wiederum sehr aufregend; Robin war stolz auf ihre Beobachtungsgabe – einer der Gründe, weshalb sie seit ihrer Kindheit diese heimliche Faszination für den Berufsstand des Mannes neben ihr gehegt hatte. Aufmerksam sah sie sich auf der Straße um und versuchte sich vorzustellen, was ein Mann um zwei Uhr in einer verschneiten Nacht bei Minusgraden hier wohl im Schilde führen mochte.

»Da lang«, sagte Strike, bevor sie zu tieferen Einsichten gelangen konnte, und sie gingen Seite an Seite die Bellamy Road hinunter, die eine leichte Biegung nach links machte. Sie kamen an etwa sechzig fast identisch aussehenden Häusern vorbei. Von Blumentöpfen flankierte weiße Treppenstufen mit kurzen Geländern führten zu glänzend schwarzen Eingangstüren. Hin und wieder stießen sie auf Marmorlöwen oder Messingplaketten mit Namen und Berufsbezeichnungen. Hinter den Fenstern glitzerten Kronleuchter, und eine offen stehende Tür gab den Blick auf einen mit Schachbrettmuster gefliesten Flur, mehrere Ölgemälde in Goldrahmen und ein Treppenhaus im georgianischen Stil frei.

Unterdessen grübelte Strike über die Informationen nach, die Robin heute Morgen aus dem Internet gefischt hatte. Wie zu erwarten, entsprach Bristows Behauptung, dass die

Polizei keinen Versuch unternommen hätte, den Läufer und seinen Kompagnon ausfindig zu machen, nicht der Wahrheit. Inmitten der oft reißerischen Berichterstattung, die in den Tiefen des Internets überlebt hatte, war Robin auf – offenbar erfolglose – Aufrufe an die beiden Männer gestoßen, sich zu erkennen zu geben.

Anders als Bristow sah Strike darin keine Inkompetenz der Behörden und erst recht keinen Hinweis darauf, dass ein möglicher Mordverdächtiger laufen gelassen worden war. Der Autoalarm, der ungefähr zur selben Zeit losging, als die beiden Männer aus der Umgebung flüchteten, stellte eine durchaus plausible Begründung dar, weshalb sie sich nicht bei der Polizei gemeldet hatten. Darüber hinaus war Bristow – im Gegensatz zu Strike, der viele frustrierende Erfahrungen mit den unscharfen Schwarz-Weiß-Aufnahmen dieser Apparate gemacht hatte – wohl nicht mit der Tatsache vertraut, dass die Überwachungskameras Bilder von unterschiedlicher Qualität lieferten, was eine Identifikation unter Umständen deutlich erschweren konnte.

Außerdem war Strike aufgefallen, dass Bristow sowohl im Gespräch als auch in seinen Aufzeichnungen kein Wort über die DNS-Spuren verloren hatte, die in der Wohnung seiner Schwester gesichert worden waren. Da die Polizei den Läufer und seinen Freund schnell aus ihren Ermittlungen ausgeschlossen hatte, vermutete er stark, dass man keine fremde DNS sichergestellt hatte. Natürlich war sich Strike darüber im Klaren, dass ein verbohrter Fanatiker Nichtigkeiten wie fehlende DNS auf eine Verschwörung oder auf eine nachträgliche Manipulation des Tatorts zurückführen würde. Solche Leute sahen nur, was sie sehen wollten, und waren der unbequemen, unerbittlichen Wahrheit gegenüber blind.

Die Google-Recherchen des heutigen Morgens ließen aber

auch eine andere Erklärung für Bristows Fixierung auf den Läufer zu: Seine Schwester hatte bei der Suche nach ihren Wurzeln ihre leibliche Mutter aufgespürt, die jedoch, selbst wenn man die Effekthascherei der Presse außen vor ließ, als zwielichtige Person gelten durfte. Enthüllungen jener Art, wie Robin sie im Internet gefunden hatte, waren nicht nur für Landry, sondern sicherlich auch für ihre Adoptivfamilie höchst unangenehm gewesen. Ob Bristows Labilität (denn Strike konnte beim besten Willen nicht behaupten, dass sein Klient den Eindruck eines ausgeglichenen Menschen machte) dem Glauben geschuldet war, dass die in vielerlei Hinsicht vom Glück verwöhnte Lula das Schicksal herausgefordert hatte? Dass sie auf der Suche nach ihren Wurzeln Ärger heraufbeschworen hatte? Dass sie einem Dämon aus ferner Vergangenheit zum Opfer gefallen war? Beunruhigte ihn deshalb ein dunkelhäutiger Mann in ihrem Umfeld so sehr?

Strike und Robin drangen immer tiefer in die wohlhabende Enklave vor, bis sie schließlich an der Ecke Kentigern Gardens angekommen waren. Wie in der Bellamy Road zeugte auch hier alles von einschüchterndem, exklusivem Reichtum. Die vierstöckigen, in hochviktorianischem Stil errichteten Backsteingebäude mit den kleinen Balkonen waren mit Sandsteineinsätzen verziert, die Fenster ausladend gegiebelt. Unter einem Marmorportikus führten drei weiße Stufen von der Straße zu weiteren schimmernd schwarzen Eingangstüren. Alles wirkte teuer, sauber und ordentlich. Nur wenige Autos parkten in der Straße. Ein kleines Schild wies darauf hin, dass man für dieses Privileg eine Genehmigung brauchte.

Die Nummer 18, seit geraumer Zeit von Absperrband und Journalistentrauben befreit, war dankbar in die Gleichförmigkeit mit seinen Nachbargebäuden zurückgefallen.

»Sie ist vom Balkon im obersten Stock gestürzt«, sagte Strike. »Ungefähr zwölf Meter, schätze ich.«

Er betrachtete die hübsche Fassade. Robin bemerkte, dass die Balkone der obersten drei Stockwerke nicht sonderlich tief waren. Zwischen Balustrade und Balkontür war kaum Platz, um sich hinzustellen.

»Die Sache ist die«, erklärte Strike, während er mit zusammengekniffenen Augen zu dem Balkon hoch über ihnen aufsah, »dass ein Sturz aus dieser Höhe keineswegs tödlich enden muss.«

»Wie bitte? Aber natürlich«, widersprach Robin angesichts der furchterregenden Distanz zwischen dem obersten Balkon und dem harten Asphalt.

»Ganz im Gegenteil. Ich habe einmal einen Monat im Bett neben einem Waliser gelegen, der von einem Gebäude von etwa dieser Höhe geschleudert wurde. Seine Beine und sein Becken waren zerschmettert, und er hatte schwere innere Verletzungen, aber er weilt immer noch unter uns.«

Robin sah Strike an und fragte sich, was er einen Monat lang im Bett gemacht hatte; doch der Detektiv ging nicht weiter darauf ein, sondern musterte mit finsterer Miene die Eingangstür.

»Ein Zahlencodeschloss«, murmelte er, als er den Metalleinsatz mit der Zifferntastatur bemerkte, »und eine Kamera über der Tür. Die hat Bristow nicht erwähnt. Könnte nachträglich angebracht worden sein.«

Er blieb ein paar Minuten vor der einschüchternden Backsteinfront dieser kostspieligen Festung stehen und durchdachte verschiedene Theorien. Weshalb hatte sich Lula Landry überhaupt entschlossen, hier einzuziehen? Die Kentigern Gardens waren verschlafen, konservativ und stickig und wohl eher der natürliche Lebensraum anderer Gattungen von Superreichen – von russischen und arabischen Oligarchen; von Vorstandsvorsitzenden, die zwischen ihren Stadtwohnungen und Landsitzen pendelten; wohlhabenden alten Jungfern, die inmitten ihrer Kunstsammlungen langsam verstaubten. Eine überraschende Wahl für eine Dreiundzwanzigjährige, die nahezu sämtlichen Artikeln zufolge, die Robin ihm am Vormittag vorgelesen hatte, ständig von einer Entourage hipper, kreativer Menschen umgeben gewesen und deren gefeierter Stil eher der Straße als dem Salon geschuldet war.

»Sieht ganz gut bewacht aus, oder?«, sagte Robin.

»Allerdings. Selbst ohne die Paparazzi, die in jener Nacht auf dem Posten waren.«

Strike lehnte sich gegen das schwarze Geländer von Nummer 23 und starrte auf Nummer 18 gegenüber. Die Fenster von Landrys ehemaliger Wohnung waren größer als die der darunterliegenden Stockwerke, und im Gegensatz zu den anderen Balkonen war ihrer nicht mit Zierbüschen vollgestellt. Strike nahm eine Schachtel Zigaretten aus der Tasche und bot Robin eine an; sie schüttelte überrascht den Kopf, da sie ihn im Büro noch nicht hatte rauchen sehen.

»Bristow glaubt, dass irgendjemand ungesehen hinein- und wieder herausspaziert ist«, sagte Strike, nachdem er die Zigarette angezündet und tief inhaliert hatte, ohne dabei die Eingangstür aus den Augen zu lassen.

Robin, die felsenfest von der Uneinnehmbarkeit des Gebäudes vor ihnen überzeugt war, glaubte irrtümlich, dass sich Strike über diese Theorie lustig machen wollte.

»Wenn dem so ist«, sagte Strike, den Blick immer noch auf die Tür gerichtet, »dann war das von langer Hand geplant. Und zwar gut geplant. Niemand hat so viel Glück, an den Fotografen, dem Codeschloss, dem Wachmann und einer verschlossenen Wohnungstür vorbeizukommen. Allerdings«, er kratzte sich das Kinn, »passt ein derart ausgeklügelter Plan nicht zu einem so schludrigen Mord.«

Robin fand dieses Adjektiv ein wenig gefühllos.

»Jemanden von einem Balkon zu stoßen geschieht üblicherweise im Affekt«, erklärte Strike, als hätte er ihr Unbehagen bemerkt. »Blindwütig. Ohne nachzudenken.«

Robins Anwesenheit war ihm angenehm, sie beruhigte ihn; nicht nur weil sie an seinen Lippen hing und seine Meditationen nicht unterbrochen hatte; sondern auch, weil der kleine Saphir an ihrem Ringfinger eine bequeme Grenze bildete: bis hierhin und nicht weiter. Was ihm perfekt in den Kram passte. Er konnte ungehindert, wenn auch auf subtile Art, vor ihr angeben; eine der wenigen Freuden, die ihm noch geblieben waren.

»Und wenn der Mörder bereits im Haus war?«

»Das klingt viel wahrscheinlicher«, sagte Strike, woraufhin Robin hochzufrieden mit sich war. »In diesem Fall haben wir die Wahl zwischen dem Wachmann, Mr. oder Mrs. Bestigui oder allen beiden und einem Unbekannten, der sich im Gebäude versteckt hielt, ohne dass es jemand mitbekommen hätte. Wilson oder die Bestiguis hätten keine Schwierigkeiten gehabt, das Gebäude zu betreten oder zu verlassen; sie hätten nur an ihren jeweiligen Platz im Haus zurückkehren müssen. Andererseits bestand das Risiko, dass Lula schwer verletzt überleben und später aussagen würde. Aber eine impulsive, ungeplante Affekthandlung scheint mir bei diesen Verdächtigen ohnehin viel wahrscheinlicher. Ein Streit, ein wütender Schubs …«

Während er weiterrauchte, inspizierte Strike eingehend die Vorderfront des Gebäudes – speziell den Abstand zwischen den Fenstern im ersten und dritten Stock. Und er dachte an

Freddie Bestigui, den Filmproduzenten. Laut den Informationen aus dem Internet hatte Bestigui in seinem Bett gelegen und geschlafen, als Lula Landry von dem Balkon zwei Stockwerke über ihm gestürzt war. Bestiguis Frau hatte Alarm geschlagen und später im Beisein ihres Ehemanns darauf beharrt, dass der Mörder noch oben sei. Das ließ darauf schließen, dass zumindest sie ihren Mann nicht für den Täter hielt. Andererseits war Freddie Bestigui zur richtigen Zeit vor Ort gewesen. Strikes Erfahrung nach suchten Laien immer sklavisch nach dem Verdächtigen mit dem plausibelsten Motiv. Experten dagegen achteten darauf, wer die günstigste Gelegenheit zur Tat gehabt hatte.

»Aber warum hätte sich jemand mitten in der Nacht mit ihr streiten sollen?«, fragte Robin und bestätigte damit unwissentlich ihren Zivilistenstatus. »Sie hatte doch nie Ärger mit ihren Nachbarn, oder? Außerdem scheidet Tansy Bestigui von vornherein aus, nicht wahr? Warum hätte sie nach unten laufen und den Wachmann alarmieren sollen, wenn sie kurz zuvor Lula vom Balkon gestoßen hätte?«

Strike antwortete nicht sofort. Er hing seinen eigenen Gedanken nach.

»Bristow hat sich auf die Viertelstunde versteift, nachdem seine Schwester das Haus betreten hatte, die Fotografen gegangen waren und der Wachmann zur Toilette verschwand. Was bedeutet, dass der Empfang kurzzeitig unbeaufsichtigt war – aber wie hätte jemand von draußen erkennen können, dass Wilson sich nicht auf seinem Posten befand? Die Vordertür ist ja nicht aus Glas.«

»Außerdem«, fügte Robin aufgeweckt hinzu, »hätte dieser Jemand den Türcode kennen müssen.«

»Da sind die Leute manchmal ziemlich nachlässig. Wenn der Sicherheitsdienst den Code nicht regelmäßig geändert hat, hätte er einer Menge unerwünschter Leute bekannt sein können. Sehen wir mal dahinten nach.«

Schweigend gingen sie zum Ende der Straße, wo eine schmale Seitengasse leicht diagonal von den Kentigern Gardens abging und zur Rückseite von Landrys Häuserzeile führte. Amüsiert nahm Strike zur Kenntnis, dass die Gasse den Namen Serf's Way trug. Dienstbotendurchgang. Sie war gerade breit genug für ein Auto, gut ausgeleuchtet und bot mit den hohen, glatt verputzten Mauern zu beiden Seiten des Kopfsteinpflasters praktisch keine Versteckmöglichkeiten. Sie erreichten ein zweiflügeliges elektrisches Garagentor, das den Zugang zur Tiefgarage für die Bewohner der Kentigern Gardens darstellte. An der Wand daneben war ein überdimensionales Schild mit der Aufschrift *ANLIEGER FREI* angebracht.

Als sie ungefähr auf Höhe von Nummer 18 angekommen waren, setzte Strike zum Sprung an, packte die Kante der Mauer und zog sich hinauf, bis er in eine lange Reihe kleiner, gepflegter Gärten spähen konnte. Zwischen jeder frisch gemähten, umhegten Rasenfläche und dem dazugehörigen Haus führte eine schattige Treppe ins Souterrain. Um die rückwärtige Fassade des Hauses zu erklimmen, waren nach Strikes Auffassung entweder eine Leiter oder eine helfende Hand sowie einige robuste Seile nötig.

Er glitt wieder von der Mauer und landete mit einem erstickten Ächzen auf der Prothese.

»Nichts passiert«, sagte er, als Robin einen besorgten Laut von sich gab; sie hatte sein leichtes Humpeln bemerkt und fragte sich, ob er sich womöglich den Fuß verstaucht hatte.

Das Kopfsteinpflaster war Gift für seinen wund gescheuerten Stumpf, und die Unbeweglichkeit seines künstlichen Knöchels machte das Gehen auf unebenem Terrain ungleich schwieriger. Strike fragte sich reumütig, warum er überhaupt an der Mauer hochgesprungen war. So hübsch Robin auch sein mochte – sie konnte der Frau, die er gerade verlassen hatte, nicht das Wasser reichen.

3

»Bist du dir sicher, dass er ein Detektiv ist? Andere Leute googeln kann schließlich jeder.«

Nach einem langen Arbeitstag, einem übel gelaunten Kunden und einem Zusammenstoß mit seinem neuen Chef war Matthew merklich gereizt, weshalb er auch kein Verständnis für die in seinen Augen naive und völlig deplatzierte Bewunderung seiner Verlobten für einen anderen Mann aufbrachte.

»Er hat niemanden gegoogelt«, sagte Robin. »*Ich* habe gegoogelt, während er an einem anderen Fall gearbeitet hat.«

»Das Ganze gefällt mir überhaupt nicht. Er schläft in seinem Büro, Robin. Findest du nicht, dass das ein bisschen eigenartig ist?«

»Wenn ich's dir doch sage: Ich glaube, er hat sich von seiner Lebensgefährtin getrennt.«

»Das wundert mich nicht«, entgegnete Matthew.

Robin knallte seinen Teller auf ihren und marschierte in die Küche. Sie war wütend auf Matthew und irgendwie auch auf Strike. Den ganzen Tag über Lula Landrys Bekannte durch den Cyberspace zu verfolgen hatte Spaß gemacht. Wenn sie das Ganze jedoch im Nachhinein und aus Matthews Perspektive betrachtete, drängte sich ihr der Eindruck auf, dass Strikes Auftrag nur unsinnige Zeitverschwendung gewesen war.

»Ich meine ja nur«, sagte Matthew, der ihr nachgegangen war. »Das alles klingt eben ein wenig seltsam. Und was war das überhaupt für ein Nachmittagsspaziergang?«

»Das war kein *Nachmittagsspaziergang*, Matt. Wir haben

uns den Tat… den Ort angesehen, den sein Klient für den Schauplatz eines Verbrechens hält.«

»Robin, du musst daraus nicht so ein Riesengeheimnis machen«, sagte Matthew und lachte.

»Ich habe eine Vertraulichkeitsvereinbarung unterschrieben«, zischte sie über ihre Schulter hinweg. »Ich darf mit dir nicht über den Fall reden.«

»Über den *Fall.*«

Wieder stieß er ein kurzes, verächtliches Lachen aus.

Robin fuhrwerkte in der Küche herum, stellte Zutaten beiseite und warf Schranktüren zu. Nachdem er sie eine Weile dabei beobachtet hatte, kam Matthew zu dem Schluss, dass er wohl überreagiert hatte. Er stellte sich hinter sie, als sie gerade Essensreste in den Mülleimer kratzte, vergrub sein Gesicht in ihrem Nacken, umfasste die Brust mit den von Strike versehentlich verursachten Blutergüssen – was Matthews Meinung von ihm unwiderruflich ruiniert hatte – und streichelte sie. Er murmelte besänftigende Worte in Robins honigblondes Haar, doch sie entzog sich ihm und stellte die Teller ins Spülbecken.

Robin kam sich unter Wert verkauft vor. Hatte Strike ihr sein Interesse an den Ergebnissen der Onlinerecherche nur vorgeheuchelt? Immerhin hatte er ihr für ihre Effizienz und Initiative gedankt.

»Wie viele richtige Vorstellungsgespräche hast du nächste Woche?«, fragte Matthew, als sie den Kaltwasserhahn aufdrehte.

»Drei«, schnaubte sie über das gluckernde Wasser hinweg und nahm sich aggressiv den ersten Teller vor.

Sie wartete, bis er sich ins Wohnzimmer zurückgezogen hatte, bevor sie den Hahn wieder zudrehte, und bemerkte da erst, dass ein Stück Tiefkühlerbse in der Fassung ihres Verlobungsrings klebte.

4

Strike traf am Freitagmorgen um halb zehn vor Charlottes Wohnung ein, womit er ihr dreißig Minuten Zeit gegeben hatte, um sich vor seiner Ankunft aus dem Staub zu machen – vorausgesetzt, dass sie dies auch wirklich vorgehabt hatte und nicht doch oben auf ihn wartete. Die großen, eleganten weißen Häuser entlang der breiten Straße; die Platanen; die Metzgerei, die direkt aus den Fünfzigern hätte stammen können; die Cafés, in denen sich der gehobene Mittelstand drängte; die schicken Restaurants; dies alles war Strike immer leicht unwirklich und inszeniert vorgekommen. Tief im Innern hatte er wahrscheinlich immer gewusst, dass er hier nicht bleiben würde, dass er nicht hierhergehörte.

Bis zu dem Moment, als er die Tür aufschloss, rechnete er damit, sie in der Wohnung anzutreffen. Erst als er über die Schwelle trat, hatte er die Gewissheit, dass er allein war. Die leblose, gleichgültige Stille menschenleerer Räume schlug ihm entgegen, und seine Schritte im Flur klangen fremd und viel zu laut.

Im Wohnzimmer standen vier Pappkartons. Die Deckel waren geöffnet, damit er ihren Inhalt leichter inspizieren konnte. Wie Flohmarktartikel waren seine billigen, zweckdienlichen Habseligkeiten vor ihm aufgehäuft. Er nahm einige Dinge heraus, um daruntersehen zu können. Allem Anschein nach war nichts zerstört, zerschnitten oder mit Farbe übergossen worden. Andere Leute in seinem Alter besaßen Häuser und Waschmaschinen, Autos und Fernseher, Möbel,

Gärten, Mountainbikes und Rasenmäher. Er besaß vier Kartons voller Trödel und eine Menge unvergesslicher Erinnerungen.

Der stille Raum zeugte mit seinem museumsreifen Teppich, den blass malvenfarbenen Wänden, den schönen dunklen Holzmöbeln und den überquellenden Bücherregalen von gutem Geschmack. Die einzige Veränderung seit Sonntagabend hatte auf dem gläsernen Beistelltisch neben dem Sofa stattgefunden. Vor fünf Tagen hatte an dieser Stelle noch ein Bild von ihm und Charlotte gestanden, wie sie am Strand von St. Mawes in die Kamera lachten. Jetzt lächelte ihn aus demselben Silberrahmen eine schwarz-weiße Studioaufnahme von Charlottes verstorbenem Vater milde an.

Über dem Kamin hing das Ölporträt der achtzehnjährigen Charlotte. Das Antlitz eines Florentiner Engels in einer Wolke aus schwarzem Haar. In ihrer Familie war es Tradition, den Nachwuchs von Kunstmalern für die Ewigkeit festhalten zu lassen: die Marotte eines Milieus, das Strike völlig fremd war und in dem er sich wie auf feindlichem Territorium bewegte. Charlotte hatte ihn gelehrt, dass jener für ihn unvorstellbare Reichtum durchaus mit Unglück und Barbarei vereinbar war. Trotz aller Eleganz und Schicklichkeit, trotz allen Anstands und aller Kultiviertheit, des hohen Bildungsgrads und des gelegentlichen Hangs zur Extravaganz war ihre Familie noch viel verrückter und verschrobener als seine eigene, was ein starkes Bindeglied zwischen Charlotte und ihm gewesen war, als sie sich kennengelernt hatten.

Als er sich das Porträt ansah, kam ihm ein überaus abstruser Gedanke in den Sinn: Es mochte nur deshalb gemalt worden sein, damit die großen grünbraunen Augen eines Tages seinen Abschied beobachten konnten. Ob Charlotte wusste, wie es sich anfühlte, unter den Augen ihres bezaubernden achtzehnjährigen Abbilds durch eine leere Wohnung zu streifen? Ob sie ahnte, dass ihm das Gemälde noch stärker zusetzte als ihre tatsächliche körperliche Anwesenheit?

Er wandte sich ab und durchsuchte die anderen Räume, doch sie hatte ganze Arbeit geleistet. Jede Spur von ihm, von seinen Armeestiefeln bis hin zur Zahnseide, war in den Kartons verstaut. Dem Schlafzimmer widmete er besondere Aufmerksamkeit. Der Raum mit den dunklen Bodendielen, den weißen Vorhängen und der filigranen Frisierkommode strahlte Ruhe und Würde aus. Genau wie das Porträt kam ihm auch das Bett wie ein lebender, atmender Organismus vor. *Erinnere dich an das, was hier passiert ist und was nie wieder passieren wird.*

Nacheinander trug er die vier Kartons über die Türschwelle. Bei der letzten Kiste begegnete er einem höhnisch grinsenden Nachbarn, der gerade seine eigene Tür absperrte. Der Mann trug Rugbyshirts mit aufgestellten Kragen und wieherte für gewöhnlich bei jedem noch so kleinen Bonmot aus Charlottes Mund.

»Na, beim Ausräumen?«, fragte er.

Strike schlug ihm Charlottes Tür vor der Nase zu.

Vor dem Spiegel im Flur zog er den Schlüssel von seinem Bund und legte ihn vorsichtig auf den halbmondförmigen Konsolentisch neben die Potpourrischale. Sein zerknittertes, ungewaschenes Gesicht starrte ihm entgegen; sein rechtes, noch immer geschwollenes Auge schillerte gelb-violett. In der Stille hallte eine Stimme von vor siebzehn Jahren in seinem Kopf wider: »Wie zum Teufel kriegt ein potthässlicher Muschikopf wie du *so eine* ab, Strike?« Und jetzt, da er in einem Flur stand, den er niemals wiedersehen würde, erschien ihm das in der Tat unglaublich.

Er durchlebte einen letzten Moment des Wahnsinns, einen

winzigen Augenblick zwischen zwei Herzschlägen wie jenen vor fünf Tagen, als er ihr hinterhergestürzt war: Was, wenn er einfach hierblieb und wartete, bis sie zurückkam, ihr makelloses Gesicht in seine Hände nahm und sagte: »Wollen wir es noch einmal versuchen?«

Doch sie hatten es bereits versucht, wieder und wieder und wieder, und jedes Mal, wenn der erste Sturm gegenseitiger Leidenschaft abflaute, hob die grässliche Vergangenheit erneut ihr Haupt und warf ihren Schatten auf all ihre Bemühungen um einen Neubeginn.

Zum letzten Mal schloss er die Wohnungstür hinter sich. Der wiehernde Nachbar war verschwunden. Strike trug die vier Kartons auf den Gehweg hinunter und wartete auf ein Taxi.

5

Strike hatte Robin angekündigt, dass er an ihrem letzten Morgen erst spät ins Büro kommen werde. Er hatte ihr den Ersatzschlüssel gegeben und sie gebeten, sich selbst einzulassen.

Sein beiläufiger Gebrauch des Wortes »letzter« hatte sie leicht gekränkt. Er bedeutete ihr unmissverständlich, dass Strike die Tage gezählt hatte, bis er sie wieder loswerden konnte – ganz unabhängig davon, wie gut sie miteinander ausgekommen waren (wenn auch auf eine zurückhaltende, professionelle Weise); wie viel besser sein Büro inzwischen organisiert und wie viel sauberer die grässliche Toilette hinter der Glastür war; wie viel professioneller die Klingel wirkte, seit der schäbige danebengeklebte Zettel durch einen ordentlich getippten Namen unter der Plastikabdeckung ersetzt worden war (sie zu entfernen hatte sie eine Viertelstunde und zwei abgebrochene Fingernägel gekostet); wie gewandt sie Nachrichten entgegengenommen und wie gewinnbringend sie mit ihm über den fast sicher nicht existierenden Mörder Lula Landrys diskutiert hatte.

Dass er sich keine Sekretärin leisten konnte, war offensichtlich. Er hatte nur zwei Klienten; er schien (worauf Matthew ständig hinwies, als wäre es ein Zeichen schrecklichster Verderbtheit, im Büro zu schlafen) keinen festen Wohnsitz zu haben. Robin verstand natürlich, dass es aus Strikes Sicht unsinnig war, sie weiterzubeschäftigen; aber sie freute sich nicht auf Montag. Sie würde ein fremdes Büro betreten (Temporary

Solutions hatte die neue Adresse bereits telefonisch durchgegeben); bestimmt ein aufgeräumtes, helles, belebtes Großraumbüro – wie die meisten solcher Büros voll schwatzhafter Frauen, deren Aktivitäten ihr weniger als nichts bedeuteten. Robin glaubte vielleicht nicht an einen Mörder, und sie wusste, dass auch Strike an seiner Existenz zweifelte; aber seine Nichtexistenz beweisen zu wollen fesselte sie.

Für Robin war die gesamte Woche aufregender gewesen, als sie Matthew gegenüber jemals eingestanden hätte. All die Tätigkeiten – selbst dass sie BestFilms, Freddie Bestiguis Produktionsfirma, zwei Mal täglich anrief und jedes Mal abgewimmelt wurde, wenn sie den Filmproduzenten zu sprechen verlangte – hatten ihr ein Gefühl von Wichtigkeit gegeben, das ihr in ihrem bisherigen Arbeitsleben nur selten beschert gewesen war. Die Denk- und Entscheidungsprozesse anderer Menschen faszinierten sie; sie war auf halbem Weg zum Abschluss eines Psychologiestudiums gewesen, als ein unerwarteter Vorfall sie dazu gezwungen hatte, ihr Studium abzubrechen.

Es war inzwischen halb elf, und Strike war immer noch nicht im Büro; stattdessen war eine nervös lächelnde, große Frau gekommen, die zu einem orangeroten Mantel ein violettes Strickbarett trug: Mrs. Hook – ein Name, den Robin nur zu gut kannte, weil er zu Strikes einziger weiterer Klientin gehörte. Robin platzierte Mrs. Hook auf dem durchgesessenen Sofa neben ihrem Schreibtisch und machte ihr eine Tasse Tee. (Auf Robins unbehagliche Schilderung des lüsternen Mr. Crowdy hatte Strike billige Teetassen und eine eigene Schachtel Teebeutel gekauft.)

»Ich weiß, dass ich zu früh dran bin«, sagte Mrs. Hook zum dritten Mal, während sie halbherzig an dem siedend heißen Tee nippte. »Ich kenne Sie nicht; sind Sie neu?«

»Ich bin nur die Aushilfe«, sagte Robin.

»Wie Sie sich sicher denken können, geht es um meinen Mann«, fuhr Mrs. Hook, die offenbar nicht zugehört hatte, fort. »Bestimmt haben Sie andauernd mit Frauen wie mir zu tun, oder nicht? Die das Schlimmste erfahren wollen. Ich habe endlos lange gezögert. Aber es ist besser, Klarheit zu haben, nicht wahr? Das ist besser. Ich dachte, Cormoran wäre hier. Ist er wegen eines anderen Falls unterwegs?«

»Ganz genau«, sagte Robin, die den Verdacht hatte, in Wirklichkeit unternehme Strike etwas wegen seines geheimnisvollen Privatlebens; er war spürbar zugeknöpft gewesen, als er ihr mitgeteilt hatte, dass er etwas später kommen werde.

»Wissen Sie, wer sein Vater ist?«, fragte Mrs. Hook.

»Nein«, antwortete Robin in dem Glauben, sie sprächen über den Ehemann der armen Frau.

»Jonny Rokeby«, sagte Mrs. Hook mit genießerischem Nachdruck.

»Jonny Roke…«

Robin hielt den Atem an, als sie begriff, dass Mrs. Hook von Strike gesprochen hatte, und dessen massive Gestalt gleichzeitig draußen vor der Glastür auftauchte. Sie konnte sehen, dass er etwas sehr Großes trug.

»Einen Augenblick bitte, Mrs. Hook.«

»Was?«, fragte Strike und sah um den Rand des Kartons herum, als Robin zu ihm heraustrat und die Glastür schnell hinter sich zumachte.

»Mrs. Hook ist da«, flüsterte sie.

»Ach du Scheiße! Sie ist eine Stunde zu früh dran.«

»Ja, ich weiß. Ich dachte, Sie würden Ihr Büro ein bisschen, ähem, in Ordnung bringen wollen, bevor Sie sie hineinbitten.«

Strike ließ den Karton zu Boden gleiten.

»Ich muss dieses Zeug von der Straße raufholen.«

»Ich helfe Ihnen«, bot Robin ihm an.

»Nein, Sie gehen rein und betreiben höfliche Konversation. Sie macht einen Töpferkurs und glaubt, dass ihr Mann mit seiner Buchhalterin schläft.«

Strike ließ den Karton neben der Glastür stehen und hinkte wieder die Treppe hinunter.

Jonny Rokeby? Konnte das stimmen?

»Er ist schon unterwegs«, verkündete Robin fröhlich, als sie sich wieder an den Schreibtisch setzte. »Mr. Strike hat mir erzählt, dass Sie töpfern. Ich wollte schon immer …«

Fünf Minuten lang ließ Robin die Erfolge des Töpferkurses und die Schilderungen des hochsensiblen, verständnisvollen jungen Mannes, der den Kurs leitete, über sich ergehen. Dann ging die Glastür auf, Strike trat ein, von Kartons unbelastet und mit einem Lächeln im Gesicht, und Mrs. Hook sprang auf, um ihn zu begrüßen.

»Oh, Cormoran, Ihr Auge!«, rief sie. »Haben Sie einen Schlag abgekriegt?«

»Nicht doch«, sagte Strike. »Lassen Sie mir kurz Zeit, Mrs. Hook, dann suche ich Ihre Akte heraus.«

»Ich weiß, dass ich zu früh dran bin, Cormoran, und das tut mir schrecklich leid … Ich habe letzte Nacht kaum geschlafen …«

»Darf ich Ihnen die Tasse abnehmen, Mrs. Hook?«, fragte Robin und verhinderte so, dass die Klientin in den Sekunden, die Strike brauchte, um durch die Zwischentür zu schlüpfen, Campingliege, Schlafsack und Wasserkocher entdeckte.

Einige Minuten später kehrte Strike in einer Wolke aus künstlichem Limettenduft zurück, und Mrs. Hook verschwand mit einem letzten ängstlichen Blick auf Robin in seinem Büro. Die Tür schloss sich hinter ihnen.

Robin setzte sich wieder an ihren Schreibtisch. Die Morgenpost hatte sie bereits geöffnet. Sie schwenkte auf ihrem Drehstuhl von einer Seite zur anderen, bevor sie sich dem Computer zuwandte und wie beiläufig Wikipedia aufrief. Mit unbeteiligter Miene, als handelten ihre Finger aus eigenem Antrieb, tippte sie zwei Namen: *Rokeby Strike.*

Der Eintrag erschien augenblicklich unter dem Schwarz-Weiß-Foto eines Mannes, den sie sofort wiedererkannte und der seit vier Jahrzehnten eine Berühmtheit war. Er hatte ein schmales Harlekingesicht und wilde Augen, die sich leicht karikieren ließen; das linke war ein wenig schief, weil er es gewohnheitsmäßig leicht zusammenkniff. Der Mund war weit aufgerissen, das Gesicht schweißnass, und die Haare flogen, während er in ein Mikrofon brüllte.

> Jonathan Leonard »Jonny« Rokeby, geb. 1. August 1948, in den Siebzigerjahren Leadsinger der Rockband The Deadbeats, aufgenommen in die Rock and Roll Hall of Fame, mehrfacher Grammy-Preisträger…

Strike sah ihm überhaupt nicht ähnlich; die einzige schwache Ähnlichkeit lag in der Ungleichheit der Augen, die in Strikes Fall jedoch nur von vorübergehender Natur war.

Robin scrollte weiter…

> …im Jahr 1975 mehrfach Platin für das Album Hold It Back.
> Die US-Rekordtournee wurde in L. A. unterbrochen, als der neue Gitarrist David Carr wegen Drogenbesitzes verhaftet wurde und in Untersuchungshaft kam…

…bis zu dem Punkt »Biografisches«:

Rokeby war drei Mal verheiratet: mit Shirley Mullens (1969–1973), einer Kommilitonin von der Kunstakademie, mit der er eine Tochter hat (Maimie); mit Model, Schauspielerin und Menschenrechtsaktivistin Carla Astolfi (1975–1979), mit der er zwei Töchter hat (TV-Moderatorin Gabriella Rokeby und Schmuckdesignerin Daniella Rokeby); sowie mit der Filmproduzentin Jenny Graham (1981 bis heute), mit der er zwei Söhne hat (Edward und Al). Außerdem hat Rokeby eine Tochter (Prudence Donleavy) aus der Beziehung mit der Schauspielerin Lindsey Fanthrope und einen Sohn (Cormoran) mit Leda Strike, dem Supergroupie der Siebzigerjahre.

Aus dem Büro hinter Robin kam ein gellend lauter Schrei. Sie sprang auf, sodass der Stuhl von ihr wegrollte. Der Schrei wurde lauter und schriller. Robin durchquerte das Vorzimmer und riss die Zwischentür auf.

Mrs. Hook, die ihren orangeroten Mantel und das violette Barett abgelegt hatte und zu Jeans eine Art Töpferkittel mit Blumenmuster trug, hatte sich Strike an die Brust geworfen und bearbeitete ihn mit den Fäusten, während sie einen Ton wie ein kochender Wasserkessel von sich gab. Dieser aus einer einzigen Note bestehende Schrei hielt so lange an, dass man glauben musste, sie müsse sofort atmen oder sie erstickte.

»Mrs. Hook!«, rief Robin, packte von hinten deren faltige Oberarme und versuchte, Strike die Notwendigkeit zu ersparen, sie von sich wegzustoßen. Doch Mrs. Hook war kräftiger, als sie aussah. Obwohl sie eine Atempause einlegen musste, trommelte sie weiter auf Strikes Brust, bis ihm nichts anderes übrig blieb, als ihre Handgelenke zu ergreifen und hochzuhalten, woraufhin Mrs. Hook sich aus seinem lockeren Griff wand und sich stattdessen wie ein Hund heulend Robin an den Hals warf.

Robin tätschelte der Schluchzenden den Rücken und lotste sie in winzigen Schritten zurück ins Vorzimmer.

»Schon gut, Mrs. Hook, schon gut«, sprach sie beruhigend auf sie ein und drückte sie sanft aufs Sofa. »Kommen Sie, ich mache Ihnen einen Tee.«

»Es tut mir wirklich leid, Mrs. Hook«, sagte Strike von der Tür seines Büros aus in förmlichem Tonfall. »Eine Nachricht dieser Art zu bekommen ist nie leicht.«

»Ich d-dachte, es wäre Valerie«, wimmerte Mrs. Hook, die sich den Kopf mit dem zerzausten Haar hielt, während sie sich auf dem knarrenden Sofa vor und zurück wiegte. »Ich d-dachte, es wäre Valerie, n-nicht meine eigene … n-nicht meine eigene *Schwester*.«

»Ich mache Tee«, flüsterte Robin erschrocken.

Sie war mit dem Wasserkocher fast aus der Tür, als ihr einfiel, dass sie Jonny Rokebys Biografie auf dem Monitor zurückgelassen hatte. Weil es merkwürdig gewirkt hätte, wenn sie inmitten dieser Krise zurückgehastet wäre und ihn ausgeschaltet hätte, eilte sie hinaus und hoffte, Strike würde zu sehr mit Mrs. Hook beschäftigt sein, um es zu bemerken.

Mrs. Hook brauchte weitere vierzig Minuten, um die zweite Tasse Tee zu trinken und die Hälfte der Klopapierrolle, die Robin aus der Toilette auf dem Treppenabsatz mitgenommen hatte, nass zu schluchzen. Dann ging sie endlich, drückte den Ordner mit belastenden Aufnahmen und die Liste mit genauen Orts- und Zeitangaben an ihren wogenden Busen und tupfte sich die Augen.

Strike wartete, bis sie am Ende der Straße verschwunden war, dann zog er fröhlich summend los, um Sandwiches für Robin und sich selbst zu kaufen, die sie an ihrem Schreibtisch verzehrten. Das war die freundlichste Geste ihr gegenüber, zu der er sich in ihrer gemeinsamen Woche hatte hinreißen lassen, und Robin glaubte zu wissen, dass er dies in dem Bewusstsein getan hatte, sie bald los zu sein.

»Sie wissen, dass ich heute Nachmittag unterwegs bin, um Derrick Wilson zu befragen?«

»Den Sicherheitsmann, der Durchfall hatte«, bestätigte Robin. »Ja.«

»Bis ich zurückkomme, sind Sie bestimmt schon fort, deshalb zeichne ich Ihren Stundenzettel gleich jetzt ab. Und hören Sie, danke für …«

Strike nickte zu dem jetzt leeren Sofa hinüber.

»Oh, kein Problem. Die Ärmste.«

»Ja. Nun, jedenfalls hat sie ihn jetzt in der Hand. Und«, fügte er hinzu, »danke für alles, was Sie in dieser Woche getan haben.«

»Das ist mein Job«, sagte Robin leichthin.

»Wenn ich mir eine Sekretärin leisten könnte … Aber ich wette, dass Sie irgendwann ein Riesengehalt als persönliche Assistentin irgendeines Spitzenmanagers beziehen.«

Robin fühlte sich vage gekränkt.

»Das ist nicht die Art Job, die ich will«, sagte sie.

Darauf folgte leicht angespanntes Schweigen.

Strike trug einen kleinen Kampf mit sich selbst aus. Die Aussicht, dass Robins Schreibtisch ab dem kommenden Montag verwaist sein würde, war trübselig; er hatte ihre Gegenwart als angenehm unaufgeregt und ihre Tüchtigkeit als erfrischend empfunden. Aber es wäre doch bestimmt erbärmlich, wenn nicht gar verschwenderisch, für Gesellschaft zu bezahlen, als wäre er irgendein reicher, kränkelnder viktorianischer Magnat? Ihre Zeitarbeitsagentur, Temporary Solutions, forderte eine räuberisch hohe Provision; Robin war ein Luxus, den er sich nicht leisten konnte. Die Tatsache, dass sie ihn nicht nach seinem Vater ausgefragt hatte (denn Strike hatte den Wikipedia-Eintrag auf ihrem Bildschirm sehr wohl bemerkt), hatte ihn noch mehr für sie eingenommen; das bewies ungewöhnliche Zurückhaltung und war eine Norm, nach der er neue Bekanntschaften oft beurteilte. Aber dies alles kam gegen die nüchterne Realität nicht an: Sie musste gehen.

Trotzdem empfand er ihr gegenüber ungefähr das, was er gegenüber der Ringelnatter empfunden hatte, die er als Elfjähriger in den Trevaylor Woods gefangen und derentwegen er Tante Joan so hartnäckig angebettelt hatte: »Bitte lass sie mich behalten … *bitte* …«

»Ich muss los«, sagte er, nachdem er ihren Stundenzettel abgezeichnet und sein Sandwichpapier und die leere Wasserflasche in den Abfallkorb unter ihrem Schreibtisch geworfen hatte. »Danke für alles, Robin. Und alles Gute bei der Jobsuche!«

Dann nahm er seinen Mantel vom Haken und ging durch die Glastür hinaus.

Oben an der Treppe, genau an der Stelle, wo er sie fast umgebracht und dann doch gerettet hatte, machte er halt. Sein Instinkt krallte an ihm wie ein aufdringlich bettelnder Hund.

Als hinter ihm die Glastür an die Wand krachte, drehte er sich um.

Robins Wangen waren rosig angehaucht.

»Hören Sie«, sagte sie, »wir könnten eine private Vereinbarung treffen. Wir könnten Temporary Solutions außen vor lassen, und Sie könnten mich direkt bezahlen.«

Er zögerte.

»Das mögen sie nicht, diese Zeitarbeitsfirmen. Die vermitteln Sie nie wieder.«

»Das spielt keine Rolle. Nächste Woche habe ich drei Vorstellungstermine für feste Stellen. Wenn Sie mir dafür freigeben würden …«

»Kein Problem«, sagte er, bevor er sich bremsen konnte.

»Dann könnte ich noch ein, zwei Wochen bleiben.«

Eine Pause. Die Vernunft lieferte sich ein kurzes, heftiges Gefecht mit Instinkt und Neigung und wurde überwältigt.

»Gut … in Ordnung. Also, versuchen Sie dann weiter, Freddie Bestigui zu erreichen?«

»Ja, natürlich«, sagte Robin, die ihren innerlichen Jubel mit ruhiger Effizienz tarnte.

»Schön, dann sehen wir uns am Montagnachmittag.«

Es war das erste Grinsen, mit dem er sie zu bedenken wagte. Obwohl er sich eigentlich über sich selbst hätte ärgern sollen, trat Strike nicht mit einem Gefühl des Bedauerns in den kühlen frühen Nachmittag hinaus, sondern empfand vielmehr seltsam erneuerten Optimismus.

6

Strike hatte einmal versucht, die Schulen zu zählen, die er in seiner Jugend besucht hatte, und war auf siebzehn gekommen, wobei er jedoch den Verdacht hegte, ein paar vergessen zu haben. Nicht mit eingerechnet hatte er die kurze Zeit, in der er angeblich Privatunterricht erhalten hatte: als er mit seiner Mutter und seiner Halbschwester in einem besetzten Haus in der Atlantic Road in Brixton wohnte. Der damalige Freund seiner Mutter, ein weißer Rastafari, der Musiker war und den Namen Shumba angenommen hatte, war der Überzeugung, das Schulsystem festige patriarchalische und materialistische Werte, denen seine außerehelichen Stiefkinder nicht ausgesetzt sein sollten. Die wichtigste Lektion, die Strike in diesen zwei Monaten Privatunterricht lernte, war die, dass Cannabis, selbst wenn es spirituell verabreicht wurde, den Konsumenten antriebslos und paranoid machen konnte.

Auf dem Weg zu dem Café, in dem er sich mit Derrick Wilson treffen wollte, machte er einen unnötigen kleinen Umweg durch Brixton Market. Der Fischgeruch unter den Arkaden; die bunten offenen Eingangsbereiche der Geschäfte, in denen sich fremdartige Obst- und Gemüsesorten aus Afrika und der Karibik türmten; die Halal-Fleischer und die Friseure, die ihre Schaufenster mit großformatigen Fotografien von kunstfertigen Zopf- und Lockenfrisuren und langen Reihen von Styroporköpfen mit Perücken dekoriert hatten – dies alles entführte Strike in die Zeit vor sechsundzwanzig Jahren, in der er mit seiner jüngeren Halbschwester Lucy durch die Straßen von Brixton gezogen war, während seine Mutter und Shumba in dem besetzten Haus auf schmutzigen Kissen lagerten und dösten und dumpf über die wichtigen spirituellen Konzepte zu diskutieren versuchten, in denen die Kinder unterwiesen werden sollten.

Die siebenjährige Lucy hatte sich nach Haaren gesehnt, wie sie die Mädchen aus der Karibik trugen. Auf der langen Fahrt zurück nach St. Mawes, die das Ende ihres Lebens in Brixton markierte, äußerte sie auf dem Rücksitz des Morris Minor von Onkel Ted und Tante Joan den sehnlichen Wunsch nach Zöpfen mit eingeflochtenen Perlen. Strike erinnerte sich noch daran, dass Tante Joan gelassen zugestimmt hatte, dieser Stil sei wirklich sehr hübsch, während im Rückspiegel eine senkrechte kleine Falte zwischen ihren Augenbrauen zu sehen gewesen war. Joan hatte sich bemüht – im Lauf der Jahre zunehmend erfolglos –, Leda vor den Kindern nicht zu verunglimpfen. Und Strike hatte nie erfahren, wie Onkel Ted herausbekommen hatte, wo sie wohnten; er wusste nur, dass Lucy und er selbst eines Tages in das besetzte Haus zurückgekommen waren und dort den hünenhaften Bruder ihrer Mutter angetroffen hatten, der mitten im Raum stand und Shumba eine blutige Nase androhte. Binnen zwei Tagen gingen Lucy und er wieder zur Grundschule St. Mawes, die sie jahrelang nur unregelmäßig besucht hatten, knüpften an alte Freundschaften an, als wären sie nie fort gewesen, und legten rasch den Akzent ab, den sie sich zur Tarnung angeeignet hatten, wo auch immer Leda sich mit ihnen niedergelassen hatte.

Strike hatte die Wegbeschreibung, die Derrick Wilson Robin diktiert hatte, nicht gebraucht, denn er kannte das Phoenix Café in der Coldharbour Lane. Shumba und ihre Mutter waren gelegentlich mit ihnen dorthin gegangen: ein winziger, braun gestrichener Bau, eine Art Schuppen, in dem man (wenn man kein Vegetarier war wie Shumba und ihre Mutter) Riesenportionen von Rührei und Frühstücksspeck und ziegelroten Tee in großen Bechern serviert bekam. Das Café sah noch beinahe genauso aus, wie er es in Erinnerung hatte: gemütlich, eng und schmuddelig, mit Spiegelwänden, die das Bild von Resopaltischen mit Holzmaserung zurückwarfen, schmutzigen dunkelroten und weißen Fliesen und einer tapiokafarbenen Deckentapete, die an einigen Stellen schimmelig war. Die stämmige Bedienung, eine Mittvierzigerin, hatte kurzes geglättetes Haar und trug baumelnde orangerote Plastikohrringe; sie trat beiseite, um Strike am Tresen vorbeizulassen.

Ein kräftig gebauter Kreole saß allein an einem Tisch und las die *Sun* unter einer Kunststoffuhr mit der Aufschrift *Pukka Pies.*

»Derrick Wilson?«

»Yeah? Und Sie sind … Strike?«

Strike schüttelte Wilsons große, trockene Hand und setzte sich. Er schätzte, dass Wilson fast so groß war wie er selbst. Muskeln, aber auch Fettpolster füllten die Ärmel seines Sweatshirts aus; der Sicherheitsmann trug sein Haar kurz, war glatt rasiert und hatte schöne, mandelförmige Augen. Strike bestellte die Fleischpastete mit Kartoffelpüree von der handgekritzelten Speisentafel hinter dem Tresen und freute sich darüber, dass er die 4,75 Pfund als Betriebsausgaben würde absetzen können.

»Yeah, die Pastete mit Püree ist gut«, sagte Wilson.

Ein leichter karibischer Anklang gab seinem Londoner Akzent eine besondere Note. Seine Stimme war tief, ruhig und gemessen. Strike konnte sich vorstellen, dass er in der Uniform eines Sicherheitsmanns beruhigend wirkte.

»Danke, dass Sie sich Zeit für mich nehmen. Ich weiß das sehr zu schätzen. John Bristow ist mit der amtlich festgestellten Todesursache seiner Schwester nicht einverstanden. Er hat mich engagiert, damit ich mir das Beweismaterial noch mal ansehe.«

»Yeah«, sagte Wilson, »ich weiß.«

»Wie viel hat er Ihnen dafür gezahlt, dass Sie mit mir reden?«, fragte Strike beiläufig.

Wilson blinzelte wie ertappt, dann lachte er, und es gluckste tief in seiner Kehle.

»Fünfundzwanzig«, sagte er. »Aber wenn's den Mann glücklich macht, wissen Sie? Es ändert ja nichts. Sie hat sich umgebracht. Aber stell'n Sie ruhig Ihre Fragen. Das macht mir nichts.«

Er legte die *Sun* zusammen. Auf der Titelseite war ein erschöpft wirkender Gordon Brown mit schweren Tränensäcken unter den Augen abgebildet.

»Sie haben der Polizei sicher schon alles gesagt«, begann Strike. Er schlug sein Notizbuch auf und legte es neben das Platzdeckchen. »Aber es wäre gut, aus erster Hand zu hören, was in der fraglichen Nacht passiert ist.«

»Yeah, kein Problem. Kieran kommt vielleicht auch noch«, fügte Wilson hinzu.

Er schien zu erwarten, dass sein Gegenüber wusste, wer das war.

»Wer?«

»Kieran Kolovas-Jones. Er hat Lula meistens gefahren. Er will auch mit Ihnen reden.«

»Okay«, sagte Strike. »Wann will er hier sein?«

»Weiß ich nicht. Er ist dienstlich unterwegs. Er kommt, sobald er kann.«

Die Bedienung kam mit einem Becher Tee für Strike, der

sich bedankte und die Kugelschreibermine herausklickte. Doch noch bevor er mit der Befragung anfangen konnte, sagte Wilson: »Sie war'n Offizier, hat Mr. Bristow gesagt.«

»Stimmt«, sagte Strike.

»Mein Neffe ist in Afghanistan«, sagte Wilson und nippte an seinem Tee. »Provinz Helmand.«

»Welches Regiment?«

»Fernmelder«, sagte Wilson.

»Wie lange ist er schon dort?«

»Vier Monate. Seine Mutter macht kein Auge mehr zu«, sagte Wilson. »Wie kommt's, dass Sie von dort weg sind?«

»Hab ein Bein verloren«, antwortete Strike freimütiger als gewöhnlich. »Sprengfalle.«

Das war nur ein Teil der Wahrheit, aber zumindest der Teil, der sich einem Fremden am leichtesten erzählen ließ. Er hätte bleiben können; sie hatten ihn unbedingt halten wollen; aber der Verlust von Fuß und Unterschenkel hatte lediglich einen Entschluss beschleunigt, der seit Jahren in ihm gereift war. Er hatte gewusst, dass sein persönlicher Umkehrpunkt näher rückte: jener Augenblick, in dem er gehen musste, bevor er den Abschied und das Wiedereingewöhnen ins bürgerliche Leben als zu mühsam empfinden würde. Die Army formte einen im Lauf der Jahre fast unmerklich; sie stellte eine äußerliche Konformität her, die es einem leicht machte, von der Gezeitenkraft des Militärlebens mitgerissen zu werden. Strike war nie ganz überspült worden und hatte sich für den Abschied entschieden, bevor es dazu kommen konnte. Trotzdem dachte er an die Special Investigation Branch mit einer Zuneigung zurück, der selbst der Verlust eines halben Beins nichts anhaben konnte. Er wäre glücklich gewesen, sich ähnlich unkompliziert liebevoll an Charlotte erinnern zu können.

Wilson akzeptierte Strikes Erklärung langsam nickend.

»Nicht leicht«, sagte er mit seiner tiefen Stimme.

»Im Vergleich zu anderen bin ich gut weggekommen.«

»Yeah. Vor zwei Wochen ist ein Kerl aus dem Zug meines Neffen in die Luft geflogen.«

Wilson nahm einen kleinen Schluck Tee.

»Wie sind Sie mit Lula Landry ausgekommen?«, fragte Strike mit gezücktem Kugelschreiber. »Haben Sie sie oft gesehen?«

»Nur wenn sie am Empfang vorbeigekommen ist. Sie hat immer Hallo und Bitte und Danke gesagt, was mehr ist, als viele dieser reichen Ärsche rausbringen«, sagte Wilson lakonisch. »Am längsten haben wir uns mal über Jamaika unterhalten. Sie hat überlegt, ob sie dort drüben Aufnahmen machen sollte; hat mich gefragt, wo man am besten wohnt, wie's dort ist. Und ich hab mir ein Autogramm als Geburtstagsgeschenk für meinen Neffen Jason geben lassen. Hab die Karte mit ihrer Unterschrift nach Afghanistan geschickt, nur drei Wochen vor ihrem Tod. Danach hat sie sich jedes Mal ausdrücklich nach Jason erkundigt, und das hat sie mir sympathisch gemacht, wissen Sie? Ich bin schon lange in der Sicherheitsbranche. Es gibt Leute, die erwarten, dass du 'ne Kugel für sie abfängst, die sich aber nicht die Mühe machen, sich deinen Namen zu merken. Yeah, aber sie war in Ordnung.«

Strikes Pastete mit Kartoffelpüree wurde serviert – beides dampfend heiß. Die beiden Männer betrachteten die riesige Portion in übereinkommendem respektvollem Schweigen. Strike, dem das Wasser im Mund zusammenlief, griff nach Messer und Gabel und fragte: »Können Sie mir Schritt für Schritt erzählen, was sich in der Nacht von Lulas Tod ereignet hat? Sie ist wann ausgegangen?«

Der Sicherheitsmann kratzte sich gedankenverloren am

Unterarm und entblößte dabei unbeabsichtigt diverse tätowierte Kreuze und Initialen.

»Das muss kurz nach neunzehn Uhr gewesen sein. Sie war mit ihrer Freundin Ciara Porter zusammen. Ich weiß noch, dass Mr. Bestigui reingekommen ist, als sie rausgegangen sind. Er hat irgendwas zu Lula gesagt. Verstanden hab ich's nicht, aber ihr hat's nicht gefallen. Das war an ihrem Gesichtsausdruck zu seh'n.«

»Welche Art Gesichtsausdruck?«

»Beleidigt«, sagte Wilson sofort. »Dann seh ich die beiden auf dem Monitor, Lula und Porter, wie sie in den Wagen steigen. Wir haben eine Kamera über dem Eingang, wissen Sie? Das Bild erscheint auf einem Monitor am Empfang, damit wir seh'n können, wer klingelt, um eingelassen zu werden.«

»Zeichnet die Kamera die Bilder auf? Kann ich mir das Band ansehen?«

Wilson schüttelte den Kopf.

»Mr. Bestigui wollte nichts dergleichen über dem Eingang haben. Kein Aufzeichnungsgerät. Er hat die erste Wohnung gekauft, noch bevor alle fertig waren, und hat deshalb mitreden dürfen.«

»Die Kamera ist also nur eine Art Hightech-Türspion?«

Wilson nickte. Von seinem linken unteren Augenlid zog sich eine dünne Narbe bis über den Wangenknochen.

»Yeah. Ich hab also beobachtet, wie die Mädels in den Wagen gestiegen sind. Kieran, der Kerl, der noch kommen will, war an diesem Abend aber nicht der Fahrer. Er sollte Deeby Macc abholen.«

»Wer war an diesem Abend ihr Fahrer?«

»Ein Typ namens Mick von Execars. Er hatte sie schon ein paarmal gefahren. Der Wagen war von einer Horde Fotografen umlagert. Die hatten schon die ganze Woche lang rumgeschnüffelt, weil sie wussten, dass sie wieder mit Evan Duffield zusammen war.«

»Was hat Bestigui getan, als Lula und Ciara weggefahren waren?«

»Er hat seine Post bei mir abgeholt und ist die Treppe zu seiner Wohnung raufgegangen.«

Strike legte nach jedem Bissen die Gabel weg, um sich Notizen zu machen.

»Ist danach noch jemand reingekommen oder gegangen?«

»Yeah, die Leute vom Cateringservice. Sie waren oben bei den Bestiguis gewesen, die an dem Abend Gäste hatten. Gegen acht kam ein amerikanisches Paar und ist zu Apartment eins raufgegangen. Danach war alles ruhig, bis die zwei kurz vor Mitternacht wieder gegangen sind. Dann hab ich niemand mehr geseh'n, bis Lula ungefähr um halb zwei heimgekommen ist. Ich hab gehört, wie die Paparazzi draußen ihren Namen riefen. Inzwischen waren's noch viel mehr. Ein paar waren ihr vom Club aus gefolgt, und die restliche Horde war schon da, weil sie auf Deeby Macc lauerte. Er hätte gegen halb eins eintreffen sollen. Lula hat geklingelt, und ich hab sie reingelassen.«

»Sie hat nicht den Code auf dem Tastenfeld eingegeben?«

»Nicht in diesem Gedränge. Sie wollte möglichst schnell rein. Die Kerle haben gejohlt und gedrängelt.«

»Hätte sie nicht durch die Tiefgarage hereinkommen und ihnen so entgehen können?«

»Yeah, das hat sie manchmal gemacht, wenn Kieran sie gefahren hat. Er hatte die Fernbedienung fürs Garagentor. Aber Mick hatte keine, deshalb musste er sie vor dem Eingang absetzen.

Ich hab Guten Morgen gesagt und nach dem Schnee gefragt, von dem sie ein paar Flocken im Haar hatte; sie hat gezittert, weil sie bloß so ein dünnes Fähnchen getragen hat. Sie hat gesagt, draußen wär's weit unter null, irgendwas in der Art. Dann hat sie gesagt: ›Ich wollt, die würden sich verpissen. Wollen die die ganze Nacht hier lauern?‹ Damit hat sie die Paparazzi gemeint. Ich hab ihr erklärt, dass sie auf Deeby Macc warten, der sich verspätet hat. Sie sah ziemlich sauer aus. Dann ist sie mit dem Aufzug in ihre Wohnung raufgefahr'n.«

»Sie sah sauer aus?«

»Yeah, echt sauer.«

»Selbstmörderisch sauer?«

»Nein«, sagte Wilson. »Wütend sauer.«

»Was ist dann passiert?«

»Dann«, sagte Wilson, »musste ich dringend nach hinten verschwinden. In meinem Bauch hat's ordentlich rumort. Ich musste auf die Toilette. Dringend, wissen Sie. Mich hatte wohl erwischt, was Robson auch hatte. Er hat sich an dem Tag mit Durchfall krankgemeldet. Ich war ungefähr eine Viertelstunde lang fort. War nicht anders zu machen. So schlimm hab ich die Scheißerei noch nie gehabt. Ich war noch auf dem Klo, als das Gekreisch angefangen hat. Nein«, verbesserte er sich, »als Erstes hab ich 'nen Knall gehört. 'nen dumpfen Schlag in der Ferne. Später ist mir klar geworden, dass das der aufschlagende Körper – Lula, meine ich – gewesen sein muss. *Dann* hat das Kreischen angefangen, ist lauter geworden, die Treppe runtergekommen. Also zieh ich meine Hose hoch und renn zurück ins Foyer, und dort sehe ich Mrs. Bestigui, die zittert und kreischt und sich in ihrer Unterwäsche wie eine Verrückte aufführt. Sie sagt, Lula ist tot und dass ein Mann sie vom Balkon gestoßen hat. Ich fordere sie auf, drinnen zu bleiben, und renne nach draußen. Und da liegt sie. Mitten auf der Fahrbahn, mit dem Gesicht im Schnee.«

Wilson schwenkte seinen Tee und hielt den Becher weiter mit seiner Pranke umfasst, als er sagte: »Ihr Kopf war halb eingedrückt. Blut im Schnee. Ich hab gleich geseh'n, dass sie sich das Genick gebrochen hatte. Und ich hab … yeah.«

Der unverkennbare süßliche Geruch von menschlicher Gehirnmasse schien Strike in die Nase zu steigen. Er hatte ihn schon oft gerochen. Den vergaß man nie.

»Ich bin wieder reingerannt«, fuhr Wilson fort. »Am Empfang standen jetzt beide Bestiguis; er hat versucht, sie die Treppe raufzuzerren, damit sie sich was anziehen konnte; und sie hat weitergekreischt. Ich hab sie aufgefordert, die Polizei anzurufen und den Aufzug im Auge zu behalten für den Fall, dass er versucht, damit runterzukommen. Dann hab ich mir den Generalschlüssel geschnappt und bin nach oben gerannt. Auf der Treppe war niemand. Ich hab die Tür von Lulas Wohnung aufgesperrt …«

»Haben Sie nicht daran gedacht … irgendetwas mitzunehmen, um sich verteidigen zu können?«, unterbrach Strike ihn. »Wenn Sie dachten, dort drinnen sei jemand? Jemand, der gerade eine Frau ermordet hatte?«

Es folgte eine Pause, die bisher längste.

»Hab nicht geglaubt, dass ich was brauchen würd«, erwiderte Wilson. »Hab gedacht, ich würde leicht mit ihm fertig, kein Problem.«

»Mit wem?«

»Mit Duffield«, sagte Wilson ruhig. »Ich dachte, Duffield wär dort oben.«

»Wieso?«

»Ich hab gedacht, er ist zurückgekommen, während ich auf der Toilette war. Er kannte den Zahlencode für die Tür. Ich dachte, er müsste nach oben gegangen sein, und sie hätte ihn reingelassen. Ich hatte sie schon früher streiten hören. Ich hab ihn wütend erlebt. Ja, ich dachte, er hätte sie vom Balkon gestoßen. Aber als ich in ihre Wohnung gekommen bin, war sie leer. Ich hab alle Räume durchsucht, ohne wen zu finden. Ich hab sogar die Schranktüren aufgemacht, aber da war nichts.

Die Fenster im Wohnzimmer standen weit offen. Dabei war die Nacht eiskalt, unter null Grad. Ich hab sie nicht zugemacht. Ich hab nichts angefasst. Bin wieder raus und hab den Rufknopf am Aufzug gedrückt. Die Tür hat sich sofort geöffnet; er war noch auf ihrer Etage. Er war leer.

Dann bin ich wieder runtergerannt. Die Bestiguis waren schon wieder in ihrer Wohnung, als ich an der Tür vorbeigekommen bin. Ich konnte die beiden hören; sie hat immer noch gekreischt, und er hat sie weiter angebrüllt. Ich wusste ja nicht, ob sie schon die Polizei angerufen hatten. Also hab ich mir mein Handy geschnappt und bin wieder rausgelaufen, zurück zu Lula, weil … Na ja, ich wollte sie nicht allein da liegen lassen. Ich wollte die Polizei von der Straße aus anrufen, damit sie auch wirklich kam. Aber dann war die Sirene zu hören, bevor ich auch nur eine einzige Taste drücken konnte. Die Copper waren echt schnell da.«

»Einer der Bestiguis hatte sie angerufen, stimmt's?«

»Yeah. Er hatte angerufen. Zwei Copper mit 'nem Streifenwagen.«

»Okay«, sagte Strike. »Lassen Sie mich eins klarstellen: Sie haben Mrs. Bestigui geglaubt, als sie behauptet hat, sie habe in der obersten Etage einen Mann gehört?«

»Oh yeah«, sagte Wilson.

»Weshalb?«

Wilson starrte mit leicht gerunzelter Stirn über Strikes rechte Schulter hinweg auf die Straße hinaus.

»Sie hatte zu diesem Zeitpunkt noch keine Einzelheiten

preisgegeben, nicht wahr?«, fragte Strike. »Nichts darüber, was sie gerade tat, als sie diesen Mann gehört haben will? Keine Erklärung dafür, warum sie um zwei Uhr morgens wach war?«

»Nein«, sagte Wilson. »Das hat sie mir nie erklärt. Es war die Art, wie sie sich aufgeführt hat, wissen Sie. Hysterisch. Sie zitterte am ganzen Leib. Sie hat immer wieder gesagt: ›Dort oben ist ein Mann, er hat sie vom Balkon gestoßen!‹ Sie war echt verängstigt. Bloß dort oben war niemand, das schwöre ich beim Leben meiner Kinder. Die Wohnung war leer, der Aufzug war leer, das Treppenhaus war leer. Er kann sich doch nicht in Luft aufgelöst haben?«

»Die Polizei war also da«, sagte Strike und kehrte in Gedanken auf die dunkle, verschneite Straße und zu der zerschmetterten Toten zurück. »Wie ging es weiter?«

»Als Mrs. Bestigui aus ihrem Fenster den Streifenwagen sieht, kommt sie mit ihrem Mann an den Fersen im Morgenrock wieder runter; sie rennt auf die Straße in den Schnee raus und schreit den Beamten zu, dass ein Mörder im Haus ist. Ringsum wird jetzt überall Licht gemacht. In den Fenstern sind Gesichter zu seh'n. Die halbe Straße ist aufgewacht. Leute kommen auf die Gehwege raus.

Einer der Copper ist bei der Leiche geblieben und hat über Funk Verstärkung angefordert, während der andere mit uns – mit den Bestiguis und mir – wieder reingegangen ist. Er hat die beiden aufgefordert, in ihrer Wohnung zu warten, dann hat er sich von mir durchs Gebäude führen lassen. Wir sind wieder nach oben gegangen; ich hab Lulas Tür aufgesperrt und ihm die Wohnung und die offenen Fenster gezeigt. Er hat alle Zimmer kontrolliert. Ich hab ihm den Aufzug gezeigt, der immer noch oben stand. Wir sind wieder die Treppe runtergegangen. Er hat nach der mittleren Wohnung gefragt, also hab ich sie mit dem Generalschlüssel aufgesperrt.

Sie war dunkel, und die Alarmanlage heulte los. Noch bevor ich Licht machen oder den Alarm ausschalten konnte, hat der Copper den Tisch in der Diele gerammt und eine riesige Vase mit Rosen umgeworfen. Sie ist am Boden zerschellt, überall Glas und Wasser und Blumen. Deswegen hat's später noch viel Stunk gegeben …

Zusammen haben wir die Wohnung durchsucht. Leer, alle Zimmer, alle Schränke. Die Fenster waren zu, verriegelt. Also sind wir in die Eingangshalle zurückgegangen.

Inzwischen waren Kriminaler eingetroffen. Sie wollten die Schlüssel zum Fitnessraum im Keller, zur Schwimmhalle und zur Tiefgarage. Einer von ihnen ist raufgegangen, um Mrs. Bestiguis Aussage aufzunehmen, ein anderer blieb draußen und hat weitere Verstärkung angefordert, weil immer mehr Nachbarn auf die Straße kommen, von denen die Hälfte telefoniert, während sie da rumsteht; und andere machen Fotos. Die Copper versuchen, die Leute in ihre Häuser zurückzuscheuchen. Inzwischen schneit es wieder in dicken, schweren Flocken.

Als die Spurensicherung kam, haben sie als Erstes ein Zelt über der Leiche aufgebaut. Die Medien waren ungefähr zur selben Zeit wieder da. Die Polizei hat die halbe Straße abgesperrt und die Fahrbahn mit Streifenwagen blockiert.«

Strike hatte aufgegessen. Er schob den Teller zur Seite, bestellte frischen Tee für sie beide und griff wieder nach seinem Kugelschreiber.

»Wie viele Leute arbeiten in Nummer achtzehn?«

»Drei Sicherheitsleute – Colin McLeod, Ian Robson und ich. Wir arbeiten in Schichten, sodass Tag und Nacht immer jemand Dienst hat. Ich hätte in dieser Nacht freihaben sollen, aber Robson hatte mich gegen sechzehn Uhr angerufen, weil er diese Darmgrippe hatte und sich echt schlecht fühlte. Also hab ich ihm gesagt, dass ich bleibe und seine Schicht übernehme. Er hatte im Vormonat mit mir getauscht, damit ich ein paar Familiendinge regeln konnte. Ich war ihm was schuldig. Ich hätt nicht dort sein sollen«, sagte Wilson.

Dann herrschte kurzes Schweigen; er stellte sich vor, wie es eigentlich hätte gewesen sein sollen.

»Sind Ihre Kollegen genauso gut mit Lula ausgekommen wie Sie?«

»Yeah, von denen würden Sie das Gleiche hören. Nettes Mädchen.«

»Wer arbeitet sonst noch dort?«

»Wir haben zwei polnische Putzfrauen. Aber die sprechen kaum Englisch. Aus denen werden Sie nicht viel rauskriegen.«

Wilsons Zeugenaussage, dachte Strike, während er in eines der SIB-Notizbücher schrieb, die er bei seinem letzten Besuch in Aldershot hatte mitgehen lassen, war ungewöhnlich hochwertig: straff, präzise und gut beobachtet. Nur wenige Leute beantworteten die ihnen gestellten Fragen; noch weniger Leute verstanden sich darauf, ihre Gedanken so zu ordnen, dass keine Nachfragen nötig waren, um ihnen Informationen aus der Nase zu ziehen. Strike war es gewohnt, in den Erinnerungsruinen traumatisierter Menschen Archäologe zu spielen: Er hatte das Vertrauen von Ängstlichen gewonnen, Gangster unter Druck gesetzt, Gefährliche geködert und Listigen Fallen gestellt. Nichts dergleichen war bei Wilson notwendig, um den es bei diesem letztlich zwecklosen Streifzug durch John Bristows Paranoia fast schade war.

Trotzdem hatte Strike die chronische Angewohnheit, gründlich zu arbeiten. Diese Befragung abzukürzen wäre ihm ebenso wenig eingefallen, wie einen Tag lang rauchend und nur mit einer Unterhose bekleidet auf seiner Campingliege zu verbringen. Aus Neigung und aufgrund seiner Ausbildung, aus Selbstachtung und aus Respekt seinem Klienten gegenüber machte er mit derselben Akribie weiter, für die er in der Army gefeiert, aber auch gehasst worden war.

»Können wir kurz auf den Tag vor ihrem Tod zu sprechen kommen? Wann sind Sie zur Arbeit gekommen?«

»Wie immer um neun. Ich hab Colin abgelöst.«

»Führen Sie Buch darüber, wer das Gebäude betritt und verlässt?«

»Yeah, wir tragen alle außer den Hausbewohnern ein und aus. Das Besucherbuch liegt am Empfang.«

»Wissen Sie noch, wer an diesem Tag da war?«

Wilson zögerte.

»John Bristow hat am frühen Morgen seine Schwester besucht, nicht wahr?«, hakte Strike nach. »Sie hatte Sie angewiesen, ihn nicht einzulassen.«

»Das hat er Ihnen erzählt, ja?« Wilson wirkte sichtlich erleichtert. »Yeah, das hatte sie getan. Aber der Mann hat mir leidgetan, wissen Sie? Er musste ihr einen Vertrag zurückgeben, das hat ihm Sorgen gemacht, also hab ich ihn raufgelassen.«

»War sonst Ihres Wissens noch jemand im Haus?«

»Yeah, die Lechsinka war da. Sie ist eine der Putzfrauen. Sie kommt immer schon um sieben; sie hat das Treppenhaus geputzt, als ich gekommen bin. Später war dann ein Techniker vom Kundendienst da, um die Alarmanlagen zu überprüfen. Das lassen wir alle sechs Monate machen. Er muss gegen zwanzig vor zehn gekommen sein, um den Dreh rum.«

»War das jemand, den Sie kannten, dieser Mann vom Kundendienst?«

»Nein, es war ein Neuer. Sehr jung. Die schicken jedes Mal andere Leute. Mrs. Bestigui und Lula waren noch daheim, deshalb bin ich mit ihm in die mittlere Wohnung raufgegangen und hab ihm dort den Schaltkasten gezeigt, damit er anfangen konnte. Lula ist gegangen, als ich noch dort drinnen war und dem Kerl die Sicherungen und die Panikknöpfe gezeigt hab.«

»Sie haben sie weggehen sehen?«

»Yeah, sie ist an der offenen Tür vorbeigegangen.«

»Hat sie Hallo gesagt?«

»Nein.«

»Tat sie das normalerweise nicht?«

»Ich glaub nicht, dass sie mich gesehen hat. Sie hatte's anscheinend eilig. Sie wollte ihre kranke Mutter besuchen.«

»Woher wissen Sie das, wenn sie nicht mit Ihnen gesprochen hat?«

»Polizeiliche Untersuchung«, sagte Wilson knapp. »Nachdem ich dem Sicherheitsmenschen alles gezeigt hatte, bin ich wieder runter, und als Mrs. Bestigui ausgegangen ist, hab ich ihn in ihre Wohnung gelassen, damit er auch diese Anlage prüfen konnte. Dazu hat er mich dann nicht mehr gebraucht; die Sicherungskästen und Panikknöpfe sind in allen Wohnungen gleich.«

»Wo war Mr. Bestigui?«

»Er war schon ins Büro gefahren. Er verlässt jeden Morgen um acht das Haus.«

Drei Männer mit Schutzhelmen, gelben Leuchtjacken und Dreck an den Arbeitsstiefeln betraten das Café mit Zeitungen unterm Arm und setzten sich an den Nebentisch.

»Wie lange waren Sie Ihrer Schätzung nach jeweils vom Empfang weg, als Sie den Kundendiensttechniker begleitet haben?«

»Vielleicht fünf Minuten in der mittleren Wohnung«, sagte Wilson. »Zwei in den beiden anderen.«

»Wann ist der Techniker gegangen?«

»Am späten Vormittag. Die genaue Zeit weiß ich nicht mehr.«

»Aber Sie wissen sicher, dass er gegangen ist?«

»Oh yeah.«

»Sonstige Besucher?«

»Ein paar Lieferungen, aber im Vergleich zu den Vortagen insgesamt sehr ruhig.«

»Anfang der Woche war also mehr Betrieb?«

»Yeah, da war ein ständiges Kommen und Gehen, weil Deeby Macc aus L. A. eintreffen sollte. Immer wieder waren Leute von der Plattenfirma in Apartment zwei, um alles zu kontrollieren, den Kühlschrank zu füllen und so weiter.«

»Wissen Sie noch, was alles angeliefert wurde?«

»Pakete für Macc und Lula. Und Rosen – ich hab dem Kerl damit geholfen, weil sie in einer riesigen« – Wilson benutzte die Pranken, um ihre Größe anzudeuten –, »in einer *giganti-schen* Vase kamen. Wir haben sie auf den Tisch in der Diele abgestellt. Das war die Vase, die in Trümmer gegangen ist.«

»Sie haben erwähnt, dass es deswegen Scherereien gegeben hat. Welcher Art?«

»Mr. Bestigui hatte sie Deeby Macc geschenkt, und als er gehört hat, dass der Strauß ruiniert war, war er stinksauer. Hat rumgebrüllt wie ein Verrückter.«

»Wann war das?«

»Als die Kriminaler im Haus waren. Als sie versucht haben, seine Frau zu befragen.«

»Lula Landry war gerade an seinem Wohnzimmerfenster vorbei in den Tod gestürzt, und er hat sich wegen der Blumen aufgeregt?«

»Yeah«, sagte Wilson mit leichtem Schulterzucken. »So ist er eben.«

»Kennt er Deeby Macc?«

Wilson zuckte erneut mit den Schultern.

»Ist dieser Rapper jemals in der Wohnung aufgetaucht?«

Wilson schüttelte den Kopf.

»Nach all dem Schlamassel ist er ins Hotel gegangen.«

»Wie lange war der Empfang unbesetzt, während Sie geholfen haben, die Rosen in Apartment zwei zu bringen?«

»Vielleicht fünf Minuten, höchstens zehn. Danach war ich den ganzen Tag an meinem Platz.«

»Sie haben Pakete für Macc und Lula erwähnt…«

»Yeah, von irgend'nem Designer, aber die hab ich die Lechsinka raufbringen lassen. Es waren Klamotten für ihn und Handtaschen für sie.«

»Und Ihres Wissens haben alle, die tagsüber gekommen sind, das Haus auch wieder verlassen?«

»Oh yeah«, bestätigte Wilson. »Alle ins Besucherbuch am Empfang eingetragen.«

»Wie oft wird der Code für die Eingangstür geändert?«

»Er ist nach ihrem Tod geändert worden, weil die halbe Met Police ihn beim Abschluss der Ermittlungen kannte«, sagte Wilson. »Aber nicht in dem Vierteljahr, in dem Lula dort gewohnt hatte.«

»Darf ich fragen, wie er gelautet hat?«

»Neunzehn sechsundsechzig«, antwortete Wilson.

»WM-Finale in Wembley?«

»Yeah«, sagte Wilson. »McLeod hat oft darüber gemotzt. Wollte ihn geändert haben.«

»Wie viele Leute dürften vor Lulas Tod den Türcode gekannt haben?«

»Nicht allzu viele.«

»Lieferanten? Briefträger? Der Kerl, der die Zähler abliest?«

»Solche Leute lassen wir immer vom Empfang aus ein. Die Hausbewohner benutzen den Code normalerweise nicht, weil wir sie auf dem Bildschirm sehen und ihnen die Tür öffnen. Das Tastenfeld ist nur für den Fall da, dass wir hinten im Pausenraum sind oder oben bei irgendwas helfen.«

»Und die Wohnungen haben jeweils einzelne Schlüssel?«

»Yeah. Und unabhängige Alarmanlagen.«

»War Lulas Alarm eingeschaltet?«

»Nein.«

»Was ist mit der Schwimmhalle und dem Fitnessraum? Sind die alarmgesichert?«

»Für die gibt's bloß Schlüssel. Wer hier einzieht, bekommt sie zusammen mit den Wohnungsschlüsseln. Und einen Schlüssel für die Tür zur Tiefgarage. Aber die ist alarmgesichert.«

»War die Anlage eingeschaltet?«

»Keine Ahnung … Ich war nicht dabei, als sie überprüft wurde. Aber ich denke schon. Der Kerl vom Kundendienst hatte ja am Vormittag erst alles kontrolliert.«

»Waren in der fraglichen Nacht sämtliche Türen abgeschlossen?«

Wilson zögerte.

»Nicht alle. Die Tür zur Schwimmhalle war offen.«

»Hat denn jemand die Schwimmhalle an diesem Tag benutzt, wissen Sie das?«

»Ich kann mich nicht daran erinnern, dass irgendwer sie benutzt hätte.«

»Wie lange war sie also offen?«

»Weiß nicht … Vor mir hatte Colin Nachtdienst. Er hätte sie kontrollieren müssen.«

»In Ordnung«, sagte Strike. »Sie haben gesagt, Sie hätten den Mann, den Mrs. Bestigui gehört haben will, für Duffield gehalten, weil Sie die beiden schon früher hatten streiten hören. Wann war das?«

»Kurz bevor sie sich getrennt haben, vielleicht zwei Monate vor ihrem Tod. Sie hatte ihn aus der Wohnung geworfen, und er hat an die Tür gehämmert und getreten, wollte sie mit Gewalt aufbrechen, hat sie übel beschimpft. Ich bin raufgegangen, um ihn rauszuwerfen.«

»Haben Sie Gewalt angewendet?«

»War nicht nötig. Als er mich hat kommen sehen, hat er sein Zeug aufgelesen – sie hatte ihm seine Jacke und die Schuhe nachgeworfen – und ist an mir vorbei zur Treppe gestolpert. Er war total zugedröhnt«, sagte Wilson. »Glasige Augen, wissen Sie? Schweißgebadet. Schmuddeliges, vorne über und über bekleckertes T-Shirt. Hab nie verstanden, was sie in diesem Scheißkerl gesehen hat. Da kommt übrigens Kieran«, fügte er ein wenig entspannter hinzu. »Lulas Fahrer.«

7

Ein Mann Mitte zwanzig schob sich durch das winzige Café. Er war klein und schlank und außergewöhnlich gut aussehend.

»Hey, Derrick«, sagte er, und dann hoben der Fahrer und der Sicherheitsmann zum Gruß die Hände, schlugen ein und legten die geballten Fäuste aneinander, bevor der Neuankömmling sich neben Wilson setzte.

Das Meisterwerk Kolovas-Jones, Ergebnis eines rätselhaften ethnischen Cocktails, glänzte mit bronzefarbenem Teint, fein ziselierten Wangenknochen, einem dezenten Nasenhöcker, dicht bewimperten haselnussbraunen Augen und glatt zurückgekämmtem schwarzem Haar. Unterstrichen wurde sein blendendes Aussehen durch das konservative Hemd und die Krawatte, die er trug, und sein Lächeln war bewusst bescheiden, als versuchte er, andere Männer zu entwaffnen und ihren Ressentiments zuvorzukommen.

»Wo steht dein Wagen?«, fragte Wilson.

»Electric Lane.« Kolovas-Jones wies mit dem Daumen über die Schulter. »Hab ungefähr zwanzig Minuten Zeit. Muss bis vier wieder im West End sein. Na, wie geht's?«, fügte er hinzu, indem er Strike die Hand schüttelte. »Kieran Kolovas-Jones. Und Sie sind …?«

»Cormoran Strike. Derrick meint, dass Sie …«

»Ja, ja«, sagte Kolovas-Jones. »Ich weiß nicht, ob's wichtig ist, wahrscheinlich nicht, aber die Polizei hat sich 'nen Scheiß darum gekümmert. Ich will nur sicherstellen, dass ich irgendwem davon erzählt hab, okay? Ich sag nicht, dass es kein Selbstmord war, verstehen Sie«, fügte er hinzu, »ich sag nur, dass ich diesen Punkt geklärt haben möchte. Kaffee, bitte, Schätzchen«, sagte er zu der Bedienung, aber die Mittvierzigerin blieb unbeeindruckt, war für seinen Charme nicht empfänglich.

»Was bereitet Ihnen Sorgen?«, fragte Strike.

»Ich hab sie immer gefahren, okay?«, sagte Kolovas-Jones. Wie er seine Story begann, zeigte Strike sofort, dass er sie eingeübt hatte. »Sie hat immer nach mir gefragt.«

»Hatte sie einen Vertrag mit Ihrer Firma?«

»Ja, also ...«

»Das läuft über uns am Empfang«, warf Derrick ein. »Gehört zum Service. Braucht jemand einen Wagen, rufen wir Execars an. Kierans Firma.«

»Ja, aber sie hat immer nach mir gefragt«, wiederholte Kolovas-Jones nachdrücklich.

»Sie haben sich gut mit ihr verstanden, was?«

»Ja, echt gut«, antwortete Kolovas-Jones. »Wir waren ... Sie wissen schon ... ich will nicht sagen: vertraut ... Also, wir standen uns nahe, ja, irgendwie. Wir waren echt freundlich miteinander; die Beziehung ist über Fahrer und Kundin hinausgegangen, okay?«

»Aha? Wie weit darüber hinaus?«

»Nee, nichts in dieser Art«, sagte Kolovas-Jones grinsend. »Nichts in dieser Art.«

Strike sah jedoch, dass der Fahrer sich im Stillen darüber freute, dass diese Idee angesprochen worden, dass sie für möglich gehalten worden war.

»Ich hatte sie über ein Jahr lang gefahren. Wir haben viel miteinander geredet, müssen Sie wissen. Hatten vieles gemeinsam. Ähnlicher Background, wissen Sie?«

»In welcher Hinsicht?«

»Unsere Herkunft«, sagte Kolovas-Jones. »In meiner Familie ist's ein bisschen drunter und drüber gegangen, daher wusste ich, was sie durchgemacht hatte. Nachdem sie prominent geworden war, kannte sie nicht mehr viele Leute wie sich selbst. Leute, mit denen sie richtig reden konnte.«

»Ihre Herkunft hat sie beschäftigt, nicht wahr?«

»Sie wuchs als Schwarze in 'ner weißen Familie auf, was denken Sie?«

»Und *Sie* hatten eine ähnliche Kindheit?«

»Mein Vater ist halb Kreole, halb Waliser, meine Mutter halb Griechin, halb Liverpoolerin. Lula hat oft gesagt, dass sie mich beneidet«, erzählte er und setzte sich etwas gerader auf. »Sie hat gesagt: ›Sie wissen wenigstens, woher Sie kommen, auch wenn's von praktisch überallher ist.‹ Und zum Geburtstag«, fügte er hinzu, als hätte er Strike noch nicht hinreichend mit Details beeindruckt, die ihm wichtig waren, »hat sie mir ein Sakko von Guy Somé geschenkt, das sicher fette neunhundert Pfund wert war.«

Weil offenbar eine Reaktion erwartet wurde, nickte Strike, während er sich fragte, ob Kolovas-Jones nur gekommen war, um damit anzugeben, wie nahe er Lula Landry gestanden hatte.

»Also, an ihrem Todestag«, fuhr der Fahrer fort, »am Tag zuvor, sollt ich wohl sagen, hab ich sie morgens zu ihrer Mum gefahren, okay? Sie war nicht sonderlich begeistert. Lula hat ihre Mutter nie gern besucht.«

»Warum nicht?«

»Weil diese Frau komplett durchgeknallt ist«, sagte Kolovas-Jones. »Ich hab die beiden mal 'nen Tag lang gefahren, am Geburtstag ihrer Mutter, glaub ich. Sie ist verdammt unheimlich, Lady Yvette. Lula war ständig nur *Darling, mein*

Darling. Hat sich echt an sie geklammert. Einfach verdammt merkwürdig, besitzergreifend und übergeschnappt, okay? Jedenfalls war ihre Mum an diesem Tag eben erst aus dem Krankenhaus gekommen, sodass der Besuch nicht lustig werden würde, okay? Lula hat sich nicht gerade drauf gefreut, sie wiederzusehen. Sie war nervös, wie ich sie noch nie erlebt hatte. Und dann hab ich ihr gesagt, dass ich sie abends nicht fahren würde, weil ich für Deeby Macc gebucht war, und das hat ihr auch nicht gefallen.«

»Warum nicht?«

»Weil sie gern von mir gefahren werden wollte, ja?«, sagte Kolovas-Jones, als wäre Strike begriffsstutzig. »Ich hab ihr bei den Paparazzi und Reportern geholfen, ein bisschen Leibwächter gespielt, um sie irgendwo rein- oder rauszubringen.«

Wilson schaffte es, durch ein leichtes Zucken seiner Gesichtsmuskeln zu signalisieren, was er von der Vorstellung hielt, Kolovas-Jones könnte als Leibwächter geeignet sein.

»Hätten Sie nicht mit einem anderen Fahrer tauschen und Lula statt Macc fahren können?«

»Hätt ich können, aber ich wollte nicht«, gab Kolovas-Jones zu. »Ich bin ein großer Deeby-Fan. Wollte ihn unbedingt kennenlernen. Deshalb war Lula sauer. Jedenfalls«, fuhr er hastig fort, »hab ich sie zu ihrer Mum gefahren und hab gewartet und dann … Das ist die Sache, von der ich Ihnen erzählen wollte, okay? Sie ist aus dem Haus ihrer Mutter gekommen und war wie verwandelt. Völlig anders, als ich sie je erlebt hatte, okay? Still, ganz still. Wie unter Schock oder so. Dann hat sie um einen Kugelschreiber gebeten und angefangen, irgendwas auf ein blaues Blatt Papier zu kritzeln. Hat nicht mit mir geredet. Hat überhaupt nichts gesagt, sondern nur geschrieben. Also hab ich sie zu Vashti gefahren, wo sie sich mit einer Freundin zum Lunch treffen wollte, okay …«

»Was ist Vashti? Was für eine Freundin?«

»Vashti ist ein Laden, eine Boutique, wie sie's nennen. Mit 'nem Café dabei. Voll angesagt. Und die Freundin war …« Kolovas-Jones schnalzte mit den Fingern, runzelte mehrmals die Stirn. »Ein Mädel, mit dem sie sich angefreundet hatte, als sie beide in der Nervenklinik waren. Scheiße, wie hat sie gleich wieder geheißen? Ich hab die beiden oft rumgefahren. Himmel … Ruby? Roxy? Raquelle? Irgendwas in dieser Art. Sie hat im Wohnheim St. Elmo in Hammersmith gewohnt. Sie war obdachlos.

Jedenfalls geht Lula in den Laden, okay, und obwohl sie mir auf der Fahrt zu ihrer Mum erzählt hatte, sie würde dort essen, kommt sie schon nach ungefähr einer Viertelstunde wieder raus und will heimgefahren werden. Das war verdammt merkwürdig, okay? Und Raquelle, oder wie sie sonst heißt – ihr Name fällt mir bestimmt noch ein –, war nicht bei ihr. Normalerweise haben wir sie immer heimgebracht, wenn die beiden zusammen ausgegangen sind. Und das blaue Papier war fort. Und Lula hat auf der ganzen Heimfahrt kein Wort mit mir gesprochen.«

»Haben Sie dieses blaue Papier den Ermittlern gegenüber erwähnt?«

»Ja. Sie haben's für wertlosen Scheiß gehalten«, sagte Kolovas-Jones. »Haben auf 'ne Einkaufsliste getippt.«

»Wissen Sie noch, wie es ausgesehen hat?«

»Es war nur blau. Wie Luftpostpapier.«

Er sah auf seine Armbanduhr.

»In zehn Minuten muss ich weg.«

»Das war also das letzte Mal, dass Sie Lula gesehen haben?«

»Ja, richtig.«

Er zupfte an einem Niednagel.

»Was war Ihr erster Gedanke, als Sie hörten, sie sei tot?«

»Weiß nicht«, sagte Kolovas-Jones und biss den Niednagel ab, an dem er gezupft hatte. »Scheiße, ich war echt schockiert. Mit so was rechnet man nicht, okay? Nicht, wenn man jemanden noch vor ein paar Stunden gesehen hat. Die Medien behaupten alle, dass es Duffield war, weil sie in diesem Club Streit gehabt hatten und so. Ich hab's ihm ehrlich gesagt auch zugetraut. Scheißkerl.«

»Sie haben ihn also mal kennengelernt?«

»Ich hab ihn ein paarmal gefahren«, sagte Kolovas-Jones. Er blähte die Nasenlöcher und verzog das Gesicht, als nähme er gerade einen üblen Geruch wahr.

»Was halten Sie von ihm?«

»Er ist ein nichtsnutziger Wichser, meiner Meinung nach.« Mit ungeahnter Virtuosität imitierte er eine ausdruckslose, gedehnt sprechende Stimme: *»Brauchen wir ihn später noch, Lules? Dann soll er lieber warten, ja?«* Kolovas-Jones knisterte vor Wut. »Hat nie direkt mit mir gesprochen. Dämliches, schmarotzendes Stück Scheiße.«

»Kieran ist Schauspieler«, erklärte Derrick sotto voce.

»Bloß Nebenrollen«, gab Kolovas-Jones zu. »Bisher.«

Er schweifte in eine kurze Schilderung der TV-Dramen ab, bei denen er mitgewirkt hatte, und ließ nach Strikes Einschätzung den starken Wunsch erkennen, mehr Geltung zu erhalten, als ihm nach eigenem Dafürhalten bislang beschert war, um jene unberechenbare, gefährliche und alles verändernde Eigenschaft zu erlangen: Berühmtheit. Sie so oft hinten im Wagen zu wissen und von seinen Fahrgästen noch nicht damit angesteckt worden zu sein musste (so dachte Strike) qualvoll, wenn nicht gar barbarisch sein.

»Kieran hat bei Freddie Bestigui vorgesprochen«, sagte Wilson. »Nicht wahr?«

»Ja«, antwortete Kolovas-Jones mit einem Mangel an Enthusiasmus, der das Ergebnis vorwegnahm.

»Wie sind Sie dazu gekommen?«, fragte Strike.

»Auf dem üblichen Weg«, sagte Kolovas-Jones mit einem Anflug von Hochmut. »Durch meinen Agenten.«

»Nichts daraus geworden?«

»Sie haben sich für eine andere Richtung entschieden«, sagte Kolovas-Jones. »Sie haben die Rolle gestrichen.«

»Gut, Sie haben Deeby Macc an diesem Abend also wo abgeholt? Heathrow?«

»Terminal fünf, ja«, sagte Kolovas-Jones, der wieder auf dem Boden der nüchternen Tatsachen angelangt zu sein schien. Er sah auf die Uhr. »Hören Sie, ich muss jetzt weiter.«

»Was dagegen, wenn ich Sie zu Ihrem Wagen begleite?«, fragte Strike.

Auch Wilson war bereit mitzugehen; Strike zahlte für alle drei, und sie verließen das Café. Draußen auf dem Gehweg bot Strike seinen Begleitern Zigaretten an; Wilson lehnte dankend ab, Kolovas-Jones nahm eine.

Ganz in der Nähe, gleich um die Ecke in der Electric Lane, parkte ein silbergrauer Mercedes.

»Wohin haben Sie Deeby vom Flughafen aus gebracht?«, fragte Strike, als sie sich dem Wagen näherten.

»Er wollte in einen Club, also hab ich ihn ins Barrack gefahren.«

»Wann sind Sie dort angekommen?«

»Weiß nicht … halb zwölf? Viertel vor zwölf? Er war aufgedreht. Wollte nicht schlafen, hat er gesagt.«

»Wieso ins Barrack?«

»Freitagnacht im Barrack ist die beste Hip-Hop-Nacht Londons«, sagte Kolovas-Jones und lachte dünn, als sei das allgemein bekannt. »Und ihm muss es dort gefallen haben, weil er erst nach drei Uhr wieder rausgekommen ist.«

»Haben Sie ihn anschließend in die Kentigern Gardens gefahren, wo inzwischen die Polizei war, oder …«

»Ich hatte schon im Radio gehört, was passiert war«, sagte Kolovas-Jones. »Ich hab's Deeby gleich erzählt, als er eingestiegen ist. Sein Gefolge hat angefangen, wie wild rumzutelefonieren, Leute von der Plattenfirma zu wecken und zu versuchen, eine andere Unterkunft zu finden. Sie haben ihm eine Suite im Claridges besorgt; dort hab ich ihn hingefahren. Bin erst kurz nach fünf heimgekommen. Hab die Nachrichten eingeschaltet und mir alles auf Sky angesehen. Verdammt unglaublich.«

»Von wem die Paparazzi, die die Nummer achtzehn belagert haben, wohl erfahren haben, dass Deeby sich verspäten würde? Irgendjemand muss ihnen doch einen Tipp gegeben haben; deshalb waren sie vor Lulas Sturz verschwunden.«

»Ja? Weiß nicht«, sagte Kolovas-Jones.

Er ging ein wenig schneller, erreichte den Wagen vor den beiden anderen und sperrte ihn auf.

»Hatte Macc nicht einen Haufen Gepäck? War das bei Ihnen im Kofferraum?«

»Nee, das hatte die Plattenfirma schon Tage zuvor auf den Weg gebracht. Er hatte beim Aussteigen nur Kabinengepäck dabei – und ungefähr zehn Leibwächter.«

»Sie waren also nicht der einzige Fahrer, der ihn abgeholt hat?«

»Es waren insgesamt vier Wagen – aber Deeby selbst hat in meinem gesessen.«

»Wo waren Sie, während er in dem Club war?«

»Ich hab im Wagen gesessen und gewartet«, sagte Kolovas-Jones. »In einer Seitenstraße der Glasshouse Street.«

»Mit den drei anderen? Waren Sie alle zusammen?«

»Mitten in London findet man keine vier Parkplätze nebeneinander, Kumpel«, sagte Kolovas-Jones. »Keine Ahnung, wo die anderen geparkt haben.«

Er hielt weiter die Fahrertür auf und sah erst Wilson, dann wieder Strike an.

»Welche Rolle spielt das alles?«, wollte er wissen.

»Mich interessiert nur, wie es abläuft, wenn Sie einen Kunden fahren.«

»Stinklangweilig«, sagte Kolovas-Jones mit jäh aufblitzender Gereiztheit, »das ist es. Fahren heißt meistens rumhocken und warten.«

»Haben Sie noch die Fernbedienung für die Tiefgarage, die Lula Ihnen gegeben hat?«, fragte Strike.

»Was?«, sagte Kolovas-Jones, obwohl Strike hätte schwören können, dass der Fahrer ihn gehört hatte. Seine leichte Feindseligkeit trat jetzt offen zutage und schien sich nicht nur auf Strike, sondern auch auf Wilson zu erstrecken, der kommentarlos zuhörte, seit er erklärt hatte, Kolovas-Jones sei Schauspieler.

»Haben Sie noch …«

»Ja, die hab ich noch. Ich fahre ja auch Mr. Bestigui, okay?«, sagte Kolovas-Jones. »Also, ich muss weiter. Bis bald, Derrick.«

Er warf seine erst halb gerauchte Zigarette in den Rinnstein und stieg ein.

»Rufen Sie mich an«, sagte Strike, »wenn Ihnen noch irgendwas einfällt … zum Beispiel der Name der Freundin, mit der Lula sich bei Vashti getroffen hat.«

Er gab Kolovas-Jones seine Visitenkarte. Der Fahrer, der sich bereits anschnallte, steckte sie ein, ohne einen Blick darauf zu werfen.

»Scheiße, ich komm zu spät!«

Wilson hob die Hand zum Abschied. Kolovas-Jones knallte die Tür zu, ließ den Motor aufheulen und stieß mit finsterer Miene rückwärts aus der Parklücke.

»Er steht eben auf Stars«, sagte Wilson entschuldigend, als der Mercedes davonfuhr. »Er hat es geliebt, Lula zu fahren. Er versucht immer, die Promis zu erwischen. Und er hofft seit zwei Jahren, dass Bestigui ihn für irgendwas engagiert. War verdammt sauer, als er diese Rolle nicht gekriegt hat.«

»Was für eine Rolle war das?«

»Drogendealer. In irgendeinem Film.«

Als sie miteinander in Richtung U-Bahn-Haltestelle Brixton weitergingen, kamen sie an einer Gruppe schwarzer Mädchen in Schuluniformen mit blauen Schottenröcken vorbei. Die langen Zöpfe eines der Mädchen erinnerten Strike an seine Schwester Lucy.

»Bestigui wohnt weiterhin in Nummer achtzehn, nicht wahr?«, fragte Strike.

»Oh yeah«, sagte Wilson.

»Was ist mit den anderen beiden Wohnungen?«

»Apartment zwei ist an einen ukrainischen Rohstoffmakler und seine Frau vermietet. Für drei interessiert sich ein Russe, der aber noch kein Angebot abgegeben hat.«

»Sehen Sie eine Chance«, fragte Strike, als sie stehen bleiben mussten, weil ein zwergenhafter, bärtiger Mann mit Kapuze, der wie ein alttestamentarischer Prophet aussah, sich vor ihnen aufbaute und ihnen die Zunge herausstreckte, »dass ich mal vorbeikommen und mich dort umsehen könnte?«

»Yeah, meinetwegen«, sagte Wilson nach einer Pause, in der sein Blick heimlich über Strikes Unterschenkel glitt. »Rufen Sie mich an. Aber es muss sein, wenn Bestigui nicht da ist, okay? Er ist ein streitsüchtiger Kerl, und ich brauch meinen Job.«

8

Dass er am Montagmorgen nicht allein im Büro sein würde, verlieh Strikes Wochenendeinsamkeit eine gewisse Würze, machte sie weniger verdrießlich, irgendwie wertvoller. Er ließ die Campingliege aufgeklappt; die Tür zwischen Vorzimmer und seinem Büro blieb offen stehen; er konnte Körperfunktionen nachgeben, ohne fürchten zu müssen, Anstoß zu erregen. Den künstlichen Limettengeruch hatte er satt, und er schaffte es, das lackverklebte Fenster hinter seinem Schreibtisch aufzureißen, sodass kalter, frischer Wind in die muffigen Ecken der beiden kleinen Räume fuhr. Indem er jede CD, jeden Track mied, der ihn an die quälenden, herrlichen Phasen mit Charlotte hätte erinnern können, spielte er laut Tom Waits auf dem kleinen CD-Player, den er schon abgeschrieben hatte, bis er ihn doch auf dem Boden eines der Kartons entdeckte, die er aus Charlottes Wohnung mitgebracht hatte. Er stellte seinen tragbaren Fernseher mit der kümmerlichen Zimmerantenne auf; er stopfte seine getragenen Sachen in einen schwarzen Müllsack und ging damit eine halbe Meile weit zum nächsten Waschsalon; nach der Rückkehr ins Büro hängte er seine Hemden und Unterwäsche an eine Leine, die er durchs Vorzimmer spannte, und verfolgte anschließend das Dreiuhrspiel zwischen Arsenal und den Spurs.

Bei all diesen profanen Tätigkeiten hatte er das Gefühl, das Gespenst um sich zu haben, das ihm in den Monaten im Lazarett zugesetzt hatte. Es lauerte in den Ecken seines schäbigen Büros; er konnte es flüstern hören, wenn seine Konzentration auf die jeweilige Aufgabe nachließ. Es drängte ihn, darüber nachzudenken, wie tief er gesunken war: sein Alter, seine Mittellosigkeit, sein zerrüttetes Liebesleben, seine Obdachlosigkeit. *Fünfunddreißig,* flüsterte es, *und für jahrelange Plackerei nichts vorzuweisen als ein paar Kartons und mehr Schulden als Haare auf dem Kopf.* Das Gespenst versuchte, seinen Blick im Supermarkt, in dem er Instantnudeln kaufte, auf die Bierdosen zu lenken; es verspottete ihn, während er auf dem Schreibtisch Hemden bügelte. Im Lauf des Tages machte es sich über seine selbst auferlegte Gewohnheit lustig, nur im Freien zu rauchen, als wäre er immer noch bei der Army, als könnte dieses lächerliche bisschen Selbstdisziplin seine planlose, glücklose Gegenwart in Form und Ordnung bringen. Er begann, an seinem Schreibtisch zu rauchen, und die Kippen häuften sich in dem billigen Blechaschenbecher, den er vor Jahren aus einer Bar in Deutschland hatte mitgehen lassen.

Aber er hatte Arbeit, redete er sich ein; Arbeit, die ihn über Wasser hielt. Arsenal gewann, sehr zu Strikes Zufriedenheit; er schaltete den Fernseher aus, bot dem Gespenst die Stirn und setzte sich zurück an den Schreibtisch, wo er die Arbeit wieder aufnahm.

Obwohl er heutzutage Beweise auf beliebige Art hätte sammeln und zusammenführen können, hielt Strike sich strikt an die gesetzlichen Vorschriften für Ermittlungen in Strafsachen. Dass er glaubte, nur ein Hirngespinst zu verfolgen, das John Bristows überreizter Fantasie entsprungen war, änderte nichts an der Gründlichkeit und Genauigkeit, mit der er jetzt die Notizen über seine Gespräche mit Bristow, Wilson und Kolovas-Jones ins Reine schrieb.

Gegen achtzehn Uhr, als er eifrig bei der Arbeit war, rief Lucy an. Obwohl sie zwei Jahre jünger war als Strike, schien sie sich als ältere Schwester zu fühlen. Lucy, die sich jung mit einer Hypothek, einem langweiligen Mann, drei Kindern und einem mühsamen Job belastet hatte, schien sich nach Verantwortung zu sehnen, als könne sie nie genug Anker werfen. Strike hatte sie schon immer im Verdacht, sie wolle sich und der Welt beweisen, dass sie anders war als ihre unstete Mutter, die die beiden auf der Jagd nach der nächsten Schwärmerei oder dem nächsten Mann durchs ganze Land geschleppt hatte: von Schule zu Schule, von Wohnung zu besetztem Haus zu Matratzenlager. Von seinen acht Halbgeschwistern war Lucy die Einzige, mit der Strike eine gemeinsame Kindheit gehabt hatte; obwohl er sie lieber mochte als fast jeden anderen Menschen in seinem Leben, war ihre Beziehung oft schwierig, von lang gehegten Ängsten und Streitereien belastet. Lucy konnte nicht verhehlen, dass er ihr Sorgen bereitete und sie enttäuschte. Deshalb neigte Strike dazu, seine persönliche Situation im Gespräch mit ihr stärker zu beschönigen, als er es bei einem Freund getan hätte.

»Na klar, es läuft großartig«, sagte er, während er am offenen Fenster stand, rauchte und die Menschen beobachtete, die in den Läden unter ihm ein und aus gingen. »Das Geschäft hat sich in letzter Zeit verdoppelt.«

»Wo bist du? Ich kann Verkehrslärm hören.«

»Im Büro. Muss Papierkram erledigen.«

»An einem Samstag? Was sagt Charlotte dazu?«

»Sie ist verreist, besucht ihre Mutter.«

»Wie steht's mit euch beiden?«

»Großartig«, sagte er.

»Sicher?«

»Ja, ganz sicher. Wie geht's Greg?«

Nach einer kurzen Schilderung der Arbeitsbelastung ihres Ehemanns ging sie wieder zum Angriff über.

»Setzt Gillespie dir immer noch wegen der Rückzahlung zu?«

»Nein.«

»Ich will dir was sagen, Stick…« Dieser Spitzname aus seiner Kindheit war ein schlimmes Vorzeichen; sie versuchte, ihn weichzuklopfen. »Ich hab mich schlaugemacht, und du könntest bei der British Legion einen Antrag stellen, um…«

»Scheiß drauf, Lucy«, sagte er, bevor er sich bremsen konnte.

»Bitte?«

Die Kränkung und Empörung in ihrer Stimme waren ihm nur allzu vertraut; er schloss die Augen.

»Ich brauche keine Hilfe von der British Legion, Luce, verstanden?«

»Du darfst nicht so stolz sein…«

»Wie geht's den Jungen?«

»Denen geht's gut. Hör zu, Stick, ich finde es wirklich empörend, dass Rokeby dich von seinem Anwalt verfolgen lässt, obwohl du nie im Leben einen Penny von ihm gekriegt hast. Er hätte es dir schenken sollen, wenn man bedenkt, was du durchgemacht hast und wie viel er dir…«

»Das Geschäft läuft gut. Ich kann das Darlehen zurückzahlen«, unterbrach Strike sie. Unten an der Straßenecke begann ein Teenagerpärchen zu streiten.

»Bist du dir *sicher,* dass zwischen Charlotte und dir alles stimmt? Wieso besucht sie ihre Mutter? Ich denke, die beiden hassen sich?«

»Sie kommen inzwischen besser klar«, behauptete er, während das Mädchen wild gestikulierte, mit dem Fuß aufstampfte und davonstürmte.

»Hast du ihr schon einen Ring gekauft?«, fragte Lucy.

»Ich dachte, du wolltest, dass ich mir Gillespie vom Leib halte?«

»Kann sie damit leben, keinen Ring zu haben?«

»Sie hat sich großartig verhalten«, versicherte Strike. »Sie sagt, dass sie keinen will; ich soll mein Geld lieber ins Geschäft stecken.«

»Ach, wirklich?«, fragte Lucy. Sie schien weiter zu glauben, sie verstünde es gut, ihre tiefe Abneigung gegen Charlotte zu tarnen. »Kommst du zu Jacks Geburtstagsparty?«

»Wann ist die?«

»Die Einladung hast du seit letzter Woche, Stick!«

Er fragte sich, ob Charlotte sie in einen der Kartons gesteckt hatte, die immer noch unausgepackt auf dem Treppenabsatz standen, weil er im Büro nicht genug Platz für all seine Habseligkeiten hatte.

»Ja, klar, ich komme«, sagte er widerstrebend.

Nachdem sie aufgelegt hatten, setzte er sich wieder an den Computer und arbeitete weiter. Obwohl seine Notizen über die Gespräche mit Wilson und Kolovas-Jones bald aufbereitet waren, blieb ein Gefühl der Frustration zurück. Seit seinem Ausscheiden aus der Army war dies der erste Fall, der mehr als nur Observierung erforderte, und er war wie dafür gemacht, ihm vor Augen zu führen, dass er jeglichen Einfluss und alle Autorität eingebüßt hatte. Filmproduzent Freddie Bestigui – der Mann, der vor Ort gewesen war, als Lula Landry starb – blieb hinter seinen gesichtslosen Gefolgsleuten unerreichbar, und obwohl John Bristow zuversichtlich behauptet hatte, sie zu einem Gespräch mit Strike überreden zu können, hatte er bislang auch noch nicht mit Tansy Bestigui reden können.

Mit einem leichten Gefühl des Unvermögens und fast so viel Verachtung für seinen Beruf, wie Robins Verlobter dafür empfand, bekämpfte Strike seine heraufziehende düstere Stimmung durch weitere Internetrecherchen zum Thema. Er suchte im Internet nach Kolovas-Jones. Der Fahrer hatte die Wahrheit gesagt, was die Episode in *The Bill* betraf, in der er zwei Zeilen gesprochen hatte (Bandenmitglied 2: Kieran Kolovas-Jones). Er hatte auch eine Künstleragentur, deren Webseite ein kleines Foto von Kieran und eine kurze Liste seiner Auftritte beinhaltete, zu denen Statistenrollen in *EastEnders* und *Casualty* gehörten. Kierans Foto auf der Webseite von Execars war weit größer. Dort stand er in Schirmmütze und Uniform da, sah wie ein Filmstar aus und war bestimmt der am besten aussehende Fahrer, den die Firma hatte.

Vor dem Fenster ging der Abend allmählich in die Nacht über; während Tom Waits aus dem kleinen CD-Player in der Ecke grölte und stöhnte, verfolgte Strike Lula Landrys Schatten durch den Cyberspace und ergänzte gelegentlich die Notizen, die er sich bei den Gesprächen mit Bristow, Wilson und Kolovas-Jones gemacht hatte.

Er konnte weder ein Facebook-Profil von Landry finden, noch schien sie einen Twitter-Account gehabt zu haben. Ihre strikte Weigerung, den Heißhunger ihrer Fans nach persönlichen Informationen zu stillen, schien andere dazu angeregt zu haben, das Vakuum auszufüllen. Es gab unzählige Webseiten voller Bilder von Lula und zwanghaft detaillierter Kommentare zu ihrem Leben. Traf auch nur die Hälfte dieser Informationen zu, hatte Strike von Bristow lediglich eine unvollständige und entschärfte Version des Selbstzerstörungstriebs seiner Schwester gehört – eine Neigung, die sich anscheinend schon in früher Jugend gezeigt hatte, seit ihr freundlich aussehender bärtiger Adoptivvater Sir Alec Bristow, der mit einer Elektronikfirma namens Albris reich geworden war, einem Herzinfarkt erlegen war. In der Folge war Lula aus zwei Schulen ausgebüxt und von einer dritten verwiesen worden – allesamt teure Privatschulen. Sie hatte sich die Pulsadern aufgeschnitten und war von einer Mitschülerin in einer Blutlache aufgefunden worden; sie war von daheim ausgerissen und von der Polizei in einem besetzten Haus aufgespürt worden. Die von einem oder einer Unbekannten verwaltete Fanseite LulaMyInspirationForeva.com behauptete, das Model sei damals sogar für kurze Zeit anschaffen gegangen.

Danach waren eine Einweisung nach dem Psychiatriegesetz, die geschlossene Abteilung für schwer erkrankte Jugendliche und die Diagnose »bipolare Störung« erfolgt. Kaum ein Jahr später, als sie mit ihrer Mutter in einer Boutique in der Oxford Street einkaufen war, wurde sie wie in einem Märchen von der Talentscoutin einer Modelagentur angesprochen.

Lula Landrys erste Aufnahmen zeigten eine Sechzehnjährige mit einem Nofretetegesicht, die vor der Kamera eine höchst ungewöhnliche Kombination aus Weltlichkeit und Verwundbarkeit an den Tag legte – mit langen, schlanken Beinen wie denen einer Giraffe und mit einer gezackten Narbe auf der Innenseite ihres linken Unterarms, die zahlreiche Bildredakteure für einen spannenden Gegensatz zu ihrem spektakulär schönen Gesicht zu halten schienen, so oft wurde sie hervorgehoben. Lulas Schönheit grenzte ans Absurde, und die Kehrseite ihres Charmes, für den sie gefeiert wurde (in Pressenachrufen ebenso wie in hysterischen Blogs), war ihr Ruf gewesen, ungeduldig und jähzornig zu sein. Die Medien und das Publikum schienen sie geliebt und es geliebt zu haben, sie zu hassen. Eine Journalistin fand sie »seltsam süß, voll unerwarteter Naivität«, für eine andere war sie »eine berechnende kleine Diva, tough und gerissen«.

Um neun Uhr ging Strike zum Abendessen nach Chinatown; dann kehrte er ins Büro zurück, ersetzte Tom Waits durch Elbow und machte sich auf die Suche nach Informationen über Evan Duffield, der nach allgemeiner Überzeugung – selbst nach Bristows Ansicht – nicht der Mörder seiner Freundin war.

Bevor Kieran Kolovas-Jones professionellen Neid hatte erkennen lassen, hätte Strike nicht sagen können, weshalb Duffield berühmt war. Jetzt begriff er, dass Duffield seinen Aufstieg der Tatsache verdankte, dass er in einem von der Kritik hochgelobten Independent-Film praktisch sich selbst gespielt hatte: einen heroinsüchtigen Musiker, der stahl, um Stoff kaufen zu können.

Nachdem ihr Frontmann zu unerwartetem Ruhm gelangt war, hatte Duffields Band ein vergleichsweise erfolgreiches Album herausgebracht und sich ungefähr zu dem Zeitpunkt, als er Lula kennengelernt hatte, heillos zerstritten. Wie seine Freundin war Duffield ungewöhnlich fotogen – selbst auf unretuschierten Teleaufnahmen, die ihn zeigten, wie er in schmuddeliger Kleidung durch die Straßen schlurfte; selbst auf Fotos, auf denen er sich wütend auf Fotografen stürzte (und von denen es mehrere gab). Das Zusammentreffen dieser beschädigten schönen Menschen schien die Anziehungskraft beider ins Unermessliche gesteigert zu haben; der eine von ihnen erhöhte das öffentliche Interesse am jeweils anderen, was wiederum jeden für sich selbst umso heller erstrahlen ließ – eine Art Perpetuum mobile der Faszination.

Der Tod seiner Freundin hatte Duffield am Firmament der Idealisierten, der Verunglimpften, der Vergötterten umso fester etabliert. Eine gewisse Düsternis, ein Fatalismus umwaberten ihn; seine eifrigsten Verehrer ebenso wie seine Kritiker schienen die Vorstellung zu genießen, er stehe bereits mit einem bestiefelten Fuß in der Nachwelt, als sei sein Abstieg in die Verzweiflung und Vergessenheit unvermeidlich. Er schien seine Schwächen buchstäblich zur Schau stellen zu wollen, und Strike verbrachte mehrere Minuten damit, sich wacklige kleine YouTube-Videos anzusehen, in denen ein offenkundig bekiffter Duffield sich mit derselben Stimme, die Kolovas-Jones so gekonnt parodiert hatte, endlos darüber ausließ, dass Sterben nicht mehr sei, als die Party zu verlassen, und konfus argumentierte, wenn jemand vorzeitig gehen müsse, sei das kein großer Grund zum Weinen.

In der Nacht, in der Lula gestorben war, hatte Duffield nach Aussagen zahlreicher Zeugen den Club kurz nach seiner Freundin verlassen, wobei er – und Strike fiel es schwer, darin etwas anderes als kalkulierte Effekthascherei zu sehen – eine Wolfsmaske getragen hatte. Seine Aussage darüber, was er in der restlichen Nacht getrieben hatte, befriedigte zwar nicht die Verschwörungstheoretiker im Internet, die Polizei jedoch schien der Überzeugung zu sein, er habe mit den späteren Ereignissen in den Kentigern Gardens nichts zu tun gehabt.

Strike folgte dem imaginären Gang seiner Gedanken über das unebene Gelände aus Blogs und Nachrichtenseiten. Hier und da stolperte er über Glutnester aus fieberhafter Spekulation und Theorien über Landrys Tod, die Hinweise anführten, denen die Polizei nicht nachgegangen sei und aus denen sich auch Bristows Überzeugung, es habe einen Mörder gegeben, zu speisen schien. LulaMyInspirationForeva wartete mit einer langen Liste unbeantworteter Fragen auf, darunter unter Nummer 5: *Wer hat vor ihrem Sturz die Paparazzi weggerufen?*, unter Nummer 9: *Warum haben die Vermummten, die gegen zwei Uhr von ihrer Wohnung weggelaufen sind, sich nie gemeldet? Wo sind sie, und wer sind sie?*, und unter Nummer 13: *Weshalb trug Lula bei dem Balkonsturz ein anderes Outfit als bei ihrer Heimkehr?*

Um Mitternacht war Strike mit einer Dose Lager bei der von Bristow erwähnten postumen Kontroverse angelangt, die er selbst damals nur am Rande wahrgenommen hatte, ohne sich wirklich dafür zu interessieren. Eine Woche nachdem polizeilich festgestellt worden war, dass Landry Selbstmord verübt hatte, schlug eine Werbekampagne des Modedesigners Guy Somé hohe Wellen. Sie zeigte zwei Models, die in einer schmutzigen Gasse posierten – nackt bis auf strategisch platzierte Handtaschen, Schals und Schmuckstücke. Landry kauerte auf einer Mülltonne, Ciara Porter lag am Boden. Beide trugen ausladende, gewölbte Engelsflügel: Porter in Schwanenweiß, Landry in grün schimmerndem Schwarz, das in einen glänzenden Bronzeton überging.

Strike starrte das Bild minutenlang an und versuchte, genau zu analysieren, warum das Gesicht der Toten den Betrachter derart unwiderstehlich anzog; wie sie es schaffte, das Bild zu dominieren. Irgendwie machte sie die Widersinnigkeit, die Künstlichkeit des Ganzen glaubhaft; sie sah wirklich aus, als wäre sie als zu weltlich aus dem Himmel vertrieben worden, weil sie die Accessoires, die sie an sich gedrückt hielt, zu sehr begehrte. In all ihrer alabasterweißen Schönheit bildete Ciara Porter nur einen Kontrapunkt; mit ihrer Blässe und ihrer Passivität wirkte sie wie eine Statue.

Der Designer Guy Somé hatte teils erbitterte Kritik dafür einstecken müssen, dass er die Anzeige geschaltet hatte. Man warf ihm vor, er schlage Kapital aus Landrys kürzlichem Tod, und lachte nur über die Versicherungen tiefster Zuneigung zu Landry, die Somés Sprecher an seiner statt abgab. LulaMyInspirationForeva behauptete jedoch, Lula hätte sich gewünscht, dass die Aufnahme verwendet würde, denn Guy Somé und sie seien eng befreundet gewesen: *Lula hat ihn wie einen Bruder geliebt und hätte gewollt, dass er ihrer Arbeit und ihrer Schönheit diesen letzten Tribut zollt. Diese Kultaufnahme wird ewig fortbestehen und Lula in der Erinnerung von uns, die wir sie geliebt haben, weiterleben lassen.*

Strike trank sein Bier aus und dachte über die Formulierung »die wir sie geliebt haben« nach. Die anmaßende Intimität, die Fans in Bezug auf Idole empfanden, die sie nicht einmal persönlich kannten, hatte er nie nachvollziehen können. Er hatte es selbst erlebt, dass Leute seinen Vater als »Old Jonny« bezeichneten, wobei sie grinsten, als sprächen sie von einem gemeinsamen Freund, und abgedroschene Pressemeldungen und Anekdoten wiedergaben, als wären sie selbst dabei gewesen. In einem Pub in Trescothick hatte ein Mann ihm einmal erklärt: »Scheiße, ich kenn deinen Alten besser als du!«, nur weil er den Namen eines Studiomusikers nennen konnte, der auf dem erfolgreichsten Album der Deadbeats mitgespielt und dem Rokeby der Legende nach die Zähne ausgeschlagen hatte, weil er im Affekt auf sein Saxofon eingedroschen hatte.

Es war ein Uhr morgens. Strike war inzwischen fast taub für die andauernden gedämpften Riffs der Bassgitarre zwei Etagen unter ihm und das gelegentliche Knacken und Zischen aus der Wohnung über ihm, in der der Kneipenbesitzer sich dem Luxus des Duschens und gutbürgerlicher Küche hingab. Noch nicht müde genug, um in seinen Schlafsack zu kriechen, schaffte er es durch weitere Internetrecherchen, Guy Somés ungefähre Adresse ausfindig zu machen, wobei ihm auffiel, wie nahe die Charles Street und die Kentigern Gardens beieinanderlagen. Dann tippte er die Webadresse arrse.co.uk ein wie ein Mann, der nach einer langen Schicht schlafwandlerisch in seine Stammkneipe einkehrt.

Den Army Rumour Service mit Insidernachrichten aus der Welt des Militärs hatte er nicht mehr aufgerufen, seit Charlotte ihn vor Monaten dabei ertappt und reagiert hatte, wie andere Frauen vielleicht auf die Entdeckung reagierten, dass ihre Partner sich im Internet Pornos ansahen. Sie hatten sich gestritten, weil sie vermutet hatte, er sehne sich nach seinem früheren Leben zurück und sei mit seinem neuen unzufrieden.

Hier fand er die Denkart der Army in jedem Detail – und in einer Sprache wiedergegeben, die er fließend sprach. Hier fand er die Abkürzungen, die er auswendig kannte, die nur Insidern verständlichen Witze und die Kümmernisse des Soldatenlebens von dem in Zypern stationierten Vater, dessen Sohn in der Schule gemobbt wurde, bis hin zu nachträglicher scharfer Kritik am Auftreten des Premierministers vor dem Chilcot-Untersuchungsausschuss zur Aufarbeitung des Irakkriegs. Strike klickte sich von Eintrag zu Eintrag, schnaubte gelegentlich amüsiert und war sich allzeit bewusst, dass damit seine Widerstandskraft gegen das Gespenst, das ihm jetzt im Nacken saß, zusehends schwand.

Dies war seine Welt, und er war darin glücklich gewesen. Trotz aller Unbequemlichkeiten und Entbehrungen des Soldatenlebens und obwohl er die Army mit einem halben Bein weniger verlassen hatte, bedauerte er keinen einzigen Tag in Uniform. Und doch hatte er selbst in ihrer Mitte nie wirklich zu diesen Leuten gehört. Er war erst ein uniformierter Militärpolizist und dann Ermittler in Zivil gewesen, den der gewöhnliche Soldat zu etwa gleichen Teilen fürchtete und ablehnte.

Falls die SIB je mit Ihnen reden will, sollten Sie sagen: »Kein Kommentar, ich will einen Anwalt.« Alternativ reicht auch ein einfaches: »Danke, dass Sie mich bemerkt haben.«

Strike ließ ein letztes grunzendes Lachen hören, dann schloss er die Webseite und fuhr den Computer herunter. Er war so müde, dass er doppelt so lange wie sonst brauchte, um die Prothese abzunehmen.

9

Am Sonntagmorgen ging Strike wieder zur University of London Union, um zu duschen. Indem er sich bewusst etwas größer machte und seine Gesichtszüge den finsteren Ausdruck annehmen ließ, zu dem sie von Natur aus neigten, wirkte er entschlossen genug, um Fragen nach seiner Berechtigung abzuschmettern, als er mit gesenktem Blick an der Rezeption des Studentenwerks vorbeimarschierte. Im Umkleideraum lungerte er ein wenig herum und wartete auf einen ruhigen Augenblick, um sich nicht vor den Studenten entkleiden zu müssen. Der Anblick seines künstlichen Beins, dieses unverwechselbare Merkmal, sollte sich niemandem ins Gedächtnis einprägen.

Frisch gewaschen und rasiert nahm er die U-Bahn zum Hammersmith Broadway und genoss den blassen Sonnenschein, der durch das Glas der überdachten Ladenzeile fiel, durch die er auf die Straße gelangte. In den weiter entfernten Geschäften auf der King Street wimmelte es von Menschen, als wäre heute Samstag. Dies war ein belebtes und im Prinzip seelenloses Geschäftsviertel, doch Strike wusste, dass es nur zehn Gehminuten von einem ländlich verschlafenen Bereich am Themseufer lag.

Unterwegs rumpelte der Verkehr an ihm vorbei, und er erinnerte sich an Sonntage in Cornwall in seiner Kindheit, an denen außer Kirche und Strand alles geschlossen gewesen war. Damals hatten Sonntage eine besondere Atmosphäre gehabt: eine hallende, flüsternde Stille, das leise Klirren von

Besteck und Porzellan und der Geruch von Bratensoße, das Fernsehprogramm ebenso öde wie die High Street und die sich unaufhörlich am Strand brechenden Wogen, als Lucy und er, die sich mit einfachen Vergnügungen zufriedengeben mussten, auf den Kiesstrand hinausliefen.

Seine Mutter hatte einmal zu ihm gesagt: »Wenn Joan recht behält und ich in der Hölle ende, wird's ein ewiger Sonntag im gottverdammten St. Mawes.«

Strike, der sich in Richtung Themse gewandt hatte, rief seinen Klienten von unterwegs an.

»John Bristow.«

»Entschuldigen Sie, dass ich Sie am Wochenende störe, John ...«

»Cormoran«, sagte Bristow sofort freundlicher. »Überhaupt kein Problem! Wie war Ihr Gespräch mit Wilson?«

»Sehr gut, sehr nützlich, danke. Ich wollte fragen, ob Sie mir helfen können, eine Freundin von Lula aufzuspüren. Ein Mädchen, das sie in der Therapie kennengelernt hat. Ihr Vorname beginnt mit einem R – Rachel oder Raquelle womöglich –, und sie hat im Wohnheim St. Elmo in Hammersmith gewohnt, als Lula gestorben ist. Fällt Ihnen dazu etwas ein?«

Es herrschte kurzes Schweigen. Als Bristow wieder sprach, grenzte die Enttäuschung in seinem Tonfall an Verärgerung.

»Wozu wollen Sie mit ihr reden? Tansy weiß doch genau, dass die Stimme, die sie von oben gehört hat, eine Männerstimme war.«

»Das Mädchen interessiert mich als Zeugin, nicht als Verdächtige. Lula war mit ihr bei Vashti verabredet – gleich nachdem sie gemeinsam mit Ihnen in der Wohnung Ihrer Mutter gewesen war.«

»Ja, ich weiß; der Name fiel in den Ermittlungen. Ich meine ... Nun, Sie tun natürlich Ihre Arbeit ... Ich sehe wirklich nicht, was sie über die Ereignisse in der bewussten Nacht wissen sollte. Hören Sie… Augenblick, Cormoran, ich bin nicht allein, ich bin bei meiner Mutter… muss ein ruhigeres Fleckchen finden…«

Strike hörte Schritte, ein gemurmeltes »Entschuldigung«, dann meldete Bristow sich wieder.

»Sorry, ich wollte das nicht vor der Pflegerin besprechen. Tatsächlich dachte ich, Ihr Anruf käme von jemandem, der mir von Duffield erzählen wollte. Alle Freunde und Bekannten haben mich schon angerufen, um mir davon zu berichten.«

»Wovon berichten?«

»Sie lesen die *News of the World* offenbar nicht. Ein großer Artikel, sogar mit Bildern. Duffield ist gestern unangemeldet aufgekreuzt, um meine Mutter zu besuchen. Die Fotografen vor dem Haus haben die Nachbarn behindert und massiv verärgert. Ich war mit Alison unterwegs, sonst hätte ich ihn niemals eingelassen.«

»Was wollte er?«

»Gute Frage. Mein Onkel Tony glaubt, dass er es auf Geld abgesehen hat – aber das glaubt er immer, und außerdem habe ich eine Generalvollmacht, sodass dort nichts zu holen wäre. Weiß der Himmel, warum er gekommen ist. Zum Glück scheint Mum gar nicht erkannt zu haben, wer er war. Sie bekommt starke Schmerzmittel.«

»Woher wussten die Medien von dem geplanten Besuch?«

»Das«, sagte Bristow, »ist eine ausgezeichnete Frage. Tony glaubt, dass er sie selbst angerufen hat.«

»Wie geht es Ihrer Mutter?«

»Schlecht, sehr schlecht. Die Ärzte sagen, sie könnte noch wochenlang durchhalten, oder aber… oder es könnte jeden Augenblick passieren.«

»Tut mir leid, das zu hören«, sagte Strike. Er sprach lauter, weil er unter einer Überführung hindurchging, über die der Verkehr lärmend hinwegbrauste. »Falls Ihnen der Name von Lulas Freundin aus dem Vashti doch noch einfallen sollte …«

»Ich verstehe ehrlich gesagt immer noch nicht, was Sie so sehr an ihr interessiert.«

»Lula hatte sie gebeten, eigens aus Hammersmith nach Notting Hill zu kommen, hat eine Viertelstunde mit ihr verbracht und ist dann wieder gefahren. Warum ist sie nicht länger geblieben? Wieso haben die beiden sich nur so kurz getroffen? Hatten sie Streit? Alles Ungewöhnliche aus der Zeit rund um einen ungeklärten Tod kann relevant sein.«

»Ich verstehe«, sagte Bristow zögerlich. »Aber … Nun, ein solches Verhalten war für Lula alles andere als ungewöhnlich. Ich habe Ihnen ja erzählt, dass sie ein wenig … ein wenig egoistisch sein konnte. Die Vorstellung, auch ein nur symbolisches Erscheinen könnte das Mädchen glücklich machen, sähe ihr ähnlich. Sie brachte oft für kurze Zeit Begeisterung für Leute auf, wissen Sie, und hat sie dann wieder fallen lassen.«

Seine Enttäuschung über die von Strike gewählte Ermittlungsrichtung war so offensichtlich, dass der Detektiv sich bemüßigt fühlte, unauffällig eine kleine Rechtfertigung für das Riesenhonorar anzubringen, das sein Klient ihm zahlte.

»Außerdem rufe ich an, um Ihnen mitzuteilen, dass ich mich morgen Abend mit einem der Kriminalbeamten treffe, die damals ermittelt haben. Mit Eric Wardle. Ich hoffe, die Ermittlungsakte zu bekommen.«

»Fantastisch!« Bristow war hörbar beeindruckt. »Das nenne ich schnelle Arbeit!«

»Ja, ähem, ich habe gute Kontakte zur Met.«

»Dann können Sie vielleicht das Rätsel des Läufers lösen! Sie haben meine Notizen gelesen?«

»Natürlich, sehr nützlich«, sagte Strike.

»Und ich versuche, für diese Woche ein Mittagessen mit Tansy Bestigui zu arrangieren, damit Sie sich mit ihr treffen und ihre Aussage aus erster Hand hören können. Ich rufe Ihre Sekretärin an, ja?«

»Großartig.«

Das spricht für eine unterbeschäftigte Sekretärin, die man sich nicht leisten kann, dachte Strike, nachdem er das Gespräch beendet hatte: Sie macht einen professionellen Eindruck.

Wie sich zeigte, lag das Obdachlosenheim St. Elmo gleich hinter der lauten Betonüberführung. Ein schlichter, schlecht proportionierter, zeitgenössischer Cousin von Lulus Stadthaus in Mayfair: Klinker mit deutlich bescheideneren, schmutzig weißen Verblendungen; keine Vortreppe, kein Garten, keine eleganten Nachbarn, sondern lediglich eine zerschrammte Tür zur Straße hin, abblätternde Farbe an den Fensterrahmen, desolate Atmosphäre. Eine zweckmäßige, moderne Welt hatte es von allen Seiten eingekeilt, sodass es geduckt, elend und nicht länger im Einklang mit seiner Umgebung dazukauern schien. Die Überführung war kaum zwanzig Meter entfernt, sodass die oberen Fenster direkt auf Betonleitplanken und einen endlosen Autostrom blickten. Der große silberfarbene Klingelknopf mit Sprechanlage neben der Tür und die hässliche schwarze Kamera mit heraushängenden Kabeln, die sichtbar in einem Drahtkäfig am Türsturz hing, erzeugten eine unverkennbare Anstaltsnote.

Eine ausgemergelte junge Frau mit einer verschorften Stelle am Mundwinkel stand in einem übergroßen, schmutzigen Männerpulli vor der Haustür und rauchte. Sie lehnte an der Wand und starrte aus leeren Augen zu dem keine fünf Gehminuten entfernten Einkaufszentrum hinüber. Als Strike an der Tür klingelte, musterte sie ihn, als versuche sie, sein Potenzial abzuschätzen.

Unmittelbar hinter der Tür lag ein kleiner, modriger Eingangsbereich mit schmutzigem Boden und abgenutzter Holztäfelung. Links und rechts gingen Türen ab, deren Glaseinsätze den Blick auf einen kahlen Flur und einen schäbigen Nebenraum mit einem Tisch voller Prospekte, einem alten Dartboard und zahlreichen Löchern in der Wand freigaben. Geradeaus befand sich ein mit einem Metallgitter gesicherter Empfangstresen.

Die Frau dahinter kaute Kaugummi und blätterte in einer Zeitung. Sie wirkte missmutig und misstrauisch, als Strike fragte, ob er eine Heimbewohnerin sprechen könne, die so ähnlich wie Rachel hieß und mit Lula Landry befreundet gewesen war.

»Sind Sie von der Presse?«

»Nein, das bin ich nicht. Ich bin der Freund eines Freundes.«

»Dann müssten Sie ihren Namen doch kennen.«

»Rachel? Raquelle? Irgendwas in dieser Art.«

Hinter der misstrauischen Frau erschien ein Mann mit beginnender Glatze.

»Ich bin Privatdetektiv«, sagte Strike etwas lauter, worauf der Kahle sich interessiert umsah. »Hier ist meine Karte. Lula Landrys Bruder hat mich engagiert, und ich muss mit …«

»Oh, Sie suchen Rochelle?«, fragte der Mann und trat ans Gitter. »Die ist nicht mehr hier, Kumpel. Sie ist ausgezogen.«

Seine Kollegin, die sich sichtlich darüber ärgerte, dass er so bereitwillig mit Strike sprach, räumte ihren Platz und verschwand.

»Wann war das?«

»Vor ein paar Wochen, würde ich sagen. Vielleicht sogar ein paar Monaten.«

»Irgendeine Ahnung, wo sie sein könnte?«

»Keine Ahnung, Kumpel. Wahrscheinlich wieder auf der Straße. Sie war schon mehrmals bei uns. Eine schwierige Person, psychische Probleme. Aber Carrianne könnte was wissen. Augenblick. Carrianne! Hey! Carrianne!«

Die bleiche junge Frau mit der verschorften Lippe kam mit zusammengekniffenen Augen aus der Sonne herein.

»Was'n?«

»Hast du in letzter Zeit Rochelle gesehen?«

»Wieso sollt ich die Scheißschlampe seh'n woll'n?«

»Du hast sie also nicht gesehen?«, fragte der Glatzkopf.

»Nee. Kann ich 'ne Kippe haben?«

Strike gab ihr eine Zigarette, die sie sich hinters Ohr klemmte.

»Sie muss noch irgendwo in der Nähe sein. Janine meinte, dass sie sie geseh'n hat«, sagte Carrianne. »Rochelle wollt 'ne Wohnung oder so was haben. Verdammtes Lügenschwein. Und Lula Landry hat ihr – ha – *nix* hinterlass'n. Was woll'n Sie von ihr?«, fragte sie Strike, dem klar war, dass sie sich gerade fragte, ob Geld im Spiel war – und ob sie würde einspringen können.

»Ich will ihr nur ein paar Fragen stellen.«

»Worüber?«

»Lula Landry.«

»Oh.« Carriannes berechnender Blick flackerte. »Als wär'n die beiden ach so gute Kumpel! Glauben Sie lieber nich' alles, was Rochelle sagt, diese verlogene Schlampe.«

»In welcher Hinsicht hat sie gelogen?«, fragte Strike.

»Scheiße, in jeder! Ich wette, dass die Hälfte aller Sachen, die Landry ihr angeblich gekauft hat, geklaut war.«

»Schon gut, Carrianne«, sagte der Glatzkopf sanft. »Sie *waren* Freundinnen«, erklärte er Strike. »Landry ist oft mit dem Auto vorbeigekommen und hat sie abgeholt. Das hat« – sein Blick streifte kurz Carrianne – »gewisse Spannungen erzeugt.«

»Scheiße, nich' bei mir, echt nich'!«, fauchte Carrianne. »Für mich war Landry immer 'ne hochgekommene Schlampe. Sie hat gar nich' sooo doll ausgeseh'n.«

»Rochelle hat mir erzählt, dass sie eine Tante in Kilburn hat«, sagte der Kahlkopf.

»Aber mit der verträgt sie sich nich'«, warf die junge Frau ein.

»Kennen Sie den Namen oder die Adresse der Tante?«, fragte Strike, aber beide schüttelten den Kopf. »Wie heißt Rochelle eigentlich mit Nachnamen?«

»Keine Ahnung; du, Carrianne? Wir kennen unsere Leute oft nur mit Vornamen«, erklärte er Strike.

Viel mehr war aus den beiden nicht herauszuholen. Rochelle hatte zuletzt vor mehr als zwei Monaten in dem Heim gewohnt. Der Glatzkopf erinnerte sich daran, dass sie eine Zeit lang eine Tagesklinik im St. Thomas' Hospital besucht hatte, wusste aber nicht, ob sie dort noch hinging.

»Sie hatte psychotische Phasen. Sie muss einen Haufen Medikamente nehmen.«

»Ihr war's scheißegal, als Lula gestorben is'«, sagte Carrianne plötzlich. »Das is' ihr am Arsch vorbeigegang'n.«

Beide Männer sahen sie an. Sie zuckte mit den Schultern, als hätte sie nur eine unangenehme Wahrheit ausgesprochen.

»Hören Sie, geben Sie Rochelle meine Nummer und bitten Sie sie, mich anzurufen, falls sie wieder hier aufkreuzt?«

Strike gab beiden seine Karte; sie nahmen sie interessiert in Augenschein und merkten nicht, wie er mit geschickten

Fingern die *News of the World* der Frau, die Kaugummi gekaut hatte, durch die schmale Öffnung unter dem Gitter zog und sie sich unter den Arm klemmte. Dann verabschiedete er sich gut gelaunt von den beiden und ging.

Es war ein warmer Frühlingsnachmittag. Strike schlenderte zur Hammersmith Bridge hinunter, deren blasser salbeigrüner Anstrich mit den üppigen Goldverzierungen im Sonnenschein malerisch leuchtete. Am jenseitigen Themseufer tanzte ein einzelner Schwan auf den Wellen. Die Büros und Geschäfte schienen hundert Meilen entfernt zu sein. Er wandte sich nach rechts und folgte dem Gehweg zwischen der Kaimauer und einer Zeile aus Reihenhäusern, manche mit Balkonen, viele mit Glyzinien bewachsen.

Strike holte sich im Blue Anchor ein Bier und setzte sich draußen vor der Fassade in Königsblau und Weiß auf eine Holzbank mit Blick übers Wasser. Er zündete sich eine Zigarette an und schlug die Seite vier der Zeitung auf, auf der unter der Schlagzeile DUFFIELDS BESUCH AM TOTENBETT VON LULAS MUTTER ein Farbfoto von Evan Duffield prangte (Kopf gesenkt, großer Strauß weißer Blumen in der Hand, schwarze Mantelschöße hinter ihm herwehend).

Der Artikel war nichtssagend, eigentlich kaum mehr als eine erweiterte Bildunterschrift. Die schwarz geränderten Augen und der wehende Mantel, der leicht gehetzte, geistesabwesende Gesichtsausdruck erinnerten an Duffields Erscheinung auf dem Weg zu Lulas Beerdigung. In den Zeilen unter dem Farbfoto wurde er als der *tief besorgte Schauspieler und Musiker Evan Duffield* bezeichnet.

Strikes Handy vibrierte, und er zog es aus der Tasche. Er hatte eine SMS von einer unbekannten Nummer bekommen:

News of the World, Seite 4: Evan Duffield. Robin

Er grinste den kleinen Bildschirm an, bevor er das Handy wieder einsteckte. Die Sonne wärmte ihm Kopf und Schultern. Kreischende Möwen segelten über ihn hinweg, und Strike lehnte sich in dem angenehmen Bewusstsein, dass er nirgends hinmusste und von niemandem erwartet wurde, zurück, um die Zeitung auf der sonnigen Bank von der ersten bis zur letzten Seite durchzulesen.

10

Robin stand inmitten dicht gedrängt schwankender Pendler in der gen Norden fahrenden U-Bahn der Bakerloo Line, in der jeder das zu einem Montagmorgen passende, trübselig angespannte Gesicht zur Schau trug. Sie fühlte ihr Handy in der Manteltasche vibrieren und versuchte, es hervorzuangeln, wobei ihr Ellenbogen sich unangenehm in eine nicht näher spezifizierte, schlaff-weiche Körperregion des Anzugträgers mit Mundgeruch neben ihr grub. Als sie sah, dass die Nachricht von Strike kam, war sie vorübergehend fast so aufgeregt wie gestern, als sie Duffield in der Zeitung entdeckt hatte. Sie rief die Nachricht auf und las:

Bin unterwegs. Schlüssel hinter WC-Wasserkasten. Strike

Sie steckte das Handy gar nicht erst wieder ein, sondern behielt es in der Hand, als der Zug durch unbeleuchtete Tunnel weiterratterte, und versuchte, den schlechten Atem des fetten Mannes nicht einzuatmen. Sie war verstimmt. Gestern hatten Matthew und sie mit zwei von Matthews Studienfreunden in seinem bevorzugten Gastropub, dem Windmill am Clapham Common, zu Mittag gegessen. Als Robin in einer aufgeschlagenen Zeitung am Nebentisch Evan Duffields Foto erblickt hatte, hatte sie sich mitten in einer von Matthews Storys atemlos entschuldigt und war hinausgelaufen, um Strike eine SMS zu schicken.

Matthew hatte später angemerkt, sie habe sich schlecht benommen, aber noch unhöflicher sei es gewesen, nur um dieser lächerlichen Geheimnistuerei willen nicht zu erklären, was sie vorgehabt hatte.

Robin umklammerte den Haltegriff fester, und während ihr schwergewichtiger Nachbar sich gegen sie lehnte, weil die U-Bahn bremste, kam sie sich ein bisschen töricht vor und war leicht aufgebracht über die beiden Männer, vor allem über den Detektiv, der sich offenbar nicht im Mindesten für das ungewöhnliche Verhalten von Lula Landrys Exfreund interessierte.

Bis sie durch das gewohnte Chaos und die Abfallberge zur Denmark Street marschiert war, wie angewiesen den Schlüssel hinter dem WC-Wasserbehälter hervorgeholt hatte und sich nochmals von einer hochnäsig klingenden Frau in Freddie Bestiguis Büro hatte abwimmeln lassen, war Robin gründlich schlecht gelaunt.

Währenddessen und nichts ahnend kam Strike in genau diesem Augenblick am Ort des romantischsten Augenblicks in Robins Leben vorbei. An diesem Morgen waren die Stufen unterhalb der Eros-Statue von italienischen Teenagern besetzt, als er auf dem Weg zur Glasshouse Street auf der Seite von St. James's daran vorüberging.

Der Eingang zum Barrack, dem Club, in dem es Deeby Macc so gut gefallen hatte, dass er gleich nach seiner Ankunft aus Los Angeles stundenlang dortgeblieben war, lag nicht weit vom Piccadilly Circus entfernt. Die Fassade sah aus wie aus Betonfertigteilen zusammengesetzt; der Name war in glänzend schwarzen Lettern senkrecht darauf angebracht. Das Barrack erstreckte sich über vier Stockwerke. Wie Strike erwartet hatte, waren über dem Eingang Kameras montiert, die wahrscheinlich den größten Teil der Straße erfassten. Er machte einen Rundgang um das Gebäude, erkundete, wo die

Notausgänge lagen, und erstellte für sich selbst eine grobe Skizze der Umgebung.

Nach einer weiteren langen Internetsitzung am Vorabend hatte Strike das Gefühl, die Hintergründe von Deeby Maccs öffentlich erklärtem Interesse für Lula Landry genau zu kennen. Der Rapper hatte das Model in drei Songs auf zwei verschiedenen Alben erwähnt; außerdem hatte er sie in Interviews als seine Traumfrau und Seelenverwandte bezeichnet. Wie ernst Macc mit diesen Äußerungen genommen werden wollte, war schwierig zu beurteilen; denn bei allen Interviews, die Strike gelesen hatte, waren zwei Einschränkungen zu machen: erstens wegen des Humors des Rappers, der trocken und verschmitzt war, und zweitens wegen der beinahe ängstlichen Ehrfurcht, mit der ihm fast jeder Interviewer gegenübertrat.

Der ehemalige Gangster Macc, der in seiner Heimatstadt Los Angeles wegen Waffengebrauchs und Drogenhandels gesessen hatte, war inzwischen ein Multimillionär, der nicht nur rappte, sondern auch mehrere florierende Unternehmen besaß. Zweifellos war die Presse »aufgeregt« gewesen, um es mit Robins Worten zu sagen, als bekannt wurde, dass Maccs Plattenfirma die Wohnung unter Lulas gemietet hatte. Es hatte eine Menge eifriger Spekulationen darüber gegeben, was wohl geschehen könnte, wenn Deeby Macc sich nur eine Etage von seiner mutmaßlichen Traumfrau entfernt wiederfand – und wie dieser Brandsatz sich auf die explosive Beziehung von Landry und Duffield auswirken würde. Diese Versuche, aus der Sache eine Story zu machen, waren mit zweifellos erfundenen Kommentaren angeblicher Freunde gespickt: »Er hat sie schon angerufen und zum Dinner eingeladen«, oder: »Sie bereitet eine kleine Party für ihn vor, wenn er nach London kommt.« Derlei Spekulationen hatten fast den Wirbel aus empörten Kommentaren verschiedener Kolumnisten übertönt, die dagegen geiferten, dass der zweifach vorbestrafte Macc, dessen Musik (ihnen zufolge) seine kriminelle Vergangenheit glorifiziere, überhaupt einreisen durfte.

Als Strike befand, die Straßen rund ums Barrack hätten ihm nichts mehr zu sagen, schlenderte er weiter und nahm die gelben Markierungen im näheren Umkreis, die Freitagabend-Parkverbote und die benachbarten Gebäude in Augenschein, die ebenfalls Überwachungskameras aufwiesen. Sobald seine Notizen komplett waren, fühlte er sich zu einer Tasse Tee und einem Schinkensandwich auf Betriebskosten berechtigt. Beides nahm er in einem kleinen Café ein, während er ein liegen gelassenes Exemplar der *Daily Mail* las.

Sein Handy klingelte, als er gerade den ersten Schluck aus seiner zweiten Tasse Tee nehmen wollte und bei der Hälfte eines schadenfrohen Berichts über einen Fauxpas des Premierministers angelangt war, der eine ältliche Wählerin »bigott« genannt hatte, ohne zu ahnen, dass sein Mikrofon noch eingeschaltet war.

In der vergangenen Woche hatte Strike Anrufe seiner unerwünschten Aushilfe noch an die Mailbox verwiesen. Jetzt nahm er das Gespräch entgegen.

»Hi, Robin, wie geht's?«

»Gut. Ich will Ihnen nur sagen, wer alles angerufen hat.«

»Dann mal los«, sagte Strike mit gezücktem Kugelschreiber.

»Alison Cresswell – John Bristows Sekretärin – hat Bescheid gegeben, dass sie für morgen um dreizehn Uhr einen Tisch im Cipriani reserviert hat, wo er Sie mit Tansy Bestigui bekannt machen möchte.«

»Großartig.«

»Ich habe noch mal bei Freddie Bestiguis Produktionsfirma angerufen. Dort sind sie allmählich echt verärgert. Sie sagen, dass er in L.A. ist. Ich habe ihn noch einmal bitten lassen, Sie zurückzurufen.«

»Gut.«

»Und Peter Gillespie hat wieder angerufen.«

»Aha«, sagte Strike.

»Die Sache sei dringend, meint er, und er bittet umgehend um Ihren Rückruf.«

Strike dachte kurz darüber nach, ob er Gillespie anrufen und ihn auffordern sollte, sich ins Knie zu ficken.

»Klar, wird gemacht. Hören Sie, könnten Sie mir die Adresse des Nachtclubs Uzi simsen?«

»Natürlich.«

»Und versuchen, die Telefonnummer eines Kerls namens Guy Somé rauszukriegen? Er ist Modedesigner.«

»*Gi*«, sagte Robin.

»Was?«

»Sein Vorname. Er wird französisch ausgesprochen: *Gi*.«

»Ah, okay. Also, könnten Sie versuchen, seine Nummer rauszukriegen?«

»Wird gemacht«, sagte Robin.

»Und fragen Sie ihn gleich, ob er mit mir reden will. Hinterlassen Sie ihm eine Nachricht, wer ich bin und für wen ich arbeite.«

»In Ordnung.«

Strike fiel Robins frostiger Tonfall auf. Nach ein, zwei Sekunden glaubte er den Grund dafür zu kennen.

»Vielen Dank übrigens für Ihre SMS von gestern«, sagte er. »Sorry, dass ich nicht darauf geantwortet habe; es hätte komisch ausgesehen, wenn ich dort, wo ich war, eine SMS geschrieben hätte. Aber wenn Sie Nigel Clements, Duffields

Agenten, anrufen und um einen Termin bitten könnten, wäre auch das großartig.«

Wie erhofft fiel die Feindseligkeit augenblicklich von ihr ab; als sie wieder sprach, klang ihre Stimme um mehrere Grad wärmer – tatsächlich sogar fast aufgeregt.

»Aber Duffield kann nichts damit zu tun haben, oder doch? Er hatte ein gusseisernes Alibi.«

»Nun, das wird sich zeigen«, sagte Strike bewusst finster. »Und hören Sie, Robin, falls eine weitere Morddrohung eingeht – meist kommen sie montags …«

»Ja?«, fragte sie eifrig.

»Abheften«, sagte Strike.

Er konnte nicht richtig gehört haben – das war höchst unwahrscheinlich; Robin erschien ihm so sittsam –, aber er glaubte zu hören, dass sie »Arsch!« murmelte, als sie auflegte.

Den Rest des Tages verbrachte Strike mit langweiliger, aber notwendiger Basisarbeit. Nachdem Robin ihm die Adresse gesimst hatte, besuchte er den zweiten Club des Tages, diesmal in South Kensington. Der Unterschied zum Barrack war eklatant; der kameraüberwachte Eingang zum Uzi hätte der eines eleganten Privathauses sein können. Anschließend fuhr Strike mit dem Bus zur Charles Street, in der Guy Somé aller Wahrscheinlichkeit nach wohnte, und schritt die mutmaßlich kürzeste Route zwischen der Adresse des Designers und dem Haus ab, vor dem Lula Landry gestorben war.

Am Spätnachmittag machte ihm das Bein wieder schlimmer zu schaffen, und er legte eine Pause ein, um sich auszuruhen und ein Sandwich zu essen, bevor er aufbrach, um sich in der Nähe von Scotland Yard im Feathers mit Eric Wardle zu treffen.

Auch das Feathers war ein viktorianischer Pub; dieser aber

hatte riesige, fast wandhohe Fenster, die auf ein großes graues Steingebäude aus den Zwanzigerjahren hinausgingen, das Jacob Epstein mit Statuen geschmückt hatte. Die nächstgelegene dieser Statuen saß über dem Portal und starrte durchs Fenster in den Pub hinein: ein grimmiger Gott, umarmt von seinem kleinen Sohn, dessen Körper unnatürlich verdreht war, um seine Genitalien zur Schau zu stellen. Ihr Schockwert war im Lauf der Jahre auf null gesunken.

Im Feathers surrten, klickten, bimmelten und blitzten Spielautomaten in primärfarbenen Lichtern; die an den Wänden montierten Plasmabildschirme zeigten ohne Ton die Partie West Bromwich Albion gegen Chelsea, während Amy Winehouse aus versteckten Lautsprechern dröhnte und stöhnte. Die Namen verschiedener Ales waren an die cremeweiße Wand hinter der langen Bar gemalt, der gegenüber eine breite Wendeltreppe aus dunklem Holz mit blitzenden Messinghandläufen in den ersten Stock hinaufführte.

Bis er bedient wurde, hatte Strike Zeit, sich umzusehen. Der Raum war voller Männer, von denen die meisten ihr Haar militärisch kurz trugen; nur um einen erhöhten Tisch herum standen in knappen Glitzerkleidchen drei solariumgebräunte Mädchen, warfen ihr künstlich geglättetes wasserstoffblondes Haar zurück und verlagerten ihr Gewicht unnötigerweise von einem Fuß in überhohen High Heels auf den anderen; dabei taten sie, als merkten sie nicht, dass der einzige einzelne Gast, ein gut aussehender, jungenhafter Mann in einer Lederjacke, der in Fensternähe auf einem Barhocker saß, sie Punkt für Punkt mit Kennerblick musterte. Strike ließ sich ein Pint Doom Bar geben und näherte sich ihrem Betrachter.

»Cormoran Strike«, sagte er, als er bei Wardle ankam. Wardle hatte die Art Haar, um die Strike andere Männer beneidete; niemals hätte irgendjemand behauptet, Wardle hätte Schamhaare auf dem Kopf.

»Ich dachte mir schon, dass Sie's sind«, sagte der Kriminalbeamte und schüttelte ihm die Hand. »Anstis hat gesagt, dass Sie ziemlich groß sind.«

Als Strike sich einen Barhocker heranzog, fragte Wardle ohne weitere Vorrede: »Was haben Sie für mich?«

»Letzten Monat ist am Ealing Broadway ein Mann erstochen worden. Ein Kerl namens Liam Yates? Ein Polizeiinformant, nicht wahr?«

»Ja, er hat ein Messer in den Hals gekriegt. Aber wir wissen, wer es war«, sagte Wardle und lachte herablassend. »Das weiß die Hälfte aller Londoner Gauner. Wenn das Ihre Information ...«

»Aber Sie wissen nicht, wo er steckt, stimmt's?«

Mit einem raschen Blick zu den angeblich arglosen Mädchen zog Wardle sein Notizbuch heraus.

»Bitte weiter.«

»Bei Betbusters in der Hackney Road arbeitet eine gewisse Shona Holland. Sie wohnt zwei Straßen von dem Wettbüro entfernt zur Miete. Im Augenblick hat sie einen höchst unwillkommenen Hausgast namens Brett Fearney, der früher immer ihre Schwester verprügelt hat. Anscheinend ist er kein Kerl, dem man etwas abschlagen sollte.«

»Haben Sie die genaue Adresse?«, fragte Wardle, der eifrig mitschrieb.

»Ich habe Ihnen den Postbezirk und den Namen der Mieterin verraten. Wie wär's, wenn Sie sich ein bisschen als Detektiv betätigen würden?«

»Und woher haben Sie das, sagten Sie?«, fragte Wardle, der weiter in das auf seinem rechten Knie liegende Notizbuch kritzelte.

»Ich habe nichts dergleichen gesagt«, antwortete Strike ruhig und nahm einen kleinen Schluck Bier.

»Sie haben interessante Freunde, was?«

»Sehr interessante. Nun, im Sinne eines fairen Tauschs …«

Wardle, der sein Notizbuch einsteckte, lachte höhnisch. »Was Sie mir eben gegeben haben, könnte ein Riesenscheiß sein.«

»Ist es aber nicht. Spielen Sie fair, Wardle.«

Der Kriminalbeamte musterte Strike einen Augenblick, war offenbar halb belustigt, halb misstrauisch.

»Was wollen Sie?«

»Das habe ich Ihnen am Telefon schon gesagt: ein paar Insiderinformationen über Lula Landry.«

»Lesen Sie keine Zeitung?«

»Insiderinformationen, habe ich gesagt. Mein Klient glaubt an Mord.«

Wardles Gesichtsausdruck wurde abweisend.

»Wir haben uns mit einer Boulevardzeitung zusammengetan, was?«

»Nein«, sagte Strike. »Mit Lulas Bruder.«

»Mit John Bristow?«

Wardle nahm einen großen Schluck Bier, ließ dabei den Blick auf den Oberschenkeln des ihm am nächsten stehenden Mädchens ruhen. Sein Ehering spiegelte das rote Licht der Spielautomaten wider.

»Ist er immer noch auf die Aufnahmen der Überwachungskameras fixiert?«

»Die hat er angesprochen«, bestätigte Strike.

»Wir haben versucht, sie aufzuspüren«, sagte Wardle, »diese beiden Schwarzen. Wir haben sie dazu aufgerufen, sich zu melden. Das hat keiner der beiden getan. Keine große Überraschung: Die Alarmanlage eines Autos hat genau in dem

Augenblick losgeheult, als sie daran vorbeigelaufen sind – oder als sie versucht haben, den Wagen aufzubrechen. Maserati. Hätte sich gelohnt.«

»Sie tippen also auf Autodiebe?«

»Ich sage nicht, dass sie mit dieser Absicht losgezogen sind; vielleicht haben sie auch nur eine günstige Gelegenheit gesehen, weil er dort geparkt war – welcher Vollidiot lässt bitte schön einen Maserati über Nacht auf der Straße stehen? Es war fast zwei Uhr morgens, die Temperatur lag weit unter dem Gefrierpunkt, und ich kann mir nicht allzu viele harmlose Gründe vorstellen, warum zwei Männer sich um diese Zeit auf einer Straße in Mayfair – wo sie vermutlich beide nicht wohnen – herumtreiben sollten.«

»Keine Idee, wo sie hergekommen und danach hingegangen sind?«

»Ziemlich bestimmt wissen wir, dass der eine Kerl, von dem Bristow besessen ist – der kurz vor ihrem Sturz zu ihrem Haus unterwegs war –, um Viertel nach elf in der Wilton Street aus dem Bus Nummer achtunddreißig gestiegen ist. Was er getan hat, bevor ihn gut anderthalb Stunden später die Kamera am Ende der Bellamy Road erfasst hat, können wir nicht mal vermuten. Ungefähr zehn Minuten nach Landrys Sprung ist er wieder an ihr vorbeigestürmt, die Bellamy Road entlanggespurtet und vermutlich nach rechts in die Weldon Street abgebogen. Es gibt Aufnahmen von einem Kerl, auf den seine Beschreibung mehr oder weniger passt – groß gewachsen, schwarz, Kapuzenpulli, Schal um die untere Gesichtshälfte gewickelt –, der ungefähr zwanzig Minuten später auf der Theobalds Road unterwegs war.«

»Wenn er nur zwanzig Minuten zur Theobalds Road gebraucht hat, war er gut unterwegs«, kommentierte Strike. »Die liegt draußen in Richtung Clerkenwell, richtig? Das müssen zwei, zweieinhalb Meilen sein. Und die verschneiten Gehwege waren eisglatt.«

»Ja nun, vielleicht war er's auch nicht. Die Bildqualität war beschissen. Bristow fand es höchst verdächtig, dass seine untere Gesichtshälfte verdeckt war, aber in dieser Nacht war's zehn Grad unter null, und ich hab selbst bei der Arbeit eine Sturmhaube getragen. Aber unabhängig davon, ob er auf der Theobalds Road war oder nicht, hat sich niemand gemeldet und ihn identifiziert.«

»Und der andere?«

»Ist knapp zweihundert Meter weitergespurtet und in die Halliwell Street abgebogen; keine Ahnung, wohin er letztlich verschwunden ist.«

»Oder seit wann er in der Nähe war…«

»Er kann von irgendwoher gekommen sein. Wir haben keine weiteren Aufnahmen von ihm.«

»Soll es in London nicht zehntausend Überwachungskameras geben?«

»Aber noch nicht flächendeckend. Kameras sind nicht die Lösung unserer Probleme, wenn sie nicht regelmäßig gewartet und kontrolliert werden. Die in der Garriman Street war ausgefallen, und in der Meadowfield Road und in der Hartley Street gibt es keine. Sie sind wie alle anderen, Strike: Sie pochen auf Ihre Bürgerrechte, wenn Sie in einem Tabledance-Club sind, während Ihre Frau glaubt, Sie wären im Büro. Aber Sie wollen, dass Ihr Haus Tag und Nacht überwacht wird, wenn jemand versucht, das Klofenster aufzubrechen. Beides auf einmal geht nicht.«

»Beides ist mir egal«, sagte Strike. »Mich interessiert nur, was Sie über den zweiten Läufer wissen.«

»Bis zu den Augen vermummt wie sein Kumpel; zu sehen waren eigentlich nur die Hände. An seiner Stelle und mit einem schlechten Gewissen wegen des Maseratis hätte ich mich in einer Bar verkrochen und sie später inmitten einer größeren Gruppe verlassen. In der Nähe der Halliwell Street gibt es eine Bar namens Bojo's, in der er sich unter die Gäste gemischt haben könnte. Wir haben dort nachgefragt«, fügte Wardle hinzu, womit er Strikes Frage zuvorkam. »Aber niemand hat ihn auf den Aufnahmen erkannt.«

Sie tranken schweigend einen Schluck Bier.

»Selbst wenn wir sie gefunden hätten«, sagte Wardle, als er sein Glas abstellte, »hätten sie bestenfalls einen Augenzeugenbericht über Landrys Sprung liefern können. Oben in ihrer Wohnung ist keine fremde DNS sichergestellt worden. Dort war niemand, der nicht dort hätte sein dürfen.«

»Bristow hat nicht nur die Aufnahmen der Überwachungskameras erwähnt«, sagte Strike. »Er hat auch mehrmals mit Tansy Bestigui gesprochen.«

»Scheiße, erzählen Sie mir nichts von Tansy Bestigui«, sagte Wardle verärgert.

»Ich muss sie aber erwähnen, weil mein Klient glaubt, dass sie die Wahrheit sagt.«

»Sie hört nicht damit auf, was? Hat immer noch nicht aufgegeben? Soll ich Ihnen was über Mrs. Bestigui erzählen?«

»Ich bitte darum«, sagte Strike, dessen Rechte das Glas vor seiner Brust umfasste.

»Carver und ich sind ungefähr zwanzig, fünfundzwanzig Minuten nach Landrys Sprung am Unfallort eingetroffen. Die Kollegen von der Streife waren schon da. Tansy Bestigui war völlig hysterisch, als wir sie antrafen: Sie hat geschnattert und gezittert und gekreischt, dass ein Mörder im Haus sei.

Sie behauptete, sie sei gegen zwei Uhr aufgestanden und ins Bad gegangen, um zu pinkeln; sie habe laute Stimmen aus der oberen Wohnung gehört und dann Landry an ihrem Fenster vorbeifallen sehen.

Die Fenster solcher Luxusapartments haben Dreifachverglasung oder wie immer man das nennt. Soll die Wärme und die klimatisierte Luft zurückhalten und den Lärm des Pöbels aussperren. Als wir sie befragt haben, war die Straße vor dem Haus voller Nachbarn und Streifenwagen, aber nichts davon hätte man bemerkt, wenn die Blaulichter nicht gewesen wären. Was den Lärmpegel in der Wohnung angeht, hätten wir genauso gut im Inneren einer beschissenen Pyramide stehen können. Also hab ich zu ihr gesagt: ›Wissen Sie bestimmt, dass Sie Geschrei gehört haben, Mrs. Bestigui? Dieses Apartment scheint nämlich ziemlich schalldicht zu sein.‹ Aber sie hat darauf beharrt. Hat geschworen, jedes Wort gehört zu haben. Ihrer Aussage nach hat Landry gekreischt: ›Du kommst zu spät!‹, und eine Männerstimme hat gesagt: ›Du bist eine verdammte Lügnerin.‹ Auditive Halluzinationen, so nennt man das«, sagte Wardle. »Man fängt an, Dinge zu hören, wenn man so viel kokst, dass einem das Hirn aus der Nase tröpfelt.«

Er nahm einen weiteren großen Schluck von seinem Pint.

»Jedenfalls haben wir zweifelsfrei nachgewiesen, dass sie nichts gehört haben konnte. Als die Bestiguis sich am nächsten Tag bei einem Freund einquartiert haben, um Ruhe vor der Presse zu haben, haben wir ein paar unserer Leute in ihre Wohnung geschickt und einen davon auf Landrys Terrasse herumbrüllen lassen. Die Jungs im Erdgeschoss haben keinen Ton gehört, dabei haben sie wirklich die Ohren gespitzt – und sie waren clean. Aber während wir nachgewiesen haben, dass sie Mist erzählt, hat Mrs. Bestigui mit halb London telefoniert und überall herumposaunt, sie sei die einzige Zeugin des Mordes an Lula Landry. Die Medien waren bereits alarmiert, weil einige Nachbarn sie von einem Eindringling hatten kreischen hören; und sie hatten Evan Duffield bereits verurteilt, noch bevor wir wieder mit ihr reden konnten. Wir haben sie damit konfrontiert, dass sie nachweislich nicht gehört haben konnte, was sie gehört haben wollte. Aber sie wollte einfach nicht zugeben, dass sie sich das alles nur eingebildet hatte. Für sie stand inzwischen viel auf dem Spiel, weil die Presse ihr Haus belagerte, als wäre sie die wiedergeborene Lula Landry. Deshalb hat sie nur erwidert: ›Oh, hab ich das nicht gesagt? Ich hab sie aufgemacht. Ich hab die Fenster aufgemacht, um frische Luft reinzulassen.‹« Wardle ließ ein sarkastisches Lachen hören. »Bei Schneefall und Minusgraden.«

»Und sie hatte nur Unterwäsche an, richtig?«

»Hat wie 'ne Bohnenstange mit zwei drangebundenen Plastikmandarinen ausgesehen«, sagte Wardle. Der Vergleich kam so flüssig heraus, dass Strike sich sicher war, dass er bei Weitem nicht der Erste war, der ihn zu hören bekam. »Wir haben uns die Mühe gemacht, ihre neue Story zu überprüfen; wir haben nach Fingerabdrücken gesucht – und tatsächlich hatte sie die Fenster nicht geöffnet. Keine Abdrücke an den Griffen oder sonst irgendwo; die Putzfrau hatte sie am Vortag abgewischt und war seither nicht mehr dagewesen. Nachdem die Fenster bei unserer Ankunft geschlossen und verriegelt waren, liegt die einzig mögliche Schlussfolgerung auf der Hand, oder nicht? Mrs. Tansy Bestigui ist eine gottverdammte Lügnerin.«

Wardle trank sein Bier aus.

»Trinken Sie noch eines mit?«, fragte Strike und machte sich auf den Weg zum Tresen, ohne eine Antwort abzuwarten.

Als er an den Tisch zurückkam, fiel ihm auf, dass Wardle

seine Unterschenkel neugierig betrachtete. Unter anderen Umständen hätte er vielleicht mit der Prothese ans Tischbein getreten und gesagt: »Es ist dieses hier.« Stattdessen stellte er zwei frische Pints und eine Portion Speckchips, die zu seinem Verdruss in einer kleinen weißen Auflaufform serviert wurden, vor sie hin und knüpfte dort an, wo sie stehen geblieben waren: »Aber Tansy Bestigui hat eindeutig gesehen, wie Landry an ihrem Fenster vorbeigefallen ist, oder nicht? Denn Wilson hat ausgesagt, sofort nach dem Aufschlag habe Mrs. Bestigui angefangen zu kreischen.«

»Schon möglich, dass sie es gesehen hat, aber sie war nicht zum Pinkeln auf der Toilette. Sie wollte ein paar Lines Koks ziehen. Wir haben sie dort fertig gelegt sichergestellt.«

»Sie hat also was übrig gelassen?«

»Ja. Vielleicht hat ihr die am Fenster vorbeifallende Lula das Koksen verleidet.«

»Das Fenster ist also vom Badezimmer aus sichtbar?«

»Klar. Na ja, so gerade eben.«

»Sie sind ziemlich schnell eingetroffen, nicht wahr?«

»Die Kollegen von der Streife waren in acht Minuten da, Carver und ich in ungefähr zwanzig.«

Wardle hob sein Glas, als wolle er auf die Effizienz der Met Police trinken.

»Ich habe mit dem Sicherheitsmann, Wilson, gesprochen«, sagte Strike.

»Ach ja? Er hat sich gut gehalten«, sagte Wardle leicht herablassend. »War ja nicht seine Schuld, dass er Dünnschiss hatte. Aber er hat nichts angefasst und das Haus gründlich überprüft, nachdem sie gesprungen war. Ja, er hat seine Sache ordentlich gemacht.«

»Seine Kollegen und er waren ein bisschen leichtsinnig, was die Türcodes betraf.«

»Das sind die Leute immer. Zu viele PINs und Passwörter, die man sich merken muss. Kenne dieses Gefühl.«

»Bristow interessiert sich für die Viertelstunde, die Wilson auf dem Klo verbracht hat.«

»Dafür haben wir uns auch ungefähr fünf Minuten lang interessiert, bis wir gemerkt haben, dass Mrs. Bestigui eine publicitysüchtige Kokserin ist.«

»Wilson hat erwähnt, dass die Schwimmhalle nicht abgesperrt war.«

»Kann er erklären, wie ein Mörder in die Schwimmhalle gelangt sein soll – oder später wieder dorthin zurück –, ohne am Empfang vorbeizukommen? Ein gottverdammter *Pool*«, sagte Wardle, »fast so groß wie in meinem Sportstudio – und das für nur drei Leute! Ein *Fitnessraum* im Erdgeschoss hinter dem Empfang! Dazu 'ne beschissene Tiefgarage. Apartments mit Marmorbädern und solchem Scheiß wie ... wie ein gottverdammtes Fünfsternehotel.« Der Kriminalbeamte saß da und schüttelte angesichts der ungleichen Verteilung von Reichtum langsam den Kopf. »'ne andere Welt«, murmelte er.

»Was war mit der mittleren Wohnung ...«

»Die von Deeby Macc?«, fragte Wardle, und Strike war überrascht, ein warmes Lächeln zu sehen, das sich über das Gesicht des Polizisten ausbreitete. »Was soll damit sein?«

»Sind Sie drin gewesen?«

»Ich hab mich darin umgesehen, aber Bryant hatte sie schon durchsucht. Leer. Fenster verriegelt, Alarmanlage eingeschaltet und funktionsfähig.«

»Ist Bryant der Kerl, der den Tisch gerammt und die Blumenvase runtergeworfen hat?«

Wardle schnaubte.

»Davon haben Sie gehört, was? Mr. Bestigui war nicht gerade begeistert. Echt nicht! Zweihundert weiße Rosen in einer eimergroßen Kristallvase. Anscheinend hatte er gelesen, dass Macc in seinem Rider immer weiße Rosen verlangt. In seinem *Stage Rider*«, sagte Wardle, als ließe Strikes Schweigen auf seine Unkenntnis des Begriffs schließen. »Da steht auch Zeug drin, das sie in ihrer Garderobe haben wollen. Ich hätte gedacht, ausgerechnet Sie würden sich mit solchem Zeug auskennen.«

Strike ignorierte die Anspielung. Er hätte sich von Anstis Besseres erhofft.

»Wissen Sie, weshalb Bestigui Macc die Rosen hat hinstellen lassen?«

»Um sich bei ihm einzuschleimen, natürlich! Vermutlich wollte er Macc eine Filmrolle anbieten. Er war stinksauer, als er hörte, dass Bryant die Vase umgeworfen hatte. Hat laut rumgebrüllt, als er's mitbekam.«

»Hat irgendjemand sich darüber gewundert, dass er wegen eines Blumenstraußes Terror macht, während seine Nachbarin mit eingeschlagenem Schädel auf der Straße liegt?«

»Ein widerlicher Scheißer, dieser Bestigui«, sagte Wardle nachdrücklich. »Er ist es gewohnt, dass die Leute strammstehen, wenn er spricht. Hat versucht, uns wie sein Personal zu behandeln, bis er gemerkt hat, dass das nicht sonderlich clever war.

In Wirklichkeit hatte sein Brüllen nichts mit den Blumen zu tun. Er hat versucht, seine Frau zu übertönen, ihr eine Chance zu geben, sich zusammenzureißen. Er hat sich zwischen sie und jeden gedrängt, der sie befragen wollte. Auch ein großer Kerl, der gute alte Freddie.«

»Weswegen war er besorgt?«

»Dass umso deutlicher werden würde, dass sie gekokst hatte, je länger sie herumkreischte und wie ein Windhund zitterte. Er muss gewusst haben, dass der Stoff irgendwo in der Wohnung rumlag. Dass die Met bei ihnen reingeplatzt ist, hat ihm ganz sicher nicht gefallen. Also hat er versucht, uns mit seinem Wutanfall wegen dieser Fünfhundert-Pfund-Blumengeschichte abzulenken.

Irgendwo hab ich gelesen, dass er sich von ihr scheiden lässt. Das überrascht mich nicht. Er ist es gewohnt, dass die Journalisten ihn mit Samthandschuhen anfassen. Er ist eben ein streitsüchtiger Hundesohn. Ihm kann das Aufsehen, das Tansy mit ihrer Aussage erregt hat, kaum gefallen haben. Die Presse hat diese Gelegenheit natürlich genutzt. Hat alte Storys aufgewärmt; dass er mit Tellern nach Angestellten geworfen hat; dass er bei Besprechungen Kopfnüsse verteilt hat. Angeblich hat er seiner letzten Exfrau eine hohe Abfindung gezahlt, damit sie vor Gericht nicht über sein Sexleben plaudert. Er ist weit und breit als Arschloch der Extraklasse bekannt.«

»Aber verdächtigt haben Sie ihn nie?«

»Oh, wir haben ihn sehr wohl verdächtigt; er war an Ort und Stelle und als gewalttätig bekannt. Aber der Verdacht hat sich nie konkretisiert. Hätte seine Frau gewusst, dass er es getan hatte – oder dass er zum Zeitpunkt des Sturzes nicht in der Wohnung war –, hätte sie es uns bestimmt gesagt, so außer sich, wie sie bei unserem Eintreffen war. Aber sie hat darauf bestanden, dass er geschlafen habe, und das Bett sah entsprechend aus. Außerdem stünden wir weiter vor dem Problem, wie er an Wilson vorbeigekommen wäre, wenn er es geschafft hätte, die Wohnung heimlich zu verlassen, um Landry aufzusuchen. Den Aufzug kann er nicht genommen haben – also hätte er auf dem Weg nach unten Wilson begegnen müssen.«

»Der zeitliche Ablauf schließt ihn also aus?«

Wardle zögerte.

»Nun, denkbar wär's natürlich. Wenn Bestigui sich verdammt viel schneller bewegen könnte als die meisten Männer seines Alters und seines Gewichts – und wenn er sofort losgerannt wäre, nachdem er sie übers Geländer gestoßen hatte. Aber damit wäre noch nicht geklärt, weshalb wir in ihrem Penthouse nirgends seine DNS gefunden haben; wie er seine Wohnung hätte verlassen können, ohne von seiner Frau bemerkt zu werden; und nicht zuletzt, weshalb Landry ihn hätte einlassen sollen. Ihre Freunde waren sich einig, dass sie ihn nicht leiden konnte. Außerdem« – Wardle trank sein Bier aus – »ist Bestigui die Art von Mann, die einen Killer anheuern würde, um jemanden beseitigen zu lassen. Er würde sich niemals selbst die Hände schmutzig machen.«

»Noch eins?«

Wardle sah auf die Uhr.

»Meine Runde«, sagte er knapp und schlenderte zum Tresen hinüber. Die drei jungen Frauen an dem hohen Tisch verstummten, beobachteten ihn gierig. Wardle bedachte sie mit einem Grinsen, als er mit den Gläsern zurückkam, und sie sahen zu ihm hinüber, als er wieder auf seinem Barhocker bei Strike Platz nahm.

»Was halten Sie von Wilson als möglichem Mörder?«, fragte Strike den Kriminalbeamten.

»Wenig«, entgegnete Wardle. »Er hätte nicht schnell genug rauf- und wieder runtergelangen können, um Tansy Bestigui im Erdgeschoss zu begegnen. Andererseits ist sein Lebenslauf ein einziger großer Schwindel. Er ist als Expolizist angestellt worden, dabei war er nie bei der Polizei.«

»Interessant. Wo war er denn?«

»Seit Jahren in der Sicherheitsbranche unterwegs. Er hat zugegeben, dass er vor ungefähr zehn Jahren gelogen hat, um seinen ersten Job zu kriegen, hat die falschen Angaben dann aber immer beibehalten.«

»Er scheint Landry gemocht zu haben.«

»Ja. Er ist älter, als er aussieht«, sagte Wardle zusammenhanglos. »Er ist Großvater. Afrokariben merkt man ihr Alter nicht an wie uns, stimmt's? Ich hätte ihn nicht für älter gehalten als Sie.«

Strike fragte sich, allerdings ohne gesteigertes Interesse, für wie alt Wardle ihn wohl hielt.

»Waren die Spurensicherer in Landrys Wohnung?«

»Klar«, bestätigte Wardle, »aber nur, weil die Chefs jeglichen Zweifel widerlegt haben wollten. Wir wussten binnen vierundzwanzig Stunden, dass es Selbstmord gewesen sein musste. Aber wir haben uns besondere Mühe gegeben, weil die gesamte Scheißwelt uns zugesehen hat.«

Er sprach mit schlecht verhehltem Stolz.

»Die Putzfrau war erst morgens dagewesen – sexy Mieze aus Polen übrigens, beschissenes Englisch, aber verdammt gründlich mit dem Staubtuch –, sodass die frischen Abdrücke sich klar und deutlich abgehoben haben. Nichts Auffälliges.«

»Wilsons Fingerabdrücke sind vermutlich sichergestellt worden, weil er die Wohnung nach Lulas Sturz durchsucht hat?«

»Ja, aber nicht an verdächtigen Stellen.«

»Ihrer Ansicht nach waren also nur drei Personen in dem ganzen Gebäude, als sie übers Geländer gestürzt ist? Deeby Macc hätte dort sein sollen, aber …«

»Er ist vom Flughafen aus direkt in einen Club gefahren, ja«, sagte Wardle. Wieder erhellte ein breites, anscheinend unwillkürliches Lächeln sein Gesicht. »Ich hab ihn am Tag nach ihrem Tod im Claridges befragt. Ein großer Kerl wie Sie«, sagte er mit einem Blick auf Strikes massiven Oberkörper, »bloß fit.«

Strike steckte diesen Treffer widerspruchslos ein.

»Ein richtiger Exgangster. In L.A. hatte er mehrmals gesessen. Fast wäre ihm das Einreisevisum nach Großbritannien verweigert worden. Er hatte sein Gefolge dabei«, erzählte Wardle. »Sie hingen in seinem Zimmer rum, Ringe an sämtlichen Fingern, Tätowierungen am Hals. Aber er war der Größte. Deeby könnte einem echt Angst machen, wenn man ihm in einer dunklen Gasse begegnen würde. Verdammt viel höflicher als Bestigui. Hat mich gefragt, wie zum Teufel ich ohne Knarre meine Arbeit tun kann.«

Der Polizeibeamte strahlte. Strike konnte nicht anders, als daraus zu schließen, dass CID Eric Wardle in diesem Fall kein bisschen weniger promigeil war als Kieran Kolovas-Jones.

»Es war keine lange Befragung, weil er eben erst angekommen war und niemals einen Fuß in die Kentigern Gardens gesetzt hatte. Routinesache. Zum Schluss habe ich mir noch seine neueste CD signieren lassen«, fügte Wardle wie zwanghaft hinzu. »Das war der Hit, er war schwer begeistert. Meine Alte wollte sie auf eBay verkaufen, aber ich behalte sie, weil …«

Wardle verstummte mit der Miene eines Mannes, der mehr von sich preisgegeben hatte als beabsichtigt. Strike nahm sich amüsiert eine Handvoll Speckchips.

»Was ist mit Evan Duffield?«

»Der«, schnaubte Wardle. Der Glanz, der seinen Bericht über Deeby Macc beschienen hatte, war erloschen; der Kriminalbeamte machte ein finsteres Gesicht. »Beschissener kleiner Junkie. Hat uns von A bis Z verarscht. Am Tag nach ihrem Tod hat er sich sofort in eine Entzugsklinik verzogen.«

»Das habe ich gelesen. Wo genau war er?«

»Priory, wo sonst? Beschissene Erholungskur.«

»Wann haben Sie ihn also befragt?«

»Am nächsten Tag. Aber wir mussten ihn erst aufspüren;

seine Leute haben gemauert, wo sie nur konnten. Genau wie bei der Bestigui, wissen Sie? Wir sollten nicht erfahren, was sie wirklich getrieben hatten. Meine Alte«, sagte Wardle und machte ein noch finstereres Gesicht, »findet ihn sexy. Sind Sie verheiratet?«

»Nein«, sagte Strike.

»Anstis hat mir erzählt, dass Sie Ihren Dienst quittiert haben, um eine Frau zu heiraten, die aussieht wie ein Supermodel.«

»Was hat Duffield erzählt, als Sie ihn gefunden hatten?«

»Sie hatten in diesem Club, in diesem Uzi, einen Riesenkrach. Dafür gibt's jede Menge Zeugen. Landry ist weggefahren, und er sagt, dass er ihr ungefähr fünf Minuten später gefolgt ist – mit einer beschissenen Wolfsmaske auf dem Kopf. Struppiges Fell, sieht total echt aus. Angeblich hat er sie von Modeaufnahmen behalten.«

Wardles Gesichtsausdruck war offen verächtlich.

»Er hat das Ding gern übergezogen, um die Paparazzi zu ärgern, wenn er Clubs betreten oder verlassen hat. Nachdem Landry aus dem Uzi gestürmt war, ist er in seinen Wagen gestiegen – er hatte draußen einen mit Fahrer stehen – und hat sich in die Kentigern Gardens fahren lassen. Das alles hat der Fahrer bestätigt. Also, besser gesagt«, korrigierte Wardle sich ungeduldig, »er hat bestätigt, einen Mann mit Wolfsmaske in die Kentigern Gardens gefahren zu haben, den er für Duffield hielt, weil Größe und Körperbau stimmten, weil er Duffields Klamotten trug und mit seiner Stimme sprach.«

»Aber er hat die Wolfsmaske unterwegs nicht abgenommen?«

»Vom Uzi zu ihrer Wohnung sind es nur fünfzehn Minuten. Nein, er hat sie nicht abgenommen. Er ist ein kindischer kleiner Scheißer.

Nach Duffields eigener Aussage hat er die Paparazzi vor ihrem Haus gesehen und beschlossen, doch nicht reinzugehen. Er hat den Fahrer angewiesen, ihn nach Soho zu bringen, und ist dort ausgestiegen. Er ist um die Ecke in die Wohnung seines Dealers in der D'Arblay Street gegangen, wo er sich einen Schuss gesetzt hat.«

»Noch immer unter der Wolfsmaske?«

»Nein, dort hat er sie angeblich abgenommen«, sagte Wardle. »Der Dealer, ein gewisser Whycliff, Absolvent irgend so einer Eliteschule, ist noch viel heftiger drauf als Duffield. Er hat umfassend ausgesagt und bestätigt, dass Duffield gegen halb drei bei ihm aufgekreuzt sei. Die beiden seien in der Wohnung allein gewesen, und obwohl ich einiges darauf setzen würde, dass Whycliff für Duffield lügen würde, hat eine Mieterin im Erdgeschoss das Klingeln gehört und gleich danach Duffield auf der Treppe gesehen.

Jedenfalls ist er gegen vier Uhr von Whycliff aufgebrochen – wieder mit dieser beschissenen Wolfsmaske – und zu der Stelle gegangen, wo er dachte, Wagen und Fahrer würden auf ihn warten. Bloß war leider niemand da. Der Fahrer hat sich auf ein Missverständnis rausgeredet. Er hält Duffield für ein Arschloch; das hat er klar und deutlich zu verstehen gegeben. Duffield war nicht sein Kunde; der Wagen lief über Landrys Konto.

Daraufhin marschiert also Duffield, der keinen Penny in der Tasche hat, die ganze Strecke bis zu Ciara Porters Wohnung in Notting Hill. Wir haben ein paar Leute gefunden, die sich erinnern, auf passenden Straßen einen Wolfsmann gesehen zu haben, und es gibt Aufnahmen einer Überwachungskamera, die ihn zeigen, wie er an einer Parkhauskasse eine Schachtel Zündhölzer schnorrt.«

»Ist darauf sein Gesicht zu erkennen?«

»Nein, weil er die Maske nur hochgeschoben hat, um mit der Kassiererin zu reden. Es ist lediglich die Schnauze zu sehen. Aber die Frau hat bestätigt, dass es Duffield war.

Gegen halb fünf ist er bei Porter eingelaufen. Sie hat ihn auf dem Sofa schlafen lassen, und als sie ungefähr eine Stunde später von Landrys Tod erfuhr, hat sie ihn geweckt und ihm davon erzählt. Stichwörter: theatralisches Getue und Entzug.«

»Sie haben nach einem Abschiedsbrief gesucht?«, fragte Strike.

»Klar. In ihrer Wohnung war nichts; nichts auf ihrem Laptop. Aber das war keine Überraschung. Es war 'ne spontane Sache. Sie war bipolar, sie hatte Streit mit diesem kleinen Wichser, und das hat sie über die Kante … Also, Sie wissen, was ich meine.«

Wardle sah wieder auf die Uhr und trank sein Bier aus.

»Sorry, ich muss los. Meine Alte wird sonst sauer; ich hab ihr gesagt, dass ich bloß 'ne halbe Stunde bleibe.«

Von den Männern unbemerkt, waren die unnatürlich gebräunten Mädchen verschwunden.

Draußen auf dem Gehweg zündeten sich beide Zigaretten an.

»Dieses beschissene Rauchverbot«, sagte Wardle, als er den Reißverschluss seiner Lederjacke hochzog.

»Haben wir also einen Deal?«, fragte Strike.

Mit der Zigarette zwischen den Lippen zog Wardle seine Handschuhe an.

»Weiß noch nicht.«

»Kommen Sie, Wardle«, sagte Strike und gab ihm seine Visitenkarte, die der Kriminalbeamte entgegennahm, als wäre sie ein Scherzartikel. »Ich habe Ihnen Brett Fearney geliefert.«

Wardle lachte ungeniert.

»Nein, das haben Sie noch nicht.«

Er steckte Strikes Karte ein, inhalierte, blies den Rauch himmelwärts und musterte den größeren Mann dann neugierig und abschätzend zugleich.

»Gut, in Ordnung. Wenn wir Fearney kriegen, können Sie die Akte haben.«

11

»Der Agent meint, dass Evan Duffield keine Anrufe mehr entgegennimmt oder Interviews zum Thema Lula Landry gibt«, sagte Robin am folgenden Morgen. »Ich habe ihm klargemacht, dass Sie kein Journalist sind, aber er ist hart geblieben. Und in Guy Somés Büro sind sie noch unfreundlicher als bei Freddie Bestigui. Man könnte glauben, ich hätte versucht, eine Audienz beim Papst zu bekommen.«

»Okay«, sagte Strike. »Ich werde versuchen, über Bristow an ihn ranzukommen.«

Es war das erste Mal, dass Robin ihn in einem Anzug sah. Sie fand, er sah aus wie ein Rugbyspieler auf dem Weg zu einem Länderspiel: bullig und klassisch elegant mit dunklem Jackett und dezenter Krawatte. Er kniete auf dem Fußboden und wühlte in einem der Kartons, die er aus Charlottes Wohnung mitgebracht hatte.

Robin wandte den Blick von seinen in Kisten verpackten Besitztümern ab. Sie vermieden es noch immer, die Tatsache zu erwähnen, dass Strike in seinem Büro wohnte.

»Ah«, sagte er, als er schließlich in einem Packen alter Briefe einen hellblauen Umschlag entdeckte – die Einladung zur Geburtstagsparty seines Neffen. »Mist«, sagte er, nachdem er ihn geöffnet hatte.

»Was ist los?«

»Hier steht nicht, wie alt er ist«, sagte Strike. »Mein Neffe.«

Robin war durchaus neugierig, was Strikes Familienbeziehungen betraf. Weil sie aber nie offiziell erfahren hatte, dass er zahlreiche Halbgeschwister, einen berühmten Vater und eine berüchtigte Mutter hatte, verkniff sie sich alle Fragen und öffnete weiter die am Morgen eingegangene spärliche Geschäftspost.

Strike stand auf, stellte den Karton in eine Ecke seines Büros und kehrte zu Robin zurück.

»Was ist das?«, fragte er, als er auf dem Schreibtisch einen fotokopierten Zeitungsartikel entdeckte.

»Den habe ich für Sie kopiert«, sagte sie schüchtern. »Sie haben doch gesagt, die Story über Evan Duffield sei wichtig gewesen… Ich dachte, dieser hier könnte Sie ebenfalls interessieren, wenn Sie ihn nicht schon kennen.«

Es handelte sich um einen fein säuberlich ausgeschnittenen Artikel über den Filmproduzenten Freddie Bestigui aus dem *Evening Standard* vom Vortag.

»Ausgezeichnet. Den kann ich auf der Fahrt zum Lunch mit seiner Frau lesen.«

»Bald seine Ex«, sagte Robin. »Das steht alles in dem Artikel. Hat nicht allzu viel Glück in der Liebe, dieser Mr. Bestigui.«

»Nach allem, was Wardle mir erzählt hat, ist er auch kein sonderlich liebenswerter Mann«, sagte Strike.

»Wie haben Sie diesen Kriminalbeamten dazu gebracht, mit Ihnen zu reden?«, fragte Robin, die ihre Neugier nicht länger im Zaum halten konnte. Sie verzehrte sich danach, mehr über Ablauf und Fortschritt seiner Ermittlungen zu erfahren.

»Wir haben einen gemeinsamen Freund«, sagte Strike. »Einen Beamten bei der Met, den ich aus Afghanistan kenne; aus der Freiwilligenreserve.«

»Sie waren in Afghanistan?«

»Ja.« Strike steckte sich den zusammengefalteten Artikel

über Freddie Bestigui und die Einladung zu Jacks Geburtstag zwischen die Zähne, während er sich den Mantel anzog.

»Und was haben Sie in Afghanistan gemacht?«

»Ich habe im Fall eines gefallenen Soldaten ermittelt«, sagte Strike. »Militärpolizei.«

»Oh«, sagte Robin.

Militärpolizei passte nicht mit Matthews Vermutung, Strike sei ein Scharlatan oder Versager, zusammen.

»Weshalb sind Sie nicht mehr dort?«

»Verwundet.«

Derrick Wilson hatte er seine Verletzung mit knappen Worten geschildert, aber er schreckte davor zurück, Robin gegenüber ebenso offen zu sein. Er konnte sich ihren schockierten Gesichtsausdruck vorstellen und hatte kein Bedürfnis nach Mitgefühl.

»Vergessen Sie nicht, Peter Gillespie anzurufen«, erinnerte Robin ihn, als er hinausging.

Den fotokopierten Zeitungsartikel las Strike auf seiner U-Bahn-Fahrt zur Bond Street. Freddie Bestigui hatte sein erstes Vermögen von seinem Vater geerbt, der als Spediteur Geld gescheffelt hatte; sein zweites hatte er mit Filmen verdient, die zwar die Massen in die Kinos zogen, über die ernsthafte Kritiker jedoch nur spotteten. Gegenwärtig klagte der Produzent gegen zwei Zeitungen, die behauptet hatten, er habe eine junge Angestellte sexuell belästigt und sich anschließend ihr Schweigen erkauft. Zu den mit Wörtern wie »angeblich« und »mutmaßlich« vorsichtig formulierten Vorwürfen gehörten aggressive sexuelle Belästigung und sogar körperliche Bedrohungen. Sie stammten von einer »dem angeblichen Opfer nahestehenden Person«, während die junge Frau selbst sich geweigert hatte, Anzeige zu erstatten oder Interviews zu geben. Die Tatsache, dass Freddie sich im Augenblick von seiner derzeitigen Frau Tansy scheiden ließ, wurde im letzten Absatz erwähnt, der zum Schluss daran erinnerte, dass das unglückliche Paar in der Nacht, als Lula Landry sich das Leben genommen hatte, in dem Gebäude zugegen gewesen war. Beim Leser blieb der merkwürdige Eindruck zurück, der Ehestreit der Bestiguis könnte Landry bei ihrem Entschluss zu springen beeinflusst haben.

Strike war nie in Kreisen verkehrt, die im Cipriani speisten. Erst als er die Davies Street entlangging, wobei die Sonne ihm den Rücken wärmte und dem Klinkerbau vor ihm einen rötlichen Schimmer verlieh, überlegte er sich, wie unangenehm, aber nicht unwahrscheinlich es wäre, dort einem seiner Halbgeschwister zu begegnen. Restaurants wie das Cipriani gehörten zum Alltag der ehelichen Kinder seines Vaters. Von dreien hatte er zuletzt gehört, als er zur Reha im Selly Oak Hospital lag. Gabi und Danni hatten Blumen geschickt; Al hatte ihn einmal besucht, zu laut gelacht und sich nicht getraut, das Fußende des Krankenbetts anzusehen. Anschließend hatte Charlotte imitiert, wie Al gewiehert und sich gewunden hatte. Sie war eine gute Parodistin. Von einer so schönen Frau erwartete man nicht, dass sie lustig war; aber sie war es.

Das Innere des Restaurants war im Art-déco-Stil gehalten; mit Bar und Stühlen in sanft poliertem Holz, blassgelben Deckchen auf runden Tischen und Servicepersonal in weißen Jacketts mit Fliege. Strike entdeckte inmitten der mit Besteck klappernden, schwatzenden Gäste seinen Klienten auf den ersten Blick: Er saß an einem Vierertisch und sprach zu Strikes Überraschung nicht mit einer, sondern gleich mit zwei Frauen, beide mit langen, glänzend braunen Haaren. Aus Bristows Karnickelgesicht sprach die Begierde zu gefallen, vielleicht auch zu beschwichtigen.

Der Anwalt sprang auf, um Strike zu begrüßen, und machte ihn mit Tansy Bestigui, die ihm eine schmale, kühle Hand hinstreckte, ein Lächeln jedoch verweigerte, und mit ihrer Schwester Ursula May bekannt, die ihm nicht einmal die Hand gab. Während die Vorbereitungen – Getränke bestellen und Speisekarten herumreichen – absolviert wurden, wobei Bristow nervös und übermäßig redselig war, musterten die Schwestern Strike mit unverhohlen kritischen Blicken von der Art, die nur Angehörige einer gewissen Klasse für ihr Vorrecht halten.

Beide waren blank poliert und perfekt wie eben erst von ihrer Zellophanhülle befreite lebensgroße Puppen; in der Art reicher Frauen überschlank, in ihren engen Jeans fast hüftenlos, mit gebräunten Gesichtern, deren wächserner Glanz sich vor allem auf den Stirnen zeigte; ihre langen, glänzend dunklen Mähnen mit Mittelscheitel an den Spitzen wie mit der Wasserwaage präzise geschnitten.

Als Strike sich endlich dazu bewegen konnte, von der Speisekarte aufzusehen, fragte Tansy ohne Vorrede: »Sind Sie wirklich (sie sagte *wieklich*) Jonny Rokebys Sohn?«

»Jedenfalls laut Vaterschaftstest«, antwortete er.

Sie schien unsicher zu sein, ob er witzig oder unhöflich war. Ihre dunklen Augen standen etwas zu nahe zusammen, und weder das Botox noch das Collagen konnten die Gereiztheit ihres Gesichtsausdrucks glätten.

»Hören Sie, ich habe eben mit John darüber gesprochen«, sagte sie knapp. »Ich will mich nicht wieder öffentlich äußern, wissen Sie? Ich bin gern bereit, Ihnen zu erzählen, was ich gehört habe, weil es mir lieb wäre, wenn Sie beweisen könnten, dass ich die Wahrheit gesagt habe; aber Sie dürfen niemandem erzählen, dass Sie mit mir gesprochen haben.«

Ihre weit aufgeknöpfte dünne Seidenbluse ließ viel karamellbraune Haut sehen, die sich über ihr knochiges Brustbein spannte, sodass ein unattraktiv höckeriger Effekt entstand; trotzdem saßen auf ihrem schmalen Brustkorb zwei pralle, feste Brüste, als hätte sie die just für diesen Tag von einer vollbusigen Freundin geborgt.

»Wir hätten uns an einem diskreteren Ort treffen können«, kommentierte Strike.

»Nein, das ist schon in Ordnung, hier weiß schließlich niemand, wer Sie sind. Sie sehen Ihrem Vater überhaupt nicht ähnlich. Ich habe ihn voriges Jahr bei Elton kennengelernt. Freddie kennt ihn. Sind Sie oft mit Jonny zusammen?«

»Ich bin ihm zwei Mal begegnet«, sagte Strike.

»Oh«, sagte Tansy.

Diese eine Silbe drückte Überraschung und Verachtung zu gleichen Teilen aus.

Charlotte hatte Freundinnen wie Tansy: löwenmähnig, teuer erzogen und gekleidet, alle entsetzt über deren seltsame Vorliebe für den riesigen, mitgenommen aussehenden Strike. Er hatte jahrelang am Telefon und in persönlichen Begegnungen mit ihnen zu kämpfen gehabt: mit ihrer abgehackten Sprechweise, ihren Ehemännern, die Börsenmakler waren, und der spröden Härte, die Charlotte niemals hatte simulieren können.

»Ich glaube nicht, dass sie überhaupt mit Ihnen reden sollte«, sagte Ursula in einem Tonfall und mit einer Miene, als wäre Strike ein Kellner, der eben seine Schürze abgelegt und sich ungebeten zu ihnen an den Tisch gesetzt hatte. »Ich glaube, dass du einen großen Fehler machst, Tans.«

»Ursula«, fiel Bristow ein, »Tansy will nur …«

»Was ich tue, entscheide ich immer noch selbst«, fauchte Tansy ihre Schwester an, ohne Bristow Beachtung zu schenken, als säße er gar nicht mit am Tisch. »Ich sage nur, was ich gehört habe, das ist alles. Und alles bleibt inoffiziell; das hat John mir zugesichert.«

Offenbar ordnete auch sie Strike in die Domestikenklasse ein. Er ärgerte sich nicht nur über ihren Tonfall, sondern auch über die Tatsache, dass Bristow Zeugen Zugeständnisse machte, ohne zuvor sein Einverständnis eingeholt zu haben. Wie sollte Tansys Aussage, die doch nur von ihr selbst stammen konnte, inoffiziell bleiben?

Einige Augenblicke lang studierten alle vier schweigend die kulinarischen Optionen. Ursula legte ihre Speisekarte als Erste weg. Sie hatte bereits ein Glas Wein geleert, schenkte sich nach und sah sich flüchtig in dem Restaurant um, wobei sie kurz eine Blondine aus minderem königlichem Geblüt fixierte, bevor sie fortfuhr: »Dieses Lokal war früher sogar mittags voller fantastischer Leute. Cyprian will immer nur ins verdammte Wiltons, zu all den übrigen Langweilern in Nadelstreifen …«

»Ist Cyprian Ihr Mann, Mrs. May?«, fragte Strike.

Er ahnte, dass es sie ansticheln würde, wenn er die unsichtbare Linie übertrat, die sie offenbar zwischen ihnen sah; sie fand ganz sicher nicht, dass die Tatsache, mit ihr an einem Tisch zu sitzen, ihm das Recht gab, sie in ein Gespräch zu verwickeln. Sie machte ein finsteres Gesicht, und Bristow beeilte sich, die unbehagliche Pause auszufüllen.

»Ja, Ursula ist mit Cyprian May, einem unserer Seniorpartner, verheiratet.«

»Deshalb bekomme ich Familienrabatt bei meiner Scheidung«, sagte Tansy mit leicht gequältem Lächeln.

»Und ihr Ex rastet vollkommen aus, wenn sie die Presse wieder an sich heranlässt«, sagte Ursula, deren dunkler Blick sich in Strikes Augen bohrte. »Sie versuchen, zu einer gütlichen Einigung zu gelangen. Wenn das alles wieder losbricht, könnte es ihre Abfindung in Mitleidenschaft ziehen. Sie müssen also diskret sein.«

Strike wandte sich höflich lächelnd an Tansy: »Es hat also eine Verbindung zwischen Ihnen und Lula Landry gegeben, Mrs. Bestigui? Ihr Schwager arbeitet mit John zusammen?«

»Das spielte nie irgendeine Rolle«, sagte sie gelangweilt.

Der Kellner kam, um ihre Bestellungen aufzunehmen. Als er wieder gegangen war, zog Strike Notizbuch und Kugelschreiber heraus.

»Was wollen Sie denn damit?«, fragte Tansy in plötzlicher Panik. »Ich will nicht, dass etwas mitgeschrieben wird! John?« Sie appellierte an Bristow, der sich sichtlich nervös und entschuldigend an Strike wandte.

»Glauben Sie, Sie könnten nur zuhören, Cormoran, und, ähem, auf Notizen verzichten?«

»Kein Problem«, sagte Strike bereitwillig. Er zog sein Handy aus der Tasche und steckte Notizbuch und Kugelschreiber ein. »Mrs. Bestigui ...«

»Nennen Sie mich Tansy«, sagte sie, als machte dieses Zugeständnis ihren Einspruch gegen das Notizbuch wett.

»Danke sehr«, sagte Strike mit einem Anflug von Ironie. »Wie gut kannten Sie Lula?«

»Oh, fast gar nicht. Sie war ja nur ein Vierteljahr da. Es ist bei ›Hallo‹ und ›Schönen Tag noch‹ geblieben. Sie hat sich nicht für uns interessiert, wir waren ihr bei Weitem nicht hip genug. Es war ehrlich gesagt lästig, sie im Haus zu haben. Ständig haben Paparazzi vor der Tür gelauert. Ich musste sogar Make-up auflegen, um ins Fitnessstudio zu fahren.«

»Gibt es nicht einen Fitnessraum im Haus?«, fragte Strike.

»Ich mache Pilates bei Lindsey Parr«, sagte Tansy leicht irritiert. »Sie reden schon wie Freddie; der hat sich auch immer darüber beschwert, dass ich nicht zu Hause trainiert habe.«

»Und wie gut hat Freddie Lula gekannt?«

»Auch kaum, aber nicht deshalb, weil er sich zu wenig Mühe gegeben hätte. Er hatte die fixe Idee, sie zum Film zu locken; er hat sie ständig zu uns eingeladen. Aber sie ist nie gekommen. Und er ist ihr am Wochenende vor ihrem Tod in Dickie Carburys Haus nachgestiegen, als ich mit Ursula verreist war.«

»Das wusste ich nicht«, sagte Bristow sichtlich überrascht.

Strike fiel auf, dass Ursula ihrer Schwester zugrinste. Er hatte den Eindruck, sie habe einen komplizenhaften Blickwechsel erwartet, aber Tansy tat ihr den Gefallen nicht.

»Das habe ich erst später erfahren«, erklärte Tansy Bristow. »Freddie hat sich die Einladung bei Dickie erschnorrt; und dort waren sie dann alle: Lula, Evan Duffield, Ciara Porter; die ganze boulevardeske, bekiffte, trendige Bande. Freddie muss verdammt peinlich aufgefallen sein. Ich weiß, dass er nicht viel älter ist als Dickie, aber er sieht uralt aus«, fügte sie gehässig hinzu.

»Was hat Ihr Mann Ihnen über das Wochenende erzählt?«

»Nichts. Dass er dort war, habe ich erst eine Woche später erfahren, als Dickie sich verplappert hat. Aber ich bin davon überzeugt, dass Freddie versucht hat, sich dort an Lula ranzumachen.«

»Soll das heißen«, fragte Strike, »dass er sexuell an Lula interessiert war, oder …«

»Oh ja, das war er bestimmt; schwarze Mädchen haben ihm schon immer besser gefallen als Blondinen. Am heißesten ist er aber darauf, irgendwelche Promis in seinen Filmen auftreten zu lassen. Er treibt Regisseure in den Wahnsinn, weil er auf Biegen und Brechen versucht, Berühmtheiten hineinzudrücken, um sich mehr Publicity zu sichern. Ich wette, dass er gehofft hat, sie für einen Film verpflichten zu können, und ich wäre nicht im Geringsten erstaunt«, fügte Tansy überraschend scharfsinnig hinzu, »wenn er etwas mit ihr und Deeby Macc geplant hätte. Stellen Sie sich das Medienecho vor, wo doch ohnehin schon so viel Aufhebens um die beiden gemacht wurde! In dieser Hinsicht ist Freddie ein Genie. Für seine Filme liebt er Publicity so sehr, wie er sie privat verabscheut.«

»Kennt er Deeby Macc persönlich?«

»Nein, außer er hat ihn kennengelernt, seit wir getrennt leben. Vor Lulas Tod hat er ihn jedenfalls nicht gekannt. Gott, er war begeistert, als er erfuhr, dass Macc über uns einziehen würde, und hat sofort davon gesprochen, dass er ihm eine Rolle anbieten wollte.«

»Was für eine Rolle?«

»Weiß ich nicht«, sagte sie gereizt. »Irgendeine. Macc hat eine riesige Fangemeinde; diese Chance wollte Freddie sich nicht entgehen lassen. Er hätte ihm sicher eine Rolle auf den Leib schreiben lassen, wenn Macc interessiert gewesen wäre. Oh, er hätte sich bei ihm eingeschleimt, hätte ihm von seiner angeblichen schwarzen Großmutter erzählt …« Tansys Stimme klang verächtlich. »Das tut er immer, wenn er schwarze Promis kennenlernt: Er erzählt ihnen, dass er zu einem Viertel Malaie ist. So viel dazu, *Freddie*.«

»Ist er denn zu einem Viertel Malaie?«, fragte Strike.

Sie ließ ein höhnisches kleines Lachen hören.

»Keine Ahnung; ich habe Freddies Großeltern schließlich nie kennengelernt. Er ist ungefähr hundert Jahre alt. Aber ich weiß, dass er alles behaupten würde, wenn damit Geld zu verdienen wäre.«

»Ist aus diesen Plänen, Lula und Macc Filmrollen zu verschaffen, Ihres Wissens je etwas geworden?«

»Nun, Lula hat sein Angebot bestimmt geschmeichelt; die

meisten dieser Models würden liebend gern beweisen, dass sie mehr können, als in eine Kamera zu starren. Aber sie hat nie was unterschrieben, oder, John?«

»Soweit ich weiß, nicht«, sagte Bristow. »Allerdings … Aber das war etwas anderes«, murmelte er und lief wieder fleckig rot an. Er zögerte, dann reagierte er auf Strikes forschenden Blick und sagte: »Mr. Bestigui hat vor einigen Wochen ganz überraschend meine Mutter besucht. Ihr geht es sehr schlecht, und … Also, ich möchte nicht …«

Er sah mit sichtlichem Unbehagen zu Tansy hinüber.

»Erzähl es nur. Mir ist es egal«, sagte sie mit ungekünstelter Gleichgültigkeit.

Bristow reckte den Kopf vor und spitzte die Lippen, wie um an einem Strohhalm zu saugen, sodass seine Nagezähne vorübergehend nicht mehr zu sehen waren.

»Er wollte mit meiner Mutter über eine Verfilmung von Lulas Leben sprechen. Es, äh, sollte wohl rücksichtsvoll und einfühlsam wirken. Als wollte er die Zustimmung ihrer Familie einholen, wissen Sie? Schließlich war Lula kaum ein Vierteljahr tot … Mum war über alle Maßen betroffen. Leider war ich nicht da, als er zu Besuch kam«, sagte Bristow in einem Tonfall, der ausdrücken sollte, im Allgemeinen halte er bei seiner Mutter Wache. »In gewisser Hinsicht wollte ich, ich wäre dabei gewesen. Ich wollte, ich hätte ihn angehört. Ich meine, wenn er Lulas Lebensgeschichte recherchieren lässt, sosehr mir das auch zuwider ist, könnte er doch irgendetwas wissen, nicht wahr?«

»Was denn?«, fragte Strike.

»Ach, ich weiß nicht. Vielleicht etwas aus ihrer frühen Kindheit? Bevor sie zu uns gekommen ist?«

Der Kellner kam, um ihre Vorspeisen zu servieren. Strike wartete, bis er wieder gegangen war, dann fragte er Bristow:

»Haben Sie selbst versucht, mit Mr. Bestigui zu reden und herauszufinden, ob er etwas über Lula in Erfahrung gebracht hat, das die Familie nicht weiß?«

»Das ist eben die Schwierigkeit«, sagte Bristow. »Als Tony – mein Onkel – mitbekommen hat, was passiert war, hat er Mr. Bestigui angerufen und ihm untersagt, meine Mutter zu belästigen, und soviel ich gehört habe, hat es eine sehr hitzige Auseinandersetzung gegeben. Ich glaube nicht, dass Mr. Bestigui weitere Kontaktaufnahmen aus der Familie begrüßen würde. Komplizierter wird die Situation natürlich dadurch, dass Tansy bei ihrer Scheidung unsere Dienste in Anspruch nimmt. Ich meine, das ist in Ordnung – wir sind eine der besten Kanzleien für Familienrecht, und nachdem Ursula mit Cyprian verheiratet ist, ist es nur natürlich, dass sie zu uns gekommen ist ... Aber ich fürchte, dass das Mr. Bestigui nicht gerade für uns eingenommen hat.«

Obwohl Strike den Anwalt die ganze Zeit über aufmerksam ansah, registrierte er nur zu deutlich, was sich am Rand seines Blickfelds abspielte. Ursula bedachte ihre Schwester erneut mit einem höhnischen kleinen Grinsen. Er fragte sich, was sie so amüsierte. Ihrer guten Laune nicht hinderlich war bestimmt, dass sie inzwischen beim vierten Glas Wein angelangt war.

Strike widmete sich seiner Vorspeise, dann wandte er sich an Tansy, die ihr Essen nicht angerührt hatte, sondern lediglich auf dem Teller hin und her schob.

»Wie lange hatten Ihr Mann und Sie schon in den Kentigern Gardens gewohnt, bevor Lula eingezogen ist?«

»Ungefähr ein Jahr.«

»War die mittlere Wohnung damals vermietet?«

»Ja« sagte Tansy. »Ein halbes Jahr lang hat dort ein amerikanisches Paar mit einem kleinen Jungen gewohnt, aber die drei sind bald nach Lulas Einzug in die Staaten zurückgegangen. Danach konnte die Wohnbaugesellschaft niemanden mehr dafür interessieren. Finanzkrise, Sie wissen schon. Die kosten ganz schön, diese Wohnungen. Deshalb hat sie leer gestanden, bis Deeby Maccs Plattenfirma sie gemietet hat.«

Die beiden Frauen waren für einen Moment abgelenkt, als eine Dame in einem Häkelmantel mit (wie Strike fand) grässlichem Muster an ihrem Tisch vorüberging.

»Der ist von Daumier-Cross«, sagte Ursula mit leicht zusammengekniffenen Augen über ihr Weinglas hinweg. »Mit einer Warteliste von mindestens sechs Monaten …«

»Das war Pansy Marks-Dillon«, erklärte Tansy. »Keine Kunst, zu den Bestgekleideten zu gehören, wenn dein Ehemann fünfzig Millionen besitzt. Freddie ist der geizigste Millionär der Welt; ich musste neue Sachen immer vor ihm verstecken oder als billige Fälschungen ausgeben. Er konnte so ein Spielverderber sein.«

»Du siehst immer ganz wundervoll aus«, sagte Bristow mit rosigen Wangen.

»Süß von dir«, sagte Tansy Bestigui in gelangweiltem Tonfall.

Der Kellner kam, um die Teller abzutragen.

»Wo waren wir gleich wieder?«, fragte sie. »Ah, richtig, bei den Wohnungen. Jedenfalls war Deeby Macc avisiert … und ist dann doch nicht gekommen. Freddie war darüber höchst verärgert, weil er ihm Rosen in die Wohnung hatte stellen lassen. Freddie ist so ein knickriger Hundesohn!«

»Wie gut kennen Sie Derrick Wilson?«, fragte Strike.

Sie blinzelte.

»Nun … Er ist einer der Sicherheitsleute, aber ich *kenne* ihn nicht, wenn Sie verstehen, was ich meine? Er war in Ordnung, glaub ich. Freddie hat immer gesagt, er sei der Beste von ihnen.«

»Tatsächlich? Wieso das?«

Sie zuckte mit den Schultern.

»Keine Ahnung, das müssten Sie Freddie selbst fragen. Viel Erfolg dabei«, fügte sie mit einem kleinen Lachen hinzu. »Darauf, dass er mit Ihnen redet, können Sie warten, bis Sie schwarz werden.«

»Tansy«, sagte Bristow, indem er sich leicht nach vorn beugte, »willst du Cormoran nicht davon erzählen, was du in der bewussten Nacht gehört hast?«

Strike wäre es lieber gewesen, wenn Bristow sich nicht eingemischt hätte.

»Natürlich«, sagte Tansy. »Es war gegen zwei Uhr morgens, und ich wollte einen Schluck Wasser trinken.«

Ihre Stimme klang nüchtern und ausdruckslos, doch schon bei diesem ersten Satz fiel Strike auf, dass sie ihm eine andere Version der Story auftischte als diejenige, die sie der Polizei erzählt hatte.

»Ich bin ins Bad gegangen, um mir ein Glas zu holen, und als ich auf dem Rückweg durchs Wohnzimmer kam, habe ich von oben Geschrei gehört. Sie – Lula – hat gerufen: ›Es ist zu spät, ich hab's getan‹, und dann hat ein Mann ziemlich laut gesagt: ›Du bist eine verlogene Schlampe!‹, und dann … dann hat er sie übers Geländer gestoßen. Ich hab sie fallen sehen.«

Tansy machte eine winzige ruckartige Handbewegung, von der Strike annahm, dass sie ein Mit-den-Armen-Rudern darstellen sollte.

Bristow stellte sein Glas ab, als sei ihm leicht übel. Der Hauptgang wurde serviert. Ursula trank noch mehr Wein. Weder Tansy noch Bristow rührten ihr Essen an. Strike griff nach seiner Gabel, begann zu essen und bemühte sich redlich, den Eindruck zu vermeiden, er genieße seine Puntarelle mit Anchovis.

»Ich hab geschrien«, flüsterte Tansy. »Ich konnte gar nicht mehr aufhören zu schreien. Ich bin an Freddie vorbei aus der Wohnung gestürmt und nach unten gerannt. Ich wollte den Sicherheitsleuten sagen, dass dort oben ein Mann war, den sie sich schnappen mussten. Wilson kam aus dem Zimmer hinter dem Tresen gestürzt. Ich hab ihm erzählt, was passiert war, und er ist sofort auf die Straße gelaufen, um nach ihr zu sehen, statt nach oben. Verdammter Idiot! Wäre er gleich hochgelaufen, hätte er ihn vielleicht noch erwischt. Dann war Freddie da, der mir nachgerannt war, und versuchte, mich nach oben zurückzuholen, weil ich kaum etwas anhatte.

Dann ist Wilson mit der Nachricht zurückgekommen, sie sei tot, und hat Freddie aufgefordert, die Polizei zu rufen. Freddie hat mich buchstäblich nach oben gezerrt – ich war völlig hysterisch – und aus unserem Wohnzimmer die 999 angerufen. Und dann ist die Polizei gekommen. Und niemand hat mir ein Wort geglaubt.« Sie nahm einen kleinen Schluck Wein, stellte ihr Glas ab und sagte ruhig: »Wenn Freddie wüsste, dass ich mit Ihnen rede, würde er ausrasten.«

»Du bist dir ganz sicher, nicht wahr, Tansy«, warf Bristow ein, »dass du dort oben einen Mann gehört hast?«

»Natürlich bin ich das«, sagte Tansy. »Ich hab's doch eben gesagt, oder nicht? Dort oben war ganz bestimmt jemand.«

Bristows Handy klingelte.

»Entschuldigung«, murmelte er und nahm das Gespräch an. »Alison … ja?«

Strike konnte die tiefe Stimme der Sekretärin hören, ohne aber zu verstehen, was sie sagte.

»Entschuldigt mich einen Augenblick«, sagte Bristow gehetzt und verließ den Tisch.

Auf den glatten, polierten Gesichtern der beiden Schwestern erschien ein boshaft amüsierter Ausdruck. Sie wechselten einen vielsagenden Blick, und dann war es zu Strikes Überraschung Ursula, die ihn ansprach.

»Kennen Sie Alison?«

»Flüchtig.«

»Sie wissen, dass sie zusammen sind?«

»Ja.«

»Eigentlich ist es ein bisschen mitleiderregend«, sagte Tansy. »Sie ist mit John zusammen, aber in Wirklichkeit ist sie scharf auf Tony. Kennen Sie Tony?«

»Nein«, gab Strike zu.

»Er ist einer der Seniorpartner. Johns Onkel, wissen Sie?«

»Ja.«

»Sehr attraktiv. Würde sich in einer Million Jahren nicht um Alison bemühen. Sie hat sich für John als Trostpreis entschieden, nehme ich an.«

Der Gedanke an Alisons vergebliche Vernarrtheit schien die Schwestern sehr zu befriedigen.

»In der Kanzlei weiß das wohl jeder?«, fragte Strike.

»Oh ja«, sagte Ursula mit hörbarem Vergnügen. »Cyprian sagt, dass sie unendlich peinlich ist. Schwänzelt wie ein Hündchen um Tony herum.«

Ihre Antipathie Strike gegenüber schien sich verflüchtigt zu haben. Er hatte dieses Phänomen schon oft erlebt und war nicht überrascht. Die meisten Leute redeten gern, Ausnahmen waren sehr selten; die Frage war nur, wie man sie dazu brachte. Manche – und Ursula gehörte offenbar dazu – wurden durch Alkohol redselig; andere standen gern im Rampenlicht; und wieder andere brauchten lediglich die Gegenwart eines guten Zuhörers. Lediglich eine Unterabteilung der Menschheit wurde nur bei einem einzigen Lieblingsthema redselig: Das konnte die eigene Unschuld oder die Schuld eines anderen sein; es konnte um ihre Sammlung von Keksdosen aus der Vorkriegszeit gehen oder aber – wie im Fall von Ursula May – um die aussichtslose Schwärmerei einer reizlosen Sekretärin.

Ursula beobachtete Bristow durchs Fenster; er stand auf dem Gehweg, sprach angelegentlich in sein Handy und fing dann an, auf und ab zu gehen. Ihre Zunge war inzwischen richtig gelockert.

»Ich wette, dass ich weiß, worum es geht. Conway Oates' Testamentsvollstrecker beschweren sich darüber, wie die Firma sein Vermögen verwaltet hat. Sie wissen schon, dieser amerikanische Investor? Cyprian und Tony sitzen echt in der Klemme und schicken John durch die Weltgeschichte, damit er die Wogen glättet. John kriegt immer die beschissensten Jobs.«

Ihr Tonfall war eher beißend als mitfühlend.

Bristow kehrte sichtlich nervös an den Tisch zurück.

»Ich bitte vielmals um Entschuldigung. Alison wollte nur ein paar Nachrichten loswerden«, sagte er.

Der Kellner kam, um ihre Teller abzutragen. Strike hatte als Einziger aufgegessen. Sobald der Kellner wieder außer Hörweite war, sagte er: »Tansy, die Polizei hat Ihre Aussage ignoriert, weil sie glaubt, Sie könnten unmöglich gehört haben, was Sie gehört haben wollen.«

»Da täuscht sie sich eben!«, fauchte sie. Ihre gute Laune war schlagartig dahin. »Ich *hab's* gehört.«

»Durch das geschlossene Fenster?«

»Es war offen«, sagte sie, vermied dabei aber jeden Blickkontakt zu Bristow und ihrer Schwester. »Es war stickig in der Wohnung, und ich hatte auf dem Weg ins Bad eines der Wohnzimmerfenster geöffnet.«

Strike ahnte, dass sie sich weigern würde, auf weitere Fragen zu antworten, wenn er allzu sehr auf diesem Punkt beharrte.

»Außerdem behauptet sie, Sie hätten Kokain genommen.«

Tansy entfuhr ein leises, ungeduldiges Schnauben.

»Hören Sie«, sagte sie, »ich hatte früher am Abend etwas genommen, beim Dinner, okay? Und sie haben's im Bad gefunden, als sie sich in der Wohnung umgesehen haben. Diese beschissenen, langweiligen Dunnes! Jeder hätte ein paar Lines gebraucht, um Benjy Dunnes verdammte Geschichten zu ertragen. Aber ich hab mir die Stimme dort oben nicht eingebildet. Dort war ein Mann, und er hat sie ermordet. Er hat sie *ermordet*«, wiederholte Tansy und funkelte Strike an.

»Und wohin, glauben Sie, ist er anschließend geflüchtet?«

»Woher soll ich das wissen? John bezahlt *Sie* dafür, dass Sie das rausfinden. Er hat sich irgendwie aus dem Haus geschlichen. Vielleicht ist er durch ein Fenster zur Rückseite hinausgeklettert. Vielleicht hat er sich im Aufzug versteckt. Vielleicht ist er unten durch die Tiefgarage entwischt. Ich habe keinen blassen Schimmer, wie er das Haus verlassen hat. Ich weiß nur, dass er da war.«

»Wir glauben dir«, warf Bristow besorgt ein. »Wir glauben dir, Tansy. Cormoran muss diese Fragen nur stellen, um … um ein klares Bild davon zu bekommen, wie sich alles ereignet hat.«

»Die Polizei hat sich die größte Mühe gegeben, mich als unglaubwürdig hinzustellen«, sagte Tansy. Wieder ignorierte sie Bristow und sprach Strike direkt an. »Sie ist zu spät gekommen; er war längst fort, also hat sie ihr Versagen überspielen müssen. Wer nicht durchgemacht hat, was ich mit der Presse durchgemacht habe, kann nicht verstehen, wie schlimm das war. Ich musste mich sogar in eine Klinik begeben, um aus der Schusslinie zu kommen! Ich kann nicht glauben, dass das legal ist – dass die Medien in diesem Land so etwas dürfen –, und alles nur, weil ich die Wahrheit gesagt habe, das ist der allergrößte Witz! Ich hätte die Klappe halten sollen, nicht wahr? Das hätte ich auch getan, wenn ich nur geahnt hätte …«

Sie drehte den locker sitzenden Brillantring an ihrem Finger.

»Freddie hat im Bett gelegen und geschlafen, als Lula gefallen ist, nicht wahr?«

»Ja, das stimmt«, sagte sie.

Sie hob eine Hand und wischte sich nicht vorhandene Haarsträhnen aus dem Gesicht. Der Kellner kam mit Dessertkarten zurück und zwang Strike dazu, mit seinen Fragen zu warten, bis alle bestellt hatten. Er war der Einzige, der Nachtisch wollte; alle anderen begnügten sich mit Kaffee.

»Wann ist Freddie aufgestanden?«, fragte er Tansy, als der Kellner wieder gegangen war.

»Wie meinen Sie das?«

»Sie sagten, er habe bei Lulas Sturz im Bett gelegen; wann ist er aufgestanden?«

»Als er mich schreien hörte«, sagte sie, als verstünde sich das von selbst. »Ich hab ihn mit meinem Schreien geweckt.«

»Er muss sehr schnell gewesen sein.«

»Wie kommen Sie darauf?«

»Sie haben gesagt: ›Ich bin an Freddie vorbei aus der Wohnung gestürmt und nach unten gerannt.‹ Also war er schon bei Ihnen im Zimmer, bevor Sie hinausgerannt sind, um Derrick Bescheid zu sagen?«

Eine winzige Pause.

»Ja, das stimmt«, sagte sie, strich sich erneut über das makellose Haar und verbarg dabei ihr Gesicht.

»Er war also binnen Sekunden aus tiefstem Schlaf erwacht und ins Wohnzimmer geeilt? Weil Sie nach eigener Darstellung praktisch sofort kreischend losgerannt sind …«

Wieder eine kaum wahrnehmbare Pause.

»Ja«, sagte sie. »Also … Ich weiß nicht recht. Ich glaube, ich habe gekreischt, während ich wie gelähmt dagestanden habe … vielleicht einen Augenblick lang … Ich war so schockiert … Freddie kam aus dem Schlafzimmer gestürzt, und dann bin ich an ihm vorbeigelaufen.«

»Haben Sie sich die Zeit genommen, ihm zu erklären, was Sie gesehen hatten?«

»Das weiß ich nicht mehr.«

Bristow sah aus, als wolle er zu einer weiteren unpassenden Intervention ansetzen. Strike hob die Hand, um ihn daran zu hindern; aber Tansy wechselte bereits das Thema, als sei sie froh, nicht mehr über ihren Ehemann reden zu müssen.

»Ich habe immer wieder darüber nachgedacht, wie der Mörder hereingekommen sein könnte, und bin mir inzwischen sicher, dass er ihr ins Haus gefolgt sein muss, als sie in jener Nacht heimgekommen ist; weil Derrick Wilson seinen Platz am Empfang verlassen hatte und auf der Toilette war. Tatsächlich finde ich, dass Wilson dafür hätte rausfliegen müssen. Wenn Sie mich fragen, hat er hinten im Pausenraum geschlafen. Ich weiß nicht, wie der Mörder an den Türcode gekommen sein mag, aber ich bin mir sicher, dass er bei dieser Gelegenheit mit hineingeschlüpft ist.«

»Würden Sie die Stimme des Mannes wiedererkennen? Den Sie brüllen hörten?«

»Ich glaube nicht. Es war nur irgendeine Männerstimme. Sie hatte nichts Auffälliges an sich. Ich meine, ich habe mich nachträglich gefragt: War's Duffield?«, sagte sie mit bohrendem Blick, »weil Duffield einmal oben auf dem Treppenabsatz herumgeschrien hatte. Wilson musste ihn damals rauswerfen, weil Duffield versuchte, Lulas Tür einzutreten. Ich habe nie verstanden, was ein Mädchen mit ihrem Aussehen von einem Kerl wie Duffield wollte«, fügte sie beiläufig hinzu.

»Manche Frauen finden ihn sexy«, fiel Ursula mit ein und leerte die Weinflasche, »aber ich erkenne diesen Appeal nicht. Er ist einfach nur schmierig und grässlich.«

»Dabei ist es nicht mal so«, sagte Tansy und drehte wieder an ihrem Brillantring, »dass er Geld hätte.«

»Aber Sie glauben nicht, in der fraglichen Nacht seine Stimme gehört zu haben?«

»Nun, wie gesagt, sie hätte es sein können«, sagte sie ungeduldig und zuckte fast unmerklich mit ihren schmalen Schultern. »Aber er hatte ein Alibi, stimmt's? Massenhaft Leute haben ausgesagt, dass er in der Nacht von Lulas Ermordung nicht mal in der Nähe der Kentigern Gardens war. Einen Teil der Nacht hat er bei Ciara Porter verbracht, oder nicht? Schlampe«, fügte Tansy mit einem verkrampften kleinen Lächeln hinzu. »Schläft mit dem Freund ihrer besten Freundin ...«

»Sie haben miteinander geschlafen?«, fragte Strike.

»Oh, was glauben Sie denn?« Ursula lachte, als wäre Strikes Frage unfassbar naiv. »Ich kenne Ciara Porter; sie ist bei einer Charity-Veranstaltung aufgetreten, die ich mit organisiert habe. Sie ist solch ein Hohlkopf und ein Flittchen.«

Der Kaffee, aber auch Strikes klebrige Karamellmousse waren serviert worden.

»Tut mir leid, John, aber in Bezug auf Freunde hatte Lula keinen besonders guten Geschmack«, sagte Tansy und schlürfte ihren Espresso. »Außer Ciara gab es da noch diese Bryony Radford. Sie war wohl keine enge Freundin; ich würde ihr nicht über den Weg trauen.«

»Wer ist Bryony?«, fragte Strike, obwohl er genau wusste, wer sie war.

»Visagistin. Verlangt ein Vermögen und ist 'ne verdammte

Schlampe«, sagte Ursula. »Ich hab sie ein einziges Mal engagiert, vor einem Ball der Gorbatschow-Stiftung, und danach hat sie überall rumerzählt, ich …«

Ursula verstummte abrupt, stellte ihr Glas ab und griff stattdessen nach ihrer Kaffeetasse. Strike, den brennend interessierte, was Bryony herumerzählt hatte, auch wenn es in diesem Fall irrelevant sein mochte, hob an zu sprechen, aber Tansy fiel ihm ins Wort.

»Oh, und dann gab es auch noch dieses schreckliche Mädchen, das Lula manchmal mitgebracht hat. John, erinnerst du dich?«

Wieder appellierte sie an Bristow, der jedoch verständnislos dreinblickte.

»Du weißt schon, dieses grässliche … dieses wirklich scheußliche farbige Mädchen, das sie manchmal angeschleppt hat. Eine Art Stadtstreicherin. Ich meine … Die hat gestunken, die hat buchstäblich gestunken. Wenn die im Aufzug war … konnte man es riechen. Sie hat sie sogar in den Pool gelassen. Ich wusste gar nicht, dass Schwarze schwimmen können.«

Bristows Augenlider flatterten, er war wieder rot im Gesicht.

»Weiß der Teufel, was Lula mit ihr wollte«, sagte Tansy. »Oh, du musst dich an sie erinnern, John! Sie war fett. Ungepflegt. Hat ein bisschen minderbemittelt gewirkt.«

»Ich weiß nicht …«, murmelte Bristow.

»Meinen Sie Rochelle?«, fragte Strike.

»Oh ja, so hat sie geheißen, glaube ich. Jedenfalls war sie auf der Beerdigung. Sie ist mir aufgefallen. Hat ganz hinten gesessen. Bitte, Sie denken doch daran, nicht wahr«, sagte Tansy, und sie richtete die ganze Energie ihrer dunklen Augen auf Strike, »dass all dies hier inoffiziell ist. Ich meine, ich kann es mir nicht leisten, dass Freddie erfährt, dass ich mit Ihnen geredet habe. Ich habe keine Lust, diesen ganzen Pressetrubel noch einmal durchzumachen. Die Rechnung, bitte«, blaffte sie den Kellner an.

Als die Rechnung kam, reichte Tansy sie kommentarlos an Bristow weiter.

Während die Schwestern sich zum Gehen bereit machten, ihre glänzend braunen Mähnen über die Schultern warfen und in ihre teuren Jacken schlüpften, ging die Tür des Restaurants auf, und ein großer, hagerer Mann von etwa sechzig Jahren in einem teuren Anzug trat ein, sah sich um und kam geradewegs auf ihren Tisch zu. Er war silberhaarig, sah distinguiert aus und war makellos gekleidet, aber der Blick seiner blassblauen Augen wirkte eisig. Sein Gang war energisch und zielstrebig.

»Das nenne ich eine Überraschung«, sagte er ruhig, als er zwischen den Stühlen der beiden Frauen stehen blieb. Keiner der drei anderen hatte den Mann kommen sehen, und außer Strike ließen alle zu gleichen Teilen Überraschung und deutliches Missfallen an seinem Auftauchen erkennen. Tansy und Ursula erstarrten für Bruchteile einer Sekunde – Ursula, die im Begriff gewesen war, ihre Sonnenbrille hervorzuholen, immer noch mit einer Hand in ihrer Handtasche.

Tansy erholte sich als Erste.

»Cyprian«, sagte sie und bot ihm die Wange, um sie küssen zu lassen. »Was für eine wundervolle Überraschung!«

»Ich dachte, du wärst einkaufen, Ursula, meine Liebe?«, sagte er, ohne seine Frau aus den Augen zu lassen, während er Tansy flüchtig auf beide Wangen küsste.

»Wir haben eine Lunchpause gemacht, Cyps«, antwortete sie, aber ihr Teint war gerötet, und Strike spürte eine undefinierbare Aggressivität in der Luft.

Die blassen Augen des älteren Mannes glitten bewusst über Strike hinweg und fixierten Bristow.

»Ich dachte, Tony sei für deine Scheidung zuständig, Tansy«, sagte er.

»Das ist er auch«, sagte sie. »Dies war kein Arbeitsessen, Cyps. Rein gesellschaftlich.«

Er lächelte eisig.

»Dann lasst mich euch hinausbegleiten, meine Lieben.«

Nach einer flüchtigen Verabschiedung von Bristow und ohne ein einziges Wort zu Strike ließen die beiden Schwestern sich von Ursulas Ehemann aus dem Restaurant geleiten. Als die Tür sich hinter ihnen geschlossen hatte, fragte Strike Bristow: »Was war das denn gerade?«

»Das war Cyprian«, sagte Bristow. Er wirkte fahrig, als er an seiner Kreditkarte und der Rechnung herumfingerte. »Cyprian May. Ursulas Ehemann. Seniorpartner in der Firma. Ihm wird es nicht gefallen, dass Tansy mit Ihnen gesprochen hat. Ich frage mich, woher er wusste, dass wir hier sind. Vermutlich hat er es von Alison …«

»Wieso sollte es ihm nicht passen, dass sie mit mir redet?«

»Tansy ist seine Schwägerin«, sagte Bristow und schlüpfte in seinen Mantel. »Er will nicht, dass sie sich – aus seiner Sicht – noch einmal zum Gespött der Öffentlichkeit macht. Ich bekomme wahrscheinlich einen Rüffel dafür, dass ich sie mit Ihnen zusammengebracht habe. Bestimmt telefoniert er längst mit meinem Onkel, um sich über mich zu beschweren.«

Strike fiel auf, dass Bristows Hände zitterten.

Der Anwalt fuhr mit einem Taxi davon, das der Maître d'hôtel ihm gerufen hatte. Strike entfernte sich zu Fuß vom Cipriani, lockerte unterwegs seine Krawatte und war so in Gedanken versunken, dass ihn erst das laute Hupen eines heranrasenden Wagens aus seiner Träumerei aufschreckte, als er die Grosvenor Street überqueren wollte.

Nach dieser überaus nützlichen Erinnerung daran, dass seine Sicherheit andernfalls gefährdet sein könnte, hielt Strike auf eine lange fahle Wand zu, die zum Elizabeth Arden Red Door Spa gehörte, lehnte sich jenseits des Fußgängerstroms dagegen, zündete sich eine Zigarette an und zückte sein Handy. Nachdem er mehrmals kurze Sequenzen abgespielt und dann wieder den Schnellvorlauf betätigt hatte, erwischte er endlich den Teil von Tansys aufgezeichneter Aussage, der die Augenblicke unmittelbar vor dem Sturz an ihrem Fenster vorbei betraf: »... *als ich auf dem Rückweg durchs Wohnzimmer kam, habe ich von oben Geschrei gehört. Sie – Lula – hat gerufen: ›Es ist zu spät, ich hab's getan‹, und dann hat ein Mann ziemlich laut gesagt: ›Du bist eine verlogene Schlampe!‹, und dann ... dann hat er sie übers Geländer gestoßen. Ich hab sie vorbeifallen sehen.*«

Wenn er genau hinhörte, konnte er sogar das leise Klirren vernehmen, mit dem Bristow sein Glas auf den Tisch stellte. Strike hörte sich die Stelle noch einmal an.

»... *hat gerufen: ›Es ist zu spät, ich hab's getan‹, und dann hat ein Mann ziemlich laut gesagt: ›Du bist eine verlogene Schlampe!‹, und dann ... dann hat er sie übers Geländer gestoßen. Ich hab sie vorbeifallen sehen.*«

Er erinnerte sich daran, wie Tansy Lulas rudernde Arme imitiert hatte, und an den Horror auf ihrem starren Gesicht, während sie das tat. Er steckte das Handy wieder weg, zog sein Notizbuch heraus und setzte an, ein paar Dinge aufzuschreiben.

Strike kannte unzählige Lügner; er konnte sie förmlich wittern, und er wusste genau, dass Tansy dazugehörte. Was sie gehört haben wollte, konnte sie nicht von ihrer Wohnung aus gehört haben; daraus hatte die Polizei geschlossen, sie habe es gar nicht gehört. Obwohl Strike bis zu diesem Augenblick lediglich mit Hinweisen auf einen Selbstmord Lula Landrys konfrontiert worden war, war er entgegen allen Erwartungen davon überzeugt, Tansy Bestigui glaube wirklich, vor Landrys Sturz einen Streit gehört zu haben. Es war der einzige Teil ihrer Geschichte gewesen, der echt geklungen und eine Authentizität beinhaltet hatte, die ein grelles Schlaglicht auf die Lügen warf, mit denen sie den Rest ihrer Story ausgeschmückt hatte.

Er stieß sich von der Mauer ab und ging auf der Grosvenor Street nach Osten weiter; ein wenig aufmerksamer, was den Verkehr betraf, aber innerlich damit beschäftigt, sich Tansys Mienenspiel ins Gedächtnis zu rufen, ihren Tonfall, ihre Manierismen, als sie von Lulas letzten Augenblicken gesprochen hatte.

Wieso hatte sie im entscheidenden Punkt die Wahrheit gesagt, sie aber mit leicht zu widerlegenden Unwahrheiten garniert? Wieso hatte sie gelogen, als sie schilderte, was sie getan hatte, als sie das Geschrei von oben gehört hatte? Strike erinnerte sich an Adler: »Eine Lüge hätte keinen Sinn, wenn man die Wahrheit nicht als gefährlich empfinden würde.« Tansy war heute da gewesen, um einen letzten Versuch zu wagen, jemanden zu finden, der ihr glauben und zugleich die Lügen schlucken würde, mit denen sie ihre Aussage verbrämte.

Er ging schnell, nahm das Stechen unter dem rechten Knie kaum wahr, bis ihm klar wurde, dass er die Maddox Street entlanggegangen und auf der Regent Street herausgekommen war. Die in einiger Entfernung flatternden roten Markisen von Hamley's Toy Shop erinnerten Strike daran, dass er auf dem Rückweg ins Büro ein Geburtstagsgeschenk für seinen Neffen hatte kaufen wollen.

Den bunten, quietschenden, blitzenden Mahlstrom, in den

er geriet, nahm er nur undeutlich wahr. Er hastete blind von Stockwerk zu Stockwerk, ohne sich um das Gekreisch, das Surren fliegender Modellhubschrauber und das Grunzen mechanischer Schweine zu kümmern, die seinen mäandernden Pfad kreuzten. Nach ungefähr zwanzig Minuten machte er endlich bei den Actionfiguren der Marke HM Armed Forces halt. Dort blieb er reglos stehen und starrte die Reihen kleiner Marineinfanteristen und Fallschirmjäger an, ohne sie richtig zu sehen und ohne auf das Flüstern der Eltern zu achten, die ihre Söhne um ihn herumzusteuern versuchten, weil sie sich nicht trauten, den merkwürdigen hünenhaften Mann mit dem starren Blick zu bitten, Platz zu machen.

TEIL DREI

Forsan et haec olim meminisse iuvabit.

Vielleicht wird es einst Freude bereiten, sich an diese Dinge zu erinnern.

VERGIL, *AENEIS*, BUCH I

1

Am Mittwoch begann es zu regnen. Typisches Londoner Wetter; in der grauen, nassen Kälte zeigte die alte Stadt ihre abweisende Seite: bleiche Gesichter unter schwarzen Schirmen; der allgegenwärtige Geruch von feuchtem Stoff; nächtliches, stetiges Regenprasseln an Strikes Bürofenster.

In Cornwall war der Regen ganz anders übers Land gekommen: Strike erinnerte sich noch gut daran, wie er gegen die Scheiben in Tante Joans und Onkel Teds Gästezimmer gepeitscht hatte, während jener Monate, in denen er als Junge in dem adretten Häuschen, das immer nach Blumen und frischem Backwerk roch, gewohnt und die Grundschule in St. Mawes besucht hatte. Derlei Erinnerungen tauchten immer dann auf, wenn er sich mit Lucy treffen wollte.

Die Regentropfen klopften noch immer auf die Fensterbretter, als Robin am Freitagnachmittag auf ihrer Seite des Schreibtischs Jacks neue Fallschirmjäger-Actionfigur verpackte und Strike ihr auf der gegenüberliegenden Seite einen Scheck für die Arbeitswoche abzüglich der Provision für Temporary Solutions ausstellte. Robin hatte später noch einen Termin für ihr drittes »echtes« Vorstellungsgespräch und war entsprechend gekleidet und frisiert erschienen: in einem schwarzen Kostüm und mit hochgesteckten Haaren.

»Bitte sehr«, sagten beide gleichzeitig, wobei Robin ein Päckchen, das formvollendet in mit kleinen Raumschiffen bedrucktes Geschenkpapier eingeschlagen war, über den Tisch schob und Strike ihr den Scheck reichte.

»Tausend Dank«, sagte Strike. »Ich kann keine Geschenke einpacken.«

»Hoffentlich gefällt es ihm«, erwiderte sie und steckte den Scheck in ihre schwarze Handtasche.

»Sicher. Und viel Glück bei dem Vorstellungsgespräch! Wollen Sie den Job denn haben?«

»Na ja, es ist eine ziemlich gute Stelle. In der Personalabteilung einer Media-Consulting-Firma im West End«, antwortete sie ohne große Begeisterung. »Viel Spaß auf der Party! Wir sehen uns am Montag.«

Die selbst auferlegte Pflicht, zum Rauchen auf die Straße hinunterzugehen, wurde in dem unablässigen Regen zu einer wahren Strafe. Nur notdürftig abgeschirmt, harrte Strike unter dem Vorsprung der Eingangstür zu seinem Gebäude aus und fragte sich, wann er das Rauchen aufgeben und sich wieder daranmachen würde, sich seiner Fitness zu widmen, die ihm zusammen mit seiner Kreditwürdigkeit und seinem behaglichen Zuhause abhandengekommen war. Während er noch darüber nachdachte, klingelte sein Handy.

»Ich dachte, es interessiert Sie vielleicht, dass sich Ihr Tipp ausgezahlt hat.« Eric Wardle war der Triumph anzuhören. Im Hintergrund vernahm Strike Motorenlärm und Männergespräche.

»Schnelle Arbeit«, kommentierte Strike.

»Na sicher, da fackeln wir nicht lange.«

»Heißt das, ich bekomme das Gewünschte?«

»Deswegen rufe ich an. Heute ist es schon ein bisschen spät, aber ich schicke es gleich am Montag per Fahrradkurier zu Ihnen.«

»Ehrlich gesagt hätte ich es gern so schnell wie möglich. Ich warte hier im Büro.«

Wardle lachte leicht höhnisch.

»Sie werden nach Stunden bezahlt, was? Es sähe Ihnen ähnlich, den Tag ein wenig in die Länge zu ziehen.«

»Heute Abend wäre mir lieber. Falls Sie es nachher noch losschicken können, garantiere ich Ihnen, dass Sie es als Erster erfahren, wenn mein alter Kumpel mal wieder einen Tipp für mich hat.«

In dem kurzen Moment der Stille hörte Strike einen der Männer im Auto sagen: »*... Fearney, dieses Arschgesicht ...*«

»Also gut«, sagte Wardle. »Ich schicke es später vorbei. Könnte aber nach sieben werden. Sind Sie dann noch da?«

»Ich werde auf jeden Fall da sein«, erwiderte Strike.

Drei Stunden später, während Strike gerade aus einem Styroporbehälter auf seinem Schoß Fish and Chips aß und auf seinem kleinen tragbaren Fernseher die Abendnachrichten verfolgte, traf die Akte ein. Der Kurier klingelte, und Strike unterschrieb die Empfangsbestätigung für ein sperriges Paket mit der Absenderadresse Scotland Yard. Unter der Verpackung kam ein dicker grauer Aktenordner voller Fotokopien zum Vorschein. Strike setzte sich an Robins Schreibtisch und machte sich daran, den Inhalt Seite für Seite durchzuarbeiten.

Vor ihm lagen die Aussagen der Zeugen, die Lula Landry an ihrem letzten Abend gesehen hatten; ein Bericht über die DNS-Spuren, die in ihrer Wohnung gesichert worden waren; fotokopierte Seiten aus dem Besucherbuch, das der Sicherheitsdienst in den Kentigern Gardens 18 führte; Einzelheiten über die Medikamente, die Lula verschrieben worden waren, um die bipolare Störung in den Griff zu bekommen; der Autopsiebericht; medizinische Unterlagen aus dem vorangegangenen Jahr; Verbindungsübersichten ihrer Mobil- und Festnetzanschlüsse; und schließlich eine Zusammenfassung dessen, was man auf dem Laptop des Models gefunden hatte. Außerdem hatte Wardle noch eine DVD beigelegt, auf deren Hülle er *Straßenaufnahmen – Läufer* gekritzelt hatte.

Das DVD-Laufwerk auf Strikes gebraucht gekauftem Computer hatte von Anfang an nicht funktioniert; darum ließ er die Scheibe in die Tasche des Mantels gleiten, der an der Garderobe neben der Glastür hing, schlug sein Notizbuch auf und widmete sich wieder der Durchsicht des Materials aus dem Aktenordner.

Draußen wurde es allmählich dunkel, und der goldene Lichtkegel der Schreibtischlampe beschien die Dokumente, die Strike Seite für Seite durchlas und die alles in allem auf einen Suizid hatten schließen lassen. Inmitten der aufs Wesentliche reduzierten Aussagen, der minutiös katalogisierten Zeitabläufe, der kopierten Medizinflaschen-Etiketten aus Landrys Badezimmerschrank spürte Strike jener Wahrheit nach, die er unter Tansy Bestiguis Lügen erahnte.

Die Obduktion hatte ergeben, dass Lula bei dem Aufprall auf der Straße zu Tode gekommen und dass sie an Genickbruch sowie schwersten inneren Blutungen gestorben war. An den Oberarmen hatte man mehrere Hämatome festgestellt. Sie hatte bei ihrem Sturz nur einen Schuh angehabt. Die Fotos von der Leiche bestätigten die Behauptung auf LulaMyInspirationForeva, dass Landry sich nach ihrer Rückkehr aus dem Club umgezogen hatte: Statt des Kleids, das sie auf den Fotos von ihrer Heimkehr angehabt hatte, trug der Leichnam ein Paillettentop und eine Hose.

Strike konzentrierte sich auf die voneinander abweichenden Aussagen, die Tansy gegenüber der Polizei gemacht hatte; laut der ersten war sie nachts auf direktem Weg ins Bad gegangen; laut der zweiten hatte sie unterwegs das Wohnzimmerfenster geöffnet. Freddie, hatte sie erklärt, habe währenddessen im Bett gelegen und geschlafen. Die Polizei hatte auf der Marmoreinfassung der Badewanne Spuren und in einer Tamponschachtel im Medizinschrank über dem Waschbecken ein ganzes Tütchen voll Kokain entdeckt.

Freddie hatte bei seiner Vernehmung bestätigt, dass er geschlafen habe, als Landry vom Balkon stürzte, und dass er von den Schreien seiner Frau geweckt worden sei; er hatte erklärt, er sei ins Wohnzimmer gelaufen, und im selben Moment sei Tansy in Unterwäsche an ihm vorbeigerannt. Die Vase mit den Rosen, die er Macc geschickt und die ein ungeschickter Polizist umgestoßen hatte, habe er, wie er zugab, als Willkommensgruß gedacht, um den Rapper näher kennenzulernen; ja, er hätte gern Bekanntschaft mit ihm geschlossen, und ja, ihm sei der Gedanke gekommen, dass Macc gut in einen Thriller passen würde, den er produzieren wollte. Dass er angesichts des ruinierten Blumengrußes derart überreagiert hatte, sei auf den Schock über Landrys Tod zurückzuführen. Anfangs habe er seiner Frau geglaubt, dass sie oben einen Streit gehört hätte; später jedoch habe er sich gezwungenermaßen der Auffassung der Polizei anschließen müssen, dass Tansys Schilderung auf ihren Kokainkonsum zurückzuführen sei. Ihr Drogenproblem habe ihre Ehe sehr belastet; wie er der Polizei gegenüber eingeräumt hatte, sei ihm durchaus bewusst gewesen, dass seine Frau regelmäßig illegale Substanzen konsumierte, allerdings habe er nicht geahnt, dass sie an jenem Abend einen Vorrat in ihrer Wohnung gebunkert hatte.

Des Weiteren hatte Bestigui erklärt, dass er und Landry einander nie in ihren Wohnungen besucht und dass sie auch bei ihrem zeitgleichen Aufenthalt bei Dickie Carbury (von dem die Polizei offenbar erst später erfahren hatte, da man Freddie nach seiner ersten Aussage noch einmal befragte) ihre Bekanntschaft nicht vertieft hätten. »Sie hielt sich hauptsächlich an die jüngeren Gäste, während ich das Wochenende größtenteils mit Dickie verbrachte, der eher in meinem Alter ist.« Bestiguis Aussage präsentierte sich so unangreifbar wie ein Granitfels ohne Steigeisen.

Nachdem Strike die Protokolle der Ereignisse in der Wohnung der Bestiguis gelesen hatte, ergänzte er seine eigenen Notizen um mehrere Anmerkungen. Ihn interessierten vor allem die Kokainspur auf dem Badewannenrand und noch mehr die Sekunden, nachdem Tansy gesehen hatte, wie Lula Landry strampelnd an ihrem Fenster vorbeigestürzt war. Natürlich würde viel vom Grundriss der Wohnung der Bestiguis abhängen (in dem Ordner waren weder Skizzen noch Angaben dazu zu finden), aber ein Punkt in Tansys ansonsten so wandelbaren Ausführungen irritierte Strike: Sie hatte stets darauf beharrt, dass ihr Mann während Lulas Sturz im Bett gelegen habe. Er sah sie wieder vor sich, wie sie vorgab, ihr Haar zu ordnen, um ihr Gesicht zu verbergen, als er bei diesem Punkt nachgebohrt hatte. Insgesamt hielt Strike den Aufenthaltsort beider Bestiguis zu dem Zeitpunkt, als Lula Landry vom Balkon gestürzt war, entgegen den polizeilichen Ermittlungen keineswegs für erwiesen.

Er widmete sich der weiteren systematischen Durchsicht der Akte. Evan Duffields Aussage bestätigte im Großen und Ganzen das, was Wardle ihm erzählt hatte. Duffield gab zu, dass er versucht habe, seine Freundin am Verlassen des Uzi zu hindern, und dass er sie dabei an den Oberarmen gepackt habe. Sie habe sich losgerissen und sei gegangen; er sei ihr wenig später gefolgt. Nur in einem einzigen Satz wurde, in der emotionslosen Sprache des vernehmenden Polizeibeamten, die Wolfsmaske erwähnt: »Ich trage den Wolfskopf für gewöhnlich, wenn ich nicht von Fotografen belästigt werden möchte.« Die knappe Aussage des Fahrers, mit dem Duffield von dem Club weggefahren war, bestätigte dessen Schilderung, der zufolge sie erst in die Kentigern Gardens und von dort aus weiter in die D'Arblay Street gefahren seien. Dort habe er seinen Passagier abgesetzt und sei dann weitergefahren. In der knappen, sachlichen Niederschrift der Polizei, die dem Fahrer zur Gegenzeichnung vorgelegt worden war, war nichts von der Antipathie zu spüren, die er laut Wardle gegenüber Duffield empfunden hatte.

Auch die nächsten beiden Aussagen stützten Duffields Darstellung: Die eine stammte von einer Frau, die behauptete, ihn auf der Treppe zu der Wohnung seines Dealers gesehen zu haben, die zweite von Duffields Dealer Whycliff persönlich. Strike musste an Wardles Einschätzung denken, dass Whycliff für Duffield lügen würde. Die Frau vom Stockwerk darunter konnte ebenfalls bestochen worden sein. Alle anderen Zeugen, die erklärt hatten, Duffield in den Straßen von London beobachtet zu haben, konnten guten Gewissens lediglich versichern, dass sie einen Mann mit Wolfsmaske gesehen hatten.

Strike zündete sich eine Zigarette an und ging Duffields Aussage ein zweites Mal durch. Duffield war leicht erregbar und hatte zugegeben, dass er Lula bedrängt hatte, länger im Club zu bleiben. Die Hämatome an ihren Oberarmen waren höchstwahrscheinlich sein Werk gewesen. Falls er allerdings mit Whycliff zusammen Heroin genommen hatte, verringerte das die Wahrscheinlichkeit, dass er noch in der Lage gewesen wäre, in ihre Wohnung in den Kentigern Gardens 18 einzudringen, geschweige denn sich in einen Mordrausch zu steigern, so viel war Strike klar. Er wusste nur zu gut, wie sich Heroinabhängige verhielten; in dem letzten besetzten Haus, in dem seine Mutter gelebt hatte, hatte er mehr als genug davon kennengelernt. Diese Droge machte ihre Sklaven passiv und handzahm, zur Antithese der brüllenden, gewalttätigen Alkoholiker oder der hypernervösen, paranoiden Kokskonsumenten. Strike hatte in seinem Leben viele Arten von Süchtigen getroffen, in der Army ebenso wie im Privatleben. Dass die Medien Duffields Sucht derart glorifizierten, fand er verwerflich. An Heroin war nichts Glorreiches. Strikes eigene Mutter war auf einer schmutzigen Matratze in der Ecke eines dreckstrotzenden Zimmers verendet, und sechs Stunden lang hatte niemand bemerkt, dass sie tot war.

Er stand auf, durchquerte das Büro, riss das dunkle, regenbenetzte Fenster auf, und sofort war das Wummern der Bassgitarre aus dem 12 Bar Café lauter denn je zu hören. Mit der brennenden Zigarette in der Hand blickte er hinüber zur Charing Cross Road, wo die Scheinwerferlichter in den Pfützen funkelten und die freitäglichen Nachtschwärmer mit wippenden Schirmen am Ende der Denmark Street vorbeizogen und dabei so laut lachten, dass es über den Verkehr bis zu ihm hinaufdrang. Wann würde er wohl wieder an einem Freitag mit Freunden im Pub sitzen? Die Vorstellung schien aus einem anderen Universum, einem längst zurückgelassenen Leben zu stammen. Ewig konnte er dieses bizarre Halbleben, in dem er zurzeit feststeckte und – abgesehen von Robin – keine zwischenmenschlichen Kontakte hatte, nicht weiterführen, aber er war noch nicht wieder bereit, sich ein normales Sozialleben aufzubauen. Er hatte seinen Platz in der Army verloren, er hatte Charlotte verloren und obendrein ein halbes Bein; er hatte das Gefühl, dass er sich erst wieder an den Mann gewöhnen musste, zu dem er geworden war, bevor er sich der Bestürzung und dem Mitleid seiner Mitmenschen aussetzte.

Die rot glühende Kippe flog hinaus auf die dunkle Straße und erlosch im nassen Rinnstein; Strike schob das Fenster wieder zu, kehrte an den Schreibtisch zurück und zog die Akte entschlossen zu sich heran.

Derrick Wilsons Aussage enthielt nichts, was er nicht bereits wusste. In der Akte wurden weder Kieran Kolovas-Jones noch sein mysteriöses blaues Blatt Papier erwähnt. Daher nahm Strike sich als Nächstes gespannt die Aussagen der beiden Frauen vor, mit denen Lula ihren letzten Nachmittag verbracht hatte: Ciara Porter und Bryony Radford.

In der Erinnerung der Visagistin war Lula gut gelaunt gewesen und hatte sich auf Deeby Maccs Ankunft gefreut. Porter hingegen hatte ausgesagt, Landry sei »nicht sie selbst« gewesen, sie habe »niedergeschlagen und ängstlich« gewirkt, habe aber nicht darüber sprechen wollen, was ihr so zusetzte. Porters Aussage enthielt ein bemerkenswertes Detail, von dem Strike bis dato nichts gewusst hatte: Das Model versicherte, dass Landry an jenem Nachmittag ausdrücklich davon gesprochen hatte, sie habe vor, »alles« ihrem Bruder zu hinterlassen. Der Kontext war zwar nicht ersichtlich; doch blieb der Eindruck einer jungen Frau, die sich mit Todesgedanken trug.

Strike fragte sich, warum sein Auftraggeber ihm nichts von dieser Absichtserklärung seiner Schwester erzählt hatte. Natürlich besaß Bristow bereits einen Treuhandfonds. Vielleicht war für ihn die Aussicht, noch mehr Geld zu besitzen, bedeutend weniger erwähnenswert als für Strike, der noch nie auch nur einen Penny geerbt hatte.

Gähnend zündete sich Strike die nächste Zigarette an, um wach zu bleiben, und begann, die Aussage von Lulas Mutter zu lesen. Nach Lady Yvette Bristows eigener Darstellung hatte sie sich nach ihrer Operation benommen und schwach gefühlt; dennoch bestand sie darauf, dass ihre Tochter »bester Laune« gewesen sei, als sie an jenem Vormittag zu Besuch gekommen war, und dass sie mit großem Mitgefühl ausschließlich über Lady Bristows Gesundheitszustand sowie die Aussichten auf Genesung gesprochen habe. Vielleicht lag es an der stumpfen, flachen Prosa des vernehmenden Polizisten, aber für Strike klangen ihre Schilderungen, als sei sie fest entschlossen gewesen, alles Unangenehme zu verdrängen. Sie war als Einzige der Auffassung, dass Lulas Tod ein Unfall gewesen, dass sie irgendwie versehentlich über das Balkongeländer gefallen sei; schließlich, so Lady Bristow, sei es eine eisige Nacht gewesen.

Strike überflog auch John Bristows Angaben, die in jeder Hinsicht mit dem übereinstimmten, was er ihm persönlich erzählt hatte, und widmete sich dann der Aussage von Johns und Lulas Onkel. Tony Landry hatte Yvette Bristow an Lulas Todestag zur selben Zeit besucht wie Letztere und versichert, dass ihm seine Nichte »normal« vorgekommen sei. Danach sei er mit dem Auto nach Oxford gefahren, wo er an einer Konferenz über internationale Entwicklungen im Familienrecht teilgenommen und anschließend im Malmaison Hotel übernachtet habe. Den Angaben über die Fahrt nach Oxford folgten einige unverständliche Kommentare über diverse Anrufe. Um sie zu erhellen, vertiefte sich Strike in die ausgedruckten Einzelverbindungsnachweise.

In der Woche vor ihrem Tod hatte Lula ihren Festnetzanschluss kaum und an ihrem Todestag kein einziges Mal benutzt. Dafür hatte sie von ihrem Handy aus am letzten Tag ihres Lebens nicht weniger als sechsundsechzig Anrufe getätigt. Als Erstes hatte sie morgens um 9.15 Uhr Evan Duffield angerufen; danach um 9.35 Uhr Ciara Porter. Es folgte eine Lücke von mehreren Stunden, in denen sie mit niemandem telefoniert hatte, und dann, um 13.21 Uhr, hatte sie angefangen, unausgesetzt und praktisch abwechselnd zwei Nummern anzurufen. Zum einen die von Duffield; die andere gehörte dem krakeligen Vermerk neben ihrer ersten Nennung zufolge Tony Landry. Immer wieder hatte sie die beiden Männer angerufen. Hier und da gab es Pausen von etwa zwanzig Minuten; dann hatte sie wieder angefangen zu telefonieren, höchstwahrscheinlich indem sie die Wahlwiederholungstaste gedrückt hatte. Diese hektischen Anrufe, folgerte Strike, musste Lula getätigt haben, während sie sich mit Bryony Radford und Ciara Porter in ihrer Wohnung aufgehalten hatte, allerdings hatte keine der beiden bei der Vernehmung wiederholte Telefonate erwähnt.

Strike wandte sich wieder Tony Landrys Aussage zu, die jedoch keinerlei Aufschluss darüber gab, warum seine Nichte unbedingt mit ihm hatte telefonieren wollen. Er habe sein Mobiltelefon während der Konferenz lautlos gestellt und erst viel später entdeckt, dass seine Nichte ihn an jenem Nachmittag immer wieder angerufen hatte. Er hatte keine Ahnung, weshalb sie ihn unbedingt hatte erreichen wollen, und er hatte sie auch nicht zurückgerufen, was er damit begründete, dass sie mittlerweile aufgehört hatte, ihn anzurufen, und er, ganz zu Recht übrigens, vermutet habe, sie sei in irgendeinem Club.

Inzwischen gähnte Strike im Minutentakt; er überlegte, ob er sich einen Kaffee machen sollte, konnte sich aber nicht dazu aufraffen. Am liebsten hätte er sich hingelegt, aber er war es gewohnt, anstehende Aufgaben sofort zu erledigen, und so blätterte er weiter zu den kopierten Seiten aus dem Besucherbuch des Sicherheitsdienstes von Nummer 18, in dem verzeichnet worden war, welche Besucher am Tag vor Lulas Tod das Haus betreten hatten. Die gewissenhafte Prüfung der Unterschriften und Initialen ergab, dass Wilson bei seiner Buchführung nicht annähernd so penibel gewesen war, wie seine Arbeitgeber es sich sicherlich vorstellten. Wie Wilson Strike bereits erklärt hatte, wurden die Bewegungen der Hausbewohner selbst nicht aufgezeichnet; daher gab es keine Einträge über das Kommen und Gehen von Landry und den Bestiguis. Als Ersten hatte Wilson an jenem Tag um 9.10 Uhr den Briefträger aufgeführt; danach, um 9.22 Uhr, folgte *Florist Lieferung Whg. 2*; schließlich, um 9.50 Uhr, *Securibell*. Wann der Alarmanlagentechniker wieder gegangen war, war nicht vermerkt.

Ansonsten war es (wie Wilson erzählt hatte) ein ruhiger Tag gewesen. Ciara Porter war um 12.50 Uhr eingetroffen; Bryony Radford um 13.20 Uhr. Während Radford persönlich unterschrieben hatte, als sie um 16.40 Uhr gegangen war, waren die Ankunft eines Cateringservices, der um 19.00 Uhr die Bestiguis beliefert hatte, Ciaras Aufbruch mit Lula um 19.15 Uhr und die Abfahrt der Cateringleute um 21.15 Uhr in Wilsons Handschrift hinzugefügt worden.

Strike ärgerte sich darüber, dass die Polizei nur die Einträge dieses einen Tages kopiert hatte; er hatte gehofft, dass er irgendwo in den Seiten vielleicht auf den Nachnamen der rätselhaften Rochelle stoßen würde.

Es war schon fast Mitternacht, als er sich endlich dem Polizeibericht über Landrys Laptop widmete. Offenbar hatte man hauptsächlich nach E-Mails gesucht, die auf suizidale Gedanken oder Absichten schließen ließen, doch dahingehend war man nicht fündig geworden. Strike überflog die E-Mails, die Landry in den letzten zwei Wochen ihres Lebens versandt und empfangen hatte.

Es mochte vielleicht merkwürdig klingen, aber die zahllosen Abbildungen ihrer unwirklichen Schönheit hatten es Strike keineswegs erleichtert, sondern im Gegenteil erschwert, Lula Landry als Menschen aus Fleisch und Blut wahrzunehmen. Ihre Gesichtszüge waren so allgegenwärtig, dass sie zu etwas Abstraktem, Allgemeingültigem geworden waren, selbst wenn ihr Gesicht einzigartig in seiner Schönheit gewesen war.

Erst jetzt stieg aus den Seiten voller spröder schwarzer Zeichen, aus den in eigenwilliger Rechtschreibung verfassten, mit Insiderwitzen und Spitznamen gespickten Nachrichten der Geist der toten jungen Frau in die Atmosphäre seines düsteren Büros auf. Ihre E-Mails vermittelten etwas, das die zahllosen Fotografien nicht hatten transportieren können: die instinktive, nicht mehr nur rationale Gewissheit, dass auf dieser verschneiten Londoner Straße ein echter, lebender, lachender und weinender Mensch gestorben war. Strike hatte gehofft, in diesem Wust von Papieren den flüchtigen Schatten eines Mörders zu erhaschen, doch stattdessen war daraus Lulas Seele aufgestiegen, die, wie es bei Opfern von Gewaltverbrechen bisweilen geschah, ihn über die Trümmer ihres zerstörten Lebens hinweg anblickte.

Erst jetzt begriff er wirklich, warum John Bristow darauf beharrte, dass seine Schwester sich nicht mit Selbstmordgedanken getragen habe. Die Worte, die er vor sich sah, erweckten eindeutig den Eindruck, von einer warmherzigen Freundin getippt worden zu sein, gesellig, impulsiv, vielbeschäftigt und froh darüber; von einem Mädchen, dem sein Job großen Spaß bereitete und das sich, genau wie Bristow behauptet hatte, unbändig auf die bevorstehende Reise nach Marokko freute.

Die meisten ihrer E-Mails waren an den Designer Guy Somé gerichtet. Interessant waren daran lediglich der fröhlich-vertraute Tonfall und der – einmalige – Verweis auf ihre höchst ungewöhnliche Freundschaft:

Geegee, kannst du bittebittebitte was für Rochelle zu ihrem Geburtstag machen, bittebitte? Ich bezahl es dir auch. Was Hübsches (sei nicht gemein)! Bis zum 21. Februar? Bittebitte! Hdl Cuckoo

Strike musste an die Behauptung auf LulaMyInspirationForeva denken, dass Lula Guy Somé »wie einen Bruder« geliebt habe. Seine Zeugenaussage war die kürzeste im ganzen Ordner. Er war in der Woche zuvor in Japan gewesen und erst am Abend von Lula Landrys Tod nach London zurückgekehrt. Strike wusste zwar, dass Somé problemlos zu Fuß von seinem Haus in die Kentigern Gardens spazieren konnte, aber offenbar hatte sich die Polizei mit seiner Versicherung, er sei nach seiner Rückkehr sofort zu Bett gegangen, zufriedengegeben. Strike hatte sich bereits einen Vermerk gemacht, dass niemand, der von der Charles Street aus in die Kentigern Gardens kam, von der Überwachungskamera an der Alderbrook Road erfasst würde.

Schließlich klappte Strike die Akte zu. Zu müde, um noch einen einzigen klaren Gedanken fassen zu können, humpelte er in sein Büro, zog sich aus, schnallte die Prothese ab und klappte seine Campingliege auf. Nur wenig später war er eingeschlafen, in den Schlaf gewiegt vom Summen des Verkehrs, dem Trommeln des Regens und dem unsterblichen Atem der Stadt.

2

Vor Lucys Haus in Bromley stand eine riesige Magnolie. Später im Frühjahr würde sie über dem Rasen vor dem Haus ihre Blütenblätter abwerfen, die wie zerknitterte Taschentücher aussehen würden; doch jetzt, Anfang April, erhob sich der Baum in einer weiß schäumenden Wolke, und die Blütenblätter glänzten wächsern wie Kokosnussspäne. Strike war bislang nicht allzu häufig hier gewesen, weil Lucy in ihrem Zuhause immer irgendwie gehetzt wirkte und er womöglich seinem Schwager begegnete, für den er bestenfalls lauwarme Gefühle hegte.

An das Tor waren heliumgefüllte Ballons geknotet, die in der leichten Brise hin und her schaukelten. Während Strike, das von Robin verpackte Geschenk unter den Arm geklemmt, den steilen Fußweg zur Haustür beschritt, redete er sich zu, dass er es bald überstanden hätte.

»Wo ist Charlotte?«, erkundigte sich Lucy, klein, blond und rundgesichtig, kaum dass sie ihm die Tür geöffnet hatte.

Im Flur hinter ihr schwebten weitere Goldfolienballons, diesmal in der Form einer Sieben. Aus einem nicht einsehbaren Bereich des Hauses ertönten Schreie, die auf Begeisterung oder aber grausame Schmerzen schließen ließen und den vorstädtischen Frieden störten.

»Sie musste übers Wochenende wieder nach Ayr fahren«, log Strike.

»Weshalb das denn?« Lucy trat beiseite, um ihn einzulassen.

»Ihre Schwester hat mal wieder eine Krise. Wo ist Jack?«

»Sie sind alle hinten. Gott sei Dank hat es aufgehört zu regnen, sonst hätten wir hier drinnen feiern müssen«, sagte Lucy, während sie ihn in den Garten hinter dem Haus führte.

Seine drei Neffen waren gerade damit beschäftigt, mit zwanzig handverlesenen, fein gekleideten Jungen und Mädchen über den weitläufigen Rasen zu toben und laut kreischend einen Parcours zu durchlaufen, bei dem man anscheinend zu verschiedenen Kricketstäben mit aufgeklebten Fotos unterschiedlicher Obstsorten rennen musste. Ein paar zur Unterstützung gekommene Eltern standen im fahlen Sonnenschein und tranken Wein aus Plastikbechern, während Lucys Mann Greg hinter einem Tapeziertisch Posten bezogen hatte und einen iPod in einer Dockingstation bediente. Lucy reichte Strike ein Bier und rannte praktisch im selben Moment los, um den jüngsten ihrer drei Söhne in die Arme zu nehmen, der schmerzhaft gestürzt war und jetzt aus Leibeskräften heulte.

Strike hatte sich nie Kinder gewünscht; das gehörte zu den wenigen Dingen, in denen er und Charlotte immer einer Meinung gewesen waren, und es war einer der Gründe, warum andere Beziehungen im Lauf der Jahre gescheitert waren. Lucy missbilligte seine Einstellung und die Argumente, die er dafür vorbrachte; überhaupt reagierte sie stets unwirsch, wenn er andere Lebensziele als ihre eigenen formulierte, als würde er damit ihr Lebensmodell infrage stellen.

»Alles klar, Corm?«, fragte Greg, nachdem er die Verantwortung für die Musikanlage einem anderen Vater anvertraut hatte. Strikes Schwager war ein Bauingenieur, der nie recht wusste, welchen Ton er Strike gegenüber anschlagen sollte, und sich gewöhnlich für eine Mischung aus Ruppigkeit und Aggressivität entschied, die Strike als höchst unangenehm empfand. »Wo hast du deine bessere Hälfte gelassen? Ihr habt euch doch nicht schon wieder getrennt, oder? Hahaha, da komm ich echt nicht mehr mit.«

Ein kleines Mädchen war umgerannt worden. Greg eilte hinüber, um einer der anderen Mütter im Kampf gegen neuerliche Tränen und Grasflecken beizustehen. Das Spiel artete allmählich in Chaos aus. Also wurde ein Sieger gekürt; daraufhin vergoss der Zweitplatzierte weitere Tränen und musste mit einem Trostpreis aus dem schwarzen Müllsack neben dem Hortensienstrauch besänftigt werden. Dann wurde zum zweiten Durchgang desselben Spiels aufgerufen.

»Aber hallo«, sagte eine mittelalte Matrone, die sich unauffällig an Strike herangepirscht hatte. »Sie sind bestimmt Lucys Bruder.«

»Richtig«, sagte er.

»Wir haben das von Ihrem armen Bein gehört«, sagte sie und starrte dabei auf seine Schuhe. »Lucy hat uns auf dem Laufenden gehalten. Ehrlich, man sieht es Ihnen überhaupt nicht an! Sie haben nicht im Geringsten gehinkt, als Sie gerade ankamen. Es ist doch fantastisch, was man heutzutage alles machen kann. Wahrscheinlich können Sie jetzt schneller rennen als zuvor!«

Womöglich stellte sie sich vor, dass Strike unter seiner Hose eine klingenförmige Kohlenstofffaserprothese trug wie ein Paralympionike. Er nahm einen Schluck Bier und rang sich ein freudloses Lächeln ab.

»Stimmt es denn?«, fragte sie dann und sah ihn mit großen Augen und unverhohlener Neugier an. »Sind Sie wirklich Jonny Rokebys Sohn?«

Ein Geduldsfaden, der offenbar stärker gespannt gewesen war, als Strike geahnt hatte, riss.

»Scheiße, woher soll ich das wissen?«, fragte er. »Warum rufen Sie ihn nicht an und fragen?«

Sie starrte ihn fassungslos an. Nach ein paar Sekunden marschierte sie ohne ein weiteres Wort davon. Er sah sie mit einer anderen Frau reden, die daraufhin verstohlen in Strikes Richtung blickte. Das nächste Kind ging zu Boden, krachte mit dem Kopf gegen einen Kricketstab, der mit einer riesigen Erdbeere verziert war, und begann, gellend zu schreien. Während sich alles auf das jüngste Unfallopfer konzentrierte, nutzte Strike die Gunst des Augenblicks und verzog sich ins Haus.

Das Wohnzimmer wirkte mit seiner dreiteiligen sandfarbenen Sitzgruppe, dem impressionistischen Druck über dem Kaminsims und den im Regal aufgereihten gerahmten Fotos seiner drei Neffen in flaschengrünen Schuluniformen so gemütlich wie uninspiriert. Strike schloss behutsam die Tür und sperrte so den Lärm aus dem Garten aus, zog aus seiner Tasche die DVD, die Wardle ihm geschickt hatte, schob sie in den DVD-Player und schaltete den Fernseher ein.

Auf dem Fernseher stand ein Foto, das bei Lucys Dreißigstem aufgenommen worden war. Ihr Vater Rick war in Begleitung seiner zweiten Frau gekommen. Strike war im Hintergrund postiert worden, so wie bei jedem Gruppenbild, seit er fünf Jahre alt gewesen war. Damals hatte er noch beide Beine besessen. Neben ihm stand Tracey, eine Kollegin von der SIB, die Lucy allzu gern als seine Ehefrau gesehen hätte. Tracey hatte inzwischen einen gemeinsamen Freund geheiratet und war seit Kurzem Mutter einer Tochter. Strike hatte eigentlich Blumen schicken wollen, war aber dann nicht dazu gekommen.

Er senkte den Blick auf den Bildschirm und drückte auf Start.

Die körnigen Schwarz-Weiß-Aufnahmen setzten sofort ein. Eine weiße Straße, fette Schneeflocken, die vor dem

Auge der Kamera vorbeitrieben. Der 180-Grad-Winkel zeigte die Kreuzung von Bellamy und Alderbrook Road.

Ein Mann kam von rechts ins Bild; groß, die Hände tief in den Taschen, dick eingemummt, eine Kapuze über dem Kopf. In der Schwarz-Weiß-Aufnahme wirkte das Gesicht irgendwie unnatürlich; das Auge wurde irregeführt; im ersten Moment meinte Strike, eine helle untere Gesichtshälfte und eine dunkle Augenbinde zu erkennen, ehe ihm die Vernunft sagte, dass er tatsächlich eine dunkle obere Gesichtshälfte und einen weißen Schal über Nase, Mund und Kinn sah. Auf der Jacke des Mannes machte er einen dunkler schattierten Fleck aus; ein Markenlogo möglicherweise, das er jedoch nicht identifizieren konnte. Abgesehen davon war die Kleidung vollkommen unauffällig.

Als der Fußgänger sich der Kamera näherte, senkte er den Kopf und schien etwas zu studieren, das er aus der Hosentasche gezogen hatte. Sekunden später bog er in die Bellamy Road ein und verschwand aus dem Bild. Die digitale Zeitanzeige unten rechts auf dem Bildschirm zeigte 1.39 Uhr an.

Eine neue Sequenz begann. Wieder war verschwommen dieselbe menschenleere Kreuzung zu sehen, wieder verdeckten schwere Schneeflocken die Sicht; aber diesmal zeigten die Ziffern am Bildrand 2.12 Uhr an.

Zwei Männer sprinteten ins Bild. Im vorderen erkannte Strike denjenigen wieder, der zuvor mit einem weißen Schal vor dem Gesicht die Straße entlanggegangen war; jetzt rannte er mit pumpenden Armen, langbeinig und kraftvoll in die entgegengesetzte Richtung die Alderbrook Road hinauf. Der zweite war kleiner, schmaler gebaut und trug eine Kappe über seiner Kapuze; während er dem ersten nachrannte, dabei aber stetig an Boden verlor, fielen Strike die dunklen, fest geballten Fäuste auf. Unter einer Straßenlaterne blitzte kurz das

Design auf seinem Sweatshirtrücken auf. Auf halbem Weg über die Alderbrook Road bog er unvermittelt links ab in eine Seitenstraße.

Strike spulte die Aufnahme einmal und dann noch einmal zurück. Nichts deutete darauf hin, dass sich die beiden Läufer untereinander verständigten, während sie durch den Aufnahmebereich sprinteten; dass sie sich irgendetwas zuriefen oder einander auch nur beachteten. Es sah so aus, als wollte sich jeder einzeln in Sicherheit bringen.

Er spielte den Abschnitt ein viertes Mal ab und schaffte es nach mehreren Versuchen, die DVD genau in dem Moment anzuhalten, da das Design auf dem Rücken des langsameren Läufers zu sehen war. Mit zusammengekniffenen Augen ging er vor dem verschwommenen Bild in die Hocke. Nachdem er eine Minute angestrengt auf den Bildschirm gestarrt hatte, war er sich fast sicher, dass das erste Wort auf -ck endete, während das zweite möglicherweise mit einem J begann, doch mehr war nicht zu entziffern.

Er drückte wieder auf Start, um den Film weiterlaufen zu lassen, und versuchte auszumachen, in welche Straße der zweite Läufer verschwand. Drei Mal sah Strike sich an, wie er unvermittelt abbog, und obwohl der Straßenname auf dem Bildschirm nicht zu erkennen war, wusste er von Wardle, dass es die Halliwell Street sein musste.

Dass der erste Mann irgendwo unterwegs einen Freund aufgelesen hatte, sprach nach Einschätzung der Polizei dagegen, dass er ein Mörder war. Wobei vorausgesetzt wurde, dass die beiden tatsächlich befreundet waren. Allerdings deutete die Tatsache, dass beide zu dieser Uhrzeit und in diesem Wetter gemeinsam auf Film gebannt worden waren und dass sie sich beinahe identisch verhalten hatten, tatsächlich auf eine Komplizenschaft hin, wie Strike eingestehen musste.

Er ließ die DVD weiterlaufen und verfolgte, wie das Bild abrupt ins Innere eines Busses wechselte. Ein Mädchen stieg ein; aus dem Aufnahmewinkel oberhalb des Fahrers sah man ein perspektivisch verkürztes Gesicht im Halbschatten, über dem deutlich ein blonder Pferdeschwanz erkennbar war. Der Mann hinter ihr hatte, soweit man das feststellen konnte, Ähnlichkeit mit jenem, der später auf der Bellamy Road in Richtung Kentigern Gardens gegangen war. Er war groß, trug eine Kapuze und einen weißen Schal vor dem Gesicht, dessen obere Hälfte im Schatten verschwand. Klar zu erkennen war allein das Logo auf seiner Brust, ein stilisiertes GS.

Dann wechselte die Szene jäh in die Theobalds Road. Falls der Mann, der sie mit großen Schritten entlangging, wirklich derselbe war wie in dem Bus, hatte er in der Zwischenzeit den weißen Schal abgelegt. Allerdings legten sein Körperbau und der Gang die Annahme nahe. Strike hatte den Eindruck, dass er sich diesmal absichtlich bemühte, den Kopf gesenkt zu halten.

Der Film endete, und der Bildschirm blieb leer. Gedankenversunken starrte Strike auf den schwarzen Fernseher. Als er sich wieder ins Gedächtnis rief, wo er sich befand, stellte er überrascht fest, wie bunt und hell alles um ihn herum war.

Er zog das Handy aus der Tasche und rief John Bristow an, landete aber nur auf der Mailbox. Er hinterließ ihm eine Nachricht, die besagte, dass er sich nun die Aufzeichnungen der Überwachungskameras angesehen und die Polizeiakte gelesen habe; dass er noch einige Fragen habe und ob es möglich sei, sich im Lauf der kommenden Woche zu treffen.

Auch der darauffolgende Anruf bei Derrick Wilson wurde von einer Mailbox angenommen, und erneut sprach er die

Bitte auf, vorbeikommen und die Kentigern Gardens 18 in Augenschein nehmen zu dürfen.

Gerade als Strike das Handy wieder weggesteckt hatte, ging die Wohnzimmertür auf, und Jack, sein mittlerer Neffe, schob sich ins Zimmer. Er sah erhitzt und abgekämpft aus.

»Ich hab dich reden gehört.« Jack schloss die Tür ebenso behutsam, wie es sein Onkel zuvor getan hatte.

»Solltest du nicht bei den anderen im Garten sein, Jack?«

»Ich musste aufs Klo«, erklärte ihm sein Neffe. »Hast du ein Geburtstagsgeschenk für mich, Onkel Cormoran?«

Strike reichte ihm das Päckchen mit den aufgedruckten Raumschiffen, das er seit seiner Ankunft nicht aus der Hand gelegt hatte, und sah zu, wie Robins filigrane Handarbeit von kleinen, begehrlichen Fingern zerfetzt wurde.

»Cool!«, rief Jack glücklich. »Ein *Soldat*!«

»Stimmt genau«, sagte Strike.

»Und er hat eine Waffe und alles!«

»Hat er, stimmt.«

»Hast du auch eine Waffe gehabt, als du Soldat warst?«, fragte Jack und drehte die Schachtel, um die Abbildungen auf der Rückseite zu studieren.

»Sogar zwei«, bestätigte Strike.

»Hast du sie immer noch?«

»Nein, die musste ich wieder abgeben.«

»Mist«, stellte Jack knapp fest.

»Solltest du nicht draußen sein und spielen?«, fragte Strike, als aus dem Garten neues Geschrei hereindrang.

»Ich hab keine Lust mehr zu spielen«, sagte Jack. »Darf ich ihn rausnehmen?«

»Sicher, warum nicht?«

Während Jack fieberhaft an der Schachtel zerrte, nahm Strike Wardles DVD aus dem Player und steckte sie wieder ein. Dann half er Jack, den Plastikfallschirmjäger von den Fesseln zu befreien, mit denen er an dem Kartoneinleger festgemacht war, und drückte ihm sein Gewehr in die Hand.

Zehn Minuten später entdeckte Lucy sie beide im Wohnzimmer. Jack feuerte mit seinem Soldaten hinter dem Sofa hervor, während Strike sich mit einem imaginären Bauchschuss am Boden wand.

»Herrgott noch mal, Corm, er ist das Geburtstagskind, er sollte mit den anderen Kindern spielen! Jack, ich hab dir gesagt, dass du deine Geschenke erst später aufmachen darfst... Heb das auf... Nein, das bleibt hier drin... *Nein,* Jack, du kannst später damit spielen... Es ist sowieso gleich Zeit fürs Abendbrot...«

Fahrig und gereizt und mit einem strafenden Blick zurück auf ihren Bruder schob Lucy ihren lustlosen Sohn aus dem Zimmer. Wenn sie die Lippen zusammenkniff, sah sie fast aus wie ihre Tante Joan, obwohl die mit keinem von ihnen blutsverwandt war.

Doch allein diese flüchtige Ähnlichkeit bewirkte, dass Strike eine für seine Verhältnisse ungewöhnliche Kooperationsbereitschaft an den Tag legte. Bis zum Ende der Feier benahm er sich in Lucys Augen vorbildlich und beschäftigte sich hauptsächlich damit, drohende Streitigkeiten zwischen überdrehten Kindern zu schlichten, bevor er sich hinter einem mit Wackelpudding und Eiscreme bekleckerten Tapeziertisch verbarrikadierte, um den inquisitorischen Fragen der lauernden Mütter zu entgehen.

3

Am Sonntagmorgen wurde Strike in aller Frühe vom Klingeln seines Handys geweckt, das neben seiner Campingliege am Ladekabel hing. Bristow war am Apparat. Er klang gehetzt.

»Ich habe Ihre Nachricht gestern erhalten, aber Mum geht's nicht gut, und wir haben heute Nachmittag keine Pflegerin. Alison wird kommen und mir Gesellschaft leisten. Wir könnten uns morgen in der Mittagspause treffen, wenn Sie da Zeit hätten? Gibt es Neuigkeiten?«, fragte er hoffnungsfroh.

»Mehrere«, antwortete Strike vage. »Sagen Sie, wissen Sie, wo der Laptop Ihrer Schwester abgeblieben ist?«

»Der ist hier in Mums Wohnung. Warum?«

»Meinen Sie, ich dürfte einen Blick darauf werfen?«

»Aber sicher«, antwortete Bristow. »Ich bringe ihn morgen mit, einverstanden?«

Strike war einverstanden. Nachdem Bristow ihm den Namen und die Adresse seines Lieblingsrestaurants in der Nähe der Kanzlei genannt und aufgelegt hatte, griff Strike nach seinen Zigaretten. Eine Weile blieb er noch liegen und rauchte, betrachtete dabei die Muster, die das Sonnenlicht an die Decke malte, wenn es durch die Lamellen der Jalousie drang, und genoss die Stille und Einsamkeit, in der weder Kinder kreischten noch Lucy versuchte, ihn über das Krakeelen ihres Jüngsten hinweg auszuhorchen. Als er die Zigarette ausdrückte, aufstand und sich anzog, um wie üblich im Studentenwerk duschen zu gehen, hatte er sein friedliches Büro beinahe gern.

Nach mehreren Anläufen erreichte er Derrick Wilson schließlich am späten Sonntagabend.

»Diese Woche geht's nicht«, sagte er. »Mr. Bestigui ist zurzeit oft zu Hause. Ich muss an meinen Job denken, das verstehen Sie doch? Ich ruf Sie an, wenn's passt, in Ordnung?«

Strike hörte ein Summen im Hintergrund.

»Sind Sie gerade im Dienst?«, fragte Strike eilig, ehe sein Gegenüber auflegen konnte.

Er hörte Wilson vom Hörer weg sagen: *»Einfach hier eintragen, Kumpel …* Wieso?«, fragte er gleich darauf ins Telefon.

»Falls Sie gerade arbeiten, könnten Sie vielleicht das Besucherbuch nach dem Namen einer Freundin durchsuchen, die Lula manchmal besucht hat?«

»Welche Freundin?«, fragte Wilson. *»Alles klar, yeah, bis dann.«*

»Es geht um die junge Frau, von der Kieran erzählt hat; die Freundin aus der Therapie. Rochelle. Ich bräuchte ihren Nachnamen.«

»Ach die, ja«, sagte Wilson. »Yeah, ich seh nach und ruf …«

»Könnten Sie gleich nachsehen?«

Er hörte Wilson seufzen.

»Klar, schon gut. Einen Augenblick.«

Nicht identifizierbare Bewegungsgeräusche, ein leises Klatschen und Schieben, gefolgt vom Rascheln umgeblätterter Seiten. Während Strike wartete, studierte er mehrere von Guy Somé entworfene Kleidungsstücke, die er auf seinem Computerbildschirm arrangiert hatte.

»Ja, da ist sie«, sagte Wilsons Stimme in seinem Ohr. »Sie heißt Rochelle … Das ist praktisch nicht zu entziffern … Onifade, würd ich meinen.«

»Können Sie das buchstabieren?«

Wilson tat wie geheißen, und Strike schrieb mit.

»Wann war sie das letzte Mal da?«

»Anfang November. *Yeah, schönen Abend.* Ich muss jetzt Schluss machen.«

Während Strike ihm noch dankte, hatte Wilson bereits aufgelegt. Dann widmete sich der Detektiv wieder seiner Dose Bier und der Betrachtung der Art zeitgenössischer Alltagskleidung, wie sie Guy Somé vorschwebte, im Besonderen einer Reißverschlussjacke mit Kapuze und stilisiertem goldgesticktem »GS« oben links. Das Logo prangte deutlich sichtbar auf sämtlichen Kleidungsstücken der sogenannten »Streetwear«. Strike war sich nicht ganz sicher, wie der Begriff »Streetwear« zu verstehen war; so wie er es sah, sollten doch alle Kleidungsstücke so beschaffen sein, dass sie auf der Straße getragen werden konnten; was immer er aber sonst noch bedeuten mochte, auf jeden Fall stand er für »billiger«. Denn die zweite Kollektion auf der Webseite, schlicht »Guy Somé« benannt, enthielt Stücke, die fast ausnahmslos mehrere tausend Pfund kosteten. Zu dumm, dass sich der Designer dieser weinroten Anzüge, dieser bleistiftdünnen Strickkrawatten, dieser mit winzigen Spiegelpailletten bestickten Minikleider und dieser Leder-Fedoras trotz Robins unermüdlicher Bemühungen weiterhin taub gegenüber allen Bitten stellte, ein paar Fragen über den Tod seines Lieblingsmodels zu beantworten.

4

Du glaubs wohl ich tu dir nix du blöder Wixer aber da täuschs du dich, ich lass nicht locker ich hab dir vertraut und du hast mich blos verarscht. Ich reis dir den verschissenen schwanz ab und stopf ihn dir in den hals. Wenn ich fertig mit dir bin hast du deinen eigenen schwanz im maul und deine eigene Mutter wird dich nich mehr erkennen ich mach dich alle Strike du stück scheiße

»Schöner Tag heute.«

»Würden Sie das bitte lesen? Bitte?«

Es war Montagmorgen, und Strike war gerade von einer Rauchpause auf der sonnigen Straße und einem kurzen Schwatz mit der Frau aus dem Plattenladen gegenüber zurückgekehrt. Robin trug ihr Haar wieder offen; allem Anschein nach hatte sie heute kein Vorstellungsgespräch. Diese Schlussfolgerung, zusammen mit den Sonnenstrahlen nach dem langen Regen, ließ Strikes Laune erheblich steigen. Robin hingegen stand sichtlich angespannt hinter ihrem Schreibtisch und streckte ihm ein rosafarbenes Blatt Papier hin, das wie sonst auch mit kleinen Kätzchen bedruckt war.

»Er kann es nicht lassen, was?«

Strike nahm den Brief entgegen und las ihn feixend durch.

»Ich verstehe nicht, warum Sie damit nicht zur Polizei gehen«, sagte Robin. »Was er Ihnen androht …«

»Legen Sie ihn einfach zu den anderen«, entgegnete Strike

missfällig, ließ das Blatt auf den Schreibtisch segeln und widmete sich dem Rest seines armseligen Poststapels.

»Gut, also, da wäre noch etwas.« Robin war über seine Reaktion sichtlich verärgert. »Gerade hat eine Frau von Temporary Solutions angerufen.«

»Ach ja? Was wollte sie denn?«

»Sie hat nach mir gefragt«, sagte Robin. »Offenbar haben sie den Verdacht, dass ich immer noch hier bin.«

»Und was haben Sie geantwortet?«

»Ich habe so getan, als wäre ich jemand anders.«

»Gut mitgedacht. Und wer waren Sie, wenn ich fragen darf?«

»Ich habe gesagt, ich hieße Annabel.«

»Wussten Sie, dass die meisten Menschen einen Namen mit dem Anfangsbuchstaben A wählen, wenn sie sich spontan einen Decknamen ausdenken sollen?«

»Was, wenn sie jemanden vorbeischicken, um das zu überprüfen?«

»Was wäre dann?«

»Dann wird man Ihnen eine Rechnung stellen und Ihnen nachträglich die Vermittlungsprovision berechnen!«

Ihre aufrichtige Angst, er könnte eine Gebühr bezahlen müssen, die er sich nicht leisten konnte, brachte ihn zum Lächeln. Eigentlich hatte er sie bitten wollen, zum wiederholten Mal in Freddie Bestiguis Produktionsfirma anzurufen und außerdem die Internet-Telefonverzeichnisse nach Rochelle Onifades Tante zu durchforsten, die angeblich in Kilburn wohnte. Stattdessen sagte er: »In Ordnung, dann räumen wir das Fort. Ich hatte ohnehin vor, mir einen Laden namens Vashti anzusehen, bevor ich mich mittags mit Bristow treffe. Vielleicht sieht es unverfänglicher aus, wenn Sie mich begleiten.«

»Vashti? Die Boutique?«, fragte Robin sofort.

»Genau. Sie kennen sie, ja?«

Jetzt musste Robin lächeln. Sie hatte in diversen Zeitschriften darüber gelesen: Für sie stand die Boutique sinnbildlich für den Glamour Londons; hier entdeckten die Modejournalistinnen jene sensationellen Outfits, die sie später ihren Leserinnen präsentierten; Kleidungsstücke, die gut und gern das Sechsfache von Robins Monatsgehalt kosteten.

»Ich habe davon gehört«, sagte sie.

Er nahm ihren Trenchcoat vom Haken und hielt ihn ihr hin.

»Sie sind meine Schwester Annabel. Und Sie helfen mir, ein Geschenk für meine Frau auszusuchen.«

»Was für ein Problem hat dieser Drohbriefschreiber überhaupt?«, fragte Robin, als sie kurz darauf nebeneinander in der U-Bahn saßen. »Wer ist das?«

Sie hatte sich all ihre neugierigen Fragen nach Jonny Rokeby und nach der dunkelhaarigen Schönheit verkniffen, die an ihrem ersten Arbeitstag aus dem Gebäude gestürmt war; sie hatte kein einziges Wort über die Campingliege in Strikes Büro verloren; aber sich nach den Drohbriefen zu erkundigen stand ihr doch sicherlich zu. Immerhin war sie diejenige, die bislang drei rosafarbene Briefumschläge aufgeschlitzt und die unangenehmen, gewaltdurstigen Ergüsse hatte lesen müssen, die der Verfasser zwischen die herumtollenden Kätzchen gekritzelt hatte. Strike würdigte diese Briefe keines Blickes.

»Er heißt Brian Mathers«, erklärte er. »Er kam im vergangenen Juni zu mir, weil er den Verdacht hatte, seine Frau würde fremdgehen. Er wollte sie observieren lassen, also habe ich sie einen Monat lang beschattet. Eine absolut unscheinbare Frau: schlicht, altbacken gekleidet, mit einer billigen

Dauerwelle; arbeitete in der Buchhaltung eines großen Teppichgeschäfts. Verbrachte ihre Arbeitszeit mit drei Kolleginnen in einem stickigen kleinen Büro, ging jeden Donnerstag zum Bingo, erledigte freitags ihren Wocheneinkauf beim Discounter, und samstags ging sie mit ihrem Mann in den Rotarier-Club.«

»Und wann sollte sie seiner Meinung nach fremdgehen?«, fragte Robin.

Ihre blassen Spiegelbilder schwankten leicht in dem undurchsichtigen schwarzen Fenster gegenüber; unter dem fahlen Licht der grellen Neonröhren wirkte Robin älter, aber irgendwie ätherisch, und Strike schroffer und hässlicher.

»Donnerstagabends.«

»Und – ist sie?«

»Nein, sie war tatsächlich mit ihrer Freundin Maggie beim Bingo, aber an allen vier Donnerstagen, an denen ich sie beschattete, kam sie absichtlich erst später heim. Zuerst setzte sie Maggie ab, dann fuhr sie noch eine Weile herum. An einem Abend ging sie in einen Pub, setzte sich schüchtern in eine Ecke und trank ganz allein einen Tomatensaft. Ein andermal wartete sie an der Abzweigung zu ihrer Straße fünfundvierzig Minuten im Wagen, bevor sie schließlich um die Ecke bog.«

»Aber warum?«, fragte Robin, während die U-Bahn durch den langen Tunnel ratterte.

»Tja, das ist die entscheidende Frage. Um irgendetwas zu beweisen? Um ihn zu zermürben? Ihn zu provozieren? Ihn zu bestrafen? Ein wenig Spannung in ihre festgefahrene Ehe zu bringen? Jeden Donnerstag eine knappe Stunde ohne jede Erklärung. Er ist ein cholerischer Stinker und hat den Köder natürlich sofort geschluckt. Die Sache trieb ihn in den Wahnsinn. Er war davon überzeugt, dass sie sich einmal wöchentlich mit ihrem Geliebten traf und dass ihre Freundin Maggie mit ihr unter einer Decke steckte. Er hatte seine Frau schon auf eigene Faust beschattet, aber er war der Meinung, sie wäre da immer nur deshalb zum Bingo gefahren, weil sie ihn bemerkt hatte.«

»Also haben Sie ihm gesagt, was wirklich los war?«

»Genau. Er glaubte mir nicht. Er bekam einen Tobsuchtsanfall und begann herumzubrüllen und zu schreien, dass sich alle gegen ihn verschworen hätten. Meine Rechnung wollte er auch nicht bezahlen. Ich hatte Angst, dass er ihr etwas antun könnte, und da beging ich eine Riesendummheit. Ich rief seine Frau an und erzählte ihr, dass ich sie in seinem Auftrag beschattet habe; dass ich wisse, was sie tat; und dass ihr Mann kurz vor dem Durchdrehen sei. Um ihrer selbst willen sollte sie vorsichtig sein und es nicht zu weit treiben. Sie sagte kein Wort, sondern legte einfach auf. Dummerweise kontrollierte er regelmäßig ihr Handy. Er stieß auf meine Nummer und zog daraus die naheliegenden Schlüsse.«

»Dass Sie ihr von der Beschattung erzählt haben.«

»Nein, dass ich ihrem Charme verfallen und ihr neuer Lover wäre.«

Robin schlug die Hände vors Gesicht. Strike lachte.

»Haben Sie viele verrückte Klienten?«, fragte Robin, die Hände wieder im Schoß.

»Er ist eindeutig verrückt. Aber für gewöhnlich stehen sie nur unter großem Druck.«

»Ehrlich gesagt habe ich dabei an John Bristow gedacht«, bekannte Robin zaghaft. »Seine Freundin glaubt, dass er sich das alles nur einbilde. Und Sie selbst dachten, er sei vielleicht ein bisschen … Sie wissen schon … oder nicht?«, fragte sie. »Wir haben Sie«, ergänzte sie leicht verlegen, »durch die Tür gehört. Das mit den ›Hobbypsychologen‹.«

»Stimmt«, sagte Strike. »Also ... Womöglich habe ich meine Meinung geändert.«

»Wie meinen Sie das?« Robin sah ihn mit großen graublauen Augen an. Der Zug bremste ruckartig ab; mit jeder Sekunde waren die vor dem Fenster vorbeijagenden Schemen deutlicher zu erkennen. »Wollen Sie ... Soll das heißen, er ist gar nicht ... er könnte recht haben ... sie wurde tatsächlich ...?«

»Wir müssen hier aussteigen.«

Die von außen weiß getünchte Boutique, die sie im Visier hatten, befand sich auf der Conduit Street in der Nähe der New Bond Street und somit auf dem teuersten Quadratkilometer Londons. In Strikes Augen häufte sich in den schrillbunt dekorierten Schaufenstern ein unüberschaubares Sammelsurium von Entbehrlichkeiten: perlenbesetzte Kissen und Duftkerzen auf versilberten Schalen; artistisch drapierte Chiffonbahnen; farbenfrohe Kaftane, die man gesichtslosen Schaufensterpuppen übergestreift hatte; unförmige Handtaschen von protziger Hässlichkeit – das alles dargeboten vor einer Pop-Art-Kulisse in einer grell ausgeleuchteten Feier hemmungslosen Konsums, die Strike auf die Netzhaut und aufs Gemüt schlug. Er meinte fast vor sich zu sehen, wie Tansy Bestigui und Ursula May hier mit Expertenblick Preisschilder prüften und freudlos Krokoledertaschen im vierstelligen Bereich erstanden, um ihre lieblosen Ehen geldwert zu machen.

Robin stand neben ihm und starrte ebenfalls auf die Auslage, registrierte aber kaum, was sie da sah. Am Morgen hatte man ihr, während Strike vor dem Haus eine Rauchpause eingelegt und kurz bevor Temporary Solutions angerufen hatte, telefonisch eine Stelle zugesagt. Jedes Mal, wenn sie darüber nachdachte, dass sie das Angebot in den nächsten zwei Tagen annehmen oder ablehnen musste, verkrampfte sich ihr Magen in einem intensiven Gefühl, das sie gern für Freude gehalten hätte, das aber, wie sie immer stärker vermutete, wohl Furcht war.

Natürlich sollte sie die Stelle annehmen. Eigentlich sprach alles dafür. Dort würde man ihr genau das Gehalt zahlen, das Matthew und sie sich vorgestellt hatten. Die eleganten Büros lagen für sie gut erreichbar im West End. Sie würde sich mittags mit Matthew zum Essen treffen können. Die Arbeitsmarktlage war flau. Eigentlich hätte sie sich freuen sollen.

»Wie lief das Vorstellungsgespräch am Freitag?«, fragte Strike und fixierte angestrengt einen paillettenbesetzten Mantel, den er obszön unattraktiv fand.

»Ganz gut, glaube ich«, antwortete Robin zögerlich.

Sie musste daran denken, wie ihr der Atem gestockt hatte, als Strike vor wenigen Augenblicken angedeutet hatte, dass es möglicherweise doch einen Mörder gebe. War das sein Ernst? Robin fielen der angestrengte Blick auf, mit dem er auf diese Anhäufung von sündteurem Flitterkram starrte, als könnte ihm die Auslage etwas Wichtiges verraten, und die Haltung, die mit Sicherheit (in diesem Moment sah sie ihn mit Matthews Augen und dachte in Matthews Stimme) eine einstudierte, großspurige Pose war. Matthew ließ immer wieder durchblicken, dass er Strike für einen Hochstapler hielt. Sein Geld als Privatdetektiv zu verdienen war für ihn genauso abwegig wie als Astronaut oder Löwenbändiger; nichts für echte Menschen.

Wenn Robin diesen Job in der Personalabteilung annahm, würde sie vielleicht nie erfahren (außer vielleicht irgendwann aus den Nachrichten), was Strikes Ermittlungen erbracht hatten. Ermitteln, Aufklären, Überführen, Schützen: lauter ehrenwerte Tätigkeiten; wichtig und faszinierend. Robin war klar, dass Matthew diese Auffassung für kindisch und naiv hielt, aber so empfand sie es nun mal.

Strike hatte dem Schaufenster inzwischen den Rücken zugekehrt und sah in Richtung New Bond Street. Sein Blick, erkannte Robin, war auf den roten Briefkasten neben dem Eingang zu Russell & Bromley auf der gegenüberliegenden Straßenseite gerichtet, der sie mit seinem dunklen, rechteckigen Maul anzugrinsen schien.

»Na schön, dann mal los«, sagte Strike und drehte sich wieder um. »Nicht vergessen: Sie sind meine Schwester, und wir suchen ein Geschenk für meine Frau.«

»Aber was wollen wir hier überhaupt herausfinden?«

»Was Lula Landry und ihre Freundin Rochelle Onifade am Tag vor Landrys Tod getrieben haben. Sie haben sich hier getroffen und nach einer Viertelstunde wieder getrennt. Ehrlich gesagt mache ich mir keine allzu großen Hoffnungen; das Ganze ist schon drei Monate her, und möglicherweise ist überhaupt niemandem etwas aufgefallen. Aber einen Versuch ist es wert.«

Im Erdgeschoss der Boutique wurde ausschließlich Kleidung zum Verkauf angeboten; ein Schild an der Holztreppe verwies darauf, dass eine Etage höher ein Café und *Lifestyle* zu finden waren. Zwischen den chromglänzenden Kleiderständern streiften ein paar vereinzelte Kundinnen umher; durch die Bank dünn, sonnenverwöhnt und mit langem, sauberem, perfekt geföhntem Haar. Die Verkäuferinnen bildeten ein eklektizistisches Ensemble; exzentrisch gekleidet und extravagant frisiert. Eine von ihnen trug ein Tutu und Netzstrümpfe; sie war gerade damit beschäftigt, ein Sortiment von Hüten zu arrangieren.

Ohne Strike vorzuwarnen, marschierte Robin geradewegs auf das Mädchen zu.

»Entschuldigung«, sagte sie gut gelaunt. »In Ihrem mittleren Schaufenster hängt ein fantastischer Paillettenmantel. Könnte ich den mal anprobieren?«

Die Verkäuferin hatte ihr Haar zu einer flauschigen Zuckerwattewolke toupiert, bunt bemalte Augen und keine Augenbrauen.

»'türlich, kein Problem«, sagte sie.

Wie sich herausstellte, war das gelogen: Es war sehr wohl ein Problem, den Mantel aus dem Fenster zu holen. Erst musste er der Schaufensterpuppe ausgezogen werden, die ihn getragen hatte; dann musste die elektronische Sicherung entfernt werden; zehn Minuten später war der Mantel noch immer nicht geborgen, und die erste Verkäuferin hatte zwei Kolleginnen zu Hilfe gerufen. Währenddessen schlenderte Robin durch den Laden, ohne auch nur ein Wort mit Strike zu wechseln, und legte sich eine Kollektion von Kleidern und Gürteln zurecht. Bis die Verkäuferinnen den Paillettenmantel aus dem Schaufenster geholt hatten, fühlten sie alle drei sich für dessen Zukunft verantwortlich und begleiteten Robin gemeinsam zur Garderobe, wobei eine von ihnen die Accessoires übernahm, die Robin in der Zwischenzeit zusammengetragen hatte, während die beiden anderen den Mantel hielten.

Als Umkleidekabinen dienten Eisengestelle, die wie Zeltstangen mit dicker cremefarbener Rohseide bezogen waren. Strike postierte sich gerade nah genug, um die Gespräche im Inneren der Kabine mit anhören zu können. Er hatte das unbestimmte Gefühl, dass sich ihm erst allmählich die ganze Bandbreite der Begabungen seiner Aushilfssekretärin erschloss.

Robin hatte Waren im Wert von mehr als zehntausend Pfund mit in die Kabine genommen, wobei allein der Paillettenmantel die Hälfte kostete. Unter anderen Umständen hätte sie sich so etwas bestimmt nicht getraut, doch heute war sie wie verwandelt: furchtlos und draufgängerisch; so als müsste sie sich selbst, Matthew und sogar Strike etwas beweisen. Umschwirrt von den drei Verkäuferinnen, die um sie herum Kleider aufhängten und die schweren Falten des Mantels ausstrichen, spürte Robin nicht den leisesten Anflug eines Gewissensbisses, obwohl sie sich nicht einmal den billigsten der Gürtel leisten konnte, die jetzt über dem Ellenbogen der tätowierten Rothaarigen baumelten, und keines der Mädchen je eine Umsatzbeteiligung einstreichen würde, um die sie sichtlich wetteiferten. Sie gestattete sogar der Verkäuferin mit den pinken Haaren loszuziehen und ein goldenes Jäckchen zu beschaffen, das Robin »fantastisch stehen« werde und »ganz wunderbar zu dem grünen Kleid« passe, das sie sich ausgesucht hatte.

Robin war größer als jede der Verkäuferinnen, die bewundernd zu gurren und zu seufzen begannen, sobald Robin ihren Trenchcoat gegen den Paillettenmantel getauscht hatte.

»Den muss ich meinem Bruder zeigen«, erklärte sie, nachdem sie sich kritisch im Spiegel betrachtet hatte. »Der Mantel ist nämlich gar nicht für mich, sondern für seine Frau.«

Und damit marschierte sie aus der Garderobe, dicht gefolgt von den drei Verkäuferinnen. Die reichen Mädchen an den Kleiderstangen drehten sich wie auf Kommando um und fixierten Robin mit zusammengekniffenen Augen, während sie Strike nonchalant fragte: »Wie findest du ihn?«

Strike musste zugeben, dass der Mantel, den er eben noch für hässlich gehalten hatte, an Robin wesentlich besser aussah als an der Schaufensterpuppe. Sie drehte eine kleine Pirouette für ihn, und das Ding glitzerte wie Eidechsenhaut.

»Nicht schlecht«, kommentierte er mit typisch männlicher

Vorsicht, und die Verkäuferinnen lächelten nachsichtig. »Doch, wirklich ganz nett. Wie teuer ist er?«

»Für deine Verhältnisse gar nicht so teuer.« Robin warf ihren Zofen einen verschmitzten Blick zu. »Und Sandra würde ihn *lieben*«, erklärte sie Strike, der so überrumpelt war, dass er lächeln musste. »Außerdem ist es ihr *Vierzigster.*«

»Zu dem Mantel passt einfach alles«, versicherte ihm das Zuckerwattemädchen diensteifrig. »Er ist wirklich *unglaublich* vielseitig.«

»Ich probiere mal das Cavalli-Kleid an«, verkündete Robin munter und kehrte in ihre Kabine zurück.

»Sandra hat mich angefleht, ihn zu begleiten«, erklärte sie den drei Verkäuferinnen, während die ihr aus dem Mantel halfen und den Reißverschluss des Kleids öffneten, auf das sie gezeigt hatte. »Damit er nicht wieder irgendwelchen Mist kauft. Zu ihrem Dreißigsten hat er ihr die hässlichsten Ohrringe geschenkt, die man sich nur vorstellen kann! Sie haben ein Vermögen gekostet, trotzdem hat sie sie noch kein einziges Mal aus dem Safe geholt.«

Robin hätte nicht sagen können, woher ihr dieser Einfall zugeflogen war; sie fühlte sich wie auf einer Bühne. Sie legte ihren Pullover und den Rock ab und wand sich in ein hautenges giftgrünes Kleid. Je länger sie über Sandra sprach, desto realer wurde sie: Ein bisschen zu verwöhnt und ziemlich gelangweilt hatte sie ihrer Schwägerin anvertraut, dass ihr Bruder (in Robins Fantasie ein Banker, obwohl Strike eigentlich nicht ihrer Vorstellung von einem Banker entsprach) absolut keinen Geschmack besaß.

»Also hat sie zu mir gesagt, geh mit ihm zu Vashti und bring ihn dazu, sein Portemonnaie zu öffnen. Oh ja, das ist wirklich hübsch.«

Es war mehr als nur hübsch. Robin starrte ihr Spiegelbild

an; noch nie in ihrem Leben hatte sie etwas so Schönes angehabt. Das grüne Kleid war so geschnitten, dass es ihre Taille auf magische Weise zusammenschnurren ließ, dabei ihre Figur in fließende Kurven modellierte und den hellen Hals noch länger machte. Sie hatte sich in eine Schlangengöttin in glitzerndem Viridiangrün verwandelt, der die Verkäuferinnen ehrfürchtig leise seufzend huldigten.

»Wie viel?«, fragte Robin die Rothaarige.

»Zweitausendachthundertneunundneunzig«, antwortete die Verkäuferin.

»Ein Klacks für ihn«, sagte Robin leichthin und trat durch den Vorhang, um das Kleid vorzuführen. Strike war gerade dabei, einen Stapel Handschuhe auf einem runden Tischchen in Augenschein zu nehmen.

Sein einziger Kommentar zu dem grünen Kleid war: »Ja.« Er hatte sie kaum angesehen.

»Na ja, ich weiß nicht recht, ob das wirklich Sandras Farbe ist«, sagte Robin und wurde auf einmal verlegen; schließlich war Strike weder ihr Bruder noch ihr Freund; vielleicht sollte sie ihre Improvisationskunst nicht so weit treiben und sich in einem hautengen Kleid vor ihm präsentieren. Sie zog sich in die Kabine zurück.

Als sie wieder in BH und Höschen dastand, bemerkte sie: »Als Sandra das letzte Mal hier war, saß Lula Landry bei euch im Café. Sandra meinte, sie hätte einfach toll ausgesehen. Noch besser als auf den Bildern.«

»Oh ja, das hat sie«, stimmte ihr die Pinkhaarige zu und drückte das Goldjäckchen an ihre Brust. »Sie war ständig hier, fast jede Woche haben wir sie zu Gesicht bekommen. Möchten Sie das hier mal anprobieren?«

»Sie war sogar an dem Tag hier, an dem sie gestorben ist«, ergänzte die Kollegin mit der Zuckerwattefrisur und half

Robin, sich in das Jäckchen zu zwängen. »Und zwar in dieser Garderobe, genau in dieser Kabine.«

»Wirklich?«, fragte Robin.

»Es wird sich nicht schließen lassen, aber es sieht offen sowieso besser aus«, meinte die Rothaarige.

»Nein, das geht nicht, Sandra ist breiter als ich.« Skrupellos opferte Robin die Figur ihrer imaginären Schwägerin. »Ich probiere lieber das schwarze Kleid dort an. Haben Sie gerade gesagt, dass Lula Landry an ihrem Todestag hier drin war?«

»Oh ja«, antwortete die Pinkhaarige. »Es war wirklich sehr traurig. Du hast sie sogar reden hören, oder, Mel?«

Die tätowierte Rothaarige, die gerade ein schwarzes Kleid mit Spitzenbesatz hochhielt, schnaubte nur. Im Spiegel konnte Robin ihr ansehen, dass sie lieber nicht darüber sprechen wollte, was sie – absichtlich oder unabsichtlich – belauscht hatte.

»Sie hat mit Duffield telefoniert, nicht wahr, Mel?«, bohrte die redselige Pinkhaarige nach.

Robin sah, wie Mel leicht die Stirn runzelte. Ungeachtet der Tattoos hatte Robin den Eindruck, dass Mel den beiden anderen Verkäuferinnen möglicherweise vorgesetzt war. Sie schien zu spüren, dass es zu ihrem Job gehörte, Stillschweigen darüber zu bewahren, was sich in diesen cremefarbenen Zelten abspielte, während die beiden anderen für ihr Leben gern getratscht hätten, vor allen Dingen mit einer Frau, die so scharf darauf war, das Geld ihres reichen Bruders unter die Leute zu bringen.

»Bestimmt lässt es sich gar nicht vermeiden, dass man mit anhört, was in diesen … diesen Zeltdingern geredet wird«, kommentierte Robin leicht atemlos, während sie von den drei Verkäuferinnen gemeinschaftlich in das schwarze Spitzenkleid gezwängt wurde.

Mel ließ sich ein klein wenig erweichen.

»Allerdings. Man glaubt kaum, was die Leute alles erzählen, sobald sie hier drin verschwinden. Dabei kann man hierdurch«, sie deutete auf den steifen Rohseidevorhang, »praktisch jedes Wort verstehen.«

In ihre Zwangsjacke aus Spitze und Leder gepfercht, ächzte Robin: »Man sollte meinen, dass Lula Landry vorsichtiger gewesen wäre, wo ihr doch ständig Reporter auf den Fersen waren.«

»Ja«, bestätigte die Rothaarige, »sollte man meinen. Also, ich selbst würde natürlich nie etwas weitererzählen, was ich hier zu hören kriege. Aber jemand anders könnte das tun.«

Ungeachtet der Tatsache, dass sie ihren Kolleginnen offenbar sehr wohl erzählt hatte, was ihr an jenem Tag zu Ohren gekommen war, äußerte sich Robin anerkennend über dieses selten gewordene Berufsethos. »Aber der Polizei mussten Sie es doch erzählen, oder?«, fragte sie, während sie das Kleid straff zog und sich tapfer für das Zuziehen des Reißverschlusses wappnete.

»Die Polizei war gar nicht hier«, erklärte das Zuckerwattemädchen bedauernd. »Ich hab Mel immer wieder gesagt, sie soll hingehen und denen erzählen, was sie gehört hat, aber sie wollte nicht.«

»Es war nichts weiter«, beteuerte Mel eilig. »Und es hätte ja auch nichts geändert. Ich meine, er war nicht dort, oder? Das wurde schließlich bewiesen.«

Strike hatte sich so nah wie möglich an dem Seidenvorhang postiert, ohne dass er dadurch argwöhnische Blicke der anderen Kundinnen und Verkäuferinnen auf sich zog.

In der Zeltkabine zerrte die Pinkhaarige den Reißverschluss zu. Zentimeter um Zentimeter wurde Robins Brustkorb in das verdeckt eingearbeitete Korsett gequetscht. Strike begann, sich auf seinem Posten allmählich Sorgen zu machen, als ihre nächste Frage nur noch gepresst nach draußen drang.

»Sie meinen, dass Evan Duffield nicht in ihrer Wohnung war, als sie starb?«

»Genau«, sagte Mel. »Darum ist es auch nicht wichtig, was sie davor zu ihm gesagt hat, oder? Schließlich war er nicht dort.«

Ein paar Sekunden betrachteten die vier Frauen stumm Robins Spiegelbild.

»Ich glaube nicht«, sagte Robin und richtete dabei den Blick auf ihre Brüste, die zu zwei Dritteln unter dem straff gespannten Stoff zusammengepresst wurden, während das oberste Drittel über den Saum quoll, »dass Sandra da reinpasst. Aber meinen Sie nicht«, fragte sie, nachdem die Verkäuferin mit der Zuckerwattefrisur den Reißverschluss aufgezogen hatte und sie wieder freier atmen konnte, »Sie hätten der Polizei erzählen sollen, was sie gesagt hat? Dann hätten die Polizisten selbst entscheiden können, ob es wichtig ist oder nicht.«

»Genau das hab ich auch gesagt, Mel, oder?«, krähte die Pinkhaarige. »Genau das hab ich auch zu ihr gesagt.«

Sofort versuchte Mel sich zu rechtfertigen. »Aber er war doch nicht dort! Er war überhaupt nicht in ihrer Wohnung! Bestimmt hat er ihr gesagt, dass er was anderes vorhat und dass er sie nicht sehen will, immerhin redete sie immer wieder auf ihn ein: ›Dann komm doch später, das ist mir egal, ich wart auf dich. Wahrscheinlich bin ich sowieso erst um eins zu Hause. Bitte, komm, bitte!‹ So als würde sie ihn anflehen. Außerdem war ihre Freundin mit in der Kabine. Die hat alles mit angehört; bestimmt hat die es der Polizei erzählt, oder?«

Robin zog noch einmal den Glitzermantel über, weil ihr sonst nichts zu tun einfiel. Eine Weile drehte sie sich vor dem

Spiegel hin und her und fragte dann vermeintlich gedankenverloren: »Und sie hat hundertprozentig mit Evan Duffield gesprochen?«

»Natürlich«, antwortete Mel, als hätte Robin damit ihren Scharfsinn infrage gestellt. »Wen hätte sie denn sonst mitten in der Nacht in ihre Wohnung einladen sollen? Und es klang so, als wollte sie ihn unbedingt sehen.«

»Oh Gott, diese Augen«, schwärmte die Zuckerwattefrisur. »Er sieht einfach super aus! Und er hat echt Ausstrahlung! Einmal war er zusammen mit ihr hier. Gott, er ist so sexy!«

Zehn Minuten später hatte Robin zwei weitere Outfits vorgeführt und Strike vor den versammelten Verkäuferinnen das Zugeständnis abgerungen, dass nichts davon so schön sei wie der Paillettenmantel. Gemeinsam beschlossen sie (mit dem Einverständnis der Verkäuferinnen), dass Robin tags darauf noch einmal mit Sandra vorbeikommen sollte, um ihr den Mantel zu zeigen, bevor sie ihn endgültig erwarben. Strike ließ sich das fünftausend Pfund teure Stück auf den Namen Andrew Atkinson zurücklegen, gab dazu eine Fantasietelefonnummer an und verließ, von besten Wünschen begleitet, als hätten sie das Geld schon ausgegeben, zusammen mit Robin den Laden.

Nachdem sie fünfzig Schritte schweigend nebeneinander hergegangen waren, zündete Strike sich eine Zigarette an und sagte: »Wirklich sehr beeindruckend.«

Robin strahlte vor Stolz.

5

An der Haltestelle New Bond Street trennten sich ihre Wege. Robin fuhr mit der U-Bahn zum Büro zurück, um bei BestFilms anzurufen, die Internet-Telefonverzeichnisse nach Rochelle Onifades Tante zu durchforsten und sich vor Temporary Solutions zu verstecken (»Schließen Sie die Tür ab«, lautete Strikes Ratschlag).

Strike kaufte sich eine Zeitung, fuhr in die andere Richtung bis Knightsbridge und spazierte, nachdem er noch jede Menge Zeit totzuschlagen hatte, von dort aus zur Serpentine Bar and Kitchen, wo sich Bristow mit ihm zum Mittagessen verabredet hatte.

Der Weg führte ihn quer durch den Hyde Park, über schattige Fußwege und die Rotten Row, den sandigen Reitweg im Süden des Parks. In der U-Bahn hatte er in sein Notizbuch die nackten Fakten in der Aussage des Mädchens namens Mel zusammengefasst, und nun ließ er im sonnenfleckigen Grün seine Gedanken zu dem Augenblick zurückschweifen, als Robin in dem eng anliegenden Kleid aus der Garderobe getreten war.

Ihm war klar, dass seine Reaktion sie verunsichert hatte; aber in jenem Moment hatte er eine sonderbare Vertraulichkeit verspürt, und wenn er zurzeit irgendetwas auf gar keinen Fall wollte, dann Vertraulichkeit, schon gar nicht mit der klugen, professionellen und umsichtigen Robin. Er empfand ihre Anwesenheit als wohltuend und wusste zu schätzen, dass sie seine Privatsphäre respektierte und ihre Neugier im

Zaum hielt. Diese Eigenschaften, dachte Strike, während er mit einem Schritt zur Seite einem Radfahrer auswich, waren ihm weiß Gott selten genug begegnet und noch seltener bei Frauen. Allerdings trug die Gewissheit, dass Robin ihn bald verlassen würde, entscheidend dazu bei, dass er ihre Gesellschaft genoss; genau wie ihr Verlobungsring zeigte ihm die Tatsache, dass sie bald eine neue Stelle antreten würde, seine Grenzen auf, und darüber war er froh. Er mochte Robin; er war ihr dankbar; er war sogar (seit diesem Vormittag) beeindruckt von ihren Fähigkeiten; aber als Mann mit scharfem Blick und unbeschädigter Libido sah er auch jeden Tag, an dem sie sich über den Computermonitor beugte, dass sie ausgesprochen sexy war. Nicht atemberaubend schön; nicht zu vergleichen mit Charlotte; aber nichtsdestoweniger attraktiv. Das war ihm nie so deutlich vor Augen geführt worden wie in dem Moment, als sie in diesem hautengen grünen Kleid aus der Kabine getreten war, und darum hatte er unwillkürlich den Blick abgewandt. Sie hatte ihn bestimmt nicht provozieren wollen, aber er spürte nur zu gut, wie umsichtig er auf dem schmalen Grat wandern musste, wenn er nicht abstürzen wollte. Sie war der einzige Mensch, mit dem er regelmäßig Kontakt hatte, und ihm war klar, wie empfänglich er zurzeit war; abgesehen davon hatte er aus einigen zögerlichen, ausweichenden Antworten geschlossen, dass ihr Verlobter nicht einverstanden gewesen war mit ihrem spontanen Entschluss, die Zeitarbeitsagentur zu verlassen, um weiterhin für ihn zu arbeiten. Es war in jeder Hinsicht sicherer, wenn ihre knospende Freundschaft nicht allzu üppig erblühte; und daher hatte er ihre in Grün gehüllte Figur lieber nicht allzu offen bewundert.

Strike war noch nie in der Serpentine Bar and Kitchen gewesen, einem eindrucksvollen Bau am Seeufer, der verblüffend einer futuristischen Pagode ähnelte. Das schwere weiße Dach sah aus wie ein riesiges, auf den aufgeschlagenen Seiten liegendes Buch und wurde von gefältelten Glaswänden getragen. Eine riesige Trauerweide flankierte das Restaurant und strich mit ihren Zweigen über die Wasseroberfläche.

Obwohl der Tag kühl und windig war, hatte man im Sonnenschein einen prächtigen Blick auf den See. Strike entschied sich für einen Tisch auf der Terrasse direkt am Wasser, bestellte ein Pint Doom Bar und las seine Zeitung.

Bristow hatte sich bereits um zehn Minuten verspätet, als ein großer, distinguierter, teuer gekleideter Mann mit rotbraun getönten Haaren an Strikes Tisch stehen blieb.

»Mr. Strike?«

Mit seinem vollen Haar, dem kräftigen Kinn und den scharfen Wangenknochen sah der Mann, der wohl Ende fünfzig war, aus wie ein mäßig prominenter Schauspieler, der in einer Fernsehserie den Geschäftsmann spielen soll. Strike mit seinem ausgezeichneten Gedächtnis für Gesichter erkannte in ihm augenblicklich den großen Mann wieder, der auf den von Robin zusammengestellten Fotos von Lula Landrys Beerdigung ausgesehen hatte, als blicke er missbilligend auf die übrige Trauergemeinde hinab.

»Tony Landry. Johns und Lulas Onkel. Darf ich mich setzen?«

Strike konnte sich nicht entsinnen, jemals eine so unaufrichtige Grimasse als Lächeln vorgesetzt bekommen zu haben; ein nacktes, strahlend weißes Zähneblecken. Landry schlüpfte aus seinem Mantel, drapierte ihn über die Lehne des Stuhls gegenüber und ließ sich nieder.

»John wurde in der Kanzlei aufgehalten«, erklärte er. Der Wind fuhr ihm durchs Haar und entblößte Geheimratsecken. »Er hat Alison gebeten, Sie anzurufen und Ihnen Bescheid zu geben. Ich kam zufällig gerade an ihrem Schreibtisch vorbei und dachte, ich könnte die Nachricht auch persönlich überbringen. Ich wollte ohnehin unter vier Augen mit Ihnen reden. Ich hätte eigentlich erwartet, dass Sie mich kontaktieren; ich weiß, dass Sie sämtliche Bekannte meiner Nichte abklappern.«

Aus der Innentasche seines Sakkos zog er eine Brille mit Metallrahmen, setzte sie auf und konsultierte kurz die Speisekarte. Strike nahm einen Schluck Bier und wartete.

»Wie ich höre, haben Sie mit Mrs. Bestigui gesprochen?« Landry legte die Speisekarte wieder beiseite, nahm die Brille ab und schob sie in die Sakkotasche zurück.

»Stimmt«, sagte Strike.

»Ja. Nun, Tansy hat zweifelsfrei die besten Absichten; aber sie tut sich keinen Gefallen, wenn sie weiterhin auf einer Version der Ereignisse besteht, die unmöglich der Wahrheit entsprechen kann, wie die Polizei abschließend bewiesen hat. Gar keinen Gefallen«, wiederholte Landry unheilschwanger. »Das habe ich auch John erklärt. Er sollte sich vor allem unserer Mandantin und ihren Interessen verpflichtet fühlen. Ich nehme die Schweinsstelzenterrine«, rief er einer vorbeieilenden Bedienung nach, »und dazu eine Flasche Mineralwasser. Still. Also«, fuhr er dann fort, »ich komme am besten direkt zur Sache, Mr. Strike. Aus mehreren, durchaus guten Gründen halte ich es für unangebracht, erneut die Umstände zu sezieren, unter denen Lula starb. Ich erwarte nicht, dass Sie mir beipflichten. Sie verdienen Ihr Geld, indem Sie im Unrat ungeklärter Familientragödien herumwühlen.« Wieder ließ er sein aggressives, freudloses Lächeln aufblitzen. »Nicht dass ich dafür kein Verständnis hätte. Wir alle müssen unser Geld verdienen, und zweifellos würde manch einer behaupten, dass mein Beruf ebenso parasitär sei wie Ihrer. Dennoch könnte es uns beiden das Leben erleichtern, wenn ich einige Fakten anspreche; Fakten, die John Ihnen wahrscheinlich nicht dargelegt hat.«

»Eines vorab«, fiel Strike ihm ins Wort. »Was genau hat John aufgehalten? Wenn er nicht kommen kann, mache ich lieber einen neuen Termin mit ihm aus; ich muss heute Nachmittag noch einige andere Gespräche führen. Versucht er immer noch, diese Conway-Oates-Sache zu klären?«

Er wusste lediglich, was Ursula ihm erzählt hatte, nämlich dass Conway Oates ein amerikanischer Finanzinvestor gewesen war, aber die Erwähnung des verstorbenen Mandanten zeigte die gewünschte Wirkung. Landrys Großspurigkeit, seine Bemühungen, das Treffen zu kontrollieren, und seine anmaßende Forschheit verpufften, und nichts als Schreck und Zorn blieben zurück.

»John hat doch nicht … Sollte er die Kanzlei wirklich so … Das ist absolut vertraulich!«

»Es war nicht John«, versicherte Strike ihm. »Mrs. Ursula May hat angedeutet, dass es Schwierigkeiten mit Mr. Oates' Nachlass gebe.«

Völlig überrumpelt stotterte Landry: »Das überrascht mich doch sehr – ich hätte nie geglaubt, dass Ursula … also dass Mrs. May …«

»Kommt John noch? Oder haben Sie ihm etwas zu tun gegeben, was ihn die ganze Mittagspause lang beschäftigen wird?«

Er beobachtete genüsslich, wie Landry sich abmühte, seinen Zorn zu bändigen und sich selbst und das Gespräch wieder unter Kontrolle zu bringen.

»John wird in Kürze hier sein«, erklärte er schließlich. »Wie gesagt hatte ich gehofft, Ihnen unter vier Augen einige Fakten darlegen zu können.«

»Richtig, gut, in diesem Fall werde ich das hier brauchen«,

sagte Strike und zog sein Notizbuch und einen Stift aus der Tasche.

Landry reagierte ebenso empört wie Tansy auf den Anblick der beiden Objekte.

»Es besteht keinerlei Notwendigkeit, irgendetwas mitzuschreiben«, erklärte er. »Was ich zu sagen habe, betrifft Lulas Tod nicht – oder zumindest nicht direkt. Womit ich meine«, ergänzte er pedantisch, »dass es keine Theorie stützen wird außer der Suizidtheorie.«

»Trotzdem«, sagte Strike, »habe ich gern eine Gedächtnisstütze.«

Landry sah ihn an, als wolle er widersprechen, überlegte es sich dann aber anders.

»Nun denn. Zuerst sollten Sie wissen, dass der Tod seiner Adoptivschwester meinen Neffen John tief getroffen hat.«

»Verständlich«, kommentierte Strike, kippte das Notizbuch so, dass der Anwalt nicht mitlesen konnte, und notierte, nur um Landry zu ärgern: *tief getroffen*.

»Ja, natürlich. Und ich weiß selbstverständlich, dass man von einem Privatdetektiv nicht erwarten kann, einen Klienten abzulehnen, nur weil der unter enormem Stress oder Depressionen leidet – wie gesagt, wir alle müssen unser Geld verdienen –, aber ich finde dennoch, dass in diesem Fall …«

»Sie glauben, er spinnt sich das alles nur zusammen?«

»So hätte ich es nicht ausgedrückt, aber kurz gesagt, ja. John musste mehr tragische Verluste verarbeiten als die meisten Menschen im Lauf ihres ganzen Lebens. Wahrscheinlich wissen Sie nicht, dass er schon einen Bruder verloren hat …«

»Doch. Charlie war ein Schulfreund von mir. Darum hat John gerade mich beauftragt.«

Landry sah Strike gleichzeitig überrascht und angewidert an.

»Sie waren auf der Blakeyfield Prep?«

»Vorübergehend. Bis meine Mutter merkte, dass sie sich die Schulgebühren nicht leisten konnte.«

»Verstehe. Das war mir nicht bekannt. Dennoch sind Sie sich vielleicht nicht der Tatsache bewusst… Also, John war schon immer – ich will den Ausdruck meiner Schwester verwenden – ein hochnervöser Mensch. Nach Charlies Tod mussten seine Eltern ihn psychologisch betreuen lassen. Ich beanspruche nicht für mich, ein Experte in Fragen der geistigen Gesundheit zu sein, aber so wie ich es empfinde, ist er nach Lulas Tod abgestürzt, und…«

»Keine glückliche Wortwahl, aber ich verstehe, was Sie meinen«, sagte Strike und kritzelte *Bristow am Abgrund* in sein Buch. »Inwiefern ist John… abgestürzt?«

»Nun, ich will sagen, dass es unvernünftig und unnütz ist, diese Ermittlungen wieder anzustoßen.«

Strike ließ den Stift über dem Notizbuch schweben.

Landrys Kiefer mahlten sekundenlang, als würde er auf irgendetwas herumkauen; dann verkündete er energisch: »Lula war manisch-depressiv und hat sich nach einem Streit mit ihrem heroinsüchtigen Geliebten aus dem Fenster gestürzt. Daran ist nichts Rätselhaftes. Die Sache war für uns alle verflucht schrecklich, vor allem für ihre arme Mutter, aber dies sind nun mal die unappetitlichen Fakten. Ich kann nur den Schluss ziehen, dass John eine Art Nervenzusammenbruch erlitten hat, und wenn Sie mir die offenen Worte verzeihen…«

»Nur zu.«

»Ihre Geheimabsprache mit ihm bestärkt ihn lediglich in seiner krankhaften Weigerung, der Wahrheit ins Gesicht zu sehen.«

»Dass Lula sich selbst getötet hat?«

»Eine Ansicht, die von Polizei, Pathologie und Untersuchungsrichter geteilt wird. Aus mir unerfindlichen Gründen will John um jeden Preis einen Mord nachweisen. Und genauso wenig verstehe ich, wie er auf die Idee kommt, dass wir uns dadurch besser fühlen würden.«

»Nun«, antwortete Strike, »Menschen aus dem Umfeld eines Selbstmörders fühlen sich oft schuldig. Sie glauben, sie hätten mehr für den Verstorbenen tun können, selbst wenn das unrealistisch sein mag. Ein Mordurteil würde die Familie von jeder Schuld reinwaschen, nicht wahr?«

»Niemand von uns braucht sich schuldig zu fühlen«, widersprach Landry eisig. »Lula hatte seit ihrer frühesten Jugend die beste medizinische Fürsorge erhalten und obendrein alle materiellen Vorzüge genossen, die ihre Adoptivfamilie ihr bieten konnte. Vielleicht ließe sich meine adoptierte Nichte am besten mit dem Ausdruck ›verzogene Göre‹ beschreiben, Mr. Strike. Ihre Mutter wäre im wahrsten Sinn des Wortes für sie gestorben, aber das wurde ihr kaum gedankt.«

»Sie hielten Lula also für undankbar?«

»Sie brauchen das verflucht noch mal nicht aufzuschreiben! Oder machen Sie sich etwa Notizen für irgendein Schmierblatt?«

Landry hatte seine anfängliche Überheblichkeit inzwischen über Bord geworfen, wie Strike interessiert feststellte. Die Bedienung brachte seine Bestellung. Landry dankte ihr mit keinem Wort, sondern starrte Strike wortlos an, bis sie wieder gegangen war. Dann erklärte er: »Mit Ihrem Herumstochern richten Sie nur Schaden an. Ehrlich gesagt war ich fassungslos, als ich erfuhr, was John vorhatte. Fassungslos.«

»Hat er Ihnen gegenüber die Selbstmordtheorie nie angezweifelt?«

»Natürlich hat er sein Entsetzen bekundet, so wie wir alle;

aber ich kann mich nicht erinnern, dass er je von einem möglichen Mord gesprochen hätte.«

»Stehen Sie Ihrem Neffen nahe, Mr. Landry?«

»Was hat das damit zu tun?«

»Es könnte erklären, warum er Ihnen nichts von seinem Verdacht erzählt hat.«

»John und ich führen eine einvernehmliche Arbeitsbeziehung.«

»Eine *einvernehmliche Arbeitsbeziehung*?«

»Ja, Mr. Strike: Wir arbeiten miteinander. Sind wir deshalb außerhalb der Kanzlei miteinander verheiratet? Nein. Aber wir sorgen gemeinsam für meine Schwester – Lady Yvette Bristow, Johns Mutter, die mittlerweile im Sterben liegt. Außerhalb der Arbeit drehen sich unsere Gespräche für gewöhnlich um sie.«

»John kommt mir vor wie ein sehr pflichtbewusster Sohn.«

»Er hat nur noch Yvette, und dass sie bald sterben wird, belastet ihn zusätzlich.«

»Ich würde nicht sagen, dass er nur noch Yvette hat. Da wäre auch noch Alison …«

»Ich wüsste nicht, dass sich die beiden ernsthaft nahestünden.«

»Vielleicht hat John sich auch an mich gewandt, weil er möchte, dass seine Mutter vor ihrem Tod die Wahrheit erfährt.«

»Die Wahrheit wird Yvette nicht helfen. Dass man letztendlich erntet, was man gesät hat, ist eben keine angenehme Erkenntnis.«

Strike schwieg. Wie nicht anders zu erwarten war, konnte der Anwalt der Versuchung nicht widerstehen, seine Bemerkung auszuführen, und fuhr fort: »Yvette war als Mutter immer viel zu weich. Sie liebte Babys.« Er sagte das so, als wäre es anstößig oder gar pervers. »Wenn sie einen Mann mit entsprechender Zeugungskraft gefunden hätte, hätte sie zu diesen peinlichen Weibern gehören können, die zwanzig Kinder zur Welt bringen. Gott sei Dank war Alec zeugungsunfähig – oder hat John das etwa nicht erwähnt?«

»Er hat mir erzählt, dass Sir Alec Bristow nicht sein leiblicher Vater war, wenn Sie das meinen.«

Falls Landry enttäuscht war, dass Strike das schon wusste, so ließ er es sich nicht anmerken.

»Yvette und Alec adoptierten damals die beiden Jungs, aber meine Schwester hatte keine Ahnung, wie sie ihrer Herr werden sollte. Schlicht gesagt war sie eine grauenhafte Mutter. Keine Kontrolle, keine Disziplin; viel zu nachsichtig und vollkommen blind gegenüber allem, was sich vor ihrer Nase abspielte. Ich will nicht sagen, dass es allein an ihrer Erziehung gelegen hat – wer weiß schon, welche genetischen Einflüsse da eine Rolle spielten –, aber John war ein weinerliches, theatralisches Muttersöhnchen, während Charlie überhaupt keine Grenzen kannte, was dazu führte …«

Landry verstummte unvermittelt, und auf seinen Wangen erblühten rote Flecken.

»Was dazu führte, dass er mit dem Fahrrad in einen Abgrund fuhr?«, schlug Strike vor.

Er hatte das nur gesagt, um Landrys Reaktion zu beobachten, und er wurde nicht enttäuscht. Landry bekam einen Tunnelblick; eine Tür schien sich zu schließen; er schottete sich ab.

»Das ist nicht gerade feinsinnig ausgedrückt, aber ja. Selbstverständlich schrie Yvette sich damals die Seele aus dem Leib, klammerte sich an Alec fest und sank schließlich ohnmächtig zu Boden, aber da war es zu spät. Hätte sie den Burschen auch nur leidlich unter Kontrolle gehabt, wäre er nicht aus blankem Trotz losgefahren. Ich war selbst dabei«, erzählte Landry mit versteinerter Miene. »Ich hatte sie übers Wochenende besucht. Es war am Ostersonntag. Ich hatte einen Spaziergang ins Dorf unternommen, und als ich zurückkam, suchten bereits alle nach ihm. Ich lief direkt zum Steinbruch. Ich hatte mir so etwas schon gedacht. Man hatte ihm ausdrücklich verboten, dort hinzufahren – und natürlich war er genau da.«

»Sie haben ihn gefunden, nicht wahr?«

»Ja.«

»Das hat Sie bestimmt sehr belastet.«

»Ja«, bestätigte Landry schmallippig. »Allerdings.«

»Und nach Charlies Tod adoptierten Ihre Schwester und Sir Alec dann Lula?«

»Was wahrscheinlich die größte Dummheit war, auf die sich Alec je eingelassen hat«, sagte Landry. »Yvette hatte schließlich unter Beweis gestellt, dass sie eine katastrophale Mutter war; und da sollte sie in ihrer tiefen Trauer beim zweiten Anlauf erfolgreicher sein? Natürlich hatte sie sich immer eine Tochter gewünscht; ein Baby, das sie in Rosa kleiden konnte; und Alec hoffte, dass er sie damit wieder glücklich machen würde. Er konnte Yvette einfach keinen Wunsch abschlagen. Er war in sie vernarrt, sowie sie damals als Schreibkraft in die Kanzlei kam; und er war ein ungeschliffener Klotz aus dem East End. Yvette hatte schon immer einen Hang zu ungehobelten Männern.«

Strike rätselte, woher Landrys Groll wohl rührte.

»Sie kommen nicht besonders gut mit Ihrer Schwester aus, Mr. Landry?«, fragte er.

»Wir kommen hervorragend miteinander aus; trotzdem sehe ich Yvette so, wie sie wirklich ist, und ich weiß, inwieweit sie sich ihr Schicksal selbst zuzuschreiben hat.«

»War es schwierig für die beiden, nach Charlies Tod noch ein Kind zur Adoption zu bekommen?«, wollte Strike wissen.

»Ich wage zu behaupten, dass es Schwierigkeiten gegeben hätte, wäre Alec nicht millionenschwer gewesen«, schnaubte Landry. »Ich weiß, dass die Behörden Bedenken aufgrund von Yvettes geistiger Gesundheit hatten, und schon damals waren die beiden nicht mehr die Jüngsten. Zu dumm, dass sie nicht abgelehnt wurden. Aber Alec verstand es, Strippen zu ziehen, und er kannte aus seinen Zeiten als Gossenjunge alle möglichen seltsamen Gestalten. Ich weiß nichts Genaueres, aber ich würde darauf wetten, dass damals Geld die Hände wechselte. Trotzdem konnte nicht einmal Alec es so hindrehen, dass sie ein hellhäutiges Kind bekamen. Also brachte er das nächstbeste Kind mit völlig ungeklärter Provenienz in die Familie, um es von einer depressiven, hysterischen Frau ohne jedes Urteilsvermögen großziehen zu lassen. Es hat mich nicht überrascht, dass das ganze Unterfangen in einem Desaster endete. Lula war so labil wie John und so wild wie Charlie, und Yvette hatte auch bei ihr keine Ahnung, wie sie ihrer Herr werden sollte.«

Wieder machte sich Strike ein paar Notizen, um Landry aus der Reserve zu locken; er fragte sich insgeheim, ob dessen Glaube an eine genetische Vorbestimmung erklären könnte, warum Bristow sich so sehr für die zwei schwarzen Läufer interessierte. Bestimmt hatte er über die Jahre hinweg immer wieder entsprechende Äußerungen seines Onkels aufgeschnappt; Kinder übernahmen oft ungewollt und intuitiv die Überzeugungen ihrer Verwandten. Strike selbst hatte schon lange, bevor man es ihm ins Gesicht gesagt hatte, gespürt, dass seine Mutter anders war als andere Mütter und dass er sich irgendwie (sofern er sich nach dem ungeschriebenen Gesetz richtete, das alle anderen Erwachsenen um ihn herum befolgten) für sie schämen sollte.

»Sie haben Lula am Tag vor ihrem Tod gesehen, wenn ich mich recht erinnere?«, fragte er.

Landrys Wimpern waren so blond, dass sie fast silbern glänzten.

»Verzeihung?«

»Also ...« Strike blätterte ostentativ in seinem Buch und schlug eine leere Seite auf. »Sie sind ihr in der Wohnung Ihrer Schwester begegnet, nicht wahr? Als Lula vorbeikam, um nach Lady Bristow zu sehen?«

»Wer hat Ihnen das erzählt? John?«

»So steht es in der Polizeiakte. Stimmt das denn nicht?«

»Doch, natürlich stimmt das, aber ich weiß nicht, was es mit den Dingen zu tun haben sollte, die wir hier besprechen.«

»Ich bitte um Entschuldigung, aber als Sie hierherkamen, sagten Sie, Sie hätten meinen Anruf erwartet. Daraus habe ich geschlossen, dass Sie bereit wären, mir ein paar Fragen zu beantworten.«

Landry sah ihn an, als hätte Strike ihn wider Erwarten ausgetrickst.

»Ich habe meiner Aussage bei der Polizei nichts hinzuzufügen«, sagte er schließlich.

»Der zufolge«, fuhr Strike fort und blätterte weitere leere Seiten um, »Sie an jenem Vormittag kurz Ihre Schwester besuchten, wobei Sie Ihrer Nichte begegneten, und danach nach Oxford gefahren sind, um an einer Konferenz über internationale Entwicklungen im Familienrecht teilzunehmen?«

Landry mahlte wieder Luft.

»Das ist korrekt«, sagte er schließlich.

»Wann sind Sie gleich wieder in der Wohnung Ihrer Schwester angekommen?«

»Das muss gegen zehn gewesen sein«, antwortete Landry nach kurzer Überlegung.

»Und wie lange sind Sie geblieben?«

»Vielleicht eine halbe Stunde. Vielleicht ein bisschen länger. Ich weiß es wirklich nicht mehr.«

»Und Sie sind von dort aus direkt zu dieser Konferenz in Oxford gefahren?«

Hinter Landrys Schulter sah Strike John Bristow mit einer Bedienung sprechen; er sah gehetzt und leicht zerzaust aus, als wäre er gerannt. An seiner Hand baumelte ein lederner Aktenkoffer. Schwer atmend sah er sich um und hielt, als er Landrys Hinterkopf erblickte, erschrocken inne.

6

»John«, begrüßte Strike seinen Klienten, als dieser an ihren Tisch trat.

»Hallo, Cormoran.«

Landry würdigte seinen Neffen keines Blickes, sondern griff nach Messer und Gabel und begann wortlos zu essen. Strike rutschte einen Stuhl weiter, damit Bristow seinem Onkel gegenübersitzen konnte.

»Hast du mit Reuben gesprochen?«, fragte Landry kühl, nachdem er den ersten Bissen hinuntergeschluckt hatte.

»Ja«, antwortete Bristow. »Ich habe ihm erklärt, dass ich heute Nachmittag vorbeikommen und mit ihm sämtliche Einzahlungen und Abhebungen durchgehen werde.«

»Ich habe Ihren Onkel soeben über den Vormittag vor Lulas Tod befragt, John. Als er in der Wohnung Ihrer Mutter war«, sagte Strike.

Bristow sah Landry kurz an.

»Mich interessiert alles, was dort passiert ist und was besprochen wurde«, fuhr Strike fort, »denn laut dem Fahrer, der Lula von der Wohnung ihrer Mutter abholte, war sie nach dem Besuch völlig aufgelöst.«

»Natürlich war sie völlig aufgelöst«, fuhr Landry ihn an. »Ihre Mutter hatte Krebs.«

»Aber hätte die Operation sie nicht eigentlich heilen sollen?«

»Yvette hatte sich gerade einer Hysterektomie unterziehen müssen. Sie litt unter Schmerzen. Ich bin überzeugt, dass es

Lula zutiefst verstörte, ihre Mutter in diesem Zustand zu sehen.«

»Haben Sie sich länger mit Lula unterhalten, als Sie ihr dort begegneten?«

Ein kaum merkliches Zögern.

»Wir haben nur ein paar Worte gewechselt.«

»Haben Sie beide sich unterhalten?«

Bristow und Landry sahen einander nicht an. Diesmal blieb es ein paar Sekunden still, dann sagte Bristow: »Ich war im Arbeitszimmer beschäftigt. Ich hörte Tony hereinkommen und mit Mum und Lula reden.«

»Und Sie haben nicht kurz im Arbeitszimmer vorbeigeschaut, um Ihren Neffen zu begrüßen?«, fragte Strike Landry.

Landrys Augen stachen hell zwischen den silbrigen Wimpern hervor und durchbohrten ihn mit einem beinahe abgebrühten Blick.

»Sie wissen schon, dass wir nicht verpflichtet sind, Ihre Fragen zu beantworten, Mr. Strike«, sagte er schließlich.

»Natürlich nicht«, sagte Strike beschwichtigend und kritzelte einen kurzen, unleserlichen Vermerk in sein Notizbuch. Jetzt sah auch Bristow seinen Onkel an. Landry schien sich eines Besseren zu besinnen.

»Ich konnte durch die offene Tür sehen, dass John im Arbeitszimmer zugange war, und wollte ihn nicht stören. Ich saß eine Weile bei Yvette, aber die Schmerzmittel hatten sie schläfrig gemacht, und darum ließ ich sie mit Lula allein. Mir war klar«, erklärte Landry mit einem leisen Anflug von Schadenfreude, »dass Yvette niemanden so gern um sich hatte wie Lula.«

»Laut ihrer Verbindungsübersicht hat Lula mehrfach auf Ihrem Handy angerufen, nachdem sie Lady Bristows Wohnung verlassen hatte, Mr. Landry.«

Landry errötete sichtlich.

»Haben Sie mit ihr telefoniert?«

»Nein. Ich hatte mein Handy lautlos geschaltet; ich war ohnehin schon zu spät dran für die Konferenz.«

»Aber so ein Handy vibriert doch, oder nicht?«

Er fragte sich, wann Landry aufspringen und gehen würde. Viel fehlte nicht mehr, davon war er überzeugt.

»Ich habe einen Blick aufs Display geworfen, gesehen, dass es Lula war, und beschlossen, dass das warten könne«, erklärte er knapp.

»Sie haben sie nicht zurückgerufen?«

»Nein.«

»Und sie hat keine Nachricht hinterlassen und gesagt, worüber sie so dringend reden wollte?«

»Nein.«

»Ist das nicht merkwürdig? Sie waren ihr doch gerade erst in der Wohnung Ihrer Schwester begegnet, und so wie Sie es darstellen, hatten Sie dort nichts von Belang besprochen; und doch hat Lula den ganzen Nachmittag über immer wieder versucht, Sie zu erreichen. Sollte man da nicht annehmen, sie wollte Ihnen etwas Wichtiges mitteilen? Oder vielleicht an ein Gespräch anknüpfen, das Sie in der Wohnung geführt hatten?«

»Es war Lula durchaus zuzutrauen, dass sie jemanden unter dem fadenscheinigsten Vorwand dreißigmal hintereinander anrief. Sie war völlig verzogen. Sie erwartete, dass alle Welt strammstand, sobald auch nur ihr Name fiel.«

Strike sah Bristow an.

»Manchmal war sie wirklich … ein bisschen anstrengend«, murmelte Lulas Bruder.

»Glauben Sie, dass Ihre Schwester nur deswegen so aufgewühlt war, weil Ihre Mutter nach der Operation sehr geschwächt war, John?«, fragte Strike ihn nun. »Kieran Kolovas-Jones, ihr Fahrer, hat behauptet, dass sich ihre Stimmung dramatisch verdüstert hatte, als sie aus der Wohnung kam.«

Ehe Bristow antworten konnte, knallte Landry Messer und Gabel auf den Tisch, stand auf und begann, seinen Mantel überzuziehen.

»Ist Kolovas-Jones dieser eigenartige Schwarze?«, fragte er und blickte auf Strike und Bristow hinab. »Dem Lula ständig Aufträge als Model oder Schauspieler vermitteln sollte?«

»Er ist Schauspieler, ganz recht«, sagte Strike.

»Oh ja. An Yvettes Geburtstag, dem letzten, bevor sie krank wurde, hatte ich Probleme mit meinem Wagen. Lula und dieser junge Mann erboten sich, mich zur Geburtstagsfeier mitzunehmen. Fast die gesamte Fahrt über bedrängte Kolovas-Jones meine Nichte, ihren Einfluss bei Freddie Bestigui geltend zu machen und ihm ein Vorsprechen zu verschaffen. Ein ziemlich *übergriffiger* junger Mann. Seine Art war extrem vertraulich. Natürlich«, ergänzte er, »war es mir damals lieber, möglichst wenig über das Liebesleben meiner adoptierten Nichte zu erfahren.«

Landry ließ einen Zehnpfundschein auf den Tisch segeln.

»Ich erwarte dich in Kürze in der Kanzlei, John.«

Er wartete auf eine Reaktion, aber Bristow beachtete ihn nicht. Er starrte mit großen Augen auf das Foto zu dem Artikel, den Strike gerade gelesen hatte, als Landry an seinen Tisch gekommen war; es zeigte einen jungen schwarzen Soldaten in der Uniform des 2. Bataillons des Royal Regiment of Fusiliers.

»Was? Ja. Ich komme gleich nach«, antwortete er gedankenverloren unter dem eisigen Blick seines Onkels. »Bitte entschuldigen Sie«, wandte Bristow sich an Strike, nachdem Landry gegangen war. »Aber ein Neffe von Wilson – Derrick

Wilson, Sie wissen schon, der Mann vom Sicherheitsdienst – ist zurzeit in Afghanistan. Im ersten Moment dachte ich… Gott bewahre… Aber er ist es nicht. Der falsche Name. Ein schrecklicher Krieg, nicht wahr? Ob es wohl richtig ist, dafür so viele Menschenleben zu opfern?«

Strike verlagerte seine Prothese – nach dem langen Gang durch den Park schmerzte sein Bein noch immer – und antwortete mit einem Schnauben.

»Spazieren wir zurück«, sagte Bristow, nachdem sie gegessen hatten. »Ich würde gern noch ein bisschen frische Luft schnappen.«

Bristow nahm den kürzesten Weg, wobei sie mehrere Rasenflächen überqueren mussten, die Strike lieber umgangen hätte, weil ihn hier jeder Schritt deutlich mehr Kraft kostete als auf Asphalt. Als sie am Gedenkbrunnen für Prinzessin Diana vorbeikamen, wo das Wasser flüsternd, plätschernd und leise rauschend durch den langen Kanal aus kornischem Granit floss, verkündete Bristow aus heiterem Himmel, als hätte Strike ihn gefragt: »Tony konnte mich noch nie leiden. Er hatte Charlie viel lieber. Die Leute sagten immer, Charlie hätte ausgesehen wie Tony als kleiner Junge.«

»Ich kann nicht behaupten, dass er besonders liebevoll von Charlie gesprochen hätte, bevor Sie zu uns gestoßen sind, und auch für Lula schien er nicht viel übriggehabt zu haben.«

»Er hat Sie doch nicht etwa mit seinen Ansichten über den Einfluss der Vererbung traktiert?«

»Nur indirekt.«

»Normalerweise hält er damit nicht hinterm Berg. Dass Onkel Tony Lula und mich für zwei vermaledeite Wechselbälger hielt, verstärkte das Band zwischen uns zusätzlich. Lula traf es noch schlimmer; meine leiblichen Eltern waren wenigstens weiß. Tony strotzt vor Vorurteilen. Letztes Jahr hatten wir eine Pakistani als Trainee; sie gehörte zu den besten, die wir je hatten, aber Tony hat sie aus der Kanzlei geekelt.«

»Wieso arbeiten Sie eigentlich für ihn?«

»Die Kanzlei hat mir damals ein gutes Angebot gemacht. Und es ist ein Familienunternehmen; dass mein Großvater es gegründet hat, war allerdings kein besonderer Anreiz. Niemand lässt sich gern Vetternwirtschaft unterstellen. Trotzdem ist es eine der Topkanzleien für Familienrecht, und der Gedanke, ich wollte in die Fußstapfen meines Großvaters treten, hat meine Mutter glücklich gemacht. Hat er sich auch über meinen Vater ausgelassen?«

»Eigentlich nicht. Er hat nur angedeutet, dass Sir Alec ein paar Hände geschmiert haben könnte, um Lula zu bekommen.«

»Wirklich?« Bristow klang überrascht. »Das halte ich für unwahrscheinlich. Lula war damals in einem Heim untergebracht. Ich bin überzeugt, dass alles mit rechten Dingen zuging.« Es blieb kurz still, dann fügte Bristow leicht unsicher hinzu: »Sie, ähem, sehen *Ihrem* Vater nicht besonders ähnlich.«

Es war das erste Mal, dass er offen zugab, möglicherweise einen kurzen Seitenblick auf Wikipedia geworfen zu haben, während er nach einem Privatdetektiv gesucht hatte.

»Nein«, bestätigte Strike. »Dafür bin ich meinem Onkel Ted wie aus dem Gesicht geschnitten.«

»Ich nehme an, Sie und Ihr Vater stehen sich nicht … ähem … Will sagen, Sie tragen nicht seinen Namen?«

Strike verzieh ihm die neugierigen Fragen, denn schließlich war Bristows familiärer Hintergrund beinahe so eigenwillig und von dramatischen Ereignissen überschattet wie sein eigener.

»Ich habe ihn nie verwendet«, sagte er. »Ich bin das Ergebnis eines Seitensprungs, der Jonny eine Ehefrau und mehrere Millionen an Alimenten gekostet hat. Wir stehen uns nicht besonders nahe.«

»Ich bewundere Sie dafür, dass Sie es aus eigener Kraft geschafft haben. Dass Sie sich nicht auf ihn verlassen haben.« Als Strike nicht antwortete, fügte Bristow verunsichert an: »Ich hoffe, Sie nehmen mir nicht übel, dass ich Tansy verraten habe, wer Ihr Vater ist? Sie … sie hätte sonst vielleicht nicht mit Ihnen gesprochen. Prominente beeindrucken sie.«

»Im Krieg und bei der Zeugenbefragung sind alle Mittel recht«, sagte Strike. »Wieso hat Lula für ihre Modelkarriere Tonys Namen angenommen, wenn sie ihn doch nicht leiden konnte?«

»Oh nein, sie hat sich Landry genannt, weil das Mums Mädchenname war; das hatte mit Tony nichts zu tun. Mum war ganz aus dem Häuschen. Außerdem gab es wohl noch ein zweites Model namens Bristow. Lula wollte sich immer schon abheben.«

Inzwischen mussten sie sich zwischen Radfahrern, Picknickern, Gassigehern und Rollerskatern hindurchschlängeln. Strike versuchte, sein stärker werdendes Hinken zu kaschieren.

»Ehrlich gesagt kann ich mir nicht vorstellen, dass Tony je irgendjemanden wirklich geliebt hat«, erklärte Bristow aus freien Stücken, als sie kurz zur Seite traten, um ein behelmtes Kind vorbeizulassen, das sich auf einem Skateboard zu halten versuchte. »Wohingegen meine Mutter ein durch und durch liebevoller Mensch ist. Sie liebte ihre drei Kinder von Herzen, und manchmal habe ich das Gefühl, dass Tony das nicht recht war. Ich weiß auch nicht, warum. Wahrscheinlich ist das einfach seine Art. Nach Charlies Tod kam es zwischen ihm und meinen Eltern zum Bruch. Natürlich hätte ich nichts davon mitbekommen sollen, aber ich hörte doch so einiges. Tony unterstellte Mum mehr oder weniger, dass sie schuld an Charlies Tod sei, dass sie Charlie nicht unter Kontrolle gehabt habe. Mein Vater warf Tony daraufhin aus dem Haus. Erst nach Dads Tod versöhnten sich Mum und Tony wieder.«

Zu Strikes großer Erleichterung hatten sie inzwischen die Exhibition Road erreicht, wo sein Hinken nicht mehr so deutlich zu sehen war.

»Glauben Sie, dass sich zwischen Lula und Kieran Kolovas-Jones etwas abgespielt hat?«, fragte er, während sie die Straße überquerten.

»Nein. Es ist typisch für Tony, sofort den unappetitlichsten Schluss zu ziehen, den er sich nur ausmalen kann. Er hat Lula immer nur das Schlimmste unterstellt. Oh ja, Kieran wäre bestimmt sofort zu allem bereit gewesen, aber Lula war völlig in Duffield verschossen – Gott sei's geklagt!«

Sie spazierten die Kensington Road hinunter, den grünen Park zu ihrer Linken, und bogen dann ab in das Areal der Botschaften und Royal Colleges.

»Wieso hat Ihr Onkel eigentlich nicht mit Ihnen gesprochen, als er an jenem Tag Ihre Mutter besuchte?«

Die Frage schien Bristow höchst unangenehm zu sein.

»Hatten Sie irgendeine Meinungsverschiedenheit?«

»Nein ... jedenfalls nicht direkt«, sagte Bristow. »Wir hatten in der Kanzlei zu der Zeit jede Menge zu tun. Ich ... kann das nicht näher ausführen. Es ist vertraulich.«

»Hatte es etwas mit dem Nachlass von Conway Oates zu tun?«

»Woher wissen Sie das?«, fragte Bristow scharf. »Hat Ursula Ihnen davon erzählt?«

»Sie hat es erwähnt.«

»Allmächtiger. Keinen Funken Diskretion. Keinen einzigen.«

»Ihr Onkel hätte Mrs. May eine solche Indiskretion nicht zugetraut.«

»Das kann ich mir vorstellen.« Bristow lachte verächtlich. »Es ist – also, ich kann Ihnen wohl vertrauen. Bei solchen Fällen reagiert eine Kanzlei wie unsere besonders sensibel, weil bei einem Mandantenstamm wie dem unseren – mit großem Vermögen – auch nur das leiseste Gerücht einer finanziellen Unregelmäßigkeit tödlich wirkt. Conway Oates führte bei uns ein sehr ansehnliches Treuhandkonto. Natürlich sind noch alle Gelder da und korrekt abgerechnet; aber die Erben bekommen den Hals nicht voll und behaupten jetzt, wir hätten das Vermögen falsch verwaltet. Wenn man bedenkt, wie turbulent der Markt war und wie widersprüchlich Conways Anweisungen gegen Ende wurden, sollten sie dankbar sein, dass überhaupt noch etwas übrig ist. Tony ärgert sich sehr über die ganze Sache und … Na wenn schon; er gibt gern anderen die Schuld. Es gab einige unschöne Szenen. Tony hat auch mir gehörig den Kopf gewaschen. Wie üblich.«

Strike erkannte an der fast sichtbaren Last, die sich allmählich auf Bristows Schultern senkte, dass sie sich der Kanzlei näherten.

»Ein paar wichtige Zeugen konnte ich bisher noch nicht befragen, John. Wäre es möglich, dass Sie den Kontakt zu Guy Somé für mich herstellen? Seine Leute haben offenbar die Anweisung, niemanden in seine Nähe zu lassen.«

»Ich kann es versuchen. Ich rufe ihn gleich heute Nachmittag an. Er hat Lula vergöttert; bestimmt wird er helfen wollen.«

»Und dann wäre da noch Lulas leibliche Mutter.«

»Ach ja«, seufzte Bristow. »Ich muss ihre Adresse noch irgendwo haben. Eine grässliche Frau.«

»Kennen Sie sie?«

»Nein, ich gehe nach dem, was Lula mir erzählt hat und was in der Zeitung stand. Lula wollte um jeden Preis herausfinden, woher sie stammte, und ich glaube, dass Duffield sie dabei ermutigt hat – ich habe den starken Verdacht, dass er die Geschichte der Presse zugespielt hat, obwohl sie das immer abstritt … Jedenfalls spürte sie irgendwann diese Higson auf, die ihr erklärte, dass Lulas Vater ein afrikanischer Student gewesen sei. Keine Ahnung, ob das stimmte. Mit Sicherheit war es aber genau das, was Lula hören wollte. Daraufhin ging ihre Fantasie mit ihr durch. Ich glaube, sie sah sich als verlorene Tochter eines hochrangigen Politikers oder als Stammesprinzessin.«

»Aber sie hat ihren Vater nie aufgespürt?«

»Das weiß ich nicht. Aber«, und wie jedes Mal lebte Bristow sichtlich auf, sobald sich bei den Ermittlungen etwas ergab, das möglicherweise die rennenden Schwarzen auf den Videoaufnahmen erklären könnte, »selbst wenn, hätte sie mir davon zu allerletzt erzählt.«

»Warum?«

»Weil wir einige ziemlich hässliche Auseinandersetzungen über die ganze Geschichte hatten. Man hatte bei meiner Mutter gerade ein Uteruskarzinom diagnostiziert, als Lula sich auf die Suche nach Marlene Higson machte. Ich habe ihr zu verstehen gegeben, dass sie kaum einen unpassenderen Zeitpunkt hätte finden können, um ihre Wurzeln auszugraben, aber sie … Also, ganz ehrlich: Wenn es um ihre eigenen Bedürfnisse ging, hatte sie einen Tunnelblick. Wir mochten einander zwar von Herzen«, beteuerte Bristow und fuhr sich dabei müde mit der Hand übers Gesicht, »aber der Altersunterschied stand immer zwischen uns. Ich bin davon überzeugt, dass sie nach ihrem Vater gesucht hat, denn das war ihr damals wichtiger als alles andere: die Suche nach ihren schwarzen Wurzeln, nach ihrer Identität.«

»Stand sie noch in Verbindung mit Marlene Higson, als sie starb?«

»Mit Unterbrechungen. Ich hatte das Gefühl, dass Lula die Verbindung wieder zu lösen versuchte. Diese Higson ist ein grauenhafter Mensch und obendrein schamlos geldgierig. Sie verkaufte ihre Geschichte an jeden, der ihr etwas dafür zahlte, und da gab es leider mehr als genug Interessenten. Meine Mutter war am Boden zerstört.«

»Ich hätte noch ein paar andere Fragen an Sie.«

Der Anwalt wurde sofort langsamer.

»Als Sie am Morgen vor Lulas Tod bei ihr waren, um ihr den Vertrag mit Somé zurückzubringen, haben Sie da zufällig jemanden gesehen, der aussah wie ein Kundendiensttechniker? Der die Alarmanlagen kontrollierte?«

»Eine Art Handwerker?«

»Vielleicht ein Elektriker? Womöglich sogar im Overall?«

Bristow verzog nachdenklich das Gesicht, was dazu führte, dass seine Hasenzähne noch deutlicher zum Vorschein kamen als sonst.

»Ich weiß nicht mehr … Lassen Sie mich nachdenken … Als ich an der Wohnung im zweiten Stock vorbeikam, ja … Da fummelte ein Mann drinnen an der Wand herum … Meinen Sie den?«

»Wahrscheinlich. Wie sah er aus?«

»Nun ja, er stand mit dem Rücken zu mir. Ich habe kaum etwas sehen können.«

»War Wilson bei ihm?«

Bristow blieb auf dem Gehweg stehen und sah ihn verwirrt

an. Drei Männer und Frauen in Anzug und Kostüm, zum Teil mit Akten bewehrt, schoben sich an ihnen vorbei.

»Ich glaube schon«, antwortete er unsicher. »Zumindest als ich wieder nach unten ging, waren sie zu zweit in der Wohnung, meine ich … beide mit dem Rücken zur Tür. Weshalb fragen Sie? Weshalb ist das wichtig?«

»Vielleicht ist es das gar nicht«, sagte Strike. »Aber können Sie sich an irgendetwas erinnern? Die Haar- oder Hautfarbe vielleicht?«

Bristow sah ihn ratlos an.

»Ich habe wirklich nicht hingesehen, muss ich gestehen. Ich nehme an …« Wieder verzog er konzentriert das Gesicht. »Ich kann mich entsinnen, dass er etwas Blaues trug. Und wenn ich mich entscheiden müsste, würde ich sagen, er war weiß. Aber beschwören könnte ich das nicht.«

»Das werden Sie auch kaum müssen«, sagte Strike. »Aber es hilft mir trotzdem.«

Er zückte sein Notizbuch und überflog kurz die Fragen, die er Bristow noch stellen wollte.

»Ah ja. Ciara Porter hat ausgesagt, dass Lula ihr gegenüber erklärt habe, sie wolle alles Ihnen hinterlassen.«

»Ach«, meinte Bristow tonlos. »Das.«

Er ging langsam weiter, und Strike setzte sich ebenfalls in Bewegung.

»Einer der zuständigen Detectives hat mir davon erzählt. Ein Detective Inspector namens Carver. Er war von Anfang an der Überzeugung, dass es ein Suizid gewesen sei, und schien der Auffassung zu sein, dieses angebliche Gespräch mit Ciara beweise, dass Lula vorhatte, sich das Leben zu nehmen. Eine fadenscheinige Argumentation, wenn Sie mich fragen. Geben sich Lebensmüde noch lange mit einem Testament ab?«

»Sie glauben, dass Ciara sich das nur ausgedacht hat?«

»Nicht ausgedacht«, schränkte Bristow ein. »Aber vielleicht ausgeschmückt. Ich halte es für viel wahrscheinlicher, dass Lula einfach etwas Nettes über mich sagen wollte, weil wir uns gerade wieder versöhnt hatten, und dass Ciara ihre Worte im Nachhinein in ein Vermächtnis umgedeutet hat, weil sie davon ausging, dass Lula sich da schon mit Selbstmordgedanken trug. Sie ist ein ziemlich … oberflächliches Mädchen.«

»Man hat nach einem Testament gesucht, nicht wahr?«

»Oh ja, und zwar gründlich. Wir – Lulas Familie – glaubten nicht, dass Lula eines aufgesetzt hatte, und auch sonst wusste niemand von einem letzten Willen; aber natürlich wurde danach gesucht. Aber obwohl die Polizei alles durchwühlt hat, wurde nichts dergleichen gefunden.«

»Nehmen wir trotzdem einmal an, dass Ciara Porter die Bemerkung Ihrer Schwester richtig wiedergegeben hat …«

»Keinesfalls hätte Lula mir alles hinterlassen. Niemals.«

»Warum nicht?«

»Weil sie damit unsere Mutter übergangen hätte, und Lula hätte sie bestimmt nicht so verletzen wollen«, erklärte Bristow ernst. »Dabei geht es weniger um das Geld selbst – Dad hat Mum wirklich genug hinterlassen – als darum, welches Signal sie damit gesetzt hätte, wenn sie Mum außen vor gelassen hätte. Ein Testament kann sehr verletzend sein. Das habe ich unzählige Male erlebt.«

»Hat denn Ihre Mutter ein Testament gemacht?«, wollte Strike wissen.

Bristow sah ihn erstaunt an.

»Ich … Ja, ich glaube schon.«

»Darf ich fragen, wer darin bedacht wird?«

»Ich habe es nie gesehen«, antwortete Bristow leicht steif. »Inwiefern ist das …«

»Alles ist relevant, John. Zehn Millionen sind ein verfluchter Haufen Geld.«

Bristow schien unschlüssig, ob Strike völlig gefühllos oder einfach nur unverschämt war. Schließlich antwortete er: »Da es keine weiteren Verwandten gibt, werden wohl Tony und ich die Hauptbegünstigten sein, nehme ich an. Möglicherweise werden auch ein, zwei Wohltätigkeitsorganisationen bedacht; in dieser Hinsicht war meine Mutter immer schon großzügig. Allerdings werden Sie bestimmt verstehen«, an Bristows Hals stiegen rote Flecken auf, »dass ich nicht so schnell erfahren möchte, wie der letzte Wille meiner Mutter lautet, wenn man bedenkt, was passieren muss, damit er verlesen wird.«

»Natürlich nicht«, bekräftigte Strike.

Sie waren vor Bristows Kanzlei angekommen, einem strengen achtstöckigen Bau, den man durch einen düsteren Torbogen betrat. Bristow blieb am Eingang stehen und drehte sich zu Strike um.

»Glauben Sie immer noch, ich bilde mir das alles nur ein?«, fragte er, während zwei Frauen in dunklen Kostümen an ihnen vorbeieilten.

»Nein«, antwortete Strike ehrlich.

Bristows Miene hellte sich ein wenig auf.

»Ich melde mich bei Ihnen wegen Somé und Marlene Higson. Ach ja – das hätte ich um ein Haar vergessen. Lulas Laptop.« Er klopfte auf die Ledertasche in seiner Hand. »Ich habe ihn für Sie aufgeladen, aber er ist passwortgeschützt. Bei der Polizei hatte man das Passwort geknackt und danach meiner Mutter mitgeteilt, aber sie hat es wieder vergessen, und mir hat es nie jemand verraten. Vielleicht steht es ja in der Akte?«, fragte er hoffnungsvoll.

»Nicht soweit ich mich erinnere«, sagte Strike, »aber das

sollte kein größeres Problem darstellen. Wo war der Laptop seit Lulas Tod?«

»Erst bei der Polizei und danach bei meiner Mutter. Lulas Sachen sind inzwischen fast alle bei ihr. Sie konnte sich noch zu keiner Entscheidung durchringen, was damit geschehen soll.«

Er übergab Strike den Laptop und verabschiedete sich; dann streckte er kurz, aber sichtbar die Schultern durch, schritt die Stufen hinauf und verschwand hinter den Türen der Kanzlei.

7

Mit jedem Schritt, den Strike zurück in Richtung Kensington Gore humpelte, scheuerte sein Stumpf schmerzhafter über die Prothese. Allmählich geriet er in seinem schweren Mantel ins Schwitzen. Während die fahle Sonne den Park in der Ferne zum Schimmern brachte, fragte er sich, ob der düstere Verdacht, der ihn beschlichen hatte, mehr war als nur ein Schatten, der in den Tiefen eines schlammigen Tümpels dahinzog: ein Lichtspiel, eine optische Täuschung auf der vom Wind gekräuselten Wasseroberfläche. Hatte eine schleimige Flosse diese schimärischen Schleier aus schwarzem Schlick aufgewirbelt, oder waren sie nur bedeutungsloses Gasgeblubber, das irgendwelche Algen abgesondert hatten? War es möglich, dass tief verborgen in diesem Morast irgendetwas lauerte, das sich bisher allen Schleppnetzen entzogen hatte?

Auf seinem Weg zur U-Bahn-Haltestelle Kensington passierte er das Queen's Gate am Hyde Park; verschnörkelt, rostrot und verziert mit königlichen Insignien. Seinem unheilbar aufmerksamen Blick fielen sofort die Skulpturen von Reh und Kitz auf dem einen Pfeiler und die des Hirschbocks auf dem anderen auf. Die Menschen sahen oft Symmetrie und Gleichheit, wo keine war. Fast identisch und doch ganz anders … Sein Hinken verstärkte sich, und Lula Landrys Laptop schlug immer schwerer gegen sein Bein.

Als er unter Schmerzen, humpelnd und frustriert um zehn vor fünf endlich ins Büro zurückkehrte, empfand er es in seiner düsteren Stimmung nur als konsequent, dass Robin ihm erklärte, sie sei auch heute an der Telefonistin in Freddie Bestiguis Produktionsgesellschaft gescheitert; und dass sie genauso erfolglos nach einem Telefonanschluss unter dem Namen Onifade in Kilburn und Umgebung gefahndet habe.

»Sie könnte auch einen anderen Nachnamen haben, wenn sie Rochelles Tante ist, oder?«, merkte Robin an, während sie ihren Mantel zuknöpfte und sich zum Gehen bereitmachte.

Strike nickte müde. Gleich nachdem er zur Tür hereingekommen war, hatte er sich auf das durchgesessene Sofa fallen lassen, was er in Robins Gegenwart noch nie getan hatte. Er sah abgespannt aus.

»Ist alles in Ordnung?«

»Mir geht's gut. Hat Temporary Solutions was von sich hören lassen?«

»Nein«, antwortete Robin und zog den Gürtel straff. »Vielleicht haben sie mir ja geglaubt, als ich sagte, ich hieße Annabel? Ich habe mir wirklich Mühe gegeben, wie eine Australierin zu klingen.«

Er grinste. Robin klappte den Zwischenbericht zu, den sie gelesen hatte, während sie auf Strikes Rückkehr gewartet hatte, stellte ihn ins Regal zurück, wünschte Strike einen guten Abend und ließ ihn auf dem Sofa sitzen, den Laptop neben ihm auf dem fadenscheinigen Polster.

Als Robins Schritte verklungen waren, machte Strike sich so lang wie möglich, beugte sich zu der Glastür hinüber und schloss ab; und brach dann das Rauchverbot, das er sich für die Werktage im Büro auferlegt hatte. Er klemmte sich die brennende Zigarette zwischen die Zähne, zog das Hosenbein hoch und löste die Riemen, mit denen seine Prothese am Schenkel befestigt war. Dann rollte er das Gelkissen vom Stumpf und untersuchte das Ende des amputierten Schienbeins.

Eigentlich sollte er die Haut jeden Abend auf Reizungen hin prüfen. Jetzt stellte er fest, dass das Narbengewebe gerötet und viel zu warm war. Bei Charlotte hatte im Badezimmerschrank eine ganze Batterie von Cremes und Pudern gestanden, alle erworben zur Pflege dieses Hautflecks, der inzwischen Kräften ausgesetzt war, für die er nicht geschaffen war. Vielleicht hatte sie den Maisstärkepuder und das Babyöl in einen der noch ungeöffneten Kartons gepackt? Doch er brachte nicht die Kraft auf, aufzustehen und nachzusehen, und genauso wenig wollte er die Prothese wieder anziehen; und so blieb er gedankenversunken auf dem Sofa sitzen, rauchte und ließ das leere Hosenbein über dem Boden baumeln.

Seine Gedanken begannen zu wandern. Er dachte über Familien und Namen nach und darüber, wie sehr sich seine Kindheit und die von John Bristow ähnelten, auch wenn sie auf den ersten Blick völlig unterschiedlich verlaufen waren. Auch in Strikes Familiengeschichte gab es geisterhafte Gestalten: den ersten Ehemann seiner Mutter zum Beispiel, von dem sie kaum je gesprochen hatte, außer um zu betonen, dass sie es vom ersten Tag an gehasst hatte, verheiratet zu sein. Tante Joan, deren Gedächtnis regelmäßig dort am zuverlässigsten war, wo die Erinnerungen ihrer Mutter am verschwommensten waren, hatte erzählt, dass die achtzehnjährige Leda ihren Ehemann schon nach zwei Wochen habe sitzen lassen; dass sie Strike senior (der, wie Tante Joan berichtete, zusammen mit dem Jahrmarkt in St. Mawes Einzug gehalten hatte) nur geheiratet habe, um ein neues Kleid und einen neuen Namen zu bekommen. Tatsächlich war Leda ihrem angeheirateten Namen treuer geblieben als jedem Mann. Sie hatte ihn sogar an ihren Sohn weitergegeben, wenngleich dieser den lange vor seiner Geburt verschwundenen Namensgeber nie kennengelernt hatte.

Strike rauchte nachdenklich eine Zigarette nach der anderen, bis es im Büro allmählich dämmrig wurde. Erst dann wuchtete er sich auf seinen Fuß hoch, stützte sich erst am Türknauf und dann an der Sockelleiste über der Wandvertäfelung hinter der Glastür auf, um nicht umzukippen, und hopste los, um die Kartons zu durchwühlen, die immer noch aufgestapelt auf dem Treppenabsatz vor seinem Büro standen. In einem davon fand er schließlich ganz zuunterst die dermatologischen Produkte, die das Brennen und Kribbeln in seinem Stumpf lindern sollten, und machte sich daran, den Schaden zu beheben, den er ursprünglich angerichtet hatte, indem er nachts mit der Sporttasche über der Schulter quer durch London gewandert war.

Die Tage waren inzwischen deutlich länger als noch vor zwei Wochen; die Sonne war noch nicht ganz untergegangen, als Strike sich um acht Uhr zum zweiten Mal innerhalb von zehn Tagen im Wong Kei niederließ, dem mehrstöckigen, in Weiß gehaltenen chinesischen Restaurant mit dem Fensterblick auf eine Spielhölle namens Play to Win. Die Prothese wieder anzuschnallen war äußerst schmerzhaft gewesen, und noch schmerzhafter gestaltete es sich, die Charing Cross Road entlangzugehen, aber das war ihm immer noch lieber, als die grauen Metallstangen zu benutzen, die man ihm bei der Entlassung aus dem Selly Oak Hospital mitgegeben und die er ebenfalls in einem der Kartons gefunden hatte.

Während Strike mit einer Hand die gebratenen Nudeln in sich hineinschaufelte, untersuchte er mit der anderen Lula Landrys Laptop, den er neben seinem Bierglas aufgeklappt hatte. Das dunkelrosa Gehäuse war mit Kirschblüten bedruckt. Strike kam überhaupt nicht auf die Idee, dass man den Anblick eines großen, haarigen Mannes, der sich über ein so zierliches, rosafarbenes, eindeutig feminines Gerät beugte, kurios finden könnte, aber die beiden Kellner in ihren schwarzen T-Shirts hatten schon mehrfach verstohlen geschmunzelt.

»Was macht die Kunst, Federico?«, fragte um halb neun ein blässlicher junger Mann mit strähnigen Haaren und ließ sich im selben Moment Strike gegenüber auf den Stuhl fallen. Der Neuankömmling trug Jeans, ein T-Shirt mit psychedelischem Muster, Chucks und schräg über seiner Brust eine Ledertasche.

»Es lief schon schlechter«, brummte Strike. »Wie geht's? Was zu trinken?«

»Klar, ich nehm ein Bier.«

Strike bestellte ein Glas für seinen Gast, den er immer noch Spanner nannte, ohne dass er noch gewusst hätte, warum. Spanner hatte sein Informatikstudium mit Auszeichnung abgeschlossen und verdiente deutlich mehr, als seine Kleidung vermuten ließ.

»Eigentlich hab ich keinen Hunger, ich hab nach der Arbeit schon einen Burger gegessen«, meinte er, während er die Speisekarte überflog. »Aber eine Suppe könnt ich noch vertragen. Eine Wantansuppe bitte«, wandte er sich an den Kellner. »Hübscher Laptop, den du da hast, Fed.«

»Er gehört mir nicht«, sagte Strike.

»Das ist der, um den's geht, oder?«

»Genau.«

Strike schob den Computer vor Spanner, und der begutachtete das Gerät mit jener Mischung aus Interesse und Geringschätzung, die all jene ausstrahlten, für die technisches Gerät kein notwendiges Übel, sondern Lebensinhalt war.

»Drecksding«, stellte er schließlich gut gelaunt fest. »Wo hast du dich versteckt, Fed? Die Leute machen sich schon Sorgen um dich.«

»Nett von ihnen«, antwortete Strike mit vollem Mund. »Aber das ist nicht nötig.«

»Ich war vor ein paar Abenden bei Nick und Ilsa, und da ging es praktisch ausschließlich um dich. Sie meinten, du wärst abgetaucht. Ah, danke«, sagte er, als seine Suppe gebracht wurde. »Genau, sie haben bei dir angerufen, aber da geht immer nur der AB ran. Ilsa tippt auf Stress mit Charlotte.«

Er sollte den unbeteiligten Spanner vielleicht als Medium einsetzen, um seine Freunde über seine aufgelöste Verlobung zu informieren, überlegte Strike. Spanner, der jüngere Bruder eines alten Freundes, wusste kaum etwas über und interessierte sich auch nicht für die lange, peinigende Geschichte, die Strike mit Charlotte verband. Da es Strike vor allem darum ging, persönliche Mitleidsbekundungen und Manöverkritik zu vermeiden, und er gleichzeitig nicht vorhatte, die Trennung zu verheimlichen, antwortete er, dass Ilsa das ganz richtig erfasst habe und dass es besser sei, wenn seine Freunde fortan nicht mehr in Charlottes Wohnung anriefen.

»Ätzend«, sagte Spanner, zielte dann aber sogleich mit dem spatelförmigen Zeigefinger auf den Dell und fragte mit der für ihn typischen Gleichgültigkeit gegenüber allem menschlichen Leid: »Was soll ich mit dem Ding machen?«

»Die Polizei hat ihn sich schon angesehen«, antwortete Strike leise, obwohl er und Spanner die Einzigen in der Nähe waren, die sich nicht auf Kantonesisch unterhielten, »aber ich hätte gern eine zweite Meinung.«

»Die haben gute Techniker bei der Polizei. Ich kann mir nicht vorstellen, dass denen was entgangen ist.«

»Vielleicht haben sie nicht nach dem Richtigen gesucht«, sagte Strike, »und selbst wenn sie etwas gefunden haben, haben sie es vielleicht nicht erkannt. Offenbar haben sie sich vor allem für ihre letzten E-Mails interessiert, und die habe ich schon gelesen.«

»Und wonach soll ich dann suchen?«

»Mich interessieren alle Aktivitäten kurz vor dem achten Januar. Die Online-Suchhistorie, solche Sachen. Das Passwort habe ich nicht, und ich will lieber nicht noch mal zur Polizei gehen und danach fragen.«

»Das sollte kein Problem sein«, erwiderte Spanner. Er schrieb sich die Anweisungen nicht auf, sondern tippte sie in sein Smartphone; Spanner war zehn Jahre jünger als Strike und nahm freiwillig keinen Stift zur Hand. »Wem hat die Kiste überhaupt gehört?«

Als Strike es ihm sagte, meinte Spanner: »Dem Model? Wow«, auch wenn er sich deutlich weniger für andere Menschen, selbst wenn sie berühmt und tot waren, interessierte als für seltene Comics, technische Neuerungen und Bands, von denen Strike noch nie gehört hatte. Nach ein paar Löffeln Suppe durchbrach Spanner noch einmal das Schweigen, um sich gut gelaunt zu erkundigen, wie viel Strike ihm für die Arbeit zu zahlen gedachte.

Nachdem Spanner mit dem rosaroten Laptop unter dem Arm abgezogen war, humpelte Strike in sein Büro zurück. Er wusch sorgfältig den Stumpf seines rechten Beins und trug Salbe auf das gereizte und gerötete Narbengewebe auf. Zum ersten Mal seit vielen Monaten nahm er sogar ein paar Schmerztabletten, ehe er sich in seinen Schlafsack schob. Und während er noch wach dalag und darauf wartete, dass der grelle Schmerz endlich nachließ, fragte er sich, ob er vielleicht einen Termin bei seinem zuständigen Reha-Facharzt ausmachen sollte. Wiederholt waren ihm die Symptome eines beginnenden Druckgeschwürs beschrieben worden, der Nemesis jedes Amputierten: nässende, eiternde Wunden und Schwellungen.

Möglicherweise zeigte er ja schon die ersten Anzeichen, aber es graute ihm davor, in die nach Desinfektionsmittel stinkenden Korridore zurückzukehren; zu den gleichgültigen Ärzten, die sich ausschließlich für diesen einen kleinen verstümmelten Teil seines Körpers interessierten; vor erneuten Anpassungen seiner Prothese, die weitere Besuche in jener abgeschlossenen Weißkittelwelt erfordern würden, in die er nie mehr zurückkehren wollte. Er fürchtete den Rat, das Bein ruhen zu lassen, nicht mehr so viel herumzulaufen; die erzwungene Rückkehr zu den Krücken, die Blicke der Passanten auf sein hochgeschlagenes leeres Hosenbein und die gellenden Fragen kleiner Kinder.

Sein Handy, das wie üblich neben der Campingliege am Ladekabel hing, zeigte mit einem Summen an, dass eine SMS eingegangen war. Dankbar für jede noch so kleine Ablenkung, tastete sich Strike durch die Dunkelheit, bis er es gefunden hatte.

Kannst du bitte kurz anrufen, wenn es dir passt? Charlotte

Obwohl Strike nicht an Hellseherei oder Telepathie glaubte, durchzuckte ihn unverzüglich der irrationale Gedanke, dass Charlotte irgendwie gespürt hatte, was er Spanner eben erzählt hatte; dass er, indem er ihre Trennung offiziell gemacht hatte, an jenem straff gespannten unsichtbaren Draht gezupft hatte, der sie immer noch verband.

Er starrte die Nachricht an, als sähe er in ihr Gesicht, als könnte er in dem kleinen grauen Display ihre Miene lesen.

Bitte. (Mir ist klar, dass du nicht musst; ich bitte dich ganz freundlich darum.) *Kurz anrufen.* (Es gibt einen legitimen Grund für meinen Wunsch, mit dir zu sprechen, und wir werden ihn zügig und freundschaftlich klären, ohne Streit.) *Wenn es dir passt.* (Ich nehme selbstverständlich an, dass du auch ohne mich gesellschaftliche Verpflichtungen hast.)

Oder aber: *Bitte.* (Nur ein Schwein würde mir das verweigern, Strike, und du hast mich schon genug verletzt.) *Kurz anrufen.* (Ich weiß, dass du denkst, ich mache dir eine Szene; aber keine Angst, nach dem letzten Streit, bei dem du dich so unglaublich beschissen aufgeführt hast, bin ich endgültig fertig mit dir.) *Wenn es dir passt.* (Denn seien wir mal ehrlich: Du hattest doch nie Zeit für mich, weil dir die Army und jeder andere Scheiß wichtiger waren.)

Passte es jetzt?, fragte er sich und lauschte dem Schmerz, zu dem die Tabletten noch nicht vorgedrungen waren. Er sah auf die Uhr: zehn nach elf. Offenkundig war sie noch wach.

Er legte das Handy wieder auf den Boden, wo es in aller Stille auflud, und hob den langen, haarigen Arm über die Augen, um selbst die schmalen Lichtstreifen auszublenden, die von den Straßenlaternen durch die Jalousie an die Decke geworfen wurden. Gegen seinen Willen sah er Charlotte vor sich, so wie bei ihrer ersten Begegnung, als sie auf einer Studentenparty allein auf einem Fensterbrett gesessen hatte. Er hatte noch nie zuvor etwas so Schönes gesehen wie sie, und den anderen Männern ging es offenbar genauso, wenn man die zahllosen verstohlenen Seitenblicke, das übertrieben laute Lachen und Witzeln und die ausgreifenden Gesten in Betracht zog, die wie zufällig in Richtung der stillen Schönheit gingen.

Als Strike sie durch den Raum hinweg erblickte, erfasste den Neunzehnjährigen exakt derselbe Drang wie früher, wenn im Garten von Tante Joan und Onkel Ted der erste Schnee gefallen war. Seine Füße sollten die ersten sein, die in dieser verlockend glatten Fläche Spuren hinterließen; er wollte ein Zeichen setzen und sie in Besitz nehmen.

»Du bist besoffen«, warnte ihn sein Freund, als Strike ihm erklärte, dass er sie ansprechen wollte.

Strike stimmte ihm zu, leerte sein siebtes Bier auf ex und marschierte geradewegs auf das Fensterbrett zu, auf dem sie saß. Vage spürte er die Blicke der Umstehenden, die womöglich auf eine witzige Szene hofften, weil er so groß und wuchtig war und wie ein boxender Beethoven aussah und weil er sein T-Shirt mit Currysoße bekleckert hatte.

Als er vor ihr stand, sah sie mit großen Augen unter dem dunklen Haar zu ihm auf, und unter der tief ausgeschnittenen Bluse war ihre weiche, blasse Haut zu sehen.

Im Lauf seiner ungewöhnlichen, nomadischen Kindheit, während derer er immer wieder verpflanzt und neuen, bunt zusammengewürfelten Gruppen aufgepfropft worden war, hatte Strike außerordentliche soziale Fähigkeiten entwickelt; er konnte sich überall einfügen, Menschen zum Lachen bringen und mit praktisch jedem auskommen. Doch an diesem Abend war seine Zunge schon taub und schwer. Und er hatte leicht geschwankt, wenn er sich richtig erinnerte.

»Kann ich dir helfen?«, fragte sie.

»Bestimmt«, sagte er, und dann zog er das T-Shirt von seinem Körper weg und zeigte ihr die Curryflecken. »Was meinst du, wie ich die wieder rauskriege?«

Gegen ihren Willen (er sah sie um Fassung ringen) musste sie kichern.

Irgendwann später marschierte ein Adonis, der nur der Ehrwürdige Jago Ross genannt wurde und den Strike ausschließlich vom Sehen und aus Erzählungen kannte, mit einem Tross ebenso hochgezüchteter Freunde auf der Party ein und sah Strike und Charlotte ins Gespräch vertieft nebeneinander auf dem Fensterbrett sitzen.

»Du bist auf der falschen Party, Char, Schatz«, sagte Ross

und meldete dabei mit zärtlich herablassendem Tonfall seine Rechte an. »Ritchies Feier ist oben.«

»Ich komme nicht mit.« Sie lächelte zu ihm auf. »Ich muss Cormoran noch helfen, sein T-Shirt einzuweichen.«

Und so hatte sie in aller Öffentlichkeit ihrem alten Schulfreund aus dem Eliteinternat zugunsten von Cormoran Strike einen Korb gegeben. Es war der größte Triumph in Strikes neunzehnjährigem Leben: Er hatte die schöne Helena direkt unter Menelaos' Augen davongetragen. Dieses Wunder hatte ihn so sehr überrascht und begeistert, dass er es keinen Augenblick infrage gestellt, sondern einfach hingenommen hatte.

Erst später war ihm aufgegangen, dass das, was er für Glück oder Schicksal gehalten hatte, von Anfang an von ihr eingefädelt worden war. Monate später hatte sie es ihm gestanden: dass sie, um Ross für irgendeine Verfehlung zu bestrafen, absichtlich auf die falsche Party gegangen sei, wo sie nur darauf gewartet habe, dass ein Mann, irgendein Mann, sie ansprach; dass er, Strike, nur Mittel zum Zweck gewesen sei, um Ross eins auszuwischen; dass sie in den frühen Morgenstunden in einer Mischung aus Rachsucht und Zorn mit Strike geschlafen habe, die er irrtümlich für Leidenschaft gehalten hatte.

Schon ihre allererste Nacht hatte damit all das enthalten, was später immer wieder einen Keil zwischen sie treiben sollte und was sie jedes Mal wieder zueinandergezogen hatte: Charlottes selbstzerstörerische Art, ihre grausame Unbekümmertheit, ihre Bereitschaft, anderen wehzutun; die unwiderstehliche Anziehungskraft, die Strike gegen ihren Willen auf sie ausübte; und die Möglichkeit, jederzeit in die abgeschiedene Welt zurückzufliehen, in der sie aufgewachsen war und deren Werte sie gleichzeitig verabscheute und verinnerlicht hatte. So hatte damals jene Beziehung ihren Anfang genommen, die fünfzehn Jahre später darin geendet hatte, dass Strike – nicht nur von körperlichen Schmerzen gepeinigt – allein auf einer Campingliege lag und sich wünschte, er könnte endlich die Erinnerung an Charlotte abschütteln.

8

Als Robin am nächsten Morgen eintraf, stand sie zum zweiten Mal vor der verschlossenen Glastür. Sie ließ sich mit dem Ersatzschlüssel ein, den Strike ihr inzwischen anvertraut hatte, trat an die Tür zu seinem Zimmer, blieb davor stehen und lauschte. Nach ein paar Sekunden hörte sie gedämpft, aber unverkennbar ein tiefes Schnarchen.

Das stellte sie vor ein delikates Problem; sie hatten die stillschweigende Übereinkunft, kein Wort über Strikes Campingliege zu verlieren und überhaupt so zu tun, als würde er nicht in seinem Büro wohnen. Andererseits musste Robin ihrem temporären Arbeitgeber etwas Dringendes mitteilen. Sie zögerte und wägte die Alternativen ab. Am einfachsten wäre es, Strike zu wecken, indem sie laut im Vorzimmer herumfuhrwerkte, wodurch sie ihm Zeit geben würde, sich und sein Büro in Ordnung zu bringen – aber das dauerte womöglich zu lange. Ihre Nachricht duldete keinen Aufschub. Also holte Robin tief Luft und klopfte.

Strike schreckte sofort aus dem Schlaf. Einen Moment lang lag er desorientiert auf dem Rücken und sah, wie sich das Tageslicht tadelnd durch die Jalousie zwängte. Dann fiel ihm ein, wie er das Handy nach Charlottes SMS auf den Boden zurückgelegt hatte, und er begriff, dass er vergessen hatte, den Wecker zu stellen.

»Einen Moment!«, bellte er.

»Möchten Sie vielleicht eine Tasse Tee?«, rief Robin durch die Tür.

»Ja … ja, das wäre toll. Ich komme gleich«, ergänzte Strike laut und wünschte sich dabei erstmals, er hätte die Tür zwischen seinem Büro und dem Vorzimmer mit einem Schloss versehen. Sein falscher Fuß lehnte mitsamt der Wade an der Wand, und er trug nichts als seine Boxershorts.

Robin verschwand nach draußen, um den Wasserkocher aufzufüllen, und Strike kämpfte sich aus seinem Schlafsack. Hastig schlüpfte er in seine Sachen, schnallte ungeschickt die Prothese an, klappte die Campingliege zusammen, verstaute sie in der Ecke und schob den Schreibtisch wieder an seinen Platz. Zehn Minuten, nachdem sie an seine Tür geklopft hatte, humpelte er in einer Deodorantwolke ins Vorzimmer, wo Robin am Schreibtisch saß und ihn aufgeregt ansah.

»Ihr Tee«, sagte sie und deutete auf den dampfenden Becher.

»Wunderbar. Danke. Ich brauche nur noch eine Sekunde«, sagte er und verschwand zum Pinkeln auf die Toilette im Treppenhaus. Während er den Reißverschluss hochzog, fiel sein Blick in den Spiegel und auf sein verknittertes, unrasiertes Gesicht. Nicht zum ersten Mal tröstete er sich mit dem Gedanken, dass es bei seinen Haaren keinen Unterschied machte, ob er sich kämmte oder nicht.

»Ich habe Neuigkeiten«, sagte Robin, als er die Glastür zu seinen Büroräumen hinter sich geschlossen und unter erneuten Dankesbezeugungen die Teetasse an sich genommen hatte.

»Ach ja?«

»Ich habe Rochelle Onifade gefunden!«

Er ließ die Tasse sinken.

»Sie machen Witze! Wie zum Teufel …«

»Ich habe in der Akte gelesen, dass sie regelmäßig zur Kontrolle in die Tagesklinik St. Thomas' kommen soll«, sprudelte Robin aufgeregt und mit geröteten Wangen los. »Also habe ich gestern Abend dort angerufen, mich als sie ausgegeben und behauptet, ich hätte vergessen, wann ich den nächsten Termin habe, und sie haben gesagt, der wäre am Donnerstag um halb elf. Sie haben«, sie sah kurz auf ihren Computermonitor, »noch fünfundfünfzig Minuten.«

Warum war ihm nicht eingefallen, ihr das aufzutragen?

»Sie sind ein Genie, ein verfluchtes Genie …«

Er hatte sich heißen Tee über die Hand gekippt und stellte den Becher wieder auf ihren Schreibtisch.

»Wissen Sie, wo genau …«

»In der Psychiatrischen Abteilung auf der Rückseite des Hauptgebäudes«, antwortete Robin euphorisch. »Also, am besten kommen Sie von der Grantley Road aus dorthin, da gibt es einen zweiten Parkplatz …«

Sie hatte den Monitor zu ihm hingedreht und deutete auf den Lageplan des St. Thomas Hospital. Er sah auf sein Handgelenk; seine Armbanduhr lag noch auf seinem Schreibtisch.

»Wenn Sie gleich losgehen, schaffen Sie das leicht«, drängte Robin ihn.

»Gut – ich hole nur noch meine Sachen.«

Strike ging nach nebenan, um seine Uhr, die Geldbörse, Zigaretten und das Handy einzusammeln. Er hatte schon die Glastür zum Treppenhaus aufgemacht und wollte gerade seine Geldbörse in die hintere Hosentasche schieben, als Robin sagte: »Ähem … Cormoran …«

Noch nie hatte sie ihn mit seinem Vornamen angesprochen. Strike nahm an, dass dies der Grund für die leise Röte auf ihren Wangen war; dann wurde ihm klar, dass sie vielsagend auf seinen Nabel deutete. Ein Blick nach unten verriet ihm, dass er sein Hemd falsch zugeknöpft hatte und dass darunter ein Stück Bauch zu sehen war, so haarig, dass es aussah wie eine schwarze Kokosmatte.

»Oh … richtig … Danke.«

Feinfühlig wandte Robin den Blick auf ihren Monitor, während er sein Hemd erst auf- und anschließend korrekt wieder zuknöpfte.

»Bis später!«

»Ja, bis dann«, sagte sie und lächelte ihm nach, während er hastig die Tür von außen zumachte. Nur Sekunden später stand er leicht keuchend wieder vor ihr.

»Robin, Sie müssen etwas für mich recherchieren.«

Sie hatte schon den Stift in der Hand.

»Am siebten Januar fand in Oxford eine Konferenz statt. Lula Landrys Onkel Tony nahm daran teil. Irgendwas mit internationalem Familienrecht. Alles, was Sie darüber in Erfahrung bringen können. Vor allem ob er tatsächlich dort war.«

»In Ordnung.« Robin schrieb hastig mit.

»Danke. Sie sind ein Genie!«

Gleich darauf hörte sie seine ungleichmäßigen Schritte auf der Eisentreppe.

Anfangs summte Robin noch leise vor sich hin, während sie sich an ihrem Schreibtisch an die Arbeit machte, doch bis ihr Tee ausgetrunken war, hatte sich ihre gute Laune leicht eingetrübt. Eigentlich hatte sie gehofft, Strike würde sie mitnehmen zu seinem Treffen mit Rochelle Onifade, deren Schatten sie fast zwei Wochen lang nachgelaufen war.

Jetzt, nach der Stoßzeit, war es in der U-Bahn nicht mehr ganz so voll. Da sein Beinstumpf immer noch brannte, war Strike froh, problemlos einen freien Sitzplatz zu finden. Um zu verbergen, dass er keine Zeit gehabt hatte, seine Zähne zu putzen, hatte er sich vor dem Einsteigen am U-Bahn-Kiosk ein Päckchen extrastarke Pfefferminzbonbons gekauft und vier

Stück auf einmal in den Mund geworfen, an denen er jetzt mit aller Kraft lutschte. Er hatte seine Zahnbürste und die Zahnpastatube am Vorabend zurück in seine Sporttasche geworfen; dabei wäre es viel praktischer, sie einfach auf dem angeschlagenen Waschbecken in der Toilette zu deponieren. Im dunklen Fenster des U-Bahn-Wagens sah er wieder sein stoppeliges, zerzaustes Spiegelbild und fragte sich, warum er sich eigentlich die Mühe machte, so zu tun, als hätte er noch ein Zuhause, wo Robin doch ganz offensichtlich wusste, dass er im Büro schlief.

Mit seinem trainierten Gedächtnis und Orientierungssinn hatte sich Strike den Weg zum Eingang der Psychiatrischen Abteilung von St. Thomas auf Anhieb eingeprägt und gelangte ohne Umwege um kurz nach zehn dort an. Nach weiteren fünf Minuten hatte er überprüft, dass man von der Grantley Road aus nur durch eine automatische Schiebetür ins Gebäude hineinkam, und daraufhin knapp zwanzig Meter davon entfernt seinen Posten auf einem Mäuerchen am Parkplatz bezogen, von wo aus er genau sehen konnte, wer das Gebäude betrat oder verließ.

Nachdem er von Rochelle nur wusste, dass sie wahrscheinlich obdachlos und mit Sicherheit schwarz war, hatte er sich während der Fahrt mit der U-Bahn alle möglichen Strategien zurechtgelegt, wie er das gesuchte Mädchen erkennen könnte, und war letztlich auf eine einzige Lösung gekommen. Und so rief er, als er um zwanzig nach zehn ein großes, dünnes schwarzes Mädchen dem Eingang zustreben sah (obwohl sie eigentlich viel zu elegant frisiert und viel zu teuer angezogen war): »Rochelle!«

Das Mädchen sah kurz auf, um nachzusehen, wer da gerufen hatte, blieb aber weder stehen, noch ließ sie erkennen, dass der Name ihr irgendetwas sagte, sondern verschwand wortlos in dem Gebäude. Wenig später folgte ein weißes Pärchen; dann eine ganze Gruppe von Menschen unterschiedlichen Alters und unterschiedlicher Hautfarbe, wahrscheinlich Krankenhausangestellte; trotzdem rief er auf gut Glück wieder: »Rochelle!«

Ein paar aus der Gruppe sahen kurz zu ihm hinüber, aber niemand blieb stehen. Strike tröstete sich mit dem Gedanken, dass die Menschen, die diesen Eingang benutzten, wahrscheinlich öfter exzentrische Gestalten in dessen Nähe antrafen, und zündete sich eine Zigarette an, während er weiter wartete.

Es wurde halb elf, ohne dass noch ein weiteres schwarzes Mädchen aufgetaucht wäre. Entweder ließ sie ihren Termin platzen, oder sie war durch einen anderen Eingang gekommen. Mit einer federleichten Brise im Nacken saß er auf der Mauer, rauchte und wartete. Der massive Krankenhausbau ragte vor ihm auf wie eine mächtige Betonkiste voller rechteckiger Fenster; bestimmt gab es auf jeder Seite mehrere Eingänge.

Strike streckte sein wundes, immer noch schmerzendes Bein aus und überlegte erneut, ob er es vielleicht wieder untersuchen lassen sollte. Schon die Nähe zu einem Krankenhaus bedrückte ihn. Sein Magen knurrte. Auf dem Weg hierher war er an einem McDonald's vorbeigekommen. Wenn er sie bis Mittag nicht gefunden hätte, würde er dort einen Stopp einlegen und etwas essen.

Noch zwei Mal sah er eine schwarze Frau an ihm vorbeikommen, und jedes Mal rief er: »Rochelle!«, aber beide Frauen hoben nur kurz den Kopf, um festzustellen, wer gerufen hatte; eine blickte ihn dabei strafend an.

Dann, um kurz nach elf, trat ein untersetztes Mädchen aus der Tür und entfernte sich mit leicht wiegenden, seitlich ausgreifenden Schritten. Er wusste genau, dass er sie nicht durch diesen Eingang hatte hineingehen sehen; nicht nur wegen des unverkennbaren Gangs, sondern weil sie überdies einen äußerst auffälligen Kurzmantel aus magentafarbenem Kunstpelz trug, der weder ihrer Größe noch ihrem Leibesumfang schmeichelte.

»Rochelle!«

Das Mädchen blieb stehen, drehte sich um und hielt finster nach dem Rufer Ausschau. Als Strike auf sie zuhumpelte, starrte sie ihn misstrauisch an.

»Rochelle? Rochelle Onifade? Hallo. Ich heiße Cormoran Strike. Könnte ich kurz mit Ihnen sprechen?«

»Ich komm sonst immer über die Redbourne Street«, erklärte sie ihm fünf Minuten später, nachdem er eine verworrene Erklärung zusammengesponnen hatte, wie er sie aufgespürt hatte. »Ich bin heut bloß hier raus, weil ich noch zu McDonald's will.«

Und so gingen sie dorthin. Strike erstand zwei Becher Kaffee und zwei Cookies und brachte alles an den Fenstertisch, von dem aus Rochelle ihn neugierig und argwöhnisch beobachtete.

Sie war mitleiderregend unansehnlich. Ihre fettige Haut war grau wie verbrannte Erde und mit Aknepusteln und -kratern übersät; die kleinen Augen lagen tief in den Höhlen, und die schief stehenden Zähne waren vergilbt. Die chemisch geglätteten, an den Wurzeln schwarzen Haare leuchteten ab einer Länge von zehn Zentimetern in einem herben Kupferrot. Die engen, zu kurzen Jeans, die speckige graue Handtasche und die weißen Turnschuhe waren bestimmt billig gewesen – ganz anders als die lange, formlose Kunstpelzjacke, auch wenn Strike sie schrill und unvorteilhaft fand: Als Rochelle sie auszog, sah Strike, dass sie mit einem gemusterten Seidenstoff gefüttert war und das Label eines berühmten Designers trug, und zwar nicht das von Guy Somé (wie er erwartet hätte, nachdem er Lula Landrys E-Mail gelesen hatte), sondern das eines Italieners, von dem selbst Strike gehört hatte.

»Und Sie sin' echt kein Reporter?« Ihre Stimme war tief und rauchig.

Strike hatte sich schon vor dem Krankenhaus länger bemüht, diesen Verdacht auszuräumen.

»Nein, ich bin kein Reporter. Wie gesagt, ich kenne Lulas Bruder.«

»Sin' Sie 'n Freund von ihm?«

»Ja. Nein, eigentlich nicht direkt ein Freund. Er hat mich engagiert. Ich bin Privatdetektiv.«

Sie erschrak sichtlich. »Und wieso woll'n Sie mit mir red'n?«

»Sie brauchen sich wirklich keine Gedanken zu machen …«

»Wieso woll'n Sie ausgerechnet mit mir red'n?«

»Es ist nichts Schlimmes. John ist bloß nicht davon überzeugt, dass Lula tatsächlich Selbstmord begangen hat, das ist alles.«

Vermutlich saß sie nur noch vor ihm, weil sie noch mehr Angst davor hatte, was er sich zusammenreimen könnte, wenn sie jetzt Reißaus nähme. Ihre verängstigte Reaktion stand in keinem Verhältnis zu dem, was er sagte oder tat.

»Sie brauchen sich wirklich keine Sorgen zu machen«, versicherte er ihr nochmals. »John möchte nur, dass ich mir die ganze Sache noch einmal ansehe …«

»Meint er, ich hätt was mit ihr'm Tod zu tun?«

»Nein, natürlich nicht. Ich hatte nur gehofft, dass Sie mir etwas über Lulas psychischen Zustand erzählen könnten; ob es irgendetwas gab, das sie in der Zeit vor ihrem Tod besonders beschäftigte. Sie haben sich doch regelmäßig getroffen, oder? Ich dachte, vielleicht könnten Sie mir erzählen, was sich in ihrem Leben so abspielte.«

Rochelle setzte zum Sprechen an, entschied sich dann aber dagegen und versuchte stattdessen, von ihrem brühend heißen Kaffee zu trinken.

»Also, wie is das? Ihr Bruder will beweisen, dass sie sich gar nich' selbs' umgebracht hat? Dass einer sie aus 'm Fenster geschubst hat oder so?«

»Er hält das für möglich.«

Allem Anschein nach versuchte sie, sich über irgendetwas klar zu werden, irgendetwas zu durchdenken.

»Ich muss nich' mit Ihn' reden. Sie sind nich' die echte Polizei.«

»Ja, das stimmt. Aber würden Sie nicht auch gern wissen, was …«

»Sie is gesprungen«, verkündete Rochelle Onifade bestimmt.

»Wieso sind Sie sich da so sicher?«, fragte Strike.

»Weil ich's einfach weiß.«

»Anscheinend hat außer Ihnen so gut wie niemand damit gerechnet, dass sie so etwas tun könnte.«

»Mann, sie hatte Depression! Sie musste Medikamente nehm'! Genau wie ich. Manchmal überkommt's dich da einfach. Und dann kanns' du noch so viel von dem Zeug einwerfen, da wirkt das nichts.«

Im ersten Moment verstand Strike: *Da wirkt das Nichts.* Er hatte schlecht geschlafen. *Das Nichts* war der Ort, an dem Lula Landry jetzt war, an dem sie alle, er und Rochelle eingeschlossen, irgendwann landen würden. Manchmal ging das Sein ganz allmählich ins Nichts über, so wie bei Bristows

Mutter… aber manchmal sprang dich das Nichts völlig unvorhergesehen an, zum Beispiel in Form von Asphalt, der deinen Schädel zerschmetterte.

Er war überzeugt, dass sie keinen Ton mehr von sich geben oder sogar gehen würde, wenn er jetzt sein Notizbuch zückte. Darum fragte er sie weiter möglichst unauffällig aus und erkundigte sich dabei ganz beiläufig, wie sie in die Klinik gekommen war und wie sie Lula kennengelernt hatte.

Anfangs antwortete sie extrem misstrauisch und einsilbig, aber langsam, ganz allmählich wurde sie mitteilungsfreudiger. Ihr Leben war eine einzige Tragödie. Misshandlungen in frühester Kindheit, Pflegefamilien, eine schwere psychische Krankheit, Jugendheime und gewalttätige Wutausbrüche hatten sie schon mit sechzehn in die Obdachlosigkeit geführt. Erst der Umstand, dass sie von einem Auto angefahren wurde, trug mittelbar dazu bei, dass ihre Krankheit erkannt und behandelt werden konnte. Weil ihr bizarres Verhalten die Versorgung ihrer Verletzungen unmöglich machte, wurde sie zwangsweise eingeliefert, und ein Psychiater wurde hinzugezogen. Inzwischen bekam sie Medikamente, die, sofern Rochelle sie nahm, ihre Symptome deutlich linderten. Dass die Tagesklinik, in der sie Lula Landry kennengelernt hatte, für Rochelle allem Anschein nach zum Highlight der Woche geworden war, fand Strike ebenso bemitleidenswert wie anrührend. Sie sprach voller Zuneigung von dem jungen Psychiater, der die Gruppe leitete.

»Und dort haben Sie Lula kennengelernt?«

»Hat ihr Bruder das nich' erzählt?«

»Nicht in allen Einzelheiten.«

»Also, sie is in unsre Gruppe gekomm'. Weil sie überwiesen worden is.«

»Und Sie sind miteinander ins Gespräch gekommen?«

»Genau.«

»Und Freundinnen geworden?«

»Genau.«

»Haben Sie sie auch mal zu Hause besucht? Zum Beispiel, um in ihrem Pool schwimmen zu gehen?«

»Was dageg'n?«

»Nein, überhaupt nicht. Ich frage nur.«

Sie taute ein wenig auf.

»Ich schwimm nich' gern. Ich mag kein Wasser ins Gesicht krieg'n. Ich war nur im Whirlpool. Und wir sind shoppen gegang'n und so.«

»Hat sie je mit Ihnen über ihre Nachbarn gesprochen? Über die anderen Menschen in ihrem Haus?«

»Diese Bestiguis? Ein paarmal. Konnt sie nich' leiden. Die Frau is 'ne blöde Fotze«, erklärte Rochelle unvermutet wütend.

»Wieso das?«

»Kennen Sie sie? Sie hat mich immer angeschaut, als wär ich Dreck.«

»Was hielt Lula von ihr?«

»Sie hat sie auch nich' leiden können und ihren Mann erst recht nich'. Der is voll eklig.«

»Inwiefern?«

»Eben so«, erklärte Rochelle ungeduldig und fuhr, als Strike nicht reagierte, fort: »Der wollt immer, dass sie zu ihm runterkommt, wenn seine Frau mal weg war.«

»Und war Lula jemals bei ihm?«

»Scheiße, nein!«, beteuerte Rochelle.

»Sie und Lula haben vermutlich über vieles gesprochen, nicht wahr?«

»Klar, am Anf… Genau.«

Sie sah aus dem Fenster. Ein unvorhergesehener Schauer

hatte die Passanten überrascht. Durchsichtige Ellipsen sprenkelten die Scheibe.

»Am Anfang?«, hakte Strike nach. »Später haben Sie sich nicht mehr so oft unterhalten?«

»Ich muss los«, verkündete Rochelle großspurig. »Ich hab noch was zu erledig'n.«

»Menschen wie Lula«, tastete sich Strike vor, »können manchmal ganz schön eingebildet sein. Ihre Mitmenschen mies behandeln. Sie sind es gewohnt, dass immer alles nach ihrer Pfeife ...«

»Ich mach doch keiner die Dienerin«, belehrte Rochelle ihn energisch.

»Vielleicht mochte Lula Sie deshalb? Vielleicht sah sie in Ihnen eine Freundin, die mit ihr auf Augenhöhe war – die sich nicht bei ihr einschmeicheln wollte?«

»Ganz genau«, bestätigte Rochelle halbwegs beschwichtigt. »Ich hab sie nich' so bewundert.«

»Man kann verstehen, warum sie Sie zur Freundin haben wollte, warum sie jemanden mit Bodenhaftung brauchte ...«

»Genau.«

»... und Sie hatten Ihre Krankheit gemeinsam, nicht wahr? Darum haben Sie sich auf einer anderen Ebene mit ihr verständigen können als die meisten anderen Menschen.«

»Und ich bin schwarz«, ergänzte Rochelle. »Und sie wollt sich auch richtig schwarz fühl'n.«

»Hat sie mit Ihnen darüber gesprochen?«

»Klar doch«, sagte Rochelle. »Sie wollt unbedingt rausfind'n, wo sie herkommt und wo sie hingehört.«

»Hat sie Ihnen erzählt, dass sie den schwarzen Zweig ihrer Familie ausfindig machen wollte?«

»Na klar. Und sie ... Genau.«

Sie klappte abrupt den Mund zu.

»Hat sie je irgendjemanden gefunden? Ihren Vater vielleicht?«

»Nee. Den hat sie nie gefund'n. Nicht die geringste Chance.«

»Wirklich?«

»Ja, *wirklich*!«

Sie fiel über ihren Cookie her. Strike befürchtete, dass sie aufspringen würde, sobald sie ihn aufgegessen hatte.

»Wirkte Lula deprimiert, als Sie sich am Tag vor ihrem Tod bei Vashti trafen?«

»Oh Mann, ja.«

»Hat sie Ihnen erzählt, warum?«

»Da braucht's keinen Grund. Das war die Krankheit.«

»Aber sie hat Ihnen erzählt, dass es ihr schlecht ging, nicht wahr?«

»Ja«, antwortete sie nach einem winzigen Zögern.

»Eigentlich wollte sie mit Ihnen Mittag essen gehen, oder?«, fragte er. »Kieran hat mir erzählt, dass er sie zu dem Treffen mit Ihnen fuhr. Sie kennen doch Kieran? Kieran Kolovas-Jones?«

Ihre Miene wurde weich; ihre Mundwinkel hoben sich leicht.

»Klar kenn ich Kieran. Ja, sie is zu mir ins Vashti gekommen.«

»Aber sie hat nicht mit Ihnen zu Mittag gegessen?«

»Nee. Sie hatte's eilig«, sagte Rochelle.

Sie senkte den Kopf, nahm noch einen Schluck Kaffee und verbarg ihr Gesicht.

»Warum hat sie Sie nicht einfach angerufen? Sie haben doch ein Handy, oder?«

»Klar hab ich 'n Handy«, fauchte sie und zückte aus der Kunstpelzjacke ein einfaches Nokia, das über und über mit grellrosa Strasssteinchen beklebt war.

»Warum hat sie nicht einfach angerufen und Ihnen gesagt, dass sie keine Zeit hätte?«

Rochelle sah ihn finster an.

»Weil sie nicht gern ihr Handy benutzt hat, weil die da immer mitgehört hab'n.«

»Die Journalisten?«

»Genau.«

Sie hatte ihren Cookie fast aufgegessen.

»Aber dass sie nicht zu Vashti kommen würde, hätte doch kaum einen Journalisten interessiert, oder?«

»Was weiß ich.«

»Fanden Sie es damals nicht eigenartig, dass sie sich extra zu Vashti fahren ließ, nur um Ihnen zu erklären, dass sie nicht zum Mittagessen bleiben würde?«

»Klar. Nee«, sagte Rochelle. Und dann brach es plötzlich aus ihr heraus: »Wenn du gefahren wirs', kann dir so was doch scheißegal sein, oder? Du kanns' dich hinfahr'n lassen, wohin du wills', das alles kost' dich nich' einen Penny, du lässt dich einfach hinbringen, hab ich recht? Sie wär auf ihrem Weg sowieso im Vashti vorbeigekomm', also is sie kurz rein und hat mir gesagt, dass sie keine Zeit zum Essen hätt, weil sie zurückmusste zu dieser verschissenen Ciara Porter.«

Rochelle sah aus, als hätte sie das verräterische »verschissen« am liebsten sofort zurückgenommen, und kniff die Lippen zusammen, als müsste sie verhindern, dass ihr noch mehr Schimpfwörter entschlüpften.

»Und mehr ist nicht passiert? Sie kam in den Laden, sagte: ›Ich kann nicht bleiben, ich muss nach Hause und mich mit Ciara treffen‹, und ging wieder?«

»Genau. Mehr oder weniger.«

»Kieran hat gesagt, normalerweise hätten die beiden Sie nach Hause gefahren, wenn Sie sich mit Lula getroffen haben.«

»Stimmt«, sagte sie. »Klar. Aber an dem Tag war sie zu beschäftigt, okay?«

Rochelle konnte ihren Ärger nur schlecht verhehlen.

»Erzählen Sie mir genau, was in dem Laden geschah. Hat eine von Ihnen etwas anprobiert?«

»Doch«, antwortete Rochelle nach kurzem Überlegen. »Sie schon.« Sie zögerte wieder. »So ein langes Kleid von Alexander McQueen. Der hat sich auch umgebracht und alles«, ergänzte sie nachdenklich.

»Waren Sie mit ihr in der Umkleidekabine?«

»Schon.«

»Und was hat sich dort abgespielt?«, bohrte Strike weiter.

Ihre Augen erinnerten ihn an die eines Stiers, dem er als kleiner Junge einst gegenübergestanden hatte: tief liegend, täuschend ruhig, unergründlich.

»Sie hat das Kleid angezogen«, antwortete Rochelle.

»Sonst hat sie nichts getan? Sie hat niemanden angerufen?«

»Nee. Also, schon. Könnt sein.«

»Wissen Sie, wen sie angerufen hat?«

»Keine Ahnung.«

Sie versteckte ihr Gesicht wieder hinter dem Pappbecher.

»War es Evan Duffield?«

»Könnt sein.«

»Wissen Sie noch, was sie gesagt hat?«

»Nee.«

»Eine Verkäuferin hörte sie am Telefon reden. Offenbar hat sie sich mit jemandem verabredet, den sie später in ihrer Wohnung treffen wollte. Viel später – in den frühen Morgenstunden, wie die Verkäuferin annahm.«

»Ach ja?«

»Also war es wohl eher nicht Duffield, oder, nachdem Lula mit ihm schon im Uzi verabredet war?«

»Sie wissen wirklich 'ne Menge, wie?«

»Jeder weiß, dass sich die beiden an diesem Abend im Uzi getroffen haben«, sagte Strike. »Das stand in allen Zeitungen.«

Ob sich Rochelles Pupillen zusammenzogen oder weiteten, war inmitten der praktisch schwarzen Iris kaum zu erkennen.

»Wahrscheinlich war's wer anders«, gestand sie ihm zu.

»War es Deeby Macc?«

»Nie im Leben!«, rief sie und lachte gellend. »Von dem hatte sie überhaupt nich' die Nummer.«

»Prominente kriegen fast immer die Telefonnummer von anderen Prominenten heraus«, gab Strike zu bedenken.

Rochelles Miene verdüsterte sich. Sie senkte den Blick auf das leere Display ihres rosa glitzernden Mobiltelefons.

»Ich glaub nich', dass sie seine hatte«, sagte sie.

»Aber Sie haben gehört, dass sie sich mit jemandem für später in der Nacht verabredete?«

»Nee.« Rochelle wich seinem Blick aus und ließ den letzten Schluck Kaffee in ihrem Pappbecher kreiseln. »Ich kann mich nich' erinnern.«

»Sie verstehen doch, wie wichtig das sein könnte?« Strike gab sich alle Mühe, möglichst unverfänglich zu klingen. »Falls Lula für den Zeitpunkt, als sie starb, eine Verabredung ausgemacht hätte? Die Polizei weiß nichts davon, oder? Sie haben das niemandem erzählt?«

»Ich muss los.« Sie stopfte sich den Rest des Cookies in den Mund, packte den Riemen ihrer billigen Handtasche und sah ihn böse an.

Strike unternahm einen letzten Versuch: »Es ist fast Zeit

zum Mittagessen. Kann ich Sie noch zu irgendetwas einladen?«

»Nee.«

Doch sie rührte sich nicht vom Fleck. Er fragte sich, wie arm sie wohl war und ob sie regelmäßig aß. Unter ihrer unwirschen Art spürte er etwas, das ihn berührte: wütenden Stolz, gepaart mit Verletzlichkeit.

»Na gut, von mir aus.« Sie ließ die Handtasche wieder los und sackte auf den harten Stuhl zurück. »Ich nehm 'n Big Mac.«

Er hatte Angst, dass sie gehen könnte, während er am Tresen stand, aber sie war immer noch da, als er mit zwei Tabletts zurückkehrte; sie dankte ihm sogar, wenn auch mürrisch.

Strike wählte einen neuen Ansatzpunkt. »Sie kennen Kieran ziemlich gut, nicht wahr?« Er hatte bemerkt, wie sie bei der Erwähnung des Namens kurz aufgeblüht war.

»Schon«, sagte sie unsicher. »Wir sind oft zu dritt unterwegs gewesen. Er hat sie immer gefahr'n.«

»Er hat erzählt, dass Lula auf der Fahrt zu Vashti hinten im Wagen etwas aufgeschrieben hätte. Hat sie Ihnen irgendetwas gegeben oder gezeigt, was sie geschrieben hatte?«

»Nee«, sagte sie. Sie stopfte sich den Mund voll mit Pommes und sagte dann: »Ich hab nix geseh'n. Wieso, was hat sie denn geschrieb'n?«

»Das weiß ich nicht.«

»Vielleicht war's ja 'ne Einkaufsliste oder so.«

»Ja, das hat die Polizei auch angenommen. Und Sie sind ganz sicher, dass Lula keinen Zettel, keinen Brief oder Umschlag bei sich hatte?«

»Ja, ganz sicher. Weiß Kieran, dass Sie sich mit mir treffen?«, fragte Rochelle.

»Ja, ich habe ihm gesagt, dass Sie auf meiner Liste stehen. Er hat mir erzählt, Sie hätten früher im St. Elmo gewohnt.«

Das schien ihr zu gefallen.

»Wo wohnen Sie jetzt?«

»Was geht Sie das an?«, gab sie unvermittelt scharf zurück.

»Gar nichts. Ich will mich nur mit Ihnen unterhalten.«

Rochelle schnaubte kurz. »Ich hab jetzt was Eigenes.« Sie kaute eine Weile vor sich hin und lieferte dann zum ersten Mal unaufgefordert eine Information: »Wir haben im Auto immer Deeby Macc gehört. Ich, Kieran und Lula.« Und sie begann zu rappen:

No hydroquinone, black to the backbone
Takin' Deeby lightly, better buy an early tombstone,
I'm drivin' my Ferrari – fuck Johari – got my head on straight,
Nothin' talks like money talks – I'm shoutin' at ya, Mister Jake.

Sie sah ihn stolz an, so als hätte sie ihn damit ein für alle Mal an seinen Platz verwiesen und als gäbe es darauf keine Erwiderung.

»Das ist aus ›Hydroquinone‹«, belehrte sie ihn. »Auf *Jake On My Jack.*«

»Was ist Hydroquinone?«, hakte Strike nach.

»'n Hautaufheller. Wir hab'n immer die Fenster runtergelass'n und gerappt«, erzählte Rochelle. Ein warmes, nostalgisches Lächeln ließ ihr unattraktives Gesicht aufleuchten.

»Also hat sich Lula darauf gefreut, Deeby Macc kennenzulernen, richtig?«

»Klar doch«, sagte Rochelle. »Sie hat gewusst, dass er sie gut leiden kann, und das hat ihr voll gefallen. Kieran war auch total aufgeregt, er wollt unbedingt, dass Lula ihn mit Deeby bekannt macht. Er wollt ihn unbedingt treffen.«

Ihr Lächeln erlosch; freudlos zupfte sie an ihrem Hamburger herum und sagte dann: »War das jetz' alles? Ich muss nämlich los.«

Sie begann, den Rest ihres Mahls hinunterzuschlingen und sich Essen in den Mund zu stopfen.

»Lula war bestimmt oft mit Ihnen unterwegs ...«

»Klar doch«, sagte Rochelle mit vollem Mund.

»Waren Sie auch mit ihr im Uzi?«

»Klar. Ein Mal.«

Sie schluckte und begann dann zu erzählen, wo überallhin Lula sie in der Anfangsphase ihrer Freundschaft mitgenommen hatte, und ihre Schilderungen klangen (obwohl Rochelle angestrengt den Eindruck zu vermeiden versuchte, sie habe sich vom Lebensstil einer Multimillionärin blenden lassen) durchwegs wie ein Märchen. Einmal in der Woche hatte Lula sie aus der freudlosen Welt des Wohnheims und der Gruppentherapie entführt und war mit ihr in einen Wirbel teurer Vergnügungen eingetaucht. Strike entging nicht, wie wenig Rochelle ihm dabei über den Menschen Lula erzählte und wie viel über Lula, die Besitzerin magischer Plastikkarten, mit denen man Handtaschen, Jacken und Schmuck erstehen oder Kieran herbeirufen konnte, der regelmäßig aus dem Nichts erschien wie ein Flaschengeist, um Rochelle aus ihrem Wohnheim zu erretten. Liebevoll und ausführlichst beschrieb sie die Geschenke, die Lula ihr gemacht hatte, die Läden, in die Lula sie mitgenommen hatte, die Restaurants und Bars, die sie gemeinsam besucht hatten und in denen lauter Prominente verkehrten. Allerdings hatte scheinbar keiner davon auch nur den geringsten Eindruck auf Rochelle gemacht; denn sie versah jeden von ihnen mit einem abfälligen Kommentar: »So ein blöder Sack ... Die ist nur noch Plastik ... So toll sind die auch wieder nicht.«

»Haben Sie auch Evan Duffield kennengelernt?«, wollte Strike wissen.

»Den!« Die Antwort triefte vor Verachtung. »Was für ’n Arsch!«

»Wirklich?«

»Oh Mann! Fragen Sie Kieran!«

Bei ihr klang es so, als hätten sie und Kieran vereint als einzige geistig Normale leidenschaftslos all den Idioten zugesehen, die Lulas Welt bevölkerten.

»Wieso war er ein Arsch?«

»Er hat sie voll scheiße behandelt.«

»Inwiefern?«

»Geschichten über sie verkauft.« Rochelle griff nach den Pommes. »Einmal hat sie uns alle auf die Probe gestellt. Sie hat jedem von uns ’ne andre Geschichte erzählt, weil sie sehen wollt, was davon in der Zeitung landet. Ich hab als Allereinzigste die Klappe gehalten, alle andern haben gequatscht.«

»Wen hat sie alles auf die Probe gestellt?«

»Ciara Porter. Duffield auch. Diesen Guy Summy.« Rochelle sprach den Vornamen so aus, dass er sich auf *Hai* reimte. »Aber der war’s nicht, hat sie behauptet; er hätt nix weitererzählt. Sie hat ihn total in Schutz genomm’n. Dabei hat er sie genauso ausgenutzt wie die andern.«

»Wie denn?«

»Er hat nich’ gewollt, dass sie für jemand anders arbeitet. Er wollt, dass sie nur für seine Firma arbeitet, damit er die ganze Publicity kriegt.«

»Und nachdem sie herausgefunden hatte, dass sie Ihnen vertrauen konnte …«

»Genau, da hat sie mir das Handy gekauft.« Sie zögerte eine Sekunde. »Damit sie mich immer anrufen konnte, wann immer sie wollte.«

Unversehens wischte sie das rosa glitzernde Nokia vom Tisch und verstaute es tief in der Tasche ihrer unförmigen magentafarbenen Jacke.

»Ich nehme an, Sie müssen die Gebühren jetzt selbst bezahlen?«, fragte Strike.

Er hätte gedacht, dass sie ihm erklären würde, das gehe ihn einen feuchten Dreck an, aber stattdessen antwortete sie: »Ihre Leute haben noch gar nich' gemerkt, dass sie immer noch dafür zahl'n.« Ihr war die leise Schadenfreude bei dieser Vorstellung anzuhören.

»Hat Lula Ihnen auch diese Jacke gekauft?«

»Nein«, fauchte sie ihn wütend und abweisend an. »Die hab ich mir selbs' besorgt, ich hab jetz' Arbeit.«

»Ach so? Wo arbeiten Sie denn?«

»Was geht Sie das an?«, blaffte sie.

»Das war nur eine höfliche Frage.«

Ein winziges Lächeln streifte kurz ihren breiten Mund, und sie gab erneut nach. »Ich arbeite nachmittags in 'nem Laden ganz in der Nähe von mir daheim.«

»Ist *daheim* wieder in einem Wohnheim?«

»Nee«, sagte sie, und er spürte augenblicklich, wie sie sich erneut sperrte und dass er sein Glück auf die Probe stellte, wenn er noch weiter nachbohrte. Er wählte einen anderen Ansatz.

»Bestimmt war Lulas Tod ein Schock für Sie.«

»Klar, war er«, bestätigte sie gedankenlos; dann merkte sie, was sie da gesagt hatte, und ruderte sofort zurück: »Ich hab natürlich gewusst, dass sie depri war, aber mit so was rechnest du einfach nich'.«

»Sie würden also nicht sagen, dass sie selbstmordgefährdet wirkte, als Sie sich an diesem Tag mit ihr getroffen haben?«

»Keine Ahnung. Ich hab sie ja nur ganz kurz geseh'n.«

»Wo waren Sie, als Sie hörten, dass sie gestorben war?«

»Da war ich noch im St. Elmo. Eine Menge Leute da haben gewusst, dass ich sie gekannt hab. Janine hat mich aufgeweckt und es mir gesagt.«

»Und Sie dachten sofort, dass es ein Selbstmord war?«

»Klar. Und jetz' muss ich los. Ich muss echt los.«

Ihm war klar, dass er sie nicht länger aufhalten konnte. Nachdem sie sich wieder in ihre lächerliche Pelzjacke gewunden hatte, hängte sie sich die Handtasche über die Schulter.

»Schöne Grüße an Kieran.«

»Richte ich aus.«

»Bis dann.«

Ohne sich noch einmal umzudrehen, watschelte sie aus dem Schnellrestaurant.

Strike sah ihr nach, bis sie mit gesenktem Kopf an seinem Fenster vorüberging, die Brauen finster zusammengezogen, und gleich darauf aus seinem Sichtfeld verschwand. Es hatte aufgehört zu regnen. Gemächlich zog er ihr Tablett zu sich her und futterte die letzten Fritten.

Dann sprang er so abrupt auf, dass das Mädchen mit der Baseballkappe, das eben seinen Tisch abräumen und abwischen wollte, mit einem überraschten Kiekser zurückschreckte. Im nächsten Moment stürmte Strike bereits aus dem McDonald's und eilte die Grantley Road hinauf.

Rochelle stand in ihrer magentafarbenen Pelzjacke unübersehbar an der Straßenecke inmitten von Passanten, die an einer Fußgängerampel warteten. Sie plapperte in ihr rosa Strasstelefon. Strike holte sie ein und drängte sich hinter sie in die Gruppe, indem er seinen massigen Körper nach vorn schob, bis die Wartenden ihm ganz von selbst den Weg freimachten.

»... hat er noch gefragt, wen sie mitten in der Nacht treffen wollt ... Genau, und ...«

Rochelle sah zur Seite, um dem Verkehr nachzuschauen, und entdeckte im Augenwinkel Strike hinter sich. Sofort nahm sie das Handy vom Ohr und beendete hektisch den Anruf.

»Was is?«, fragte sie aufbrausend.

»Wen haben Sie gerade angerufen?«

»Das geht Sie 'n Scheiß an!«, bellte sie. Die wartenden Fußgänger blickten sie irritiert an. »Verfolg'n Sie mich?«

»Ganz genau«, sagte Strike. »Hören Sie zu!«

Die Ampel schaltete auf Grün; weil sie als Einzige nicht losgingen, drängelten die anderen an ihnen vorbei.

»Können Sie mir Ihre Handynummer geben?«

Die unversöhnlichen Stieraugen blickten ihn undurchdringlich, ausdruckslos und verschlossen an.

»Wozu?«

»Kieran hat mich darum gebeten«, log er. »Das hatte ich völlig vergessen! Er meinte, Sie haben eine Sonnenbrille bei ihm im Auto vergessen.«

Er glaubte keine Sekunde, dass sie ihm das abkaufte, aber nach kurzem Überlegen diktierte sie ihm eine Nummer, die er hinten auf eine seiner Visitenkarten notierte.

»War's das?«, fragte sie aggressiv und marschierte über die Fahrbahn bis zu einer Verkehrsinsel, als die Ampel wieder auf Rot schaltete. Strike humpelte ihr nach. Seine Nähe machte sie sichtlich wütend und nervös.

»Was denn?«

»Ich glaube, Sie verschweigen mir etwas, Rochelle.«

Sie sah ihn finster an.

»Nehmen Sie die«, sagte Strike und zog eine zweite Visitenkarte aus der Manteltasche. »Wenn Ihnen irgendetwas einfällt, das Sie mir gern erzählen würden, dann rufen Sie mich an, in Ordnung? Unter dieser Handynummer.«

Sie antwortete nicht.

»Falls Lula wirklich umgebracht wurde«, sagte Strike, während die Autos an ihnen vorbeizischten und der Regen in dem Rinnstein vor ihren Füßen glitzerte, »und Sie etwas darüber wissen, dann sind Sie vielleicht ebenfalls in Gefahr.«

Damit entlockte er ihr ein winziges, herablassendes, ätzendes Lächeln. Rochelle glaubte nicht, dass sie in Gefahr war. Sie war überzeugt davon, dass ihr nichts passieren konnte.

Das grüne Männchen leuchtete wieder auf. Rochelle warf ihr trockenes, drahtiges Haar zurück und marschierte über die Straße, plump, gedrungen und unansehnlich, in einer Hand ihr Handy, in der anderen Strikes Karte. Strike blieb allein auf der Verkehrsinsel zurück und sah ihr ohnmächtig und beklommen nach. Vielleicht hatte sie ihre Geschichte damals wirklich nicht an die Zeitungen verkauft, aber er konnte sich nicht vorstellen, dass sie diese Designerjacke, so hässlich sie auch war, von ihrem Lohn als Verkäuferin bezahlt hatte.

9

An der Kreuzung Tottenham Court Road und Charing Cross Road sah es immer noch aus wie auf einem Trümmerfeld: aufgerissene Straßen, Fußgängertunnel aus Sperrholz und behelmte Bauarbeiter. Strike lief die schmalen, von hohen Metallzäunen gesäumten Fußwege entlang, vorbei an grummelnden Baggern voller Schutt, polternden Arbeitern und ratternden Presslufthämmern, und zog ab und zu an seiner Zigarette.

Er war müde und ausgelaugt; bei jeder Bewegung spürte er sein schmerzendes Bein, den Nachtschweiß, den er sich nicht hatte abwaschen können, und das fettige, schwere Essen in seinem Magen. Aus einem Impuls heraus bog er rechts ab in die Sutton Row, weg von dem Klappern und Rumoren der Bauarbeiten, und wählte Rochelles Nummer. Er landete auf der Mailbox, aber immerhin antwortete ihm ihre rauchige Stimme; sie hatte ihm die richtige Nummer gegeben.

Er hinterließ keine Nachricht; er hatte längst alles gesagt, was er zu sagen hatte. Aber er machte sich trotzdem Sorgen. Insgeheim wünschte er sich, er wäre ihr heimlich gefolgt, um herauszufinden, wo sie wohnte.

Er kehrte auf die Charing Cross Road zurück, wo er durch den Schatten eines provisorischen Fußgängertunnels in Richtung seines Büros humpelte und darüber nachsann, wie Robin ihn am Morgen geweckt hatte: mit einem taktvollen Klopfen, einer Tasse Tee und ohne auch nur ein Wort über die Campingliege zu verlieren. Auf gar keinen Fall hätte er es dazu kommen lassen dürfen. Vertrautheit entstand nicht nur, indem man eine Frau in einem hautengen Kleid angaffte. Er wollte ihr nicht erklären müssen, warum er in seinem Büro schlief; er fürchtete persönliche Fragen. Und er war durch eigene Schuld in eine Situation geraten, in der sie ihn mit seinem Vornamen angesprochen und ihn ermahnt hatte, sein Hemd richtig zuzuknöpfen. Er hätte auf gar keinen Fall verschlafen dürfen.

Während Strike an der verschlossenen Tür des Grafikbüros vorbei die Eisentreppe hinaufstieg, beschloss er, zum Ausgleich für den Blick auf seinen behaarten Bauch für den Rest des Tages ein wenig kühler und autoritärer aufzutreten.

Kaum hatte er den Entschluss gefasst, da hörte er ein hohes Lachen und zwei durcheinanderplappernde Frauenstimmen aus seinem Büro.

Strike erstarrte. Lauschte erschrocken. Er hatte Charlotte nicht zurückgerufen. Er versuchte, den Tonfall und die Stimmlage auszumachen; es sähe ihr ähnlich, persönlich vorbeizukommen und seine Interimssekretärin mit ihrem Charme zu umgarnen, um mit seiner Verbündeten Freundschaft zu schließen und seiner Belegschaft ihre höchsteigene Version der Wahrheit einzuimpfen.

Die beiden Stimmen brachen wieder in Gelächter aus, ohne dass er hätte erkennen können, wem sie gehörten.

»Hi, Stick«, rief eine fröhliche Stimme, als er die Glastür aufdrückte.

Seine Schwester Lucy saß auf dem abgewetzten Sofa, einen Kaffeebecher in den Händen und von Einkaufstüten umgeben.

Strikes erste Erleichterung, dass es nicht Charlotte war, wich sofort neuen Bedenken: Worüber hatten die beiden wohl gesprochen? Und wie viel wussten sie inzwischen jeweils über sein Privatleben? Während er Lucy umarmte, bemerkte er, dass Robin die Tür zum Büro mit seiner Campingliege und der Sporttasche zugezogen hatte.

»Robin hat gesagt, du wärst beim Ermitteln.« Lucy wirkte ausgelassen, wie so oft, wenn sie allein, ohne Greg oder ihre Jungen im Schlepptau, unterwegs war.

»Ja, das tun Ermittler bisweilen«, sagte Strike. »Und du warst shoppen?«

»Scharf beobachtet, Sherlock.«

»Sollen wir irgendwo einen Kaffee trinken gehen?«

»Ich hab schon einen bekommen, Stick.« Sie hielt den Becher hoch. »Offenbar bist du heute nicht in Topform. Sag mal, hinkst du ein bisschen?«

»Nicht dass es mir aufgefallen wäre.«

»Warst du in letzter Zeit bei Mr. Chakrabati?«

»Erst vor Kurzem«, log Strike.

»Wenn es Ihnen recht ist, Mr. Strike«, mischte sich Robin ein und nahm dabei ihren Trenchcoat vom Haken, »dann mache ich jetzt Mittagspause. Ich bin noch nicht dazu gekommen.«

Sein eben erst gefasster Entschluss, sie mit professioneller *froideur* zu behandeln, erschien ihm plötzlich nicht nur überflüssig, sondern auch unangemessen. Sie zeigte mehr Takt als jede andere Frau, die ihm bisher begegnet war.

»In Ordnung, Robin«, sagte er.

»War nett, Sie kennenzulernen, Lucy«, sagte Robin, winkte ihr kurz zu und schloss von außen die Glastür.

»Ich mag sie«, sagte Lucy mit Begeisterung, während draußen Robins Schritte verhallten. »Sie ist toll. Du solltest sie fragen, ob sie fest für dich arbeiten will.«

»Ja, sie ist gut«, sagte Strike. »Worüber habt ihr beide so gelacht?«

»Ach, über ihren Verlobten – er klingt ein bisschen wie Greg. Robin meinte, du hättest gerade einen wichtigen Fall. Keine Angst; sie war sehr diskret. Sie hat nur gesagt, dass es dabei um einen umstrittenen Suizid geht. Das ist bestimmt nicht besonders angenehm.«

Sie warf ihm einen vielsagenden Blick zu, den er absichtlich nicht erwiderte.

»Es ist nicht mein erster. In der Army hatte ich auch schon ein paar davon.«

Aber er glaubte nicht, dass Lucy ihm zuhörte. Sie hatte tief Luft geholt. Er wusste, was jetzt kommen würde.

»Stick, habt ihr euch getrennt, du und Charlotte?«

»Ja.«

»Stick!«

»Schon gut, Luce. Es geht mir gut.«

Aber ihre gute Laune wurde bereits von einer Lawine aus Wut und Enttäuschung überrollt. Erschöpft und unter Schmerzen wartete Strike geduldig ab, während Lucy ihrem Zorn Luft machte: Sie habe es von Anfang an gewusst, sie habe gewusst, dass Charlotte wieder ihr altes Spiel treiben würde; erst habe sie dafür gesorgt, dass er Tracey und seiner fantastischen Karriere bei der Armee den Rücken gekehrt habe, ihm dann jegliche Sicherheit genommen und ihn schließlich überredet, bei ihr einzuziehen, nur um ihn jetzt …

»Diesmal habe ich Schluss gemacht«, sagte er. »Und das mit Tracey war längst zu Ende, bevor …« Genauso gut hätte er einem Lavastrom kommandieren können, bergauf zu fließen. Warum er nicht erkannt habe, dass sie sich niemals ändern würde; dass sie nur zu ihm zurückgekehrt sei, weil sie die Situation so aufregend gefunden habe; weil seine Verwundung und sein Orden ihn in ihren Augen wieder attraktiv gemacht hätten … Erst habe sie den pflegenden Engel gespielt, aber das sei ihr schon bald zu langweilig geworden; sie sei gefährlich und niederträchtig; ihr Selbstwertgefühl beruhe darauf, andere ins Unglück zu stürzen; sie labe sich an den Schmerzen, die sie anderen zufügte …

»Ich habe sie verlassen, es war meine freie Entscheidung …«

»Und wo wohnst du jetzt? Wann habt ihr euch getrennt? Diese verfluchte, gemeine *Schlampe* … Nein, tut mir leid, Stick, ich mache nicht länger gute Miene zum bösen Spiel – all die Jahre, in denen du diesen Mist ertragen musstest! Oh Gott, Stick, hättest du nur Tracey geheiratet!«

»Luce, lass es gut sein, bitte.«

Er schob ein paar ihrer Einkaufstüten, in denen sich kleine Hosen und Socken für ihre Söhne türmten, beiseite und ließ sich schwer aufs Sofa fallen. Er wusste, dass er abgehalftert und ungepflegt aussah. Lucy schien den Tränen nahe; ihr Ausflug in die Stadt war ruiniert.

»Wahrscheinlich hast du mir nichts davon erzählt, weil du wusstest, dass ich so reagieren würde?«, meinte sie schließlich hicksend.

»Das könnte eine Rolle gespielt haben …«

»Also gut, tut mir leid«, erklärte sie ihm wütend und mit tränennassen Augen. »Aber diese *beschissene Kuh,* Stick! Bitte sag mir, dass du nie wieder zu ihr zurückkehrst! Bitte versprich mir das!«

»Ich kehre nie wieder zu ihr zurück.«

»Wo wohnst du zurzeit? Bei Nick und Ilsa?«

»Nein, ich hab was in Hammersmith gefunden« (der erste Ort, der ihm im Zusammenhang mit Obdachlosigkeit in den Sinn kam), »ein möbliertes Zimmer.«

»Oh *Stick* … Du kannst doch auch bei uns wohnen!«

Kurz sah er das ganz in Blau gehaltene Gästezimmer und Gregs gekünsteltes Grinsen vor sich.

»Luce, es geht mir gut, ehrlich. Ich will einfach nur arbeiten und eine Weile allein bleiben.«

Er brauchte eine weitere halbe Stunde, um sie aus seinem Büro zu komplimentieren. Es war ihr unangenehm, dass sie derart in Rage geraten war; sie entschuldigte sich dafür und versuchte, sich dafür zu rechtfertigen, was eine weitere Tirade gegen Charlotte auslöste. Als sie schließlich abzog, half er ihr, die Tüten nach unten zu tragen, und lenkte sie dabei erfolgreich von den aufgestapelten Kartons im Treppenhaus ab, in denen sich seine Habseligkeiten befanden, bevor er sie schließlich am Ende der Denmark Street in ein Taxi setzte. Ihr rundes, mascaraverschmiertes Gesicht sah durch das Rückfenster zu ihm auf. Er rang sich ein Lächeln ab und winkte ihr gezwungen nach, bevor er sich die nächste Zigarette anzündete und darüber nachsann, dass Lucys Auffassung von Mitgefühl ihn unangenehm an einige der Verhörtechniken erinnerte, die man in Guantánamo eingesetzt hatte.

10

Robin hatte es sich zur Gewohnheit gemacht, nicht nur sich selbst, sondern auch für Strike ein Sandwich zu kaufen, wenn er über Mittag im Büro war, und sich das Geld dafür aus der Kaffeekasse zu nehmen.

Heute allerdings hatte sie es nicht eilig zurückzukehren. Im Gegensatz zu Lucy, die dafür offenbar keine Antennen hatte, war ihr durchaus aufgefallen, wie unglücklich Strike gewirkt hatte, als er sie ins Gespräch vertieft angetroffen hatte. Beim Betreten des Büros war seine Miene exakt so grimmig gewesen wie bei ihrer allerersten Begegnung.

Robin hoffte, dass sie nichts zu Lucy gesagt hatte, was Strike nicht gutheißen würde. Lucy hatte nicht auffällig gebohrt; auf einige ihrer Fragen war Robin die Antwort trotzdem nicht leichtgefallen.

»Haben Sie Charlotte schon kennengelernt?«

Robin vermutete, dass Charlotte die atemberaubende Exfrau oder -freundin war, deren Abgang sie an ihrem ersten Morgen bezeugt hatte. Nachdem ein Beinahezusammenstoß aber noch kein Kennenlernen darstellte, hatte sie wahrheitsgemäß geantwortet: »Nein, noch nicht.«

Ein scheinheiliges Lächeln hatte um Lucys Mund gespielt: »Ich hätte gedacht, sie würde Sie kennenlernen wollen.«

Ohne zu wissen, warum, hatte Robin sich zu der Erklärung genötigt gefühlt: »Ich bin nur vorübergehend hier.«

»Trotzdem«, sagte Lucy, die ihre Antwort besser zu verstehen schien als Robin selbst.

Erst jetzt, da sie den Gang mit den Chips auf und ab wanderte, ohne sie wirklich wahrzunehmen, ergaben Lucys Andeutungen einen Sinn. Robin nahm an, dass sie ihr damit hatte schmeicheln wollen, allerdings fand sie allein die Vorstellung, dass Strike sie irgendwie anbaggern wollte, richtiggehend unappetitlich.

(»Matt, ehrlich, du solltest ihn mal sehen… Er ist ein Riese, und er hat ein Gesicht wie ein verprügelter Boxer. Nicht nur, dass er wirklich unattraktiv ist – er ist bestimmt außerdem schon über vierzig, und« – sie hatte überlegt, wie sie sich noch über Strikes Äußeres auslassen konnte – »er sieht aus, als würden ihm Schamhaare auf dem Kopf wachsen.« Trotzdem hatte sich Matthew erst jetzt, da Robin den Job in der Media-Consulting-Firma angenommen hatte, mit dem Gedanken angefreundet, dass sie vorübergehend weiter für Strike arbeitete.)

Robin griff auf gut Glück zu zwei Tüten Salt-and-Vinegar-Chips und ging damit zur Kasse. Sie hatte Strike noch nicht erzählt, dass sie ihn in zweieinhalb Wochen verlassen würde.

Schließlich hatte Lucy das Thema Charlotte fallen lassen, allerdings nur um Robin anschließend darüber auszuhorchen, wie die Geschäfte in der schäbigen kleinen Detektei liefen. Robin hatte sich so bedeckt gehalten wie möglich, denn wenn Lucy nicht wusste, wie schlecht es um Strikes Finanzen stand, dann vermutlich nur, weil Strike es ihr nicht hatte erzählen wollen. In der Hoffnung, dass es ihm gefallen würde, wenn seine Schwester glaubte, die Geschäfte liefen glänzend, hatte sie wie beiläufig erwähnt, dass sein jüngster Klient durchaus wohlhabend sei.

»Bestimmt ein Scheidungsfall, oder?«, hatte Lucy gefragt.

»Nein, es ist ein… Na ja, ich habe eine Vertraulichkeitserklärung unterschrieben … Man hat ihn gebeten, einen Suizid zu untersuchen.«

»Oh Gott, das ist bestimmt nicht angenehm für Cormoran«, hatte Lucy mit einem eigenartigen Unterton erwidert.

Robin hatte sie verdattert angesehen.

»Hat er Ihnen das nicht erzählt? Ehrlich gesagt braucht er es meistens gar nicht zu erzählen, weil es sowieso jeder weiß. Unsere Mutter war ein berühmtes … Groupie sagt man dazu, nicht wahr?« Plötzlich hatte Lucys Lächeln angestrengt gewirkt, und ihr bemüht gleichmütiger und fröhlicher Tonfall war auf einmal spröde geworden. »Man kann das alles im Internet nachlesen. So wie überhaupt alles, nicht wahr? Sie starb an einer Überdosis, und die Polizei erkannte auf Suizid, aber Stick war überzeugt, dass ihr Exmann etwas damit zu tun hatte. Natürlich wurde ihm nie etwas nachgewiesen. Stick war außer sich vor Wut. Jedenfalls war es eine schrecklich schmutzige Angelegenheit. Vielleicht hat dieser Klient sich deshalb für Stick entschieden – ich nehme an, es geht bei dem Suizid um eine Überdosis?«

Robin hatte nicht geantwortet, aber das brauchte sie auch nicht; denn ohne ihre Erwiderung abzuwarten, war Lucy fortgefahren: »Stick hat damals sein Studium hingeworfen und ist zur Militärpolizei gegangen. Die ganze Familie war zutiefst enttäuscht. Er ist ein wirklich kluger Kopf, müssen Sie wissen; er war der Erste in unserer Familie, der in Oxford aufgenommen wurde; aber er packte einfach seinen Kram und ging zur Army. Und anscheinend hat er sich dort hervorragend eingefügt. Ganz ehrlich, ich finde es eine Schande, dass er aus der Army ausgeschieden ist. Er hätte dabeibleiben sollen, gerade mit seinem Bein, Sie wissen schon …«

Robin verriet nicht einmal mit einem Wimpernzucken, dass sie nichts von alldem gewusst hatte.

Lucy hatte einen Schluck Tee getrunken.

»Und aus welcher Ecke in Yorkshire stammen Sie?«

Danach war das Gespräch angenehm dahingeplätschert, und zwar bis zu dem Moment, als Strike hereingeplatzt war, während sie gerade gemeinsam über Robins Schilderung von Matthews letzten Heimwerkerversuchen gelacht hatten.

Während Robin, mit Sandwiches und Chips beladen, zum Büro zurückging, merkte sie, dass sie inzwischen nur noch mehr Mitleid mit Strike hatte als zuvor. Seine Ehe – oder seine Beziehung, sofern die beiden nicht verheiratet gewesen waren – war gescheitert; er schlief in seinem Büro; er war ein Kriegsversehrter; und jetzt hatte sie auch noch erfahren, dass seine Mutter unter zweifelhaften und elenden Umständen ums Leben gekommen war.

Sie gab gar nicht erst vor, dass ihr Mitgefühl frei von Neugier wäre. Ihr war längst klar, dass sie irgendwann in nächster Zukunft versuchen würde, online nachzuforschen, wie Leda Strike genau gestorben war. Gleichzeitig hatte sie ein schlechtes Gewissen, weil sie schon wieder Einblick in ein Kapitel aus Strikes Leben bekommen hatte, das er ihr sicher lieber nicht offenbart hätte – genauso wenig wie das pelzige Stück Bauch, das er ihr am Morgen aus Versehen entgegengestreckt hatte. Sie hatte ihn als stolzen und selbstgenügsamen Menschen erlebt; genau das mochte und bewunderte sie an ihm, selbst wenn sich diese Eigenschaften in einer Art und Weise äußerten – durch die Campingliege, die Kartons mit seinen Habseligkeiten auf dem Treppenabsatz, die leeren Instantnudel-Packungen im Mülleimer –, für die jemand wie Matthew nur Spott übrighatte, weil in dessen Vorstellung jeder, der unter solchen Umständen hauste, unsolide oder ein Nichtsnutz war.

Robin war sich nicht sicher, ob sie sich die leicht angespannte Atmosphäre bei ihrer Rückkehr ins Büro nur einbildete oder nicht. Strike saß vor ihrem Computer, hackte auf die Tastatur ein und dankte ihr geistesabwesend für das Sandwich, ließ die Arbeit aber nicht (wie sonst) zehn Minuten ruhen, um mit ihr über den Fall zu plaudern.

»Ich brauche noch ein paar Minuten; ist es in Ordnung, wenn Sie so lange auf dem Sofa sitzen?«, fragte er und tippte weiter.

Ob Lucy ihm wohl erzählt hatte, worüber sie gesprochen hatten? Robin hoffte nicht. Dann ärgerte sie sich über ihr schlechtes Gewissen; schließlich hatte sie sich nichts zuschulden kommen lassen. Ihr Ärger überdeckte vorübergehend sogar ihren Wunsch zu erfahren, ob er Rochelle Onifade gefunden hatte.

»Aha«, sagte Strike.

Endlich hatte er auf der Website des italienischen Modedesigners die magentafarbene Kunstpelzjacke gefunden, die Rochelle am Vormittag getragen hatte. Sie war erst seit zwei Wochen auf dem Markt und kostete fünfzehnhundert Pfund.

Robin wartete darauf, dass Strike seinen Ausruf erläuterte, aber er war wieder verstummt.

»Haben Sie sie gefunden?«, fragte sie, als Strike sich schließlich vom Computer abwandte und sein Sandwich auspackte.

Er erzählte ihr von dem Treffen, aber diesmal spürte sie nichts von der Begeisterung und Dankbarkeit, mit der er sie noch am Vormittag immer wieder als »Genie« bezeichnet hatte. Als Robin ihm die Ergebnisse ihrer telefonischen Nachforschungen mitteilte, blieb sie darum ähnlich unterkühlt.

»Ich habe bei der Anwaltskammer angerufen und mich nach der Konferenz erkundigt, die am siebten Januar in Oxford stattfand«, sagte sie. »Tony Landry hat daran teilgenommen. Ich habe behauptet, ich hätte ihn dort kennengelernt, aber seine Visitenkarte verlegt.«

Er schien nicht besonders interessiert an dieser Information, obwohl er sie selbst angefordert hatte, und beglückwünschte sie auch nicht zu ihrem Einfallsreichtum. Das Gespräch versiegte, ohne dass es einen von beiden zufriedengestellt hätte.

Die Begegnung mit Lucy hatte Strike erschöpft; eigentlich wollte er nur noch allein sein. Zudem hatte er den Verdacht, dass Lucy Robin von Ledas Tod erzählt hatte. Seine Schwester fand es zwar schrecklich, dass ihre Mutter als Halbprominente gelebt hatte und ebenso gestorben war, aber manchmal überkam sie der paradoxe Wunsch, sich über all das auszulassen, und zwar am liebsten gegenüber Fremden. Vielleicht war das für sie eine Art Sicherheitsventil, weil sie ihre Vergangenheit gegenüber ihren Vorstadtfreunden resolut unter Verschluss hielt, oder aber sie versuchte, den Kampf gleich zu Beginn in gegnerisches Territorium zu verlagern, indem sie aus lauter Angst davor, was ihr Gegenüber wissen könnte, jedes noch so flüchtige anrüchige Interesse von vornherein zu befriedigen versuchte, damit es gar nicht erst aufflackerte. Nur war es ihm gar nicht recht, dass Robin jetzt von seiner Mutter wusste oder von seinem Bein oder von Charlotte oder von den anderen schmerzhaften Erinnerungen, in denen Lucy jedes Mal beharrlich herumpulte, sobald sie ihm nahe genug kam.

Müde und schlecht gelaunt, wie Strike war, richtete er seinen pauschalen Groll gegen alle Frauen, die einen Mann einfach nicht in Frieden lassen konnten, ungerechterweise auch gegen Robin. Er spielte mit dem Gedanken, sich nachmittags mit seinen Notizen ins Tottenham zurückzuziehen, wo er in

Ruhe würde sitzen und nachdenken können und wo ihn niemand mit neugierigen Fragen piesackte.

Robin spürte den Stimmungsumschwung nur zu deutlich. Nach einem kritischen Blick auf den stumm dasitzenden Strike fegte sie sich die Sandwichkrümel von der Kleidung und rezitierte dann knapp und nüchtern die Nachrichten, die am Vormittag für ihn eingegangen waren.

»John Bristow hat angerufen und die Handynummer von Marlene Higson hinterlassen. Außerdem ist er zu Guy Somé durchgedrungen, der Sie am Donnerstagvormittag um zehn in seinem Atelier in der Blunkett Street empfangen würde, falls Ihnen das passt. Das ist draußen in Chiswick, in der Nähe von Strand-on-the-Green.«

»Sehr gut. Danke.«

Ansonsten sprachen sie kaum miteinander.

Strike verbrachte den größten Teil des Nachmittags im Pub und kehrte erst um zehn vor fünf zurück. Doch auch da war die beiderseitige Verlegenheit noch immer deutlich zu spüren, und so war er zum ersten Mal erleichtert, als Robin wenig später heimging.

TEIL VIER

Optimumque est, ut vulgo dixere, aliena insania frui.

Am besten ist es, um es allgemein zu sagen, den Wahnsinn der anderen zu genießen.

PLINIUS DER ÄLTERE, *HISTORIA NATURALIS*

1

An dem Tag, an dem Strike den Termin in Guy Somés Atelier hatte, duschte er früh im Studentenwerk und wählte seine Garderobe mit untypischer Sorgfalt. Aufgrund seiner gründlichen Durchsicht der Website des Designers wusste er, dass Somés Angebot Chaps aus abgewetztem Leder, Krawatten aus Drahtgeflecht und breitkrempige schwarze Stirnbänder umfasste, zu deren Herstellung man offenbar den oberen Teil ausrangierter Bowlerhüte abgeschnitten hatte. Aus einer vagen Trotzhaltung heraus entschied sich Strike deshalb für den konservativ geschnittenen, bequemen Anzug, den er schon im Cipriani getragen hatte.

Das Atelier befand sich in einem umfunktionierten Lagerhaus aus dem neunzehnten Jahrhundert am Nordufer der Themse. Das glitzernde Wasser des Flusses blendete ihn, während er nach dem Eingang Ausschau hielt, der nicht eindeutig gekennzeichnet war; nichts an der Fassade wies auf den Zweck hin, dem das Gebäude mittlerweile diente.

Endlich entdeckte Strike einen unauffälligen, unbeschrifteten Klingelknopf. Als er ihn drückte, ging die Tür von innen auf, und er betrat einen kahlen und zugleich eleganten Flur, der von einer Klimaanlage einen Hauch zu kühl temperiert war. Ein Klimpern und Klackern ging der Ankunft einer Frau mit tomatenrotem Haar voraus, die von Kopf bis Fuß in Schwarz gekleidet war und eine Vielzahl silberner Armreife trug.

»Oh«, sagte sie, als sie Strike sah.

»Ich habe um zehn einen Termin mit Mr. Somé«, sagte er. »Cormoran Strike.«

»Oh«, wiederholte sie. »Okay.«

Sie verschwand wieder dorthin, von wo sie gekommen war. Strike nutzte die Wartezeit, um Rochelle Onifades Handy anzurufen, was er seit ihrem Treffen etwa zehnmal täglich tat. Doch es ging niemand ran.

Nach einer weiteren Minute erschien wie aus dem Nichts ein kleiner dunkelhäutiger Mann, der geschmeidig und auf seinen Gummisohlen fast geräuschlos über den Flur auf Strike zustolzierte. Dabei schwang er übertrieben die Hüften, wobei er den Oberkörper mit den steifen Armen bis auf eine leichte Gegenbewegung der Schultern völlig gerade hielt.

Guy Somé war knapp einen Kopf kleiner als Strike und trug etwa hundertmal weniger Körperfett mit sich herum. Auf dem schwarzen T-Shirt des Designers schillerten Hunderte von Silbernieten, die zu einem dreidimensional wirkenden Elvis-Gesicht angeordnet waren und an ein Nagelspiel erinnerten. Das Auge wurde des Weiteren durch ein wohldefiniertes Sixpack irritiert, das sich unter dem engen Lycra abzeichnete. Somé trug figurbetonte graue Jeans mit dezenten Nadelstreifen sowie Turnschuhe aus Lack- und Wildleder.

In auffälligem Gegensatz zu seinem sehnigen, schlanken Körper wies sein Gesicht eine Vielzahl prägnanter Rundungen auf: Die weit auseinanderstehenden Augen traten aus den Höhlen wie die eines Fisches; die vollen Lippen unter den glänzenden Apfelbäckchen bildeten ein großes Oval; sein kleiner Kopf war annähernd kugelförmig. Somé sah aus, als wäre sein Haupt wie von Meisterhand aus weichem Ebenholz geschnitzt. Allerdings war der Bildhauer, seiner eigenen Perfektion überdrüssig, leicht ins Groteske übergeschwenkt.

Der Designer streckte die Hand aus, wobei er das Handgelenk ein wenig anwinkelte. »Ja, da ist eine gewisse Ähnlichkeit mit Jonny«, sagte er, als er zu Strikes Gesicht aufsah; seine affektierte Stimme hatte einen leichten Cockney-Einschlag. »Aber Sie sind so viel *männlicher*.«

Strike gab ihm die Hand. Somés Finger waren überraschend kräftig. Die klimpernde Rothaarige stieß wieder zu ihnen.

»Trudie, ich will in der nächsten Stunde nicht gestört werden. Keine Anrufe!«, befahl Somé. »Und bring uns Tee und ein paar Kekse, Süße!«

Er wirbelte mit der Anmut eines Tänzers herum und bedeutete Strike, ihm zu folgen.

Sie gingen einen weiß getünchten Flur entlang und kamen an einer offen stehenden Tür vorbei, hinter der das runde Gesicht einer Asiatin mittleren Alters Strike durch eine Lage des hauchdünnen Goldstoffs hindurch anstarrte, den sie gerade über eine Schneiderpuppe warf. Der Raum, in dem sie arbeitete, war so grell ausgeleuchtet wie ein Operationssaal und mit Werkbänken und Stoffballen vollgestellt. An den Wänden hingen flatternde Collagen aus Skizzen, Fotografien und Notizen. Eine zierliche Blondine in einem Kleid, das Strike – Laie in derlei Dingen – wie eine große, schwarze, schlauchförmige Bandage vorkam, öffnete eine Tür und durchquerte vor ihnen den Flur. Sie warf ihm den exakt gleichen kühlen, desinteressierten Blick zu, mit dem ihn auch schon Trudie bedacht hatte. Strike kam sich abartig groß und behaart vor. Wie ein pelziges Mammut, das sich in eine Horde Kapuzineräffchen einzufügen suchte.

Er folgte dem stolzierenden Designer zum Ende des Flurs und eine Wendeltreppe aus Eisen und Gummi hinauf, die zu einem großen, rechteckig geschnittenen Büro führte. Auf der rechten Seite bot sich ihm hinter den deckenhohen Fenstern ein beeindruckendes Panorama des Themse-Südufers dar. An den übrigen, weiß gestrichenen Wänden hingen Fotografien. Die gewaltige, gut drei Meter hohe Vergrößerung des berüchtigten »Fallen Angels«-Bildes an der Wand gegenüber von Somés Schreibtisch erregte Strikes Aufmerksamkeit. Bei näherer Betrachtung stellte er jedoch fest, dass es sich nicht um das weltberühmte Foto handelte; in der Version vor ihm hatte eine lachende Lula den Kopf zurückgeworfen: Ihr Hals ragte wie eine wohlgeformte Säule senkrecht aus der Haarpracht hervor, die durch den Heiterkeitsausbruch in Unordnung geraten war und den Blick auf eine dunkle Brustwarze freigab. Ciara Porter sah zu Lula auf. Auf ihrem Gesicht waren erste Anzeichen eines Lachanfalls zu erkennen; als hätte sie einen Witz erst später kapiert. Genau wie in der weitaus bekannteren Fassung des Fotos richtete sich die Aufmerksamkeit des Betrachters sofort auf Lula.

In diesem Raum war sie allgegenwärtig. Zur Linken war sie inmitten einer Gruppe von Models abgebildet, die durchsichtige Hemdkleider in allen Farben des Regenbogens trugen. Daneben hing eine Profilaufnahme, auf der ihre Lippen und Augenlider mit Blattgold überzogen waren. Ob man ihr beigebracht hatte, ihr Gesicht möglichst fotogen in Szene zu setzen und auf Abruf exakt die richtige Emotion zur Schau zu stellen? Oder war sie nur eine transparente Oberfläche gewesen, durch die ihre wahren Gefühle schimmerten?

»Machen Sie es sich irgendwo bequem«, sagte Somé und ließ sich in den Chefsessel hinter dem mit Skizzen bedeckten Schreibtisch aus Stahl und dunklem Holz fallen. Strike entschied sich für einen Stuhl, der aus zurechtgebogenem Plexiglas bestand. Vor ihm auf dem Schreibtisch lag ein T-Shirt, das Prinzessin Diana als grellbunte mexikanische Madonna zeigte. Glasperlen und Kügelchen glitzerten neben einem in Flammen stehenden scharlachroten Satinherz, auf dem schief eine gestickte Krone saß.

»Gefällt's Ihnen?«, fragte Somé, dem Strikes Interesse nicht entgangen war.

»Und wie«, log Strike.

»Ist so gut wie überall ausverkauft. Hat mir böse Briefe von den Katholiken eingehandelt. Joe Mancura hat es in der Jools-Holland-Show getragen. Für die Winterkollektion plane ich William als Christus auf einem Longsleeve. Oder Harry mit einer AK-47 vor dem Schritt. Was halten Sie davon?«

Strike lächelte gezwungen. Mit etwas mehr Schwung als nötig schlug Somé die Beine übereinander.

»Na schön«, sagte er überraschend direkt, »der kleine Buchhalter glaubt also, dass Cuckoo ermordet wurde? Ich habe Lula immer ›Cuckoo‹ genannt«, fügte er überflüssigerweise hinzu.

»Ja. John Bristow ist übrigens Anwalt und nicht Buchhalter.«

»Das weiß ich, aber Cuckoo und ich haben ihn immer den ›kleinen Buchhalter‹ genannt. Also, ich sowieso. Cuckoo auch, wenn sie entsprechend drauf war. Er hat ständig seine Nase in ihre Verträge gesteckt, um aus jedem noch den letzten Penny rauszuquetschen. Wahrscheinlich zahlt er Ihnen nur das Allernötigste. Gibt es in Ihrer Branche einen Mindestlohn?«

»Oh, er bezahlt mir sogar das Doppelte.«

»Ach ja? Jetzt, da er mit Cuckoos Geld um sich werfen kann, wird er plötzlich großzügig.«

Somé kaute auf einem Fingernagel, was Strike an Kieran Kolovas-Jones erinnerte. Der Designer und der Fahrer waren sogar ähnlich gebaut – beide nicht besonders groß, aber wohlproportioniert.

»Hach, bin ich heute eine Zicke«, sagte Somé, nachdem er den Fingernagel wieder aus dem Mund genommen hatte. »Ich kann John Bristow einfach auf den Tod nicht ausstehen. Er konnte Cuckoo einfach nicht in Ruhe lassen! Es wäre besser, er würde sich um seinen eigenen Scheiß kümmern und sich endlich mal *outen*. Hat er ihnen auch was von seiner Mama vorgeheult? Und haben Sie seine *Freundin* gesehen? Wenn die keinen Bart hat, dann weiß ich's auch nicht.«

Nachdem er seine nervöse Tirade ohne Punkt und Komma heruntergerattert hatte, hielt Somé inne und holte eine Schachtel Mentholzigaretten aus einer gut verborgenen Schublade in seinem Schreibtisch. Strike war nicht entgangen, dass seine Nägel bis aufs Fleisch abgekaut waren.

»Ihre Familie ist schuld daran, dass sie so abgefuckt war. ›Süße, vergiss die ganze Sippschaft‹, hab ich immer gesagt, aber sie wollte nicht auf mich hören. So war Cuckoo eben, konnte einfach nicht loslassen.«

Er offerierte Strike eine seiner blütenweißen Zigaretten. Nachdem der Detektiv abgelehnt hatte, zündete sich Somé mit einem gravierten Zippo selbst eine an und ließ den Deckel des Feuerzeugs mit einem Klicken wieder zuschnappen.

»Ich wünschte mir, *ich* hätte daran gedacht, einen Privatdetektiv zu engagieren. Wurde auch höchste Zeit! Auf die Idee bin ich leider gar nicht gekommen. Dass sie Selbstmord begangen haben soll, kann ich nicht glauben. Realitätsverleugnung, sagt mein Therapeut. Ich gehe zweimal die Woche in diese beschissene Therapie – völlig für den Arsch. Ich würd mir ja gern wie Lady Bristow Valium einwerfen, aber auf Valium bin ich nicht kreativ. In der Woche nach Cuckoos Tod hab ich's versucht, und ich bin wie ein Zombie durch die Gegend gestolpert. Aber anders hätte ich die Trauerfeier nicht überstanden.«

Ein Klimpern und Rasseln auf der Treppe kündigte Trudies Ankunft an. Sie stieg nach und nach aus dem Fußboden empor, kam zu ihnen herüber und stellte ein schwarz lackiertes Tablett auf den Tisch. Die beiden mit Silberfiligran besetzten russischen Teegläser waren mit einem blassgrünen Gebräu gefüllt, in dem welke Blätter trieben. Die hauchdünnen Kekse auf dem Teller daneben erinnerten an Holzkohle. Wehmütig dachte Strike an die Fleischpastete und den ziegelroten Tee aus dem Phoenix zurück.

»Danke, Trudie. Bring mir noch einen Aschenbecher, Schätzchen!«

Sie zögerte und überlegte anscheinend, ob sie Widerspruch einlegen sollte.

»Nun mach schon«, knurrte Somé. »Wer ist hier der gottverdammte Boss? Ich kann die Bude abfackeln, wenn ich will. Nimm von mir aus die verdammten Batterien aus den Rauchmeldern. Aber hol mir erst den Aschenbecher! Letzte Woche ging der Feueralarm los und hat die Sprinkleranlage im Erdgeschoss aktiviert«, erklärte Somé, an Strike gewandt. »Deshalb haben meine Vermieter hier ein Rauchverbot verhängt. Aber das können sie sich gleich in ihre engen kleinen Arschlöcher schieben.«

Er inhalierte tief und blies Rauch durch die Nasenlöcher.

»Haben Sie gar keine Fragen? Oder sitzen Sie hier einfach nur rum und gucken böse, bis jemand mit einem Geständnis rausrückt?«

»Ich kann Ihnen gerne ein paar Fragen stellen«, sagte Strike und zückte Notizbuch und Stift. »Als Lula starb, waren Sie im Ausland, richtig?«

»Ich war ein paar Stunden zuvor zurückgekommen.« Somés Finger, die die Zigarette hielten, zuckten leicht. »Direkt aus Tokio. Ich hatte eine Woche lang so gut wie nicht geschlafen. So gegen halb elf bin ich in Heathrow gelandet – mit dem fiesesten Jetlag aller Zeiten. Im Flugzeug schlafen geht gar nicht! Wenn es abstürzt, will ich das schließlich mitbekommen.«

»Wie sind Sie vom Flughafen nach Hause gekommen?«

»Mit dem Taxi. Elsa hatte den beschissenen Fahrservice nicht angerufen. Eigentlich hätte dort ein Wagen auf mich warten sollen.«

»Wer ist Elsa?«

»Die Schlampe, die ich gefeuert hab, weil sie den beschissenen Fahrservice nicht angerufen hat. Mitten in der Nacht nach einem Taxi zu suchen war so ungefähr das Letzte, was ich an diesem Scheißabend wollte.«

»Wohnen Sie allein?«

»Nein. Um Mitternacht lag ich mit Viktor und Rolf in meinem Bettchen. Meine Kater«, fügte er mit einem Grinsen hinzu. »Ich hab eine Tablette genommen, ein paar Stunden geschlafen und bin um fünf Uhr morgens aufgewacht. Hab den Fernseher angeschaltet und Nachrichten geguckt, und da tauchte auf einmal ein Mann in einer fürchterlichen Schaffellmütze auf. Er stand im Schnee auf Cuckoos Straße und hat behauptet, sie sei tot. Und das Gleiche stand auch in der Tickerzeile am unteren Bildrand.«

Somé zog gierig an seiner Zigarette. Als er weiterredete, quoll weißer Rauch aus seinen Mundwinkeln.

»Mein Gott, ich wär beinahe gestorben! Ich dachte, vielleicht würd ich ja noch schlafen oder wäre in irgendeiner falschen Dimension oder so aufgewacht … Ich hab alle angerufen … Ciara, Bryony … Überall war besetzt. Und die ganze

Zeit über liefen die Nachrichten, und ich hab gebetet, dass es sich als Falschmeldung rausstellt, dass es jemand anders erwischt hat. Ich hab gehofft, es wäre diese Pennerin gewesen. Rochelle.«

Er verstummte, als wartete er auf einen wie auch immer gearteten Kommentar von Strike. Letzterer hatte sich eifrig Notizen gemacht.

»Sie kennen Rochelle?«, fragte er, ohne den Stift abzusetzen.

»Ja. Cuckoo hat sie mal mit hierhergeschleift. Hat eingesackt, was sie nur kriegen konnte.«

»Wieso sagen Sie das?«

»Sie hat Cuckoo gehasst. Sie war supereifersüchtig, das habe ich sofort gemerkt. Cuckoo leider nicht. Hauptsache, sie konnte was abgreifen. Es hat sie einen Scheiß interessiert, ob Cuckoo lebte oder starb. Ihr Glück, würde ich sagen ... Je länger ich also Nachrichten guckte, umso größer wurde die Gewissheit, dass es keine Falschmeldung war. Da bin ich verdammt noch mal zusammengebrochen.« Er zog an dem schneeweißen Stäbchen in seinen zitternden Fingern. »Es hieß, dass die Nachbarin einen Streit gehört hätte. Da dachte ich natürlich gleich an Duffield; dass er sie aus dem Fenster geschubst hätte. Ich hätte den Bullen ja zu gern erzählt, was für ein Arschloch er ist. Ich hätte mich in den Gerichtssaal gestellt und mich lang und breit über den miesen Charakter dieses Wichsers ausgelassen. Und wenn mir jetzt die Asche von der Zigarette fällt«, fuhr er in unverändertem Tonfall fort, »werd ich die kleine Schlampe *rausschmeißen*!«

Wie aufs Stichwort ertönten Trudies eilige, schnell lauter werdende Schritte auf der Treppe. Schließlich erschien sie wieder – keuchend und mit einem schweren Glasaschenbecher in der Hand.

»*Danke* sehr«, sagte Somé in spitzem Ton, als sie ihn vor ihm abstellte und zurück nach unten tippelte.

»Warum haben Sie Duffield verdächtigt?«, fragte Strike, sobald er sich sicher sein konnte, dass Trudie wieder außer Hörweite war.

»Wen sonst hätte Cuckoo um zwei Uhr morgens in ihre Wohnung gelassen?«

»Wie gut kennen Sie ihn?«

»Gut genug, um zu wissen, was für ein Schlappschwanz er ist.« Somé hob das Glas mit dem Pfefferminztee. »Warum fallen die Weiber immer auf solche Typen rein? Selbst Cuckoo … und sie war nicht blöd, im Gegenteil – sie war verdammt schlau … Also, was fand sie an Evan Duffield so toll? Ich werd's Ihnen verraten«, sagte er, ohne eine Antwort abzuwarten. »Diese ganze Tragische-Poeten-Kacke, diesen Weltschmerz-Bullshit, diesen ganzen Mist von wegen: Als verkanntes Genie muss ich mich nicht waschen. Putz dir die Zähne, du kleiner Scheißer! Du bist kein gottverdammter Byron!«

Er knallte das Glas auf den Tisch und legte den rechten Ellenbogen in die linke Hand, um seinen Unterarm so weit ruhig zu halten, dass er an der Zigarette ziehen konnte.

»Kein Mann würde mit so einem wie Duffield was zu tun haben wollen. Nur Frauen mit verquerem Mutterinstinkt, wenn Sie mich fragen.«

»Glauben Sie, dass er zu einem Mord fähig ist?«

»Aber sicher«, sagte Somé herablassend. »Natürlich ist er dazu fähig. Das sind wir doch alle irgendwie, weshalb also sollte Duffield da eine Ausnahme sein? Er ist wie ein verzogener Zwölfjähriger. Ich sehe genau vor mir, wie er einen Tobsuchtsanfall kriegt, sie anschreit und dann einfach …«

Somé machte mit der freien Hand eine heftige Schubsbewegung.

»Ich war einmal dabei, als er sie angebrüllt hat. Das war letztes Jahr auf meiner After-Show-Party. Ich bin dazwischengegangen und hab ihm gesagt, er soll sich lieber mit mir anlegen. Ich bin ja nur eine kleine Schwuchtel« – Entschlossenheit zeichnete sich auf seinem geröteten Gesicht ab –, »aber mit diesem dauerbreiten Penner nehm ich's jederzeit auf! Auf der Trauerfeier hat er sich ebenfalls unmöglich aufgeführt …«

»Wirklich?«

»Oh ja! Ist durch die Gegend getorkelt, hatte absolut keinen Durchblick mehr. So was von respektlos! Wäre ich nicht selbst voll auf Valium gewesen, hätte ich ihm ordentlich die Meinung gegeigt. Hat so getan, als wär er am Boden zerstört, der scheinheilige kleine Scheißer.«

»Also glauben Sie nicht an Selbstmord?«

Der Blick aus Somés unnatürlich großen Augen bohrte sich in Strike.

»Niemals! Duffield behauptet zwar, dass er als Wolf verkleidet bei seinem Dealer war. Aber was soll das denn für ein Scheißalibi sein? Ich hoffe, Sie prüfen das nach. Ich hoffe, dass Sie nicht wie die Polizei den Schwanz einziehen, nur weil er berühmt ist.«

Strike rief sich Wardles Kommentare über Duffield in Erinnerung.

»Ich glaube nicht, dass die Polizei Duffield so umwerfend fand.«

»Dann haben die Bullen einen besseren Geschmack, als ich ihnen zugetraut hätte«, sagte Somé.

»Wieso sind Sie sich so sicher, dass es kein Selbstmord war? Lula hatte psychische Probleme, oder nicht?«

»Stimmt. Aber wir hatten einen Pakt geschlossen. Wie Marilyn Monroe und Montgomery Clift. Wir hatten uns geschworen, dass einer dem anderen Bescheid gibt, wenn er ernsthaft an Selbstmord denkt. Sie hätte sich auf jeden Fall bei mir gemeldet.«

»Wann haben Sie zum letzten Mal von ihr gehört?«

»Sie hat mich am Mittwoch angerufen. Da war ich noch in Tokio«, sagte Somé. »Das kleine Dummerchen hatte mal wieder die Zeitverschiebung vergessen. Bei mir war es zwei Uhr nachts. Ich hatte das Telefon lautlos gestellt und nicht abgenommen. Sie hat mir eine Nachricht hinterlassen, und die klang alles andere als suizidal. Hören Sie sich das an!«

Er griff wieder in die Schublade, drückte mehrere Tasten auf einem Handy und hielt es Strike hin.

Völlig real und aus nächster Nähe drang Lula Landrys raue, ein wenig heisere Stimme an Strikes Ohr. Sie sprach mit einem übertriebenen, aufgesetzten Cockney-Einschlag: »Alles klar, Schätzchen? Ich muss dir was erzählen! Ich weiß nicht, ob du's hören willst, aber es ist echt der Knaller. Ich bin so scheißglücklich, ich muss das jetzt sofort jemandem erzählen, sonst flipp ich aus, also ruf mich so schnell wie möglich an, okay? Bussi, Bussi!«

Strike gab Somé das Handy zurück.

»Haben Sie sie zurückgerufen? Hat sie Ihnen erzählt, was das für ein Knaller war?«

»Nein.« Somé drückte seine Zigarette aus und griff sofort zur nächsten. »Bei den Japsen hatte ich ein Meeting nach dem anderen. Jedes Mal, wenn ich sie anrufen wollte, kam mir die verdammte Zeitverschiebung dazwischen. Wie dem auch sei … Offen gestanden konnte ich mir schon denken, was sie mir erzählen wollte, und das hätte mir tatsächlich überhaupt nicht gefallen. Ich vermutete, dass sie schwanger war.«

Mit der Zigarette zwischen den Zähnen nickte Somé mehrmals wissend; dann nahm er sie wieder in die Hand.

»Ja, ich dachte wirklich, sie hätte sich schwängern lassen.«

»Von Duffield?«

»Um Gottes willen, das hätte gerade noch gefehlt! Zu der Zeit wusste ich nicht, dass sie wieder zusammen waren. Sie hätte es niemals gewagt, noch mal mit ihm anzubandeln, wenn ich im Lande gewesen wäre. Nein, sie hat gewartet, bis ich in Japan war, das hinterhältige kleine Luder. Sie wusste, dass ich ihn nicht leiden konnte, und sie hat immer großen Wert auf meine Meinung gelegt. Wir waren wie eine Familie, Cuckoo und ich.«

»Wie kamen Sie darauf, dass sie schwanger gewesen sein könnte?«

»Das hört man doch an ihrer Stimme! Finden Sie nicht auch? Sie klang dermaßen aufgeregt ... da hatte ich gleich so eine Ahnung. So was war Cuckoo glatt zuzutrauen, und dann hätte sie von mir erwartet, dass ich mich darüber freue. Scheiß auf ihre Karriere, scheiß auf mich, dabei wollte ich gerade mit ihr meine neue Accessoires-Kampagne starten ...«

»War das der Fünf-Millionen-Vertrag? Lulas Bruder hat mir davon erzählt.«

»Ja, und ich wette, dass ihr der kleine Buchhalter geflüstert hat, dass sie noch mehr aus mir hätte rausquetschen können.« Somé geriet erneut in Rage. »Aber so war Cuckoo nicht. Sie hätte nie versucht, mich auszunehmen! Sie wusste genau, wie großartig die Sachen waren. Die Kampagne hätte sie auf ein ganz neues Level gebracht. Da geht's doch nicht ums Geld! Es hat sie sowieso jeder sofort mit meiner Mode in Verbindung gebracht. Sie hatte ihren Durchbruch mit der *Vogue*-Ausgabe, in der sie mein Jagged-Kleid trug. Cuckoo liebte meine Sachen. Sie liebte *mich*. Aber ab einem bestimmten Punkt sagen dir alle, dass du mehr wert bist, und dann vergisst du, wer dich überhaupt so groß gemacht hat, und irgendwann geht's nur noch um die Kohle.«

»Nun, Sie jedenfalls waren der Ansicht, dass sie die fünf Millionen wert war.«

»Na ja, immerhin hab ich ihr die Kollektion auf den Leib designt. Die Kampagne um eine gottverdammte Schwangerschaft herumzustricken wäre kein Spaß geworden. Ich konnte mir schon vorstellen, wie Cuckoo völlig durchdreht, wie sie alles hinschmeißt und sich nur noch um das beschissene Baby kümmern will. So war sie eben: immer auf der Suche nach Liebe, nach einer Ersatzfamilie. Die Bristows haben sie in dieser Hinsicht echt kaputtgemacht. Sie hatten sie nur als Spielzeug für Yvette adoptiert. Und die ist ja wohl das größte Miststück, das man sich nur vorstellen kann.«

»Inwiefern?«

»Besitzergreifend. Morbide. Wollte Cuckoo nicht aus den Augen lassen, damit sie nicht plötzlich starb wie dieses andere Kind, für das sie sie als Ersatz gekauft hatten. Lady Bristow war bei jeder Show, stand ständig überall im Weg rum, bis sie zu krank dafür wurde. Und dann war da noch dieser Onkel, der Cuckoo wie den letzten Dreck behandelt hat. Erst als sie richtig Kohle gemacht hat, da hatte er auf einmal Respekt vor ihr. Der ganze Bristow-Clan ist doch einfach nur geldgeil.«

»Obwohl die Familie doch eigentlich recht wohlhabend ist, oder nicht?«

»Alec Bristow hat ihnen gar nicht *so* viel hinterlassen – relativ gesehen. Kein Vermögen jedenfalls. Nicht in der Größenordnung von *Ihrem* alten Herrn zum Beispiel. Wie kommt's überhaupt«, wechselte Somé abrupt das Thema, »dass Jonny Rokebys Sohn als Privatschnüffler unterwegs ist?«

»Weil das sein Job ist«, sagte Strike. »Aber zurück zu den Bristows.«

Somé schien es nichts auszumachen, herumkommandiert zu werden. Wahrscheinlich gefiel ihm diese ungewohnte Erfahrung sogar.

»Cuckoo hat mir erzählt, dass der Großteil von Alec Bristows Erbe aus Aktien seiner alten Firma bestand. In der Wirtschaftskrise ging Albris dann den Bach runter. Scheiße, der Laden ist ja auch nicht gerade Apple. Cuckoo war noch keine zwanzig, da hatte sie schon mehr Geld als die restliche Sippschaft zusammengenommen.«

»War das da«, sagte Strike und deutete auf das überlebensgroße »Fallen Angels«-Bild hinter sich, »Teil der Fünf-Millionen-Kampagne?«

»Ja«, sagte Somé. »Die vier Handtaschen waren der Anfang. Hier trägt sie Cashile; ich habe allen Modellen afrikanische Namen gegeben, um ihr eine Freude zu machen. Sie war besessen von Afrika. Ihre leibliche Mutter, diese Hure, die sie weiß Gott wo aufgestöbert hat, behauptete, dass ihr Vater Afrikaner gewesen sei. Und Cuckoo stieg voll drauf ein. Sie wollte dort studieren oder sich ehrenamtlich engagieren oder so ... Ihr war es scheißegal, dass die alte Nutte wahrscheinlich fünfzig schwarze Stecher gehabt hatte. Afrika, meine Fresse«, sagte Guy Somé und drückte seine Zigarette in dem Glasaschenbecher aus. »Die Schlampe hat Cuckoo doch nur erzählt, was sie hören wollte.«

»Trotzdem haben Sie dieses Foto für die Kampagne benutzt, obwohl Lula gerade ...«

»Das war als Nachruf gedacht«, unterbrach ihn Somé aufgebracht. »Sie war nie schöner als auf diesem Bild. Es sollte eine Hommage an sie sein, an *uns*. Sie war meine Muse. Wenn diese Arschlöcher das nicht kapieren, dann scheiß auf sie, basta! Die Presse in diesem Land ist der letzte Abschaum. Wer im Glashaus sitzt, sag ich immer ...«

»Am Tag vor ihrem Tod erhielt Lula mehrere Handtaschen …«

»Ja, die waren von mir. Ich habe ihr von jedem Modell eine schicken lassen«, sagte Somé und deutete mit der Spitze seiner nächsten Zigarette auf das Bild. »Mit demselben Kurier habe ich auch Deeby Macc ein paar Sachen bringen lassen.«

»Hatte er die bestellt, oder …«

»Ging aufs Haus, Süßer«, sagte Somé gedehnt. »Vitamin B und so weiter. Ein paar maßgeschneiderte Kapuzenpullis und Accessoires. Hat noch nie geschadet, den Promis in den Arsch zu kriechen.«

»Hat er die Sachen auch getragen?«

»Keine Ahnung«, sagte Somé in verhaltenerem Tonfall. »Am nächsten Tag hatte ich ganz andere Sorgen.«

»Ich habe einen YouTube-Clip gesehen, in dem er einen nietenbestickten Kapuzenpulli trägt, so ähnlich wie Ihrer«, sagte Strike und deutete auf Somés Brust. »In Form einer Faust.«

»Ja, der ist von mir. Also hat er das Zeug doch noch bekommen. Auf einem Pulli war eine Faust, auf dem anderen eine Pistole. Und seine Songtexte auf dem Rücken.«

»Hat Lula Ihnen erzählt, dass Deeby Macc in die Wohnung unter ihr einziehen wollte?«

»Natürlich. Aber das fand sie gar nicht *so* aufregend. ›Baby‹, hab ich gesagt, ›hätte für mich jemand drei Songs geschrieben, würd ich nackt hinter der Wohnungstür auf ihn warten.‹« Somé blies den Rauch langsam durch die Nase aus und sah Strike schief an. »Groß und grob – ein Kerl ganz nach meinem Geschmack«, sagte er. »Cuckoo hat da ganz anders getickt. Na ja, Sie müssen sich ja nur mal ansehen, mit wem sie zusammen war. ›Du machst doch so einen Wirbel um deine verdammten Wurzeln‹, hab ich gesagt. ›Also such dir einen schönen schwarzen Hengst und werd glücklich mit ihm.‹ Deeby hätte perfekt gepasst. Scheiße, wieso auch nicht?

Bei der Show letztes Jahr hab ich sie zu Deebys ›Butterface Girl‹ über den Catwalk laufen lassen. ›Bitch you ain't all that, get a mirror that don' fool ya, give it up an' tone it down, girl, 'cause you ain't no fuckin' Lula.‹ Duffield hat diesen Song gehasst.«

Somé rauchte einen Moment schweigend und betrachtete die Fotos an der Wand.

»Wo wohnen Sie? Hier in der Gegend?«, fragte Strike, obwohl er die Antwort bereits kannte.

»Nein, in der Charles Street in Kensington«, sagte Somé. »Bin letztes Jahr dorthin umgezogen. Ist eine ganz andere Welt als Hackney, das kann ich Ihnen sagen. Ich musste da einfach raus, das hat nicht mehr gepasst. Sonst wär ich ausgeflippt. Zu viel Stress. Ich bin in Hackney aufgewachsen«, erklärte er. »Da war ich noch der gute alte Kevin Owusu. Nachdem ich ausgezogen war, hab ich meinen Namen geändert. Genau wie Sie.«

»Ich hieß niemals Rokeby«, sagte Strike und schlug eine neue Seite in seinem Notizbuch auf. »Meine Eltern waren nicht verheiratet.«

»Das wissen wir doch alle, Süßer«, sagte Somé mit einem weiteren Anflug von Gehässigkeit. »Ich hab Ihren Alten letztes Jahr für eine *Rolling-Stone*-Fotostrecke eingekleidet: hautenger Anzug und ausgefranste Melone auf dem Kopf. Sehen Sie ihn öfter?«

»Nein«, sagte Strike.

»Nein? Na ja, ich könnte mir vorstellen, dass er sich in Ihrer Gegenwart scheißalt vorkommt«, sagte Somé kichernd. Er rutschte auf seinem Sessel herum, zündete sich eine weitere

Zigarette an, klemmte sie sich zwischen die Lippen und beobachtete Strike mit zusammengekniffenen Augen durch die Mentholrauchwolken.

»Warum reden wir eigentlich ständig über mich? Kriegen Sie immer eine Lebensgeschichte serviert, wenn Sie Ihr Notizbuch zücken?«

»Manchmal schon.«

»Wollen Sie Ihren Tee nicht? Da kann ich Ihnen keinen Vorwurf machen. Ich weiß auch nicht, wieso ich diese Pisse trinke. Mein alter Herr würde einen Herzinfarkt kriegen, wenn man ihm so was als Tee vorsetzen würde.«

»Wohnt Ihre Familie noch in Hackney?«

»Woher soll ich das wissen?«, sagte Somé. »Wir haben keinen Kontakt mehr. Da bin ich konsequent, verstehen Sie?«

»Weshalb hat Lula Ihrer Meinung nach ihren Namen geändert?«

»Weil sie ihre Scheißfamilie gehasst hat, genau wie ich. Sie wollte nichts mehr mit ihr zu tun haben.«

»Warum hat sie dann den Namen von Onkel Tony angenommen?«

»Weil der kein Promi ist. Außerdem war es ein guter Name. Deeby hätte wohl kaum ›Double L‹ schreiben können, wenn sie Lula Bristow geheißen hätte, oder?«

»Die Charles Street liegt nicht allzu weit von den Kentigern Gardens entfernt, stimmt's?«

»Zu Fuß ungefähr zwanzig Minuten. Ich habe Cuckoo angeboten, bei mir einzuziehen, als sie es in ihrer alten Wohnung nicht mehr ausgehalten hat, aber sie wollte nicht. Stattdessen hat sie sich für diesen Fünfsterneknast entschieden. Nur um ihre Ruhe vor der Presse zu haben. Die Medien haben sie in diesen Bunker getrieben. Diese beschissene Meute ist an allem schuld.«

Strike erinnerte sich an Deeby Maccs Worte: *Die Motherfucker von der Presse haben sie aus dem Fenster getrieben.*

»Sie hat mich mal zu sich eingeladen. Mayfair, wo die reichen Russen und Araber und Arschlöcher wie Freddie Bestigui wohnen! ›Süße‹, hab ich gesagt, ›hier kannst du nicht bleiben‹; überall Marmor, dabei wirkt Marmor hierzulande ganz fürchterlich ... als würde man in seinem eigenen Grab sitzen ...« Er verstummte kurz, bevor er weitersprach. »Die Monate davor waren der reinste Horrortrip für sie. Ein Stalker hat ihr um drei Uhr morgens eigenhändig Briefe zugestellt. Sie ist vom Klappern des Briefschlitzes aufgewacht. Er hat ihr geschrieben, was er alles mit ihr anstellen will. Sie hatte Todesangst. Dann hat sie sich von Duffield getrennt, und plötzlich standen die Paparazzi rund um die Uhr vor ihrem Haus. Sie hat rausgefunden, dass ihr Handy abgehört wurde. Und dann musste sie sich auch noch auf die Suche nach dieser Nutte von Mutter machen. Das wurde ihr alles zu viel. Sie wollte einfach nur raus, sich sicher fühlen. Ich flehte sie an, bei mir einzuziehen, aber stattdessen hat sie sich dieses beschissene Mausoleum gekauft. Nur deshalb, weil rund um die Uhr ein Sicherheitstyp am Empfang saß. Sie dachte, da wäre sie sicher, weil ihr dort niemand zu nahe kommen würde. Trotzdem fand sie es grässlich. Von Anfang an. Kein Wunder! Sie war von allem abgeschirmt, was sie gernhatte. Cuckoo mochte Farben, den Lärm der Stadt. Sie war gerne auf der Straße, ging gerne spazieren. Sie liebte ihre Freiheit.

Die offenen Fenster waren ein Grund, weshalb die Polizei einen Mord ausgeschlossen hat. Sie hat sie selbst geöffnet; auf den Griffen waren nur ihre Fingerabdrücke. Aber ich weiß, wieso sie sie aufgemacht hat. Das war ihre Angewohnheit, selbst wenn es arschkalt war. Sie hielt die Stille einfach nicht aus. Sie musste London hören.«

Somé hatte alle Scharfzüngigkeit und jeglichen Sarkasmus verloren. Er räusperte sich.

»Sie wollte in die wirkliche Welt zurück. Darüber haben wir immer wieder gesprochen. Das war unser großes Thema. Und der Grund, weshalb sie sich mit dieser entsetzlichen Rochelle abgegeben hat. Weil die einfach nicht so viel Glück hatte wie sie. Cuckoo dachte immer, dass sie ohne ihre Schönheit genauso hätte enden können; oder wenn die Bristows sie nicht als Spielzeug für Yvette adoptiert hätten.«

»Was wissen Sie über diesen Stalker?«

»Völlig plemplem! Er dachte, er wäre mit ihr verheiratet oder so. Er bekam eine einstweilige Verfügung und wurde in die Klapse eingewiesen.«

»Wissen Sie, wo er jetzt gerade steckt?«

»Ich glaube, sie haben ihn nach Liverpool zurückgebracht«, sagte Somé. »Die Polizei hat ihn natürlich überprüft; meines Wissens saß er in der Nacht, in der sie starb, dort in der Geschlossenen.«

»Kennen Sie die Bestiguis?«

»Nur aus Lulas Erzählungen. Er ist ein Lustmolch, sie eine wandelnde Wachspuppe. Ich will sie gar nicht kennenlernen. Ich kenne weiß Gott genug von ihrer Sorte; reiche Schlampen, die die Kohle ihrer hässlichen Ehemänner zum Fenster rauswerfen. Solche Leute kommen zu meinen Shows, wollen meine Freunde sein. Da ist mir eine ehrliche Nutte lieber.«

»Freddy Bestigui hat mit Lula sieben Tage vor ihrem Tod ein Wochenende im Landhaus von Dickie Carbury verbracht.«

»Ja, hab ich gehört. Er war scharf auf sie«, sagte Somé verächtlich. »Und das wusste sie auch. War ja nicht unbedingt eine neue Erfahrung für sie. Er ist vielleicht mal mit ihr im selben Aufzug gefahren, mehr ist da nicht gelaufen, hat sie mir erzählt.«

»Sie haben nach diesem Wochenende nicht mehr mit ihr gesprochen, oder?«

»Nein. Hat er da was versucht? Sie haben doch nicht etwa Bestigui im Verdacht, oder?«

Somé setzte sich gerade hin und starrte Strike erstaunt an.

»Scheiße … Freddie Bestigui? Klar, er ist ein Arschloch, das weiß ich. Ich kannte mal jemanden … die Bekannte einer Bekannten … Sie arbeitete für seine Produktionsfirma, und er hat versucht, sie zu vergewaltigen. Wirklich, das ist jetzt nicht übertrieben«, sagte Somé. »Tatsache. Vergewaltigung. Hat nach der Arbeit was mit ihr getrunken und ihr anschließend die Kleider vom Leib gerissen; ein Assistent hatte sein Handy oder irgendwas vergessen, wollte es holen und hat ihn in flagranti ertappt. Bestigui hat sie beide ausbezahlt. Obwohl ihr jeder geraten hat, ihn anzuzeigen, hat sie das Geld genommen und das Maul gehalten. Außerdem heißt es, dass er seiner zweiten Frau auf extrem unanständige Weise Manieren beigebracht haben soll. Deshalb hat sie bei der Scheidung drei Millionen kassiert; sie hat ihm gedroht, an die Öffentlichkeit zu gehen. Cuckoo hätte Freddie Bestigui niemals um zwei Uhr morgens in ihre Wohnung gelassen. Wie gesagt, sie war nicht dumm.«

»Was wissen Sie über Derrick Wilson?«

»Über wen?«

»Den Mann vom Sicherheitsdienst, der in ihrer Todesnacht Dienst hatte.«

»Nichts.«

»Groß, jamaikanischer Akzent?«

»Es mag Sie vielleicht schockieren zu erfahren, dass sich nicht alle Schwarzen in London untereinander kennen.«

»Ich habe mich nur gefragt, ob Sie mit ihm gesprochen haben oder ob Lula ihn gelegentlich erwähnt hat.«

»Nein, wir hatten interessantere Themen als den Mann vom Sicherheitsdienst.«

»Gilt das auch für Kieran Kolovas-Jones, ihren Fahrer?«

»Oh, Kolovas-Jones kenne ich«, sagte Somé mit einem süffisanten Grinsen. »Hat immer so hübsch posiert, wenn er dachte, ich würde aus dem Fenster sehen. Leider ist er für ein Model ungefähr anderthalb Meter zu klein.«

»Hat Lula jemals über ihn gesprochen?«

»Nein, wieso auch?«, fragte Somé ungeduldig. »Er war ihr Fahrer, mehr nicht.«

»Er hat mir gesagt, dass sie miteinander befreundet gewesen seien. Er hat behauptet, dass sie ihm eine von Ihnen entworfene Jacke geschenkt habe. Im Wert von neunhundert Pfund.«

»Ach du meine Güte«, sagte Somé mit unverhohlener Verachtung. »Bei meinen richtigen Klamotten gehen die Jacken bei drei Riesen überhaupt erst los! Ich pappe mein Logo aber auch auf Jogginganzüge. Wieso auch nicht? Die gehen weg wie warme Semmeln.«

»Das wollte ich Sie als Nächstes fragen«, sagte Strike. »Sie sprechen von Ihrer … *Streetwear*, nicht wahr?«

Somé wirkte amüsiert.

»Richtig. Keine Maßanfertigung, soll das heißen. Das Zeug kauft man von der Stange.«

»Verstehe. Und wo?«

»Überall. Wann waren Sie denn zuletzt shoppen?«, fragte Somé. Seine tückischen Glubschaugen wanderten über Strikes dunkelblaues Jackett. »Was soll das da überhaupt darstellen? Haben Sie das damals im Austausch gegen Ihre Uniform bekommen?«

»Mit *überall* meinen Sie …«

»Exklusive Kaufhäuser, Boutiquen, online«, ratterte Somé herunter. »Warum?«

»Einer von zwei Männern, die von einer Überwachungskamera dabei gefilmt wurden, wie sie in jener Nacht durch Lulas Viertel rannten, trug eine Jacke mit Ihrem Logo darauf.«

Somé zuckte aus Ärger und Abscheu leicht mit dem Kopf.

»Genau wie eine Million anderer Leute.«

»Haben Sie das nicht …«

»Ich hab mir den Scheiß nicht angesehen«, sagte Somé aufgebracht. »Dieses ganze … die ganzen Berichte. Ich wollte nichts darüber lesen und nicht darüber nachdenken. Ich hab angeordnet, das Zeug von mir fernzuhalten«, sagte er und deutete auf die Treppe in Richtung seiner Lakaien. »Sie war tot, und Duffield benahm sich wie jemand, der etwas zu verbergen hatte. Mehr wollte ich nicht wissen. Das reichte mir völlig.«

»In Ordnung. Bleiben wir doch bei Ihrer Mode. Auf der letzten Aufnahme von Lula, auf der zu sehen ist, wie sie gerade das Gebäude betritt, trägt sie ein Kleid und einen Mantel …«

»Ja, Maribelle und Faye«, sagte Somé. »Die Modellbezeichnung für das Kleid ist Maribelle, und …«

»Ja, schon kapiert«, sagte Strike. »Aber als sie starb, hatte sie etwas anderes an.«

Somé machte einen überraschten Eindruck.

»Wirklich?«

»Ja. Auf den Polizeifotos der Leiche …«

Somé warf in einer unwillkürlichen Geste der Abwehr und des Widerwillens den Arm hoch, stand schwer atmend auf und ging zu der Wand hinüber, auf der ihm mehrere Lulas – lächelnd, wehmütig oder gelassen – von den Fotos entgegenstarrten. Als der Designer sich Strike wieder zuwandte, glänzten seine vorstehenden Augen feucht.

»Gottverdammt noch mal«, sagte er mit leiser Stimme. »Reden Sie nicht so über sie! *Die Leiche*. Fuck! Sie sind aber auch ein gefühlloses Arschloch, oder? Kein Wunder, dass der alte Jonny Sie nicht leiden kann.«

»Ich wollte Sie nicht beleidigen«, sagte Strike ruhig. »Ich will nur wissen, ob Ihnen ein Grund einfällt, weshalb sie sich umgezogen haben sollte, nachdem sie nach Hause kam. Bei ihrem Sturz trug sie eine Hose und ein Paillettentop.«

»Woher zum Teufel soll ich wissen, wieso sie sich umgezogen hat?«, fragte Somé außer sich. »Vielleicht war ihr kalt. Vielleicht war sie … Scheiße, das ist doch lächerlich! Woher soll ich das wissen?«

»War nur eine Frage«, sagte Strike. »Ich habe irgendwo gelesen, Sie hätten der Presse erzählt, dass sie in einem Ihrer Kleider gestorben wäre.«

»Das habe ich nie gesagt! Irgendeine Schlampe von so einem Klatschblatt hat hier im Büro angerufen und nach dem Namen des Kleids gefragt. Eine meiner Schneiderinnen hat ihn ihr verraten. Und die war dann plötzlich meine Pressesprecherin. Die haben das Ganze so hingedreht, als wollte ich Kapital daraus schlagen. Diese Arschlöcher! Verdammte Scheiße!«

»Glauben Sie, dass Sie ein Gespräch mit Ciara Porter und Bryony Radford für mich arrangieren könnten?«

Somé wirkte überrumpelt und verwirrt.

»Was? Ja …«

Jetzt weinte er tatsächlich. Im Gegensatz zu Bristow jedoch ohne lautes Glucksen und Schluchzen. Geräuschlos rannen seine Tränen die glatten dunklen Wangen hinab und tropften auf das T-Shirt. Er schluckte, schloss die Augen und lehnte zitternd den Kopf an die Wand.

Schweigend wartete Strike, bis er sich das Gesicht abgewischt hatte und ihm dann wieder seine Aufmerksamkeit schenkte. Ohne weiter auf seinen Gefühlsausbruch einzugehen, kehrte Somé zu seinem Sessel zurück, setzte sich und steckte sich eine weitere Zigarette an.

»Wenn sie sich umgezogen hat«, sagte er nach zwei, drei tiefen Zügen mit nüchterner, emotionsloser Stimme, »dann wahrscheinlich, weil sie noch Besuch erwartete. Cuckoo kleidete sich immer dem Anlass entsprechend. Sie hatte sich also mit jemandem verabredet.«

»Eben das habe ich vermutet«, sagte Strike. »Aber ich bin weder ein Experte für Frauen noch für ihre Kleidung.«

»Nein«, sagte Somé, und sein gemeines Grinsen blitzte wieder auf. »So sehen Sie auch nicht aus. Sie wollen mit Ciara und Bryony reden?«

»Das wäre bestimmt sehr hilfreich.«

»Am Mittwoch habe ich ein Shooting mit den beiden. In Islington, Arlington Terrace eins. Wenn Sie so gegen fünf kommen, haben die beiden bestimmt Zeit für Sie.«

»Das ist sehr nett von Ihnen. Vielen Dank.«

»Das tue ich nicht aus Nettigkeit«, sagte Somé leise. »Ich will wissen, was passiert ist. Wann sprechen Sie mit Duffield?«

»Sobald ich ihn erwische.«

»Er glaubt, dass er damit davongekommen ist, der kleine Scheißer. Sie hatte sich umgezogen, weil er noch vorbeikommen wollte. Es kann gar nicht anders sein, oder? Obwohl sie sich gestritten hatten, wusste sie, dass er ihr nach Hause folgen würde. Er wird niemals mit Ihnen reden.«

»Er wird mit mir reden«, sagte Strike selbstsicher, steckte sein Notizbuch weg und sah auf die Uhr. »Ich habe Ihre Zeit lange genug beansprucht. Vielen Dank noch mal.«

Während Somé Strike die Wendeltreppe hinab- und durch

den weißen Flur führte, fiel er allmählich wieder in seine schwingende Gangart zurück. Als sie sich in dem kühlen Eingangsbereich die Hand gaben, war die gerade eben noch zur Schau gestellte Emotionalität wie weggeblasen.

»Sie sollten ein paar Kilo abnehmen«, gestattete sich Somé eine letzte spitze Bemerkung. »Dann schicke ich Ihnen ein paar Sachen in XXL.«

Sobald sich die Lagerhaustür hinter Strike geschlossen hatte, hörte er, wie Somé der Frau mit den tomatenroten Haaren zurief: »Ich weiß genau, was du denkst, Trudie. Du stellst dir vor, wie er dich hart von hinten nimmt, oder? Stimmt doch, Schätzchen. Der große böse Soldat!« Die schockierte Trudie quiekte vor Lachen.

2

Dass Charlotte Strikes Schweigen einfach so hinnahm, war bisher noch nicht vorgekommen. Sie hatte nicht mehr angerufen und auch keine SMS geschickt; offenbar wollte sie weiter den Anschein aufrechterhalten, dass ihr letzter, ebenso schmutziger wie explosiver Streit sie unwiderruflich verändert, von dem Joch ihrer Liebe befreit und von ihrem Zorn gereinigt hätte. Strike dagegen kannte Charlotte so gut wie einen Krankheitserreger, der seit fünfzehn Jahren in seinem Blut schlummerte; er wusste, dass die alleinige Antwort auf ihren Schmerz darin bestehen würde, denjenigen, der ihn ihr zugefügt hatte, so tief wie möglich zu treffen – koste es, was es wolle. Was würde geschehen, wenn er ihr jetzt und auch später seine Aufmerksamkeit verweigerte? Dies war die einzige Strategie, die er noch nie ausprobiert hatte; die einzige, die ihm noch geblieben war.

Gelegentlich drohte Strikes Widerstand zu bröckeln (üblicherweise spätnachts und allein auf seiner Campingliege), und die Krankheit brach erneut aus; Bedauern und Sehnsucht erreichten ihren Höhepunkt, er sah sie vor sich, schön, nackt, wie sie Worte der Liebe hauchte; oder leise weinte, wenn sie ihm gestand, wie verdorben, kaputt und unmöglich sie sei und dass es nichts Besseres und Aufrichtigeres als ihn in ihrem Leben gebe. Stellte das Wissen, dass ihn nur ein paar gedrückte Tasten davon trennten, mit ihr zu sprechen, eine zu große Versuchung dar, schlüpfte er aus dem Schlafsack, hüpfte in der Dunkelheit zu Robins verlassenem Schreibtisch, schaltete die Lampe ein und brütete – oft stundenlang – über der Akte. Ein oder zwei Mal versuchte er es in den frühen Morgenstunden auf Rochelle Onifades Handy, doch sie antwortete nicht.

Am Donnerstagvormittag wartete Strike drei Stunden lang an der Mauer vor St. Thomas in der Hoffnung, Rochelle wiederzusehen. Sie tauchte nicht auf. Er ließ Robin das Krankenhaus anrufen. Doch diesmal blieb Rochelles Abwesenheit unkommentiert, und alle Versuche, ihre Adresse herauszufinden, scheiterten.

Am Freitagvormittag, als Strike von einer kurzen Exkursion zum nächsten Starbucks ins Büro zurückkehrte, fand er Spanner dort vor – allerdings nicht auf dem Sofa, sondern auf Robins Schreibtisch. Er hatte sich mit einer unangezündeten Selbstgedrehten im Mund zu ihr vorgebeugt und ließ mehr Charme sprühen, als Strike jemals bei ihm erlebt hatte. Robin jedenfalls lachte in der leicht widerwilligen Art einer Frau, die zwar bestens unterhalten wurde, aber trotzdem deutlich machen wollte, dass sie in festen Händen war.

»Morgen, Spanner«, sagte Strike. Sein leicht bedrohlicher Tonfall konnte gegen die überdeutliche Körpersprache und das breite Grinsen des Computerspezialisten nichts ausrichten.

»Alles klar, Fed? Ich bring dir deinen Dell zurück.«

»Na prima. Ein doppelter entkoffeinierter Latte«, sagte Strike zu Robin und stellte den Becher neben ihr ab. »Lassen Sie mal«, fügte er hinzu, als sie nach ihrer Geldbörse griff.

Ihr Prinzip, selbst kleinste Schuldigkeiten umgehend zu begleichen, war geradezu rührend. Nur weil sie nicht allein waren, legte Robin keinen Protest ein, sondern bedankte sich, drehte sich auf dem Bürostuhl im Uhrzeigersinn von den beiden Männern weg und machte sich wieder an die Arbeit.

Das Auflodern eines Streichholzes lenkte Strikes Aufmerksamkeit von seinem doppelten Espresso zu seinem Besucher.

»Das ist ein Nichtraucherbüro, Spanner.«

»Was? Du rauchst doch selbst wie ein Schlot.«

»Aber nicht hier. Komm mit!«

Strike führte Spanner in sein Büro und schloss die Zwischentür hinter sich.

»Sie ist verlobt«, sagte er und nahm auf seinem Stuhl Platz.

»Zeitverschwendung, meinst du? Na ja. Leg ein gutes Wort für mich ein, wenn sie es sich anders überlegt. Sie ist genau mein Typ.«

»Aber du nicht ihrer.«

Spanner grinste wissend.

»Du hast sie also auch schon im Visier, ja?«

»Nein«, sagte Strike. »Außerdem weiß ich, dass ihr Verlobter Bilanzbuchhalter ist und Rugby spielt. Ein properer, durchtrainierter Bursche aus Yorkshire.«

Obwohl er Matthew noch nicht einmal von einem Foto her kannte, hatte Strike ihn überraschend deutlich vor Augen.

»Man kann nie wissen. Vielleicht hat sie ja mal Lust auf was Extravaganteres«, sagte Spanner, legte Lula Landrys Laptop schwungvoll auf dem Schreibtisch ab und setzte sich Strike gegenüber. Er trug ein zerschlissenes Sweatshirt und Jesuslatschen ohne Socken; es war der bis dato wärmste Tag des Jahres. »Ich hab mir den Schrott hier genau angesehen. Wie viele technische Details verträgst du?«

»Gar keine; mich interessiert nur, ob du das Ganze vor Gericht erklären könntest.«

Jetzt schien Spanner zum ersten Mal wirklich interessiert an der Sache.

»Ist das dein Ernst?«

»Mein voller Ernst. Könntest du die Verteidigung zweifelsfrei davon überzeugen, dass du dich mit der Materie auskennst?«

»Aber sicher.«

»Dann erzähl mir nur das Wichtigste.«

Spanner zögerte einen Augenblick und versuchte, Strikes Miene zu deuten.

»Das Passwort lautet Agyeman«, sagte er schließlich. »Es wurde fünf Tage vor ihrem Tod geändert.«

»Kannst du mir das buchstabieren?«

Spanner tat wie geheißen. »Das ist ein Nachname«, fügte er zu Strikes Überraschung hinzu. »Aus Ghana. Unter ihren Bookmarks war die Homepage der SOAS – der School of Oriental and African Studies – gespeichert. Da hab ich ihn gefunden. Schau mal!«

Noch während er sprach, tippten Spanners geschickte Finger auf den Tasten herum, und er rief die Homepage des auf kulturvergleichende Studien spezialisierten Colleges auf, von der man auf weiterführende Links zu den verschiedenen Fachbereichen, den neuesten Meldungen, dem Lehrkörper, den Studenten, der Bibliothek und so weiter klicken konnte.

»Zum Zeitpunkt ihres Todes sah die Homepage allerdings so aus.«

Nach ein paar weiteren Klicks erschien eine fast identische Website auf dem Bildschirm – die jedoch, wie der rasant über den Bildschirm huschende Mauszeiger bald ans Licht brachte, einen zusätzlichen Link zu der Todesanzeige eines emeritierten Professors für Afrikanische Politik namens J.P. Agyeman beinhaltete.

»Sie hat diese Version der Website abgespeichert«, erläuterte Spanner. »Und der Browser-Verlauf zeigt an, dass sie in dem Monat vor ihrem Tod Amazon nach Büchern des Professors durchforstet hat. Sie hat sich damals jede Menge Titel über afrikanische Geschichte und Politik angesehen.«

»Gibt es Hinweise darauf, dass sie sich bei der SOAS einschreiben wollte?«

»Nicht auf diesem Rechner.«

»Sonst noch was Interessantes?«

»Vielleicht. Am siebzehnten März wurde ein ziemlich großer Bildordner gelöscht.«

»Woher willst du das wissen?«

»Da gibt's Software, mit der man das Zeug wiederherstellen kann, von dem die Leute glauben, es von ihrer Festplatte gelöscht zu haben«, sagte Spanner. »Was meinst du denn, wie sie diese Pädophilen drankriegen?«

»Hast du die Datei wiederhergestellt?«

»Ja. Ist hier drauf.« Er reichte Strike einen Memorystick. »Ich nehm doch an, dass ich sie nicht auf den Rechner zurückkopieren sollte.«

»Nein. Und diese Fotos wurden …«

»Einfach nur gelöscht. Wie gesagt, der gewöhnliche User weiß nicht, dass er sich schon mehr Mühe geben muss, als einfach nur auf Löschen zu drücken, wenn er was verschwinden lassen will.«

»Siebzehnter März«, sagte Strike.

»Genau. St. Patrick's Day.«

»Zehn Wochen nach ihrem Tod.«

»Könnten die Bullen gewesen sein«, schlug Spanner vor.

»Das war nicht die Polizei«, sagte Strike.

Nachdem Spanner gegangen war, eilte er ins Vorzimmer und scheuchte Robin von ihrem Platz, damit er sich die Fotos ansehen konnte, die von dem Laptop gelöscht worden waren. Er spürte Robins wachsende Aufregung, als er von Spanners

Entdeckungen berichtete und den Ordner auf dem Memorystick öffnete.

Für den Bruchteil einer Sekunde – bevor das erste Bild auf dem Bildschirm erschien – überfiel Robin die Angst, etwas Grässliches zu Gesicht zu bekommen, etwas durch und durch Kriminelles oder Perverses. Die Rekonstruktion von Computerdaten kannte sie bisher nur im Zusammenhang mit widerwärtigen Missbrauchsfällen. Doch ein paar Minuten später verlieh Strike ihrem Gefühl die richtigen Worte: »Langweilige Schnappschüsse.«

Er klang nicht annähernd so enttäuscht, wie Robin sich fühlte. Sie schämte sich. Hatte sie etwa gehofft, etwas Schreckliches zu sehen? Strike klickte durch Bilder von kichernden jungen Frauen, anderen Models und einem gelegentlichen Promi. Mehrere Fotos zeigten Lula mit Evan Duffield. Einige davon waren eindeutig von ihnen selbst aufgenommen. Sie grinsten sichtlich betrunken oder stoned aus einer Armeslänge Entfernung in die Kamera. Auch Somé hatte mehrere Auftritte; an seiner Seite wirkte Lula formeller und weniger ausgelassen. Zahlreiche Aufnahmen zeigten Lula mit Ciara Porter, wie sie sich in Bars umarmten, in Clubs tanzten oder in einer überfüllten Wohnung auf einem Sofa saßen.

»Das da ist Rochelle«, sagte Strike plötzlich und deutete auf ein mürrisches Gesicht, das man auf einem Gruppenbild unter Ciaras Achselhöhle erkennen konnte. Kieran Kolovas-Jones hatte sich ebenfalls auf das Foto geschlichen. Er stand grinsend am Bildrand.

»Tun Sie mir einen Gefallen«, sagte Strike, als er die zweihundertzwölf Bilder überflogen hatte. »Gehen Sie die für mich durch und versuchen Sie, zumindest die Promis darauf zu identifizieren. Damit wir eine ungefähre Ahnung davon bekommen, wer die Fotos von ihrem Laptop gelöscht haben könnte.«

»Aber diese Bilder sind völlig harmlos«, sagte Robin.

»Anscheinend nicht«, sagte Strike.

Er kehrte in sein Büro zurück, wo er erst John Bristow (der in einem Meeting war und nicht gestört werden durfte; »Bitte sagen Sie ihm, dass er mich so schnell wie möglich zurückrufen soll«), dann Eric Wardle (Mailbox: »Ich hätte noch eine Frage zu Lula Landrys Laptop«) und schließlich, trotz geringer Erfolgsaussichten, Rochelle Onifade anrief (keine Antwort; keine Möglichkeit, eine Nachricht zu hinterlassen: »Mailbox voll«).

»Mit Bestigui komme ich einfach nicht weiter«, sagte Robin, als er wieder im Vorzimmer auftauchte. Sie war gerade dabei, eine unbekannte Brünette zu identifizieren, die mit Lula am Strand posierte. »Ich habe es heute Morgen wieder versucht, aber er ruft einfach nicht zurück. Ich bin mit meinem Latein wirklich am Ende; ich habe mich als Gott weiß wer ausgegeben, behauptet, es sei sehr dringend – was ist daran so lustig?«

»Ich frage mich gerade, weshalb bei keinem Ihrer zahlreichen Vorstellungsgespräche ein Job rausgesprungen ist«, sagte Strike.

»Oh«, sagte Robin und errötete leicht. »So ist es nicht. Sie hätten mich alle genommen. Ich habe mich für den in der Personalabteilung entschieden.«

»Oh. Ach so. Das wusste ich nicht. Glückwunsch.«

»Tut mir leid. Ich dachte, ich hätte es Ihnen gesagt«, log Robin.

»Also werden Sie … wann hier aufhören?«

»In zwei Wochen.«

»Aha. Das wird Matthew sicher freuen, oder?«

»Ja«, sagte sie etwas verblüfft. »Allerdings.«

Strike konnte unmöglich wissen, wie sehr es Matthew gegen den Strich gegangen war, dass sie hier arbeitete. Oder doch? Sie hatte penibel darauf geachtet, selbst die dezenteste Andeutung bezüglich ihrer häuslichen Spannungen zu vermeiden.

Das Telefon klingelte. Robin nahm ab.

»Büro von Cormoran Strike… Ja, mit wem spreche ich bitte?… Derrick Wilson«, sagte sie und reichte den Hörer weiter.

»Hi, Derrick.«

»Mr. Bestigui ist 'n paar Tage unterwegs«, sagte Wilson. »Wenn Sie sich immer noch die Bude ansehen woll'n…«

»Ich bin in einer halben Stunde bei Ihnen«, sagte Strike.

Er war bereits aufgesprungen und durchsuchte seine Taschen nach Geldbeutel und Schlüssel, als er Robins betrübten Gesichtsausdruck bemerkte, mit dem sie die harmlosen Schnappschüsse durchforstete.

»Wollen Sie mitkommen?«

»Sehr gerne«, sagte sie fröhlich, schnappte sich ihre Handtasche und fuhr den Computer herunter.

3

Hinter der schweren, schwarz lackierten Eingangstür der Kentigern Gardens 18 tat sich ein marmornes Foyer auf. Direkt dem Eingang gegenüber war ein geschmackvoller Empfangstresen aus Mahagoni in den Boden eingelassen. Rechts davon konnte man die unterste Stufe eines Treppenaufgangs (die Stufen aus Marmor, das Geländer aus Messing und Holz) erkennen; blank polierte vergoldete Aufzugtüren; und eine massive Tür aus dunklem Holz in der weißen Wand. Davor standen auf einem allein zum Zweck der Raumgestaltung reservierten weißen Würfel mehrere große zylinderförmige Vasen. Sie waren über und über mit orientalischen Lilien in dunklem Rosa gefüllt, deren Duft schwer in der warmen Luft hing. Die Wand zur Linken war mit Spiegeln ausgekleidet, wodurch der Raum doppelt so groß wirkte und in denen Strike und die staunende Robin nicht nur sich selbst, sondern auch die Aufzugtüren, den modernen Kronleuchter aus Kristallglaswürfeln und den Empfangstresen bewundern konnten, der sich durch die Spiegelung zu einer langen, glänzenden Holzfläche ausdehnte. Strike kamen Wardles Worte in den Sinn: *Apartments mit Marmorbädern und solchem Scheiß wie … wie ein gottverdammtes Fünfsternehotel.*

Neben ihm versuchte Robin, nicht allzu beeindruckt zu wirken. So also lebten die Multimillionäre. Sie selbst wohnte mit Matthew im Erdgeschoss einer Doppelhaushälfte in Clapham. Ihr Wohnzimmer hatte ungefähr die Größe des Pausenraums für den Sicherheitsdienst, den Wilson ihnen zuerst zeigte und der gerade genug Platz für einen Tisch und zwei Stühle bot; in einem Kasten an der Wand wurden die Generalschlüssel aufbewahrt, eine weitere Tür führte zu einer winzigen Toilette.

Wilsons Aufmachung ähnelte mit ihren Messingknöpfen, dem schwarzen Schlips und dem weißen Hemd einer Polizeiuniform. »Die Überwachungsmonitore«, sagte er, als sie den Pausenraum verließen und an den Empfangstresen traten, hinter dem sich vier kleine, von Besucherseite unsichtbare Schwarz-Weiß-Bildschirme befanden. Ein Monitor zeigte einen Ausschnitt der Straße vor dem Gebäude; dabei musste es sich um die Kamera über der Eingangstür handeln. Auf einem weiteren Bildschirm war eine menschenleere Tiefgarage zu sehen; auf dem dritten der gleichermaßen verwaiste Garten nebst Rasenfläche, extravaganter Bepflanzung und der hohen Mauer, über die Strike gespäht hatte. Der vierte Monitor zeigte das Innere der Aufzugkabine. Daneben waren zwei Schalttafeln mit Alarmknöpfen und Kontrollleuchten für Schwimmhalle und Tiefgarage angebracht; davor standen zwei Telefone – eines mit Amtsanschluss, das andere mit direkter Verbindung zu den drei Wohneinheiten.

»Dort entlang«, sagte Wilson und deutete auf die schwere Holztür, »geht's zum Fitnessraum, zur Schwimmhalle und zur Tiefgarage.«

Strike bat ihn, sie dorthin zu führen.

Der Fitnessraum war klein und genau wie das Foyer mit Spiegeln ausgekleidet, sodass er ebenfalls deutlich größer erschien, als er in Wirklichkeit war. Das einzige Fenster zeigte zur Straße, und davor standen ein Laufband, ein Stepper, ein Rudergerät und eine Hantelstation.

Hinter einer zweiten Mahagonitür verbarg sich eine

schmale Marmortreppe, die von kubischen Wandleuchten erhellt wurde und die zu einem kleinen Absatz hinunterführte, von dem eine lackierte Tür zur Tiefgarage abging. Wilson öffnete erst das Zylinder-, dann das Blockschloss und drückte anschließend auf einen Lichtschalter. Das von grellen Neonröhren erleuchtete Parkdeck zog sich fast über die ganze Länge der Straße und war mit Ferraris, Audis, Bentleys, Jaguaren und BMWs im Wert von mehreren Millionen Pfund vollgestellt. Im Abstand von etwa sechs Metern säumten weitere Türen wie jene, durch die sie gerade gekommen waren, die Rückwand; jedes Haus der Kentigern Gardens war auf diese Weise mit der Tiefgarage verbunden. Die Auffahrt zum Serf's Way lag dem Zugang zur Nummer 18 schräg gegenüber. Durch die Ritzen in dem elektrisch betriebenen Garagentor schimmerte silbernes Tageslicht.

Robin fragte sich, was die schweigenden Männer neben ihr wohl gerade denken mochten. Ob sich Wilson an den exklusiven Lebensstil seiner Schützlinge, an die Tiefgaragen, Pools und Ferraris gewöhnt hatte? Ob Strike (genau wie sie) vermutete, dass die zahlreichen Türen bislang nicht in Betracht gezogene Möglichkeiten boten, still und heimlich in ein Nachbarhaus zu verschwinden und den Wohnblock durch jeden beliebigen Eingang zu verlassen? Dann bemerkte sie die vielen schwarzen Kameras, die in regelmäßigen Abständen in den Schatten unter der Decke befestigt und mit unzähligen Überwachungsmonitoren verbunden waren. War es möglich, dass in der fraglichen Nacht niemand sie beachtet hatte?

»In Ordnung«, sagte Strike, woraufhin Wilson sie wieder zur Marmortreppe führte und die Tiefgarage hinter ihnen absperrte.

Sie stiegen weiter hinab; der Chlorgeruch wurde mit jeder Stufe intensiver. Am unteren Treppenabsatz öffnete Wilson eine Tür, und eine Wolke warmer, feuchter, chemisch riechender Luft schlug ihnen entgegen.

»Und diese Tür war in jener Nacht unverschlossen, ja?«, fragte Strike. Wilson nickte und betätigte erneut einen Lichtschalter.

Sie standen auf dem breiten Marmorrand eines Schwimmbeckens, das mit einer dicken Plastikfolie bedeckt war. Auch hier waren an der gegenüberliegenden Wand Spiegel angebracht. Robin fand, dass sie in ihrer Straßenkleidung vor den tropischen Pflanzen und flatternden Schmetterlingen der Wandmalerei, die sich bis zur Decke erstreckte, seltsam deplatziert wirkten. Das Becken hatte eine Länge von etwa fünfzehn Metern. Am jenseitigen Ende waren ein sechseckiger Whirlpool und dahinter drei abschließbare Umkleidekabinen zu erkennen.

»Keine Kameras?«, fragte Strike und sah sich um. Wilson schüttelte den Kopf.

Robin spürte, wie ihr der Schweiß im Nacken und auf den Armen ausbrach. Die Luft hier unten war so drückend, dass sie froh war, als sie vor den beiden Männern die Treppe zum Foyer hinaufsteigen konnte; dieses kam ihr im Vergleich angenehm luftig vor. In ihrer Abwesenheit war eine zierliche junge Blondine eingetroffen. Sie trug einen rosa Kittel, Jeans und ein T-Shirt und hielt einen Plastikeimer mit Putzutensilien in der Hand.

»Derrick«, sagte sie mit schwerem Akzent, sobald der Wachmann die Treppe heraufkam. »Schlüssel für zwei?«

»Das ist Lechsinka«, sagte Wilson. »Die Putzfrau.«

Sie schenkte Robin und Strike ein hübsches, schüchternes Lächeln. Wilson umrundete den Mahagonitresen und griff nach einem Schlüssel, den er ihr reichte, und Lechsinka ging nach oben, wobei sie den Eimer schlenkern und den prallen, jeansgewandeten Hintern verführerisch schwingen ließ. Widerwillig zwang sich Strike, der Robins schiefen Blick bemerkt hatte, woanders hinzusehen.

Strike und Robin folgten Wilson zu Apartment eins, das er mit dem Generalschlüssel öffnete. Strike bemerkte den altmodischen Spion in der Tür.

»Mr. Bestiguis Wohnung«, verkündete Wilson und schaltete die Alarmanlage ab, indem er auf einem Tastenfeld rechter Hand einen Code eingab. »Lechsinka war heute Morgen schon hier.«

Strike roch Putzmittel und registrierte die Spuren eines Staubsaugers auf dem weißen Teppich in dem von Messingwandleuchten erhellten Eingangsbereich. Fünf makellos weiße Türen gingen davon ab. Neben dem dezent in die Wand eingelassenen Tastenfeld der Alarmanlage hing ein Gemälde, auf dem verträumte Ziegen und Bauern über einem blaustichigen Dorf schwebten. Unter dem Chagall standen große Vasen mit Orchideen auf einem schwarz lackierten Holztisch.

»Wo ist Bestigui?«, fragte Strike.

»L. A.«, sagte der Wachmann. »In zwei Tagen wieder zurück.«

Jede der drei großen Fenstertüren im Wohnzimmer führte auf einen separaten, schmalen Steinbalkon; bis auf die in Wedgwood-Blau gestrichenen Wände war die Einrichtung nahezu vollständig in Weiß gehalten. Alles war makellos, elegant und angenehm proportioniert. Auch hier hing ein einzelnes prächtiges und ebenso surreales wie makabres Gemälde: Ein mit einem Speer bewaffneter Mann unter einer schwarzen Vogelmaske hielt den kopflosen grauen Torso einer Frau im Arm.

Tansy Bestigui hatte behauptet, den lautstarken Streit zwei

Stockwerke über ihr von diesem Raum aus gehört zu haben. Strike ging zu den hohen Fenstern hinüber und begutachtete die modernen Griffe und die Stärke der Scheiben. Obwohl sein Ohr nur einen Zentimeter von dem kalten Glas entfernt war, konnte er nicht das geringste Geräusch von draußen hören. Der schmale Balkon hinter dem Fenster war mit Blumentöpfen vollgestellt, aus denen zu Kegeln geschnittene Büsche wuchsen.

Strike ging weiter ins Schlafzimmer. Robin blieb im Wohnzimmer zurück, drehte sich langsam um die eigene Achse, betrachtete den Kronleuchter aus Muranoglas, den in hellblau und zartrosa gehaltenen Teppich, den riesigen Plasmafernseher, den modernen Esstisch aus Glas und Stahl und die mit Seidenpolstern bezogenen Stühle, die kleinen silbernen Kunstgegenstände auf den gläsernen Beistelltischchen und auf dem Kaminsims aus weißem Marmor. Wehmütig dachte sie an ihr IKEA-Sofa, auf das sie bis gerade eben noch sehr stolz gewesen war; dann fiel ihr Strikes Campingliege ein, und sie bekam ein schlechtes Gewissen.

Sie drehte sich zu Wilson um. »Eine ganz andere Welt, oder?«, sagte sie und wiederholte damit unwissentlich Eric Wardles Worte.

»Yeah«, sagte er. »Für Kinder wär das nichts.«

»Nein«, sagte Robin, die das Apartment unter diesem Gesichtspunkt noch gar nicht betrachtet hatte.

Strike stürmte aus dem Schlafzimmer. Er schien es eilig zu haben, einer bestimmten Sache nachzugehen, und verschwand im Flur.

Und in der Tat wollte er sich vergewissern, dass der schnellste Weg vom Schlafzimmer der Bestiguis zum Badezimmer durch den Flur führte, ohne dabei das Wohnzimmer betreten zu müssen. Außerdem vermutete er, dass die einzige

Stelle in der gesamten Wohnung, von der aus Tansy Zeugin von Lula Landrys tödlichem Sturz geworden sein konnte, ebendieses Wohnzimmer war. Trotz Wardles gegenteiliger Behauptung konnte man vom Badezimmer aus bestenfalls einen kleinen Ausschnitt des Fensters sehen, an dem Landry vorbeigefallen war: Es war schier unmöglich, von hier aus zu erkennen, dass es sich bei einem in finsterer Nacht am Fenster vorbeifallenden Objekt um einen menschlichen Körper handelte – geschweige denn, seine Identität festzustellen.

Strike kehrte ins Schlafzimmer zurück. Da Bestigui das eheliche Domizil inzwischen allein bewohnte, schlief er auf der Seite des Bettes, die der Tür zum Flur am nächsten war. Darauf ließ zumindest die Ansammlung von Medikamenten, Gläsern und Büchern schließen, die sich auf dem entsprechenden Nachttisch auftürmten. Strike fragte sich, ob er auch in Anwesenheit seiner Frau auf dieser Seite geschlafen hatte.

Vom Schlafzimmer aus gelangte man in einen großen begehbaren Kleiderschrank mit verspiegelten Türen, in dem eine Unmenge italienischer Anzüge und Hemden der Marke Turnbull & Asser hingen. Zwei flache, mehrfach unterteilte Schubfächer waren allein für Manschettenknöpfe in Gold und Platin reserviert. Eine falsche Wandvertäfelung hinter dem Schuhregal verbarg einen Safe.

»Ich glaube, hier sind wir fertig«, sagte Strike und gesellte sich wieder zu den anderen. Als sie die Wohnung verließen, schaltete Wilson die Alarmanlage wieder ein.

»Kennen Sie den Code zu jedem Apartment?«

»Yeah«, sagte Wilson. »Muss ich ja, wenn der Alarm mal losgeht.«

Sie gingen die Treppe zum zweiten Stock hinauf, die so eng um den Liftschacht herum gebaut war, dass sie praktisch nur aus einer Abfolge blinder Ecken bestand.

Die Tür zu Apartment zwei war mit der zu Apartment eins identisch – außer dass sie einen Spalt weit offen stand. Lechsinkas Staubsauger dröhnte dahinter. »Hier wohnen seit Neuestem Mr. und Mrs. Kolchak«, sagte Wilson. »Aus der Ukraine.«

Der Eingangsbereich war genauso geschnitten wie der in Apartment eins, inklusive des Bedienfelds für die Alarmanlage, das im rechten Winkel zur Eingangstür an der Wand befestigt war. Der Boden allerdings war gefliest statt mit Teppich ausgelegt, und anstelle eines Chagalls hing ein großer Spiegel mit Goldrahmen an der Wand. Auf zwei grazilen Holztischchen zu beiden Seiten des Spiegels waren kunstvoll verzierte Tiffany-Lampen platziert.

»Standen Bestiguis Rosen auf so einem Tisch?«, fragte Strike.

»So ähnlich, yeah«, sagte Wilson. »Ich hab ihn zurück ins Foyer gebracht.«

»Und Sie haben ihn mit den Rosen darauf hier mitten in den Flur gestellt?«

»Yeah. Bestigui wollte, dass Macc sie sofort sieht, wenn er kommt. War ja noch Platz genug, um drum herumzugehen, das sehen Sie ja. Der Bulle hätte sie nicht umstoßen müssen. Aber das war ja 'n junger Hüpfer«, meinte Wilson nachsichtig.

»Wo sind die Panikknöpfe, die Sie erwähnt haben?«, fragte Strike.

»Da drüben«, sagte Wilson, führte sie aus dem Flur und ins Schlafzimmer. »Einer neben dem Bett und ein weiterer im Wohnzimmer.«

»Ist jedes Apartment damit ausgestattet?«

»Yeah.«

Die Anordnung von Schlaf-, Wohn-, Badezimmer und Küche entsprach der in Apartment eins – genau wie viele andere Details, etwa die verspiegelten Türen des begehbaren Kleiderschranks, den Strike als Nächstes untersuchte. Während er Schranktüren öffnete und Damenkleider und -mäntel im Wert von mehreren tausend Pfund in Augenschein nahm, kam Lechsinka aus dem Schlafzimmer hinzu. Sie hatte sich einen Gürtel, zwei Krawatten und mehrere frisch gereinigte, in Plastikfolie eingeschlagene Kleider über den Arm gelegt.

»Hi«, sagte Strike.

»Hallo«, sagte sie, trat an ihm vorbei an eine Schranktür und zog dahinter einen Krawattenhalter hervor. »Bitte. Entschuldigung.«

Er trat zur Seite. Sie war nicht besonders groß, ihr flaches Gesicht mit den slawischen Augen und der Stupsnase jedoch auf kecke, mädchenhafte Weise ausnehmend hübsch. Strike musterte sie, während sie die Krawatten ordentlich aufhängte.

»Ich bin Privatdetektiv«, sagte er. Dann fiel ihm ein, dass Eric Wardle ihre Englischkenntnisse als »beschissen« bezeichnet hatte. »Das ist so etwas wie die Polizei«, fügte er hinzu.

»Ah. Polizei.«

»An dem Tag, als Lula Landry starb, waren Sie auch hier, nicht wahr?«

Er brauchte einige Anläufe, um sich verständlich zu machen. Als der Groschen bei ihr gefallen war, schien sie nichts dagegen zu haben, seine Fragen zu beantworten, solange sie dabei nur weiter Kleidungsstücke einsortieren konnte.

»Ich immer anfange mit Treppe«, erklärte sie. »Miss Landry redet mit Bruder, schreit sehr laut. Er schreit, dass sie gibt zu viel Geld für Freund. Sie schreit. Dann ich putze Nummer zwei. Ist leer. Schon sauber. Schon fertig.«

»Waren Derrick und der Alarmanlagentechniker auch da, als Sie geputzt haben?«

»Derrick und …«

»Der Repariermann? Der Alarmmann?«

»Ja, Alarmmann. Und Derrick. Ja.«

Strike hörte, wie sich Robin und Wilson im Flur unterhielten.

»Schalten Sie die Alarmanlagen wieder ein, wenn Sie fertig sind?«

»Alarm? Ja«, sagte sie. »Eins neun sechs sechs, wie Tür für Haus. Derrick mir gesagt.«

»Hat er Ihnen den Code genannt, bevor er mit dem Alarmmann weggegangen ist?«

Erneut brauchte er mehrere Versuche, bis sie ihn verstanden hatte. Sobald sie begriffen hatte, wurde sie ungeduldig.

»Ja, ich schon gesagt. Eins neun sechs sechs.«

»Also haben Sie die Alarmanlage eingeschaltet, als Sie hier fertig waren?«

»Alarm, ja.«

»Der Alarmmann, wie hat er ausgesehen?«

»Alarmmann? Ausgesehen?« Sie runzelte auf hinreißende Weise die Stirn, rümpfte die Stupsnase und zuckte mit den Schultern. »Gesicht ich nicht sehen. Aber blau – ganz blau …«, fügte sie hinzu und machte mit der freien Hand eine ausladende Geste an ihrem Körper entlang.

»Ein Overall?«, riet er, woraufhin er einen verständnislosen Blick erntete. »Okay, wo haben Sie danach geputzt?«

»Nummer eins«, sagte Lechsinka und zwängte sich an ihm vorbei, um die richtigen Haken zu erreichen. »Ich putzen große Fenster. Miss Bestigui am Telefon. Laut. Aufgeregt. Sie nicht mehr will lügen, sie sagt.«

»Sie wollte nicht mehr lügen?«, wiederholte Strike.

Lechsinka nickte und stellte sich auf die Zehenspitzen, um ein bodenlanges Abendkleid aufzuhängen.

»Sie haben gehört, wie sie am Telefon gesagt hat, dass sie nicht mehr *lügen* will?«, fragte er.

Lechsinka nickte wieder mit ausdrucksloser, unschuldiger Miene.

»Dann sie mich sieht und schreit: ›Raus! Raus!‹«

»Wirklich?«

Lechsinka nickte und fuhr fort, die Kleidung zu sortieren.

»Wo war Mr. Bestigui?«

»Nicht da.«

»Wissen Sie, mit wem sie gesprochen hat? Am Telefon?«

»Nein.« Sie überlegte kurz. »Frau«, fügte sie schüchtern hinzu.

»Mit einer Frau? Woher wollen Sie das wissen?«

»Schreien, schreien am Telefon. War Frau.«

»Sie haben gestritten? Sich angeschrien? Schreien? Laut, ja?«

Strike bemerkte, wie er langsam in die absurde, überbetonte Sprache abglitt, die man gemeinhin benutzte, wenn man vor eine linguistische Herausforderung gestellt wurde. Lechsinka nickte wieder, wobei sie auf der Suche nach dem richtigen Platz für den Gürtel, der noch in ihren Händen verblieben war, mehrere Schubläden öffnete. Als sie ihn endlich zusammengerollt und eingeräumt hatte, richtete sie sich auf, drehte sich um und ging ins Schlafzimmer. Er folgte ihr.

Während sie das Bett machte und die Nachttische aufräumte, brachte er in Erfahrung, dass sie an besagtem Tag Lula Landrys Wohnung ganz am Ende ihrer Schicht geputzt hatte – nachdem das Model losgefahren war, um seine Mutter zu besuchen. Ihr war nichts Ungewöhnliches aufgefallen, und blaues Papier hatte sie auch nicht bemerkt, weder beschriebenes noch unbeschriebenes. Als sie ihre Arbeit beendet hatte, waren Guy Somés Handtaschen und die diversen Präsente für Deeby Macc am Empfang eingetroffen. Ihre letzte Aufgabe an diesem Tag bestand darin, die Lieferungen des Designers in Lulas und Maccs Wohnungen zu bringen.

»Und danach haben Sie die Alarmanlagen wieder eingeschaltet?«

»Alarm, ja.«

»Bei Lula?«

»Ja.«

»Und eins neun sechs sechs in Apartment zwei?«

»Ja.«

»Wissen Sie noch, was Sie in Deeby Maccs Wohnung gebracht haben?«

Mehrere der Gegenstände musste sie pantomimisch darstellen, konnte Strike letztendlich jedoch vermitteln, dass es sich um zwei Pullover, einen Gürtel, einen Hut, Handschuhe und (sie gestikulierte wild an ihren Handgelenken herum) Manschettenknöpfe gehandelt hatte. Nachdem sie die Sachen so in dem begehbaren Kleiderschrank platziert hatte, dass Macc sie unmöglich übersehen konnte, hatte sie die Alarmanlage wieder eingeschaltet und war nach Hause gegangen.

Strike dankte ihr herzlich und blieb noch eine Weile stehen, um ihr eng mit Jeansstoff bespanntes Hinterteil zu bewundern, während sie die Bettdecke glatt strich. Anschließend ging er zu Robin und Wilson in den Eingangsbereich zurück.

Auf dem Weg in den dritten Stock vergewisserte sich Strike, dass Lechsinkas Angaben mit Wilsons übereinstimmten. Dieser bestätigte, dass er den Techniker angewiesen hatte, genau wie an der Eingangstür den Code auf 1966 zu programmieren.

»Ich dachte, das könnt die Lechsinka sich am einfachsten

merken. Ist ja immer derselbe Code. Macc hätte ihn ja ändern können.«

»Wissen Sie noch, wie der Techniker ausgesehen hat? Sie haben gesagt, Sie hätten ihn noch nie zuvor gesehen.«

»'n junger Typ. Haare bis hier.« Wilson legte sich die Hand an die Schulter.

»Ein Weißer?«

»Yeah, weiß. Hat nicht ausgesehen, als würd er sich schon rasieren müssen.«

Sie hatten die Tür zu Apartment drei erreicht. Lula Landrys einstiges Heim. Robin spürte, wie es ihr – vor Angst, vor Aufregung – kalt den Rücken hinunterlief, während Wilson die weiß gestrichene Tür mit dem kreisrunden Spion darin öffnete.

Das Apartment unterschied sich insofern von den anderen, als es kleiner und trotzdem gleichzeitig luftiger wirkte. Es war erst kürzlich in Creme- und Brauntönen gestrichen worden. Guy Somé hatte Strike gegenüber erwähnt, dass die berühmte Vorbesitzerin der Wohnung Farben geliebt habe. Doch jetzt wirkte alles so unpersönlich wie in einem Hotelzimmer. Schweigend ging Strike voraus ins Wohnzimmer.

Der Teppich bestand, anders als der in Bestiguis Wohnung, nicht aus üppiger Wolle, sondern aus grober sandfarbener Jute. Strike fuhr mit dem Absatz darüber; er hinterließ keinerlei Spuren.

»Lag der Teppich damals schon?«, fragte Strike.

»Yeah. Hatte sie sich ausgesucht. Der war so gut wie neu, drum haben sie ihn liegen lassen.«

In den anderen Wohnungen hatte sich zwischen den hohen Fenstertüren mit den drei separaten kleinen Balkonen ein gleichmäßiger Abstand befunden. Das Penthouse hingegen wies eine einzige weite Doppeltür auf, die auf einen lang gestreckten Balkon führte. Strike öffnete die Türen und trat hinaus, und Robin wurde mulmig; nach einem Blick auf den unbeteiligt wirkenden Wilson drehte sie sich um, betrachtete die Kissen und die Schwarz-Weiß-Drucke an den Wänden und versuchte, nicht darüber nachzudenken, was vor drei Monaten hier geschehen war.

Strike sah auf die Straße hinunter. Robin wäre überrascht gewesen zu erfahren, dass seine Gedanken weder so sachlich noch so leidenschaftslos waren, wie sie glaubte.

Er stellte sich eine Person vor, die völlig die Kontrolle über sich verloren hatte; jemanden, der auf die wunderschöne feingliedrige Lula Landry zurannte. Auf Lula, die sich extra für einen sehnlichst erwarteten Besucher in Schale geworfen hatte; ein Mörder wie von Sinnen, der sie halb zog, halb schubste und schließlich mit der übermenschlichen Kraft eines Wahnsinnigen vom Balkon stieß. Die Sekunden, in denen sie durch die Luft auf den von trügerisch weich aussehendem Schnee bedeckten Asphalt zugestürzt war, mussten ihr wie eine Ewigkeit vorgekommen sein. Sie hatte mit dem Armen gerudert und verzweifelt versucht, in der erbarmungslosen Leere um sie herum Halt zu finden; und im nächsten Moment lag sie zerschmettert auf der Straße – ohne die Chance auf eine Versöhnung oder Entschuldigung; ohne die Möglichkeit einer Erklärung oder letzter Worte; ohne die Privilegien, die denen vorbehalten waren, die frühzeitig von ihrem bevorstehenden Ableben erfuhren.

Tote vermochten sich nur durch die Münder der Hinterbliebenen und in den Spuren zu äußern, die sie zurückgelassen hatten. Strike hatte sich zwar durch die Worte, die sie ihren Freunden geschrieben hatte, ein Bild von der lebenden Frau machen können; er hatte ihre Stimme auf einem Handy an seinem Ohr gehört; doch erst jetzt, da er auf das Letzte hinabstarrte, was sie in ihrem Leben gesehen hatte, fühlte er sich ihr wirklich nahe. Langsam schälte sich die Wahrheit aus der Fülle augenscheinlich unzusammenhängender Details heraus.

Allein die Beweise fehlten ihm noch.

Sein Handy klingelte. John Bristows Name und Nummer erschienen auf dem Display. Er nahm das Gespräch entgegen.

»John, danke, dass Sie zurückrufen.«

»Kein Problem. Irgendwelche Neuigkeiten?«, fragte der Anwalt.

»Vielleicht. Ich habe Lulas Laptop von einem Spezialisten untersuchen lassen. Er hat herausgefunden, dass nach Lulas Tod von ihrem Rechner Fotos gelöscht wurden. Wissen Sie etwas darüber?«

Auf seine Worte folgte erst einmal Stille. Nur leise Hintergrundgeräusche auf Bristows Seite verrieten Strike, dass die Verbindung nicht abgebrochen war.

»*Nach* Lulas Tod?«, fragte der Anwalt schließlich mit hörbar veränderter Stimme.

»Das behauptet zumindest mein Experte.«

Strike beobachtete, wie ein Auto langsam die Straße entlangfuhr und auf halber Höhe anhielt. Eine in Pelz gekleidete Frau stieg aus.

»Ich ... tut mir leid«, sagte Bristow, und er klang erschüttert. »Ich bin ... Ich bin einfach nur schockiert. Könnte die Polizei die Fotos gelöscht haben?«

»Wann haben Sie den Laptop zurückbekommen?«

»Oh ... Irgendwann im Februar. Anfang Februar, glaube ich.«

»Die Daten wurden am siebzehnten März gelöscht.«

»Aber ... Das ergibt doch keinen Sinn! Niemand kannte das Passwort!«

»Nun, offenbar doch. Sie meinten, die Polizei hätte es Ihrer Mutter mitgeteilt.«

»Meine Mutter hat bestimmt nicht …«

»Das wollte ich damit auch nicht sagen. Aber wäre es denn möglich, dass sie den Laptop angeschaltet und dann unbeaufsichtigt gelassen haben könnte? Oder dass sie jemandem das Passwort verraten hat?«

Anscheinend war Bristow in seinem Büro. Strike hörte leise Stimmen und ein Frauenlachen im Hintergrund.

»Möglich wäre es«, sagte Bristow gedehnt. »Aber wer sollte diese Fotos löschen? Es sei denn … Oh Gott, wie schrecklich.«

»Was denn?«

»Ob eine der Pflegerinnen sich Zugang zu den Fotos verschafft haben könnte? Um sie an die Presse zu verkaufen? Was für eine grässliche Vorstellung … eine Pflegerin …«

»Mein Computerspezialist hat nur gesagt, dass die Fotos gelöscht wurden. Es gibt keinen Hinweis darauf, dass man sie vorher kopiert hätte. Aber wie Sie schon sagen: Möglich wäre es.«

»Wer könnte denn sonst … Also, es fällt mir schwer zu glauben, dass es eine der Pflegerinnen getan haben könnte – aber wer denn sonst? Der Laptop befand sich bei meiner Mutter, seit die Polizei ihn zurückgebracht hat.«

»John, wissen Sie, wer Ihre Mutter in den letzten drei Monaten besucht hat?«

»Ich denke schon. Mit Sicherheit sagen kann ich das natürlich nicht …«

»Nein. Und genau das ist das Problem.«

»Nur … Warum … Warum sollte irgendjemand so etwas tun?«

»Da fallen mir gleich ein paar Gründe ein. John, Sie würden mir einen großen Gefallen tun, wenn Sie Ihre Mutter fragen könnten, ob sie den Laptop Mitte März eingeschaltet hat. Oder ob einer ihrer Besucher Interesse daran gezeigt hat.«

»Ich ... Ich kann es versuchen.« Bristow klang äußerst angespannt und den Tränen nahe. »Sie ist sehr, sehr schwach.«

»Das tut mir leid«, sagte Strike höflich. »Ich melde mich bald wieder bei Ihnen. Bis dann.«

Er trat vom Balkon und schloss die Türen hinter sich.

»Derrick, können Sie mir zeigen, wie Sie den Raum durchsucht haben?«, bat er Wilson. »In welcher Reihenfolge Sie die Zimmer überprüft haben?«

Wilson dachte einen Augenblick lang nach. »Erst war ich hier. Hab mich umgesehen. Die Türen standen sperrangelweit offen. Ich hab nichts angefasst. Dann«, er bedeutete ihnen, ihm zu folgen, »hab ich hier reingeguckt ...«

Robin, die den beiden Männern hinterhertrottete, bemerkte eine leichte Veränderung in der Art, wie Strike mit dem Mann vom Sicherheitsdienst sprach. Er stellte einfache, intelligente Fragen, konzentrierte sich darauf, was Wilson bei jedem Schritt durch die Wohnung gefühlt, berührt, gesehen und gehört hatte.

Unter Strikes Einfluss veränderte sich auch Wilsons Körpersprache. Er spielte nach, wie er sich im Türrahmen festgehalten und in die Zimmer gespäht, wie er sich hektisch umgesehen hatte. Er wusste, dass Strike ihm seine ungeteilte Aufmerksamkeit schenkte, und näherte sich dem Schlafzimmer, als würde er in Zeitlupe rennen. Er kniete sich hin, um zu demonstrieren, wie er unter dem Bett nachgesehen hatte, und auf Strikes Nachfrage erinnerte er sich an ein verknittertes Kleid, das neben einem der Bettpfosten gelegen hatte. Er führte sie mit konzentrierter Miene ins Bad, zeigte ihnen, wie er herumgewirbelt war, um hinter die Tür zu sehen, bevor er zur Wohnungstür zurückgesprintet war (was er imitierte, indem er beim Gehen übertrieben mit den Armen ruderte).

»Und danach«, sagte Strike, öffnete die Tür und machte eine einladende Geste, »sind Sie rausgerannt …«

»Ich bin raus«, bestätigte Wilson mit seiner Bassstimme, »und hab auf der Aufzugtaste rumgehämmert …«

Er demonstrierte auch das und tat so, als würde er aufgeregt die Aufzugtüren auseinanderziehen, um hineinzusehen.

»Nichts … Und dann bin ich wieder runtergelaufen.«

»Was konnten Sie hören?«, fragte Strike und folgte ihm. Keiner der beiden beachtete Robin, die die Wohnungstür hinter ihnen zuzog.

»Na, da haben die Bestiguis rumgeschrien – und ich bin um die Kurve hier und …«

Wilson blieb wie angewurzelt stehen. Strike, der so etwas offenbar erwartet hatte, hielt ebenfalls inne. Robin lief auf ihn auf und wollte schon eine Entschuldigung flüstern, da gemahnte Strike sie mit erhobener Hand zum Schweigen. Als ob er Wilson in Trance versetzt hätte, dachte sie.

»Ich bin ausgerutscht«, sagte Wilson. Er klang schockiert. »Das hab ich völlig vergessen! Ich bin ausgerutscht. Hier. Hintenübergefallen. Auf'm Arsch gelandet. Da war 'ne Wasserpfütze. Hier. Wassertropfen. Hier.«

Er deutete auf die Stufen.

»Wassertropfen«, wiederholte Strike.

»Yeah.«

»Kein Schnee.«

»Nein.«

»Keine nassen Fußspuren.«

»Wassertropfen. Große Tropfen. Bin ausgerutscht und hingefallen. Und wieder hoch und weiter.«

»Haben Sie der Polizei von den Wassertropfen erzählt?«

»Nein. Das hatte ich total vergessen. Bis gerade eben.«

Eine Frage, die Strike schon länger Kopfschmerzen bereitet hatte, war hiermit beantwortet. Er seufzte lange und zufrieden und grinste.

Die beiden anderen starrten ihn ratlos an.

4

Das Wochenende war heiß, öde und zog sich endlos hin. Strike saß am offenen Fenster, rauchte und beobachtete die endlose Reihe der Shopper, die sich an der Denmark Street vorbeischob. Seine Aufzeichnungen lagen auf seinem Schoß, die Polizeiakte vor ihm auf dem Schreibtisch. Er machte sich eine Liste von Punkten, die noch der Klärung bedurften, und wühlte sich durch den Morast aus Informationen, die er zusammengetragen hatte.

Eine Weile betrachtete er ein Foto der Vorderfront von Nummer 18, das am Morgen nach Lulas Tod aufgenommen worden war. Zwischen der damaligen und der heutigen Fassade bestand ein kleiner, aber für Strike entscheidender Unterschied.

Gelegentlich setzte er sich an den Computer: einmal, um Deeby Maccs Agenten zu finden; dann, um den Aktienkurs von Albris aufzurufen. Das Notizbuch neben ihm war auf einer in seiner engen, steilen Handschrift mit elliptischen Sätzen und Fragen beschriebenen Seite aufgeschlagen. Als sein Handy klingelte, nahm er das Gespräch entgegen, ohne vorher aufs Display zu sehen.

»Ah, Mr. Strike«, sagte Peter Gillespie. »Wie schön, dass ich Sie mal erwische.«

»Oh, hallo, Peter«, sagte Strike. »Lässt er Sie jetzt schon am Wochenende arbeiten?«

»Mir bleibt nichts anderes übrig. Werktags scheinen Sie meine Anrufe ja nicht beantworten zu wollen.«

»Ich war beschäftigt. Arbeit.«

»Verstehe. Darf ich daraus schließen, dass wir bald mit einer Zahlung rechnen können?«

»Wahrscheinlich.«

»*Wahrscheinlich?*«

»Ja«, sagte Strike. »Ich bin wahrscheinlich in den nächsten Wochen in der Lage, einen Teil abzustottern.«

»Mr. Strike, ich finde Ihre Einstellung offen gestanden sehr befremdlich. Sie haben mit Mr. Rokeby eine monatliche Zahlung vereinbart, und Ihr Rückstand beträgt …«

»Ich kann Ihnen nichts geben, was ich nicht habe. Warten Sie noch ein bisschen, dann kann ich Ihnen alles zurückzahlen. Unter Umständen sogar in einem Schwung.«

»Tut mir leid, aber das reicht mir nicht. Wenn Sie Ihren Verpflichtungen nicht umgehend …«

»Gillespie«, sagte Strike, den Blick zum hellen Himmel jenseits des Fensters gerichtet, »wir wissen beide ganz genau, dass der gute alte Jonny seinen einbeinigen Kriegsheldensohn nicht wegen eines Kredits verklagen wird, der weniger wert ist als das beschissene Badesalz seines Butlers. Er kriegt sein Geld in den nächsten Monaten. Inklusive Zinsen. Dann kann er es sich von mir aus in den Arsch schieben und anzünden. Richten Sie ihm das von mir aus, und jetzt lassen Sie mich gefälligst in Frieden.«

Strike legte auf. Erstaunt registrierte er, dass er die Beherrschung nicht verloren hatte und noch immer einigermaßen gut gelaunt war.

Er saß bis tief in die Nacht auf Robins Stuhl (wie er ihn neuerdings bezeichnete) und arbeitete. Als letzte Amtshandlung vor dem Schlafengehen unterstrich er dreimal die Worte »Malmaison Hotel, Oxford« und umgab den Namen »J.P. Agyeman« mit einem fetten Kreis.

Das Land sah dem Wahltag entgegen. Am Sonntag ging Strike früh zu Bett und ließ sich von dort aus mit den tagesaktuellen Ausrutschern, Dementis und Wahlversprechen berieseln, die über seinen tragbaren Fernseher flimmerten. Die Nachrichtensendungen verströmten ausnahmslos eine gewisse Freudlosigkeit. Die Staatsverschuldung war unvorstellbar hoch. Wer immer auch die Wahl gewinnen mochte – Einschnitte würden unvermeidlich sein. Tiefe, schmerzhafte Einschnitte; mit ihren unverfänglichen Floskeln erinnerten die Parteifunktionäre Strike an die Chirurgen, die ihm schonend hatten beibringen wollen, dass er möglicherweise mit nicht unerheblichen Beschwerden zu rechnen hätte. Sie mussten die Schmerzen, die sie verursachten, ja nicht am eigenen Leib erfahren.

Am Dienstagmorgen brach Strike zu einem Treffen in Canning Town auf, das er mit Marlene Higson, Lula Landrys leiblicher Mutter, vereinbart hatte. Der Termin war nur unter erheblichen Schwierigkeiten zustande gekommen. Alison, Bristows Sekretärin, hatte Robin telefonisch Marlene Higsons Nummer mitgeteilt. Strike hatte sie persönlich angerufen. Obwohl sie hörbar enttäuscht gewesen war, dass es sich bei dem Anrufer nicht um einen Journalisten handelte, hatte sie zunächst eingewilligt, sich mit Strike zu treffen. Danach hatte sie zwei Mal im Büro angerufen: erst, um sich bei Robin zu erkundigen, ob der Detektiv wohl die Kosten für die Fahrt in die Innenstadt übernehmen würde, was abschlägig beschieden wurde; anschließend hatte sie in einem weiteren Telefonat den Termin empört abgesagt. Ein weiterer Anruf Strikes resultierte in der zögerlichen Zusage, sich in ihrer Stammkneipe zu treffen. Bis eine entrüstete Nachricht auf der Mailbox auch diese Vereinbarung annulliert hatte.

Folglich hatte Strike zum dritten Mal zum Hörer gegriffen und ihr erzählt, dass seine Ermittlungen so gut wie abgeschlossen seien. Er werde den Behörden in absehbarer Zeit Beweise vorlegen, die zweifellos einen öffentlichen Aufschrei zur Folge haben würden. Wenn er so darüber nachdachte, sagte er, würde er sich an ihrer Stelle aufgrund ihrer mangelnden Kooperationsbereitschaft auf eine Flut negativer Presse gefasst machen. Marlene Higson hatte umgehend auf ihrem Recht bestanden, alles, was sie wusste, mit ihm und der Welt zu teilen, woraufhin Strike sich das Versprechen abringen ließ, dienstagmorgens am ursprünglich vereinbarten Treffpunkt – dem Biergarten eines Pubs namens Ordnance Arms – zu erscheinen.

Er fuhr bis zur Haltestelle Canning Town, von der aus man die schlanken futuristischen Wolkenkratzer der Canary Wharf am Horizont erkennen konnte, die einer Reihe gleißender Metallblöcke ähnelten. Aus dieser Entfernung war die Höhe der Gebäude – genau wie die der Staatsverschuldung – unmöglich abzuschätzen. Wenige Gehminuten später war er Welten von der funkelnden, herausgeputzten Wirtschaftswelt entfernt. Canning Town lag hinter der Uferpromenade eingezwängt, wo die Banker in adretten Designerlofts wohnten, und atmete Armut und Verwahrlosung. Strike kannte das Viertel von früher. Der alte Freund, der ihm Brett Fearneys Adresse gesteckt hatte, hatte hier einmal gewohnt.

Er kehrte der Canary Wharf den Rücken und ging die Barking Road hinunter. Als er an einem Gebäude vorbeikam, an dem ein Schild mit der Aufschrift KEINE CHANCE AUF BILDUNG angebracht war, runzelte er einen Augenblick die Stirn. Dann fiel ihm auf, dass jemand das K einfach davorgekritzelt hatte.

Das Ordnance Arms befand sich in einem lang gestreckten, flachen, schmutzig weißen Gebäude direkt neben einem Pfandleihhaus. Die Inneneinrichtung des Pubs war funktional und schmucklos. Eine Reihe hölzerner Uhren an der terrakottafarbenen Wand und ein grell gemusterter roter Teppich waren die einzigen Zugeständnisse an das unsinnige Bedürfnis nach Dekoration. Des Weiteren bemerkte Strike zwei große Billardtische und einen langen, leicht zugänglichen Tresen, vor dem auch koordinationsschwache Trinker ausreichend Platz fanden. Jetzt, um elf Uhr morgens, war der Pub fast leer – abgesehen von einem kleinen alten Mann in der Ecke und einer fröhlichen Kellnerin, die ihren einzigen Gast mit »Joey« ansprach und auf Strikes Frage nach dem Biergarten auf den Hinterausgang deutete.

Der Biergarten stellte sich als betonierter Hinterhof der hässlichsten Sorte heraus. Neben Mülltonnen stand ein einsamer Holztisch, an dem eine Frau auf einem weißen Plastikstuhl saß. Sie hatte die dicken Beine übereinandergeschlagen und hielt eine Zigarette im rechten Winkel zu ihrer Wange zwischen den Fingern. Die hohe Mauer um den Hinterhof war mit Stacheldraht gekrönt, in dem sich eine im Wind raschelnde Plastiktüte verfangen hatte. Hinter der Wand ragte eine große, gelb gestrichene Mietskaserne auf, deren Balkone als sichtbares Zeichen der Verwahrlosung vor Gerümpel und Sperrmüll überquollen.

»Mrs. Higson?«

»Marlene is auch okay.«

Sie musterte ihn mit einem lustlosen Lächeln und abgeklärtem Blick. Unter ihrer grauen Kapuzenjacke trug sie ein pinkfarbenes Lycratop, und ihre Leggins endeten weit über ihren nackten blassgrauen Knöcheln. Sie hatte ausgelatschte Flipflops an den Füßen und zahlreiche Goldringe an den Fingern. Ihr blondiertes Haar, das an den Wurzeln in ein

Graubraun überging, war mit einem schmuddeligen Frottee-haargummi zu einem Pferdeschwanz zusammengebunden.

»Darf ich Ihnen etwas zu trinken holen?«

»'n Carling, wenn Sie drauf besteh'n.«

Wie sie sich zu ihm vorbeugte, wie sie sich die strohigen Haarsträhnen aus den tief liegenden Augen wischte, selbst wie sie die Zigarette hielt, war auf groteske Weise kokett. Vielleicht wusste sie nicht, wie sie einem Vertreter des männlichen Geschlechts sonst gegenübertreten sollte. Strike betrachtete sie gleichermaßen mit Mitleid und Abscheu.

»Schockiert?«, fragte Marlene Higson, nachdem er Bier für sie beide geholt und sich zu ihr an den Tisch gesetzt hatte. »Das könn' Sie laut sagen. Ich dacht, ich hätt sie für immer verlor'n. Hat mir's Herz gebrochen, als ich sie weggegeben hab, aber's war ja nur zu ihrem Besten. Zu was anderm hätt ich nich' die Kraft gehabt. Ich wollt, dass sie alles kriegt, was ich nich' hatte. Wir war'n arm als Kinder, richtig arm. Wir hatten nix. Gar nix.«

Sie wandte sich von ihm ab und nahm einen tiefen Zug von ihrer Rothman's. Strike fand, dass der faltige Mund, der sich um die Zigarette schloss, eine gewisse Ähnlichkeit mit dem Anus einer Katze besaß.

»Dez, mein Freund, der wollt sie auch nich' haben – sie war ja schwarz, da konnt sie ja nich' von ihm sein. Die wer'n nämlich immer dunkler. Direkt nach der Geburt war sie fast weiß. Aber ich hätt sie nie weggegeben, wenn ich nich' gedacht hätt, dass sie's dann besser hätt, und ich dacht, sie wird mich schon nich' vermissen, sie is ja noch so klein. Aber am Anfang hatte sie's gut bei mir, und ich hab gehofft, vielleicht kommt sie mich ja suchen, wenn sie älter is. Tja, mein Traum is wahr geworden«, fügte sie mit schier unerträglichem Pathos hinzu, »weil, sie is ja tatsächlich zurückgekomm'. Ich erzähl Ihn' ma was«, sagte sie, ohne Luft zu holen. »'n guter Bekannter von mir hat gesagt, grad eine Woche, bevor sie angerufen hat: ›Weißt du, wem du ähnlich siehs'?‹, und ich so: ›Ach, hör bloß auf‹, und er so: ›Wie aus'm Gesicht geschnitten. Vor allem die Augen, und die Augenbrauen sind auch genau wie bei ihr.‹ Seh'n Sie's?«

Sie blickte Strike hoffnungsvoll an, doch er konnte sich nicht zu einer Antwort durchringen. Es schien völlig unmöglich, dass das Model mit dem Antlitz einer modernen Nofretete diesem grau-lila Wrack entsprungen war.

»Man sieht's auf den Fotos, wie ich noch jünger bin«, fügte sie leicht gekränkt hinzu. »Ich hab mir gewünscht, dass sie's besser hätt, und die geben sie diesen Arschlöchern, 'tschuldigung für die Wortwahl. Wenn ich das gewusst hätt, hätt ich sie behalten. Das hab ich ihr auch so gesagt. Da hat sie geheult. Ich hätt sie behalten und nie geh'n lass'n soll'n. Klar hat sie mit mir geredet. Wie'n Wasserfall. Mit dem Vater, Sirralec, mit dem isse klargekomm'. Der war in Ordnung. Die Mutter, die is 'ne irre Schlampe, jawoll. Tabletten. Den ganzen Tag Tabletten. Die scheißreiche Scheißschlampe schluckt Tabletten für ihre Scheißnerven. Lula und ich, wir konnten offen und ehrlich red'n. Von Mutter zu Tochter, versteh'n Sie?

Sie hatte Angst, was die Schlampe machen würd, wenn sie nach ihrer richtigen Mum sucht. Sie hatte 'ne Scheißangst, was die dumme Kuh anstellt, wenn die Presse mitkriegt, dass es mich gibt, aber so is das mit der Berühmtheit, die finden alles raus, oder? Und die lügen wie gedruckt. Was die über mich gesagt hab'n, dafür sollt ich sie verklagen! Mach ich auch irgendwann. Wo war ich? Ach ja, die Mutter. ›Mach dir keine Sorgen‹, sag ich zu Lula, ›du bist ohne sie besser dran. Scheiß drauf, ob sie sauer wird, wenn wir uns seh'n.‹ Aber meine Lula war 'n gutes Mädchen, sie hat sie trotzdem besucht, so aus Pflichtgefühl, nehm ich an.

Egal, sie hatte ihr eignes Leben, sie konnt tun und lassen, was sie wollt, oder nich'? Und 'n Freund hatte sie ja auch. Evan. Mir hat das mit den Drogen nich' gefall'n, echt nich'«, sagte Marlene Higson und reckte den Zeigefinger in die Luft. »Nich' die Spur. Drogen! Da hab ich schon zu viele dran draufgehn seh'n. Aber hübsch isser schon, muss ich schon sagen. Der war's nich'. Das schwör ich.«

»Haben Sie ihn kennengelernt?«

»Nö. Sie hat ihn ma angeruf'n, wie sie bei mir war, und ich hab sie am Telefon gehört, die war'n 'n ganz reizendes Paar. Über den kann ich nix Schlechtes sagen. Der war's nich', das is bewiesen. Nein, über den kann ich nix Schlechtes sagen. Meinen Segen hatten sie, solang er clean war. ›Bring ihn mal mit‹, hab ich gesagt, ›ma seh'n, ob er mir gefällt.‹ Hat sie aber nich'. Der hatte ja immer viel um die Ohren. Sieht aber gut aus. Wenn die Haare nur nich' so lang wär'n! Sieht man ja auf den Fotos, wie hübsch er is.«

»Hat sie mit Ihnen mal über ihre Nachbarn gesprochen?«

»Was, Fred Biestigwie? Mein' Sie den? Ja, von dem hat sie ma erzählt, der hat ihr Rollen in seinen Filmen angeboten. Warum nich', hab ich gesagt. Könnt doch ganz lustig wer'n. Und wenn's ihr nich' gefallen hätt – was hätt sie bekomm', 'ne halbe Million?«

Ihre zusammengekniffenen, geröteten Augen starrten ins Leere. Allein die Erwähnung dieser gewaltigen, schwindelerregenden Summe, die für sie so abstrakt war wie die Unendlichkeit, schien sie kurzzeitig in einen Trancezustand zu versetzen. Der Gedanke an die Macht des Reichtums war wie ein süßer Geschmack, den sie sich auf der Zunge zergehen ließ.

»Hat sie Guy Somé ebenfalls erwähnt?«

»Klar, den Gi, den mochte sie, der war gut zu ihr. Sein Zeug gefällt mir ja nich' so. Ich persönlich hab ja eher 'n klassischen Stil.«

Das grellpinke Lycratop saß eng auf den Speckrollen, die über den Bund ihrer Leggins quollen, als sie sich vorbeugte, um die Zigarette sorgfältig im Aschenbecher auszudrücken.

»›Er is wie 'n Bruder‹, hat sie gesagt, und ich so: ›Scheiß auf die falschen Brüder, wieso suchen wir nicht deine echten?‹ Aber sie wollt nich'.«

»Echte Brüder?«

»Meine Jungs, meine andern Kinder. Ich hatte nach ihr noch zwei. Eins mit Dez und später dann noch eins. Das Jugendamt hat sie mir weggenomm', aber ich hab ihr gesagt: ›Mit deinem Geld finden wir sie, ich brauch nich' viel, nur, was weiß ich, ein paar Tausend, und dann heuer ich jemand an, der sie findet, und die Presse kriegt nix mit, das mach ich schon, ich halt dich da raus.‹ Aber sie wollt nich'.«

»Wissen Sie, wo Ihre Söhne sind?«

»Die war'n noch Babys, als sie sie mir weggenomm' hab'n. Keine Ahnung, ich hatte Probleme. Ich hatte 'n echt hartes Leben, wissen Sie?«

Von dem sie ihm in aller Ausführlichkeit erzählte. Es war eine traurige Geschichte voller gewalttätiger Männer, Abhängigkeiten und Vernachlässigungen, Gefühlskälte und Armut und einem geradezu animalischen Überlebenstrieb. Ein Leben, in dem Babys – da sie Bedürfnisse hatten, die Marlene niemals erfüllen konnte – keinen Platz hatten.

»Also wissen Sie nicht, wo sich Ihre beiden Söhne derzeit aufhalten?«

»Scheiße, nein, wie denn auch?«, sagte Marlene verbittert. »Hat sie ja auch nich' interessiert, oder? Sie hatte ja schon

’n Bruder, ’n weißen. Jetz’ wollt sie ’ne schwarze Familie, das wollt sie.«

»Hat sie Sie nach ihrem Vater gefragt?«

»Ja, und ich hab ihr alles gesagt, was ich weiß. ’n Student aus Afrika, hat über mir gewohnt, gleich hier die Straße runter. In der Barking Road, mit noch zwei andern. Da, wo jetz’ das Wettbüro is. War ’n hübscher Kerl. Hat mir paarmal die Einkäufe reingetrag’n.«

Marlene Higsons Schilderung zufolge hatten sie mit beinahe viktorianischer Zurückhaltung zarte Bande geknüpft. Angeblich waren sie und der afrikanische Student in den ersten Monaten nicht über einen Händedruck hier und da hinausgekommen.

»Und später, weil er mir doch immer geholfen hat, hab ich ihn ma eingeladen, na ja, so als Dankeschön, wirklich. Ich hab keine Vorurteile, für mich sin’ alle gleich. ’n Tee vielleich’, hab ich gesagt, mehr nich’. Und dann«, sagte Marlene, und die triste Realität durchbrach die trügerische Idylle aus Teetassen und Spitzendeckchen, »war ich auf einmal schwanger.«

»Haben Sie es ihm gesagt?«

»Na klar, und er hat gesagt, dass er mir hilft mit der Verantwortung und so und guckt, dass mir nix fehlt und so. Und dann war’n Semesterferien. Er hat gesagt, dass er wieder zurückkommt«, sagte Marlene verächtlich. »Und is auf und davon. Die sin’ doch alle gleich, oder? Aber was hätt ich denn machen soll’n, nach Afrika fahr’n und ihn suchen? Hat mich ja auch nich’ weiter gejuckt. Hat mir ja nich’ das Herz gebrochen oder so. Da hab ich außerdem Dez schon gekannt. Der hatte nix gegen das Baby. Als Joe weg is, bin ich bei Dez eingezogen.«

»Joe?«

»So hieß er. Joe.«

Sie sagte es im Brustton der Überzeugung. Vielleicht, dachte Strike, hatte sie die Lüge schon so oft wiederholt, dass sie ihr jetzt wie automatisch über die Lippen ging.

»Und wie war sein Nachname?«

»Scheiße, weiß ich doch nich'. Sie sin' genau wie sie! Das is mehr als zwanzig Jahre her, Mann! Mumumba«, sagte Marlene Higson, ohne mit der Wimper zu zucken. »Oder so was in der Richtung.«

»Vielleicht Agyeman?«

»Nö.«

»Owusu?«

»Wenn ich's doch sag«, echauffierte sie sich, »Mumumba oder so ähnlich.«

»Oder Macdonald? Oder Wilson?«

»Woll'n Sie mich verarschen? Macdonald? Wilson? Aus *Afrika*?«

Strike folgerte daraus, dass ihre Beziehung zu dem Afrikaner nicht so innig gewesen war, als dass sie einander ihre Nachnamen anvertraut hätten.

»Er war Student, sagten Sie? Und wo?«

»An der Uni«, sagte Marlene.

»An welcher Uni? Wissen Sie das noch?«

»Kein Schimmer. Krieg ich 'ne Kippe?«, fügte sie in versöhnlicherem Ton hinzu.

»Bedienen Sie sich.«

Sie zündete sich die Zigarette mit ihrem eigenen Plastikfeuerzeug an und inhalierte genüsslich. Der kostenlose Tabak schien sie zu besänftigen.

»Irgend 'ne Uni, die was mit 'nem Museum zu tun hat.«

»Mit einem Museum?«

»Ja, weil er immer gesagt hat: ›In den Freistunden geh ich ins Museum.‹« Aus ihrem Mund klang der Student aus

Afrika wie ein englischer Adliger. Sie grinste, als wäre diese Art des Zeitvertreibs völlig absurd und lächerlich.

»Können Sie sich erinnern, welches Museum er besucht hat?«

»Das … das Museum von England oder so«, sagte sie. »Sie sin' wie sie«, fügte sie gereizt hinzu. »Himmelarsch, wie soll ich mich denn jetz' noch an den ganzen Scheiß erinnern?«

»Und danach haben Sie ihn nie wiedergesehen?«

»Nö«, sagte sie. »Hab ich auch nich' erwartet.« Sie trank einen Schluck Bier. »Is wahrscheinlich eh schon tot.«

»Wie kommen Sie darauf?«

»Afrika, oder?«, sagte sie. »Erschossen wor'n. Oder verhungert oder so. Sie wissen doch, wie's da unten zugeht.«

Das wusste Strike allerdings. Er dachte an die übervölkerten Straßen Nairobis zurück. An den Dschungel Angolas aus der Vogelperspektive; Nebel hing über den Baumwipfeln, und als der Hubschrauber abdrehte, sah er plötzlich einen atemberaubend schönen Wasserfall die üppigen grünen Berghänge hinabstürzen; die Massai-Frau mit dem Baby an der Brust, die auf einer Kiste saß, während Strike sie mühsam über eine angebliche Vergewaltigung ausfragte; Tracey, die neben ihm die Videokamera bediente.

»Hat Lula nach ihrem Vater gesucht?«

»Ja. Hat's zumindes' versucht.«

»Wie?«

»Hat in alten Jahrbüchern nachgeseh'n«, sagte Marlene herablassend.

»Ich dachte, Sie könnten sich nicht mehr erinnern, auf welche Universität …«

»Was weiß ich, sie hat gedacht, sie hätt die richtige Uni rausgefunden oder was, aber ihn konnt sie nich' aufstöbern. Keine Ahnung, vielleich' erinner ich mich auch falsch an den

Namen. Sie wollt einfach keine Ruhe geben. Wie hat er ausgesehen, wo hat er studiert … ›Groß und dürr‹, hab ich gesagt, und: ›Sei froh, dass du meine Ohren hast und nich' seine‹, weil mit den beschissenen Elefantenlappen hätt sie das mit dem Modeln gleich vergessen könn'.«

»Hat Lula mit Ihnen über ihre Freunde gesprochen?«

»Na klar! Da war diese kleine schwarze Schlampe, Raquelle oder wie die geheißen hat. Hat Lula nach Strich und Faden ausgenomm'. Scheiße, hat sich gekrallt, was sie kriegen konnt, Schmuck und was weiß ich noch. ›Ein neuer Mantel wär nich' verkehrt‹, hab ich mal zu Lula gesagt, aber ich wollt ja nicht unhöflich sein. Die hat ganz unverschämt gefragt, wenn sie was haben wollt.«

Sie schniefte und leerte ihr Glas.

»Haben Sie Rochelle jemals getroffen?«

»So hieß sie, ja? Ja, ein Mal. Is mit 'ner beschissenen Limo angekommen, mit Fahrer und allem, hat Lula abgeholt, nachdem sie mich besuchen war. Hat wie die Queen persönlich aus'm Rückfenster geguckt und fies gegrinst. Tja, das kann sie sich jetz' wohl abschminken, schätz ich. Schluss mit dem Gratisscheiß. Und diese Ciara Porter erst«, fuhr Marlene fort, wobei sich ihre Verachtung erstaunlicherweise noch steigerte. »Hat Lulas Freund gevögelt. In der Nacht, in der sie gestorben is. Scheiße, blöde Hure!«

»Kennen Sie Ciara Porter?«

»Nur aus der beschissenen Zeitung. Er is zu ihr gefahr'n, oder? Evan, mein ich. Nachdem er sich mit Lula gestritten hat. Sofort ab zu Ciara. Blöde Schlampe!«

Je länger Marlene sprach, umso deutlicher war zu erkennen, dass Lula ihre Freunde sorgfältig von ihrer leiblichen Mutter ferngehalten hatte und dass – bis auf den kurzen Blick auf Rochelle – Marlene Higsons Meinungen und Schlussfolgerungen allein auf den Zeitungsartikeln basierten, die sie so eifrig studiert hatte.

Strike holte ihnen ein weiteres Bier und lauschte Marlenes Beschreibung des Entsetzens und des Schocks, als sie (von einer Nachbarin, die ihr die Neuigkeit in den Morgenstunden des Achten überbrachte) erfuhr, dass ihre Tochter vom Balkon in den Tod gestürzt war. Vorsichtige Nachfragen ergaben, dass Lula in den letzten zwei Monaten vor ihrem Ableben Marlene nicht mehr besucht hatte. Dann setzte sie zu einer Tirade über die schlechte Behandlung an, die ihr die Adoptivfamilie nach dem Dahinscheiden des Models hatte angedeihen lassen.

»Die wollt'n mich nich' haben, besonders nich' der Scheißonkel von ihr. Haben Sie den ma getroffen? Ja? Tony Landry, so heißt der Arsch. Hab ihn wegen der Beerdigung angerufen. Er hat mich bedroht. Jawoll, bedroht! ›Ich bin ihre Mutter‹, hab ich gesagt, ›ich hab ein Recht, dran teilzunehmen‹, und er meint nur, dass nich' ich ihre Mutter wär, sondern Lady Bristow, diese irre Schlampe. Komisch, sag ich, weil ich mich noch gut dran erinnern könnt, dass ich sie aus *meinem* Bauch gedrückt hab. 'tschuldigung, aber so isses doch. Er hat gesagt, dass er's nich' gernhätt, wenn ich mit der Presse sprech. Dabei haben *die* doch mit *mir* gesprochen«, sagte sie wütend und deutete auf die Mietshäuser, die über ihnen aufragten. »Die Presse is zu *mir* gekomm', und da hab ich meine Seite der beschissenen Geschichte erzählt. Ja, was denn sonst? Ich wollt ihm keine Szene machen, nich' auf der Beerdigung, die wollt ich nich' ruinier'n, aber dabei sein wollt ich schon. Ich hab ganz hinten gesessen. Die bekackte Rochelle war auch da, hat mich angeseh'n, als wär ich der letzte Dreck. Aber ich war da. Schluss, aus, Ende.

Die Scheißfamilie, die hat gekriegt, was sie wollt. Und ich

nix. Gar nix. Das hätt Lula nich' gewollt, das weiß ich genau. Sie hätt gewollt, dass ich was krieg. Aber«, fügte Marlene mit einer übertriebenen Zurschaustellung von Bescheidenheit hinzu, »mir ging's ja nich' ums Geld. Mir ging's echt nich' ums Geld. Meine Tochter krieg ich nich' wieder, nich' für zehn, nicht für zwanzig Millionen. Wissen Sie, sie wär stocksauer gewor'n, wenn sie gewusst hätt, dass ich nix krieg«, fuhr sie fort. »Das ganze schöne Geld! Keiner glaubt mir, wenn ich sag, dass ich nix gekriegt hab. Ich kann kaum meine Miete zahl'n, und meine Tochter hat Millionen gemacht. So läuft's! Deswegen sin' die Reichen reich und die Armen arm, oder? Ich brauch das Geld nich', aber ein bisschen was hätt ich schon gern. Ich möcht ma wissen, ob der Landry nachts gut schlafen kann, aber da muss er selber mit klarkomm'.«

»Hat Lula Ihnen gegenüber je erwähnt, dass sie Ihnen etwas hinterlassen wollte? Wissen Sie, ob sie ein Testament gemacht hat?«

Marlene schien Morgenluft zu wittern.

»Ja klar, sie kümmert sich um mich, hat sie gesagt. Dass mir nix fehlt, hat sie gesagt. Sollt ich das irgendwem sagen? Dass sie so was gesagt hat, mein ich?«

»Ich glaube nicht, dass das viel bringt, solange Sie nicht in einem Testament erwähnt werden.«

Sie setzte wieder ihren gewohnt mürrischen Gesichtsausdruck auf.

»Das haben die bestimmt verschwinden lassen, diese Arschlöcher. Würd mich nich' wundern. So welche sin' die. Dem Onkel, dem trau ich alles zu.«

5

»Es tut mir sehr leid, dass er nicht zurückgerufen hat«, teilte Robin, die sieben Meilen von Strike entfernt in seinem Büro saß, der Anruferin mit. »Mr. Strike hat im Moment wahnsinnig viel zu tun. Ich notiere mir Ihren Namen und Ihre Nummer und richte ihm aus, dass er sich noch heute Nachmittag bei Ihnen melden soll.«

»Oh, das dürfte nicht nötig sein«, sagte die Frau am anderen Ende der Leitung. Sie hatte eine angenehm kultivierte, etwas heisere Stimme. Ihr Lachen war bestimmt sexy und temperamentvoll. »Ich muss nicht unbedingt persönlich mit ihm sprechen. Könnten Sie ihm etwas ausrichten? Ich wollte ihn vorwarnen, mehr nicht. Gott, das ist … Das ist mir wirklich unangenehm; so hatte ich mir das nicht vorgestellt … Aber gut. Können Sie ihm sagen, dass Charlotte Campbell angerufen hat – und dass ich mich mit Jago Ross verlobt habe? Ich will nicht, dass er es von jemand anders erfährt oder in der Zeitung liest. Jagos Eltern haben natürlich gleich eine Verlobungsanzeige in der verdammten *Times* aufgegeben. Wie überaus peinlich.«

»Oh. Natürlich«, sagte Robin, deren Verstand mit einem Mal ebenso gelähmt war wie die Hand, die den Stift hielt.

»Vielen Dank … Robin, nicht wahr? Danke. Wiederhören.«

Charlotte beendete das Gespräch. Wie in Zeitlupe legte Robin den Hörer zurück auf die Gabel. Eine schreckliche Beklommenheit überfiel sie. Diese Nachricht wollte sie nur ungern überbringen. Sie war zwar nur die Botin, aber sie würde sich dabei trotzdem so vorkommen, als bliese sie zum Generalangriff auf Strikes konsequente Bemühungen, sein Privatleben unter Verschluss zu halten, indem er jede Erwähnung der Umzugskartons, der Campingliege und der Überreste seiner Abendmahlzeiten im Mülleimer tunlichst vermied.

Was sollte sie jetzt tun? Sie konnte den Inhalt der Nachricht einfach vergessen, Charlotte selbst die Drecksarbeit (so empfand es Robin jedenfalls) erledigen lassen und ihm schlicht ausrichten, er möge sie zurückrufen. Doch was, wenn Strike das Telefonat verweigerte und dann auf anderen Wegen von der Verlobung erfuhr? Schließlich hatte Robin keine Ahnung, ob Strike und seine Ex(-freundin? -verlobte? -frau?) nicht Heerscharen von gemeinsamen Bekannten besaßen. Sollte Matthew sich je von ihr trennen und sich mit einer anderen Frau verloben (allein bei dem Gedanken daran bekam sie ein flaues Gefühl in der Magengegend), würden sich ihre engsten Freunde und ihre Familie wohl förmlich überschlagen, ihr brühwarm davon zu erzählen; in diesem Fall, so vermutete sie, wäre sie für eine dezente, diskrete Vorwarnung dankbar.

Etwa eine Stunde später hörte sie Strike die Treppe heraufkommen, wobei er offenbar gut gelaunt in sein Handy sprach. Robin verspürte aufkommende Panik in der Brust, als stünde sie kurz vor einer Prüfung. Das Gefühl verstärkte sich noch, als er die Glastür aufdrückte und sie erkannte, dass er gar kein Handy in der Hand hielt, sondern leise vor sich hin rappte.

»*Fuck yo' meds and fuck Johari*«, murmelte Strike, der einen Karton mit einem elektrischen Ventilator unter dem Arm trug. »Hallo!«

»Hallo.«

»Ich dachte, der wäre vielleicht ganz nützlich. Ist doch recht stickig hier drin.«

»Ja. Gute Idee.«

»In dem Laden haben sie Deeby Macc gespielt«, teilte Strike ihr mit, während er den Karton in die Ecke stellte und sich aus seiner Jacke schälte. »Blabla, blabla *and Ferrari. Fuck yo' meds and fuck Johari*. Wer dieser Johari wohl ist? Wahrscheinlich irgendein anderer Rapper, mit dem er im Clinch liegt, meinen Sie nicht auch?«

»Nein«, sagte Robin und wünschte sich, er wäre nicht ganz so guter Dinge. »Das ist ein Begriff aus der Psychologie. Das Johari-Fenster. Dabei geht es um Selbst- und Fremdwahrnehmung. Wie gut wir uns selbst kennen und welches Bild sich die anderen von uns machen.«

Strike, der gerade seine Jacke aufhängen wollte, hielt inne und starrte sie an. »Das haben Sie aber nicht in einem Ihrer Klatschblättchen gelesen, oder?«

»Nein. Ich habe Psychologie studiert. Und abgebrochen.«

Aus einem obskuren Grund war sie der Meinung, dass dieses Eingeständnis eines persönlichen Versagens die angemessene Vorbereitung wäre, um ihm die schlechte Nachricht zu unterbreiten.

»Sie haben das Studium abgebrochen?« Er schien mit einem Mal sehr neugierig, was sonst gar nicht seine Art war. »So ein Zufall, ich auch. Aber wieso *fuck Johari*?«

»Deeby Macc hat im Gefängnis eine Therapie gemacht. Daraufhin begann er, sich für Psychologie zu interessieren, und hat viel darüber gelesen. Das wiederum weiß ich tatsächlich aus einem Klatschblättchen«, fügte sie hinzu.

»Sie sind ein nie versiegender Quell nützlicher Informationen.«

Erneut stieg Panik in ihr auf.

»Als Sie weg waren, hat eine gewisse Charlotte Campbell angerufen.«

Er sah auf und runzelte die Stirn.

»Sie hat mich gebeten, Ihnen etwas auszurichten, nämlich«, Robin unterbrach den Blickkontakt und starrte kurzzeitig auf Strikes Ohr, »dass sie und Jago Ross sich verlobt haben.«

Unwillkürlich wanderten ihre Augen zu seinem Gesicht zurück, und das Blut gefror ihr in den Adern.

Eine von Robins frühesten und lebhaftesten Kindheitserinnerungen reichte zu dem Tag zurück, an dem der Familienhund eingeschläfert worden war. Sie war noch zu jung gewesen, um die Worte ihres Vaters begreifen zu können; wie selbstverständlich war sie von der ewigen Existenz Brunos – des geliebten Labradors ihres älteren Bruders – ausgegangen. Verwirrt von den Grabesmienen ihrer Eltern, hatte sie sich Stephen zugewandt, um einen Hinweis auf die der Situation angemessene Reaktion zu erhalten. Und plötzlich waren alle Sicherheit, alle Gewissheiten dahin gewesen, denn zum ersten Mal in ihrem kurzen Leben wurde sie Zeugin, wie Freude und Zuversicht aus dem kleinen, sonst so heiteren Gesicht ihres Bruders verschwanden. Seine Lippen verloren die Farbe, sein Mund öffnete sich. In der Stille, die seinem grässlichen Schrei der Pein vorausging, hörte sie die Vergänglichkeit aufheulen. Dann vergoss auch sie selbst bittere Tränen; nicht um Bruno, sondern angesichts der unerträglichen, furchteinflößenden Trauer ihres Bruders.

Strike antwortete nicht sofort. »Ach so. Danke«, brachte er schließlich unter hörbarer Anstrengung heraus.

Er ging in sein Büro und schloss die Tür hinter sich.

Robin kehrte an den Schreibtisch zurück. Sie kam sich vor wie eine Scharfrichterin. Nervös überlegte sie, ob sie an der Tür klopfen und ihm eine Tasse Tee anbieten sollte, entschied sich jedoch dagegen. Fünf Minuten lang schob sie unruhig verschiedene Gegenstände auf ihrem Schreibtisch hin und her und warf immer wieder einen Blick auf die geschlossene Zwischentür. Als diese sich wieder öffnete, fuhr sie zusammen. Eilig widmete sie sich ihrer Tastatur.

»Ich bin mal kurz weg«, sagte Strike.

»In Ordnung.«

»Wenn ich bis fünf Uhr nicht zurück bin, machen Sie einfach Feierabend.«

»Natürlich.«

»Bis morgen.«

Er nahm die Jacke vom Haken. Seine vorgebliche Zielstrebigkeit war nicht sonderlich überzeugend.

Die Baustellen breiteten sich wie ein Krebsgeschwür aus. Täglich wuchsen das Ausmaß der Zerstörung und die damit einhergehenden Behelfsmaßnahmen, die dem Schutz der Passanten dienen und es ihnen ermöglichen sollten, sich einen Weg durch die Verheerung zu bahnen. Strike nahm nichts davon wahr. Wie ferngesteuert lief er über die wackligen Holzbohlen zum Tottenham, jenem Ort, den er inzwischen als seine Fluchtburg vor der harschen Realität betrachtete.

Wie das Ordnance Arms war es bis auf einen weiteren Trinker – einen alten Mann neben der Tür – leer. Strike bestellte ein Doom Bar und setzte sich auf eine der niedrigen roten Lederbänke an der Wand schräg unter dem gefühlsduseligen Gemälde des süßen, dummen, rosenblütenstreuenden viktorianischen Fräuleins. Er trank so freudlos und ergebnisorientiert, als wäre das Bier Medizin.

Jago Ross. Noch während sie zusammengewohnt hatten, musste sie Kontakt zu ihm gehabt oder sich gar mit ihm verabredet haben. Doch selbst Charlotte, die Männern gegenüber eine magische Anziehungskraft besaß – eine eindrucksvolle Eigenschaft, die sie mit Perfektion beherrschte –, vermochte nicht, sich binnen drei Wochen von einem bloßen Wiedersehen nach einer derart langen Zeit zu einer Verlobung hochzuarbeiten. Sie musste sich bereits heimlich mit Ross getroffen haben, während sie gleichzeitig Strike ewige Liebe geschworen hatte.

Dies rückte die Bombe, die sie einen Monat vor ihrer Trennung hatte platzen lassen, in ein neues Licht. Nun wusste er, warum sie sich geweigert hatte, ihm Beweise vorzulegen, nun hatte er eine Erklärung für die sich stets verändernden Zeitangaben und das plötzliche Ende der Angelegenheit.

Jago Ross war schon einmal verheiratet gewesen; er hatte Kinder. Charlotte war sogar zu Ohren gekommen, dass er trank. Sie hatte mit Strike darüber gescherzt, wie sie ihm vor vielen Jahren mit viel Glück entkommen war; sie hatte sogar Mitleid mit seiner Frau gehabt.

Strike bestellte ein zweites Pint und ein drittes. Er wollte das Verlangen ersäufen, das wie Starkstrom in ihm knisterte – das Verlangen, sie aufzusuchen, sie anzuschreien, zu randalieren und Jago Ross den Kiefer zu brechen.

Er hatte weder im Ordnance Arms noch danach etwas gegessen, und es war lange her, dass er in derart kurzer Zeit eine solche Menge Alkohol zu sich genommen hatte. Und so hatte er schon nach einer knappen Stunde des stetigen, einsamen, entschlossenen Bierkonsums das Stadium der schweren Trunkenheit erreicht.

Daher teilte er der schlanken, blassen Gestalt, die neben ihm auftauchte, zunächst mit schwerer Zunge mit, dass sie sich offenbar sowohl im Mann als auch im Tisch geirrt habe.

»Ganz und gar nicht«, erwiderte Robin entschieden. »Ich hole mir auch was zu trinken, wenn's recht ist.«

Sie verschwand wieder. Er starrte benommen auf ihre braune, leicht abgewetzte Handtasche, die sie auf dem Stuhl neben ihm abgestellt hatte. Sie war ihm beruhigend vertraut. Für gewöhnlich hing sie an einem der Kleiderhaken im Büro. Er schenkte ihr ein freundliches Lächeln und prostete ihr zu.

»Ich glaube, er hat genug«, sagte der junge, leicht verunsicherte Barkeeper hinter dem Tresen zu Robin.

»Meine Schuld ist das ja wohl nicht«, entgegnete sie.

Sie hatte nach Strike im Intrepid Fox – dem Pub, der dem Büro am nächsten lag –, im Molly Moggs, im Spice of Life und im Cambridge Ausschau gehalten. Das Tottenham war die letzte Lokalität auf ihrer Liste gewesen.

»Wassis?«, fragte Strike, nachdem sie sich gesetzt hatte.

»Nichts«, sagte Robin und nippte an ihrem kleinen Bier. »Ich wollte mich nur vergewissern, dass bei Ihnen alles in Ordnung ist.«

»Allsprima«, sagte Strike. »Alles prima«, wiederholte er mit etwas deutlicherer Aussprache.

»Dann ist ja gut.«

»Ich feier die Verlobung meiner Verlobten«, sagte er und hob sein elftes Pint zu einem wackligen Toast. »Sie hättn niemals verlassn dürfn. Nieeemals«, sagte er laut und deutlich, »hätte. Sie. Den. Ehrnwerten. Jago Ross. Verlassen. Dürfen. Dieses *Riesenarschloch*!«

Das letzte Wort brüllte er beinahe. Mittlerweile waren weitere Gäste eingetroffen, von denen ihn so ziemlich jeder gehört haben dürfte. Sie hatten ihm schon vor seinem Ausbruch gelegentlich argwöhnische Blicke zugeworfen. Seine Statur, die glasigen Augen und seine streitlustige Miene hatten eine Art Sperrzone um ihn herum geschaffen; auf dem Weg zur Toilette umrundeten sie seinen Tisch, als wäre er dreimal so groß.

»Sollen wir uns die Beine vertreten?«, schlug Robin vor. »Was essen?«

»Wissense was?«, fragte er, beugte sich vor und stemmte die Ellenbogen auf den Tisch, wobei er um ein Haar sein Bier umstieß. »Wissense was, Robin?«

»Was denn?« Sie hielt sein Glas fest. Mit einem Mal überkam sie das starke Bedürfnis zu kichern. Einige Gäste starrten sie nun unverhohlen an.

»Siesinn ganz reizndes Mädchen«, sagte Strike. »Wirklich. 'ne ganz nette Person. Is mir aufgefalln«, sagte er und nickte ernst. »Jaha. Sofort aufgefalln.«

»Danke«, sagte sie, nach Kräften bemüht, sich das Lachen zu verkneifen.

Er ließ sich auf die Bank zurückfallen und schloss die Augen.

»Versseihung. Bin besoffn.«

»Stimmt.«

»Kommnich oft vor in lezzerzeit.«

»Nein.«

»Hab nichts gegessn.«

»Warum gehen wir nicht woandershin und essen eine Kleinigkeit, was meinen Sie?«

»Jawollja, machen wir«, sagte er mit geschlossenen Augen. »Sie wär schwanger, hatse gesagt.«

»Oh«, sagte Robin traurig.

»Ja. Hatse gesagt. Und dann hatse gesagt, 's wär weg. Hättnich von mir sein könn. Hättnich hingehaun.«

Robin schwieg. Sie wollte nicht, dass er sich später daran erinnerte, ihr davon erzählt zu haben. Er öffnete die Augen.

»Sie hatn wegen mir verlassn, und jetzt hatsen wegen mir verlassn … nee, hat mich wegen ihm verlassn …«

»Das tut mir leid.«

»…wegen ihm verlassn. Muss Ihnn nich leidtun. Siesin ’ne nette Person.«

Er nahm die Zigarettenschachtel aus der Tasche und klemmte sich eine Zigarette zwischen die Lippen.

»Sie dürfen hier nicht rauchen«, ermahnte sie ihn sacht. Der Barkeeper allerdings, der nur auf so etwas gewartet hatte, stürmte jetzt mit finsterem Blick auf sie zu.

»Sie müssen zum Rauchen nach draußen gehen«, herrschte er Strike an.

Strike sah überrascht und mit leerem Blick zu dem Jungen auf.

»Schon gut«, sagte Robin und nahm ihre Handtasche. »Gehen wir, Cormoran.«

Ungelenk und schwankend stand er auf und zwängte seinen massigen Körper aus der engen Nische hinter dem Tisch. Er funkelte den Barkeeper böse an. Dass dieser einen Schritt zurückwich, konnte Robin ihm kaum verdenken.

»’s gibt kein Grund«, verkündete Strike, »mich anzuschrein. Kein Scheißgrund.«

»Alles klar, Cormoran. Verschwinden wir«, sagte Robin und trat ebenfalls zurück, um ihm Platz zu machen.

»Kleinmomentnoch, Robin«, sagte Strike und hob die Hand. »Kleinmoment.«

»Oh Gott«, murmelte sie.

»Schomma geboxt?«, fragte Strike den verängstigt dreinschauenden Barkeeper.

»Gehen wir, Cormoran!«

»Ich schon, Kumpel. Inner Army. Ich warn klasse Boxer.«

»*Und was bin ich geworden? Ein gemeiner Lump*«, zitierte ein Witzbold an der Bar hinter vorgehaltener Hand.

»Gehen wir«, sagte Robin noch einmal und packte seinen Arm. Zu ihrer großen Erleichterung ließ er sich widerstandslos mitziehen. Er erinnerte sie an das große Kaltblut, das sie auf dem Bauernhof ihres Onkels an den Zügeln herumgeführt hatte.

Draußen an der frischen Luft lehnte sich Strike gegen eines der Fenster. Vergeblich versuchte er, sich eine Zigarette anzuzünden, bis Robin ihm schließlich das Feuerzeug abnahm und ihm Feuer gab.

»Sie müssen was essen«, sagte sie. Er zog mit geschlossenen Augen an seiner Zigarette und hatte leichte Schlagseite, und sie befürchtete, er könnte jeden Augenblick umkippen. »Damit Sie wieder nüchtern werden.«

»Willich aber nich«, jammerte Strike. Er verlor das Gleichgewicht und konnte nur knapp einen Sturz verhindern.

»Kommen Sie mit«, sagte sie und lotste ihn über die Holzbrücke, die die Kluft in der Straße überspannte. Endlich waren die ratternden Maschinen verstummt, die Bauarbeiter hatten Feierabend gemacht.

»Ich hab ma geboxt, Robin. Hamse das gewusst?«

»Nein, das wusste ich nicht«, sagte sie.

Eigentlich hatte sie vorgehabt, ihn ins Büro zurückzubringen, damit er dort etwas essen konnte, doch er blieb vor einem Kebabladen am Ende der Denmark Street stehen und taumelte durch die Tür, noch ehe sie ihn aufhalten konnte. An dem einzigen Tisch auf dem Gehweg vor dem Imbiss ließen sie sich nieder und aßen zu Abend. Er erzählte ihr von seiner Boxkarriere bei der Army und schweifte gelegentlich ab, um sie daran zu erinnern, was für eine nette Person sie sei. Beharrlich hielt sie ihn davon ab, allzu laut zu sprechen. Noch war der Effekt des Alkohols, den er intus hatte, deutlich bemerkbar, und das Essen schien kaum zu helfen. Er ging zur Toilette und blieb so lange fort, dass Robin schon befürchtete, er hätte das Bewusstsein verloren.

Sie sah auf die Uhr. Zehn nach sieben. Sie rief Matthew an und erzählte ihm, im Büro gebe es einen Notfall. Er klang wenig begeistert.

Als Strike auf den Gehweg zurücktaumelte, prallte er gegen den Türrahmen. Er lehnte sich schwer gegen das Fenster der Imbissbude und versuchte erfolglos, sich die nächste Zigarette anzuzünden.

»Robin«, sagte er und sah zu ihr hinunter. »Wissense, wasn kai…« Er hickste. »Wasn *kairos* is?«

»Ein *kairos*?«, wiederholte sie und hoffte inständig, dass es sich dabei um nichts Anstößiges handelte, was ihr auf ewig im Gedächtnis bleiben würde – ganz besonders im Hinblick auf den Inhaber des Kebabladens, der höhnisch grinsend die Ohren spitzte. »Nein, keine Ahnung. Sollen wir zurück ins Büro gehen?«

»Das wissense nich?«, fragte Strike und sah sie konzentriert an.

»Nein.«

»Is griechisch«, sagte er. »*Kairos.* Das is«, und irgendwie schaffte er es, aus den Tiefen seines benebelten Hirns Worte von erstaunlicher Klarheit zu fischen, »der Augenblick der Entscheidung. Ein besonderer Augenblick. Der Augenblick der Wahrheit.«

Bitte, dachte Robin. *Bittebitte sag jetzt nicht, dass wir gerade einen solchen Moment haben.*

»Wissense, was unsrer war, Robin? Meiner und Charlottes?« Er starrte mit der immer noch nicht brennenden Zigarette zwischen den Fingern ins Leere. »Das war, als sie auf die Station gekommen is… Ich war lang im Krankenhaus und hattese zwei Jahre lang nicht gesehn, und da standse einfach so in der Tür, und alle drehn sich um und hamse auch gesehen, und sie is die Station runter, ohne irgendwas zu sagen, und« – er hielt inne, um Luft zu holen, und hickste wieder –, »und dann hatse mich geküsst, nach zwei Jahren, und wir waren wieder zusammen. Ohne ein Wort. Scheiße, war das schön. Die schönste Frau, die ich je gesehen hab. Schönster Moment in meinem ganzen beschissnen … beschissenen Leben, wahrscheinlich. ’tschuldigung, Robin«, fügte er hinzu, »wegen dem beschissnen ›beschissen‹ die ganze Zeit. Tut mir leid.«

Robin wollte gleichzeitig lachen und in Tränen ausbrechen. Sie konnte sich selbst nicht erklären, warum sie so traurig war.

»Soll ich Ihnen die Zigarette anzünden?«

»Siesin ’ne nette Person, Robin. Wissense das?«

Strike, der immer noch schwankte wie ein Schiff auf hoher See, blieb mitten auf der Denmark Street urplötzlich stehen, um ihr mitzuteilen, dass Charlotte Jago Ross nicht liebe, dass das Ganze nur ein Spiel sei, um ihn, Strike, so tief wie nur irgend möglich zu verletzen.

Kurz vor der schwarzen Eingangstür blieb er erneut stehen und hob beide Hände, um Robin daran zu hindern, ihm zu folgen.

»Gehnse heim, Robin.«

»Ich will nur sichergehen, dass Sie’s wohlbehalten nach oben schaffen.«

»Nein, nein, ich komm schon klar. Vielleicht muss ich gleich kotzen. Bin verdammt wacklig auf’m Bein. Schade«, sagte Strike, »dass Sie den beschissenen Witz nicht kapieren. Oder doch? Sie kennen ja jetzt die Geschichte, mehr oder weniger. Oder nich?«

»Ich weiß nicht, wovon Sie sprechen.«

»Egal, Robin. Gehnse heim. Mir is schlecht.«

»Können Sie wirklich …«

»'tschuldigung fürs Fluchen. Siesin 'ne nette Person, Robin. Wiedersehn.«

Als sie die Charing Cross Road erreicht hatte, drehte sie sich noch einmal zu ihm um. Er stolperte mit der bemitleidenswerten, unbeholfenen Bedächtigkeit der Volltrunkenen auf den schmalen Durchgang zum Denmark Place zu, um sich aller Wahrscheinlichkeit nach in der dunklen Gasse zu übergeben, bevor er die Treppe zu seiner Campingliege und dem Wasserkocher hinaufstieg.

6

Der Übergang zwischen Schlafen und Wachen war fließend. Zunächst sah er sich hingestreckt inmitten einer Traumlandschaft aus verbogenem Metall, Trümmern und Geschrei, blutüberströmt und unfähig zu sprechen; dann lag er auf dem Bauch, schweißgebadet, das Gesicht in die Liege gedrückt; sein Kopf war ein pulsierender Ball aus Schmerz, sein geöffneter Mund trocken und ranzig. Die Jalousie stand offen, und die Sonne schien durchs Fenster und versengte trotz der geschlossenen Lider seine Netzhäute. Vor einem fleischroten Hintergrund breiteten sich kleine Äderchen wie ein feines schwarzes Netz über winzigen, spöttisch aufblitzenden Lichtern aus.

Er trug immer noch die Kleidung vom Vortag und die Prothese, und er lag auf seinem Schlafsack, als wäre er umgefallen und zufällig darauf gelandet. Wie Glasscherben bohrten sich die Erinnerungen in seine Schläfe: wie er versucht hatte, den Barkeeper davon zu überzeugen, dass ein weiteres Pint gar keine so schlechte Idee wäre. Wie Robin ihn über den Tisch hinweg angelächelt hatte. Hatte er in diesem Zustand tatsächlich noch ein Kebab gegessen? Ihm fiel wieder ein, dass er irgendwann dringend hatte Wasser lassen müssen, mit dem Reißverschluss seiner Hose gekämpft hatte und nicht in der Lage gewesen war, den Hemdzipfel zu lösen, der sich darin verfangen hatte. Er schob die Hand unter sich – selbst diese einfache Bewegung ließ ihn aufstöhnen und verursachte ihm Brechreiz – und stellte zu seiner Erleichterung fest, dass der Reißverschluss nicht offen stand.

So langsam wie ein Mann, der eine zerbrechliche Last auf den Schultern balancierte, setzte er sich auf und sah sich mit zusammengekniffenen Augen in dem unerträglich hellen Raum um. Er wusste weder, wie spät noch welcher Tag es war.

Die Tür zum Vorzimmer war geschlossen. Von der anderen Seite war nichts zu hören. Vielleicht hatte seine Aushilfssekretärin ja endgültig das Handtuch geworfen. Dann sah er ein weißes Rechteck auf dem Boden. Behutsam ging Strike auf alle viere und hob den Zettel auf. Eine Nachricht von Robin, die sie unter der Tür hindurchgeschoben hatte.

Lieber Cormoran! (Jetzt gab es wohl kein Zurück mehr zu »Mr. Strike«.) *Ich habe mir die Liste der noch zu erledigenden Aufgaben am Anfang der Akte angesehen. Ich kümmere mich um die ersten beiden Punkte (Agyeman und Malmaison Hotel). Falls ich stattdessen ins Büro kommen soll, rufen Sie mich einfach auf dem Handy an. Ich habe im Vorzimmer den Wecker auf 14 Uhr gestellt, damit Sie noch genug Zeit haben, um sich auf das Treffen mit Ciara Porter und Bryony Radford um 17 Uhr vorzubereiten (Arlington Place 1).*
Wasser, Paracetamol und Alka-Seltzer finden Sie auf meinem Schreibtisch.
Robin

PS. Sie brauchen sich wegen gestern Abend keine Sorgen zu machen. Sie haben nichts gesagt oder getan, was Sie bedauern müssten.

Fünf Minuten lang saß er reglos mit dem Blatt Papier in der Hand auf der Campingliege, spürte die Sonnenstrahlen auf seinem Rücken und wusste nicht recht, ob er sich übergeben musste oder nicht.

Vier Paracetamol und ein Glas Alka-Seltzer später war die Frage entschieden. Er verbrachte fünfzehn Minuten mit einem für Nase und Ohren wenig erfreulichen Resultat auf der stickigen Toilette. Strikes einziger Trost war seine tief empfundene Dankbarkeit darüber, dass Robin nicht anwesend war. Zurück im Vorzimmer, trank er zwei weitere Flaschen Wasser und schaltete den Wecker aus, der sein empfindliches Gehirn in seinem Schädel scheppern ließ. Nach einer kurzen Verschnaufpause suchte er frische Kleidung zusammen und nahm Duschgel, Deo, den Rasierer, Rasierschaum und ein Handtuch aus der Sporttasche. Er zog eine Badehose aus einem der Kartons auf dem Treppenabsatz, die grauen Metallkrücken aus einem anderen und humpelte mit einem Rucksack auf der Schulter und den Krücken in der Hand die Treppe hinunter.

Auf dem Weg zur Malet Street kaufte er sich eine große Tafel Schokolade. Bernie Coleman, ein alter Bekannter aus dem Army Medical Corps, hatte ihm einmal erklärt, dass ein Großteil der Symptome eines schweren Katers auf Dehydrierung und Unterzuckerung zurückzuführen seien – die natürlichen Folgen wiederholten Erbrechens. Mit den Krücken unter dem Arm vertilgte Strike die Schokolade. Jeder Schritt hallte in seinem Kopf wider, der sich nach wie vor anfühlte, als wäre er fest mit Draht umwickelt.

Doch der feixende Gott der Trunkenheit hielt seine schützende Hand über ihn. Angenehm distanziert von der Realität und seinen Mitmenschen, stieg er wie selbstverständlich die Treppe zu den Duschen im Studentenwerk hinab. Auch diesmal blieb er unbehelligt – selbst von dem einzigen anderen Benutzer des Umkleideraums, der nach einem kurzen

Blick auf die Prothese, die Strike gerade ablegte, höflich wegsah. Strike stopfte den künstlichen Körperteil zusammen mit der getragenen Kleidung in einen Spind, dessen Tür er in Ermangelung einer passenden Münze offen stehen ließ. Anschließend humpelte er auf Krücken in den Duschraum. Sein Bauch quoll über den Saum der Badehose.

Während er sich einseifte, stellte er fest, dass die Schokolade und das Paracetamol die Übelkeit und den Schmerz deutlich milderten. Zum ersten Mal betrat er die Halle mit dem Schwimmbecken, in dem sich lediglich zwei schwimmbrillenbewehrte Studenten befanden, die, unempfänglich für alles außer ihrer eigenen Leistungsfähigkeit, tapfer ihre Bahnen zogen. Strike ging zur flachen Seite des Beckens hinüber, legte die Krücken vorsichtig neben dem Einstieg ab und ließ sich ins Wasser gleiten.

Noch nie in seinem Leben war er derart außer Form gewesen. Ungelenk schwamm er los. Immer wieder trieb er gegen den Beckenrand, doch das kühle, klare Wasser war Balsam für Körper und Geist. Keuchend vollendete er die Bahn und ruhte sich aus, indem er die dicken Arme auf den Beckenrand legte, das Gewicht seines Körpers von dem ihn umspielenden Wasser tragen ließ und zu der weißen Decke hinaufstarrte.

Kleine Wellen, die von den Athleten auf der anderen Seite des Beckens herüberschwappten, kitzelten seine Brust. Der grässliche Kopfschmerz verschwand allmählich, verlor sich in der Ferne wie ein grelles rotes Licht in dichtem Nebel. Der scharfe, klinische Chlorgeruch stach ihm in die Nase, erregte aber keine Übelkeit mehr. Vorsichtig wie ein Mann, der den Verband von einer sich schließenden Wunde nahm, richtete er seine Gedanken auf jene Angelegenheit, die er im Alkohol zu ertränken versucht hatte.

Jago Ross. In jeder Hinsicht das genaue Gegenteil von

Strike: schön wie ein edler Prinz, im Besitz eines Treuhandfonds, geboren, um seinen vorbestimmten Platz innerhalb seiner Familie und der Welt einzunehmen; gesegnet mit allem Selbstvertrauen, das einem ein über zwölf Generationen exakt dokumentierter Stammbaum verleihen konnte. Er hatte eine Reihe hoch dotierter Jobs sausen lassen, ein hartnäckiges Alkoholproblem entwickelt und legte die Bösartigkeit eines überzüchteten, unerzogenen Tieres an den Tag.

Charlotte und Ross gehörten jenem engmaschigen Netzwerk blaublütiger Privatschulabgänger an, deren Familien nicht zuletzt durch generationenlange wechselseitige Eheschließungen und die Pflege althergebrachter Verbindungen gut miteinander bekannt waren. Während das Wasser gegen Strikes dicht behaarte Brust schwappte, sah er sich selbst, Charlotte und Ross wie aus weiter Entfernung, wie durch das falsche Ende eines Fernrohrs, und plötzlich wurde ihm klar, weshalb alles so gekommen war: Charlotte lebte ruhelos in den Tag hinein. Ihr Bedürfnis nach großen Gefühlen gipfelte üblicherweise in blanker Zerstörungswut. Mit achtzehn hatte sie sich Jago Ross einer Trophäe gleich unter den Nagel gerissen – er war der extremste Vertreter seiner Gattung, den sie hatte finden können. Und nach dem Dafürhalten ihrer Eltern der Inbegriff des idealen Schwiegersohns. Möglicherweise hatte Charlotte entschieden, dass dies zu einfach und ganz gewiss zu vorhersehbar gewesen sei, weshalb sie ihn für Strike verlassen hatte, der für ihre Familie trotz seiner Intelligenz ein rotes Tuch darstellte: eine dahergelaufene Promenadenmischung. War dieser Frau, die beinahe triebhaft nach heftigen Gefühlswallungen strebte und Strike immer wieder verlassen hatte, tatsächlich nichts anderes übrig geblieben, als einen endgültigen Eklat heraufzubeschwören, um den Kreis schließen und zum Ausgangspunkt zurückkehren zu können?

Strike ließ seinen geschundenen Leib treiben. Die Studenten pflügten noch immer verbissen durchs Wasser.

Er kannte Charlotte genau. Sie wartete nur darauf, dass er zu ihrer Rettung eilte. Das war ihre letzte, ihre grausamste Prüfung.

Strike schwamm nicht zurück, sondern hüpfte durchs Wasser, indem er sich am Beckenrand entlanghangelte wie damals in der Reha.

Die zweite Dusche war noch angenehmer als die erste; er stellte das Wasser so heiß, dass er es gerade aushalten konnte, seifte sich von Kopf bis Fuß ein und spülte sich mit kaltem Wasser ab.

Nachdem er die Prothese wieder angelegt hatte, rasierte er sich, ein Handtuch um die Hüften geschlungen, über einem der Waschbecken. Dann kleidete er sich sorgfältig in den teuersten Anzug und das beste Hemd, die sich in seinem Besitz befanden und die er kaum je getragen hatte. Charlotte hatte ihm die Sachen zu seinem letzten Geburtstag geschenkt: eine, wie sie fand, ihrem Verlobten angemessene Bekleidung. Er erinnerte sich noch genau daran, wie sie gestrahlt hatte, während er sein ungewöhnlich gut angezogenes Spiegelbild betrachtet hatte. Der Anzug und das Hemd hatten danach in einem Kleidersack geschlummert, denn seit November waren er und Charlotte nicht mehr allzu häufig ausgegangen; tatsächlich stellte sein Geburtstag die letzte Gelegenheit dar, bei der sie beide wahrhaftig glücklich miteinander gewesen waren. Kurz darauf hatte ihre Beziehung bereits wieder die alten, wohlbekannten Missstände erkennen lassen, war in denselben Sumpf geraten, in dem sie zuvor schon versunken war und den um jeden Preis zu vermeiden sie sich doch hoch und heilig geschworen hatten.

Er hätte den Anzug verbrennen sollen. Stattdessen entschied er sich, ihn aus Trotz zu tragen, ihn wie ein gewöhnliches Stück Stoff zu behandeln und sich so der damit verbundenen Erinnerungen zu entledigen. Der Schnitt des Sakkos verlieh ihm einen schlankeren und durchtrainierten Eindruck. Er ließ den obersten Knopf des weißen Hemds offen stehen.

Strike hatte in der Army den Ruf genossen, sich selbst nach exzessivem Alkoholkonsum ungewöhnlich schnell erholen zu können. Der Mann, der ihm jetzt aus dem Spiegel entgegenstarrte, war zwar blass und hatte violette Schatten unter den Augen, sah aber dank des schicken italienischen Anzugs besser aus als seit Wochen. Das Veilchen war endlich abgeschwollen, die Kratzer waren verheilt.

Nachdem er vorsichtshalber eine leichte Mahlzeit, eine ausgiebige Menge Wasser sowie weitere Schmerztabletten zu sich genommen und der Toilette abermals einen reinigenden Besuch abgestattet hatte, traf er pünktlich auf die Minute am Arlington Place ein.

Auf das zweite Klopfen hin öffnete ihm eine mürrisch aussehende Frau mit schwarz gerahmter Brille und einem kurzen grauen Bob. Nach kurzem Zögern ließ sie ihn ein und marschierte dann vor ihm her durch ein gefliestes Foyer, von dem aus eine prunkvolle Treppe mit gusseisernem Geländer ins Obergeschoss führte. »Guy«, rief sie. »Ein Strike für dich?«

Aus dem Foyer gingen zu beiden Seiten mehrere Türen ab. In einem Raum zur Linken starrte eine kleine Gruppe ausnahmslos in Schwarz gekleideter Menschen in eine grelle Lichtquelle, von der Strike von seiner Position aus jedoch nur den Widerschein auf ihren verzückten Gesichtern erkennen konnte.

Aus diesem Zimmer stolzierte Somé auf den Flur heraus. Auch er trug eine Brille, die ihn älter erscheinen ließ, dazu zerrissene Baggy-Jeans und ein weißes T-Shirt, auf dem ein Auge prangte, das glitzerndes Blut weinte – was sich bei näherer Betrachtung jedoch als rote Paillettenstickerei herausstellte.

»Sie müssen sich ein wenig gedulden«, sagte er höflich. »Bryony ist gerade beschäftigt. Ciara braucht noch ein paar Stunden. Am besten, Sie setzen sich irgendwohin.« Er deutete auf eine Tür zu seiner Rechten, wo ein mit Tabletts vollgestellter Tisch zu sehen war. »Oder Sie stehen einfach rum und gaffen wie diese *beschissenen Amateure*!« Bei den letzten Worten hob er unvermittelt die Stimme und starrte böse zu dem Haufen junger, elegant gekleideter Männer und Frauen hinüber, die in die unsichtbare Lichtquelle geblickt hatten, woraufhin sich die Gruppe augenblicklich und ohne Widerworte in den gegenüberliegenden Raum verlagerte.

»Schicker Anzug übrigens«, sagte Somé mit einem kurzen Aufblitzen der altbekannten Häme. »Besser als der letzte.« Und damit verschwand er in dem Zimmer, aus dem er gekommen war.

Strike folgte dem Designer und nahm den Platz der so rüde verscheuchten Beobachter ein. Der große Raum war so gut wie leer. Der verschnörkelte Stuck, die hellen Wände und die vorhanglosen Fenster verliehen ihm eine gewisse tragische Erhabenheit. Eine weitere Menschentraube, zu der auch ein langhaariger, über die Kamera gebeugter Fotograf gehörte, stand zwischen Strike und der Szenerie am entlegenen Ende des Raumes, die in das gleißende Licht mehrerer Bogenscheinwerfer und Lichtschirme getaucht war. Inmitten eines kunstvollen Arrangements aus ramponierten Stühlen – von denen einer am Boden lag – waren drei Models positioniert. Mit ihren außergewöhnlich proportionierten Gesichtern und Körpern, irgendwo zwischen befremdlich und aufsehenerregend, schienen sie einer anderen Spezies anzugehören. Sie waren feingliedrig und gnadenlos hager und, so Strikes Vermutung, aufgrund der dramatischen Gegensätze in Bezug auf Hautfarbe und Körperbau ausgewählt worden. Eine Frau mit Afro und verführerischen Mandelaugen, so dunkelhäutig wie Somé, saß in einer Christine-Keeler-Pose verkehrt herum auf einem Stuhl. Die langen Beine steckten in hautengen, wie aufgesprüht wirkenden Leggins, von der Hüfte aufwärts war sie nackt. Hinter ihr stand eine eurasische Schönheit. Das glatte schwarze Haar war zu einem asymmetrischen Pony geschnitten, ihr weißes, mit Ketten behängtes Top reichte ihr gerade so über den Schamhügel. Etwas abseits von den beiden lehnte Ciara Porter an einem Stuhl. Ihre Haut war alabasterfarben, das Haar lang und hellblond, und sie war in einen weißen, beinahe durchsichtigen Overall gekleidet, durch den man deutlich ihre blassen, spitzen Brustwarzen erkennen konnte.

Die Visagistin, die fast ebenso groß und dünn war wie die Models, beugte sich über die dunkelhäutige Frau und drückte ihr einen Wattebausch seitlich an die Nase. Die drei Models verharrten wortlos und mit leeren Gesichtern in ihren Positionen und schienen auf ihren Einsatz zu warten. Die anderen Personen im Raum (der Fotograf und seine beiden Assistenten; Somé, der neben der Kamera an seinen Fingernägeln kaute; die mürrische bebrillte Frau an seiner Seite) unterhielten sich nur flüsternd, als befürchteten sie, ein fein ausbalanciertes Gleichgewicht zu zerstören.

Endlich ging die Visagistin zu Somé hinüber. Er redete wild gestikulierend und ebenso schnell wie leise auf sie ein; daraufhin trat sie zurück in das grelle Licht und wühlte ohne Vorwarnung in Ciara Porters langer Mähne. Ciara vermittelte den Eindruck, als würde sie dies überhaupt nicht bemerken. Sie ließ die Behandlung mit duldsamem Schweigen über sich ergehen, bis Bryony sich wieder in die Schatten zurückzog und Somé irgendetwas fragte; er antwortete mit einem Schulterzucken und gab ihr einen unhörbaren Hinweis, woraufhin sie sich nach Strike umsah.

Draußen am Fuß der prächtigen Treppe flüsterte sie: »Hi. Gehen wir da rein.«

Sie führte ihn durch den Flur in den gegenüberliegenden Raum, der ein wenig kleiner als der erste war und von einem ausladenden, mit einem kalten Büfett beladenen Tisch beherrscht wurde. Vor einem Kamin waren mehrere lange mobile Garderobenständer geparkt. Daran hing farblich sortiert eine Unmenge mit Pailletten, Rüschen und Federn versehener Kreationen. Auch die vertriebenen Zuschauer, von denen keiner älter war als dreißig, hatten sich hier versammelt. Sie unterhielten sich gedämpft, griffen wahllos zu Mozzarella und Parmaschinken von den halb geleerten Tabletts, telefonierten oder spielten mit ihren Handys. Ein paar von ihnen warfen Strike einen abschätzenden Blick zu, als er Bryony in ein kleines Nebenzimmer folgte, das man in einen behelfsmäßigen Schminkraum verwandelt hatte.

Vor der einsamen Fenstertür, die den Blick auf einen aparten Garten freigab, befanden sich zwei Tische mit großen tragbaren Spiegeln darauf. Die schwarzen Plastikkästen, die überall herumstanden, erinnerten Strike an die Fliegenfischerausrüstung seines Onkels Ted – nur dass in Bryonys Kästen statt Angelzubehör farbige Pulver und Make-up sortiert waren. Auf den Tischen waren Tuben und Pinsel auf Handtüchern ausgebreitet.

»Hi«, sagte sie jetzt in normaler Lautstärke. »*Gott*, was für ein Stress, nicht auszuhalten! Guy ist ja so ein Perfektionist, und es ist sein erstes richtiges Shooting seit Lulas Tod. Deshalb ist er, na ja, so nervös.«

Sie hatte dunkles, fransig geschnittenes Haar und blasse

Haut. Ihre Gesichtszüge waren ein bisschen derb, aber durchaus attraktiv. Die langen O-Beine steckten in engen Jeans; dazu trug sie ein schwarzes Top und mehrere dünne Goldketten um den Hals, Ringe an den Fingern und Daumen und an den Füßen schwarze Lederballerinas. Diese Art von Schuh hatte auf Strike seit jeher den Effekt eines leichten Anaphrodisiakums; er erinnerte ihn an die Latschen, die seine Tante Joan in ihrer Handtasche herumgeschleppt hatte. Und bei Tante Joans Latschen musste Strike unwillkürlich an Ballenzehen und Hühneraugen denken.

Strike wollte gerade anheben, ihr zu erklären, was ihn hierhergeführt hatte, als sie ihn abrupt unterbrach.

»Guy hat mir schon alles erzählt. Zigarette? Wir dürfen hier rauchen, wenn wir das Fenster aufmachen.«

Kaum hatte sie den Satz beendet, riss sie auch schon die Terrassentür auf, die in den gepflasterten Bereich des Gartens führte. Sie räumte eine kleine Fläche auf einem der vollgestellten Make-up-Tische frei und setzte sich auf die Kante. Strike nahm auf einem der leeren Stühle Platz und zog sein Notizbuch hervor.

»Schießen Sie los«, sagte sie. »Ich hab seitdem ständig über diesen Nachmittag nachgedacht«, fügte sie hinzu, bevor er überhaupt zu Wort kommen konnte. »Wie furchtbar traurig.«

»Kannten Sie Lula gut?«, fragte Strike.

»Ja, ziemlich gut. Ich hab ihr für mehrere Shows das Makeup gemacht. Und für diese Regenwald-Benefizgala. Und als ich ihr erzählte, dass ich Augenbrauen fädeln kann …«

»Sie können was?«

»Augenbrauen fädeln. Man benutzt beim Zupfen einen Faden statt einer Pinzette.«

Strike konnte sich beim besten Willen nicht vorstellen, wie das funktionieren sollte.

»Verstehe …«

»… hat sie mich zu sich nach Hause eingeladen, damit ich es dort für sie mache. Die Paparazzi waren ja ständig hinter ihr her, *immer*, selbst wenn sie zur Kosmetikerin ging. Das war doch Wahnsinn! Also hab ich ihr aus der Patsche geholfen.«

Bryony hatte die Angewohnheit, sich den etwas zu langen Pony ruckartig aus den Augen zu schütteln und beim Sprechen hörbar einzuatmen. Sie warf das Haar zur Seite, fuhr mit den Fingern hindurch und starrte ihn durch die Fransen prüfend an.

»Ich war gegen zwei Uhr bei ihr. Sie und Ciara waren ganz aus dem Häuschen, weil Deeby Macc kommen sollte. Mädels, Sie wissen schon. Ich hätte mir niemals träumen lassen, was später passiert ist. *Niemals.*«

»Lula war aufgeregt?«

»Oh Gott, und wie! Was glauben Sie denn? Wie würde es Ihnen wohl gehen, wenn jemand mehrere Songs über … na ja«, sagte sie mit einem gehauchten kleinen Lachen. »Das ist vielleicht auch so ein Mädelsding. Er ist *so* charismatisch! Ciara und ich haben uns darüber unterhalten, während ich Lula die Brauen gefädelt hab. Dann wollte Ciara, dass ich ihr die Nägel mache. Am Ende habe ich beiden das volle Programm verpasst und war, also, mindestens drei Stunden dort. Ja, ich bin gegen fünf gegangen.«

»Sie würden Lulas Stimmung an jenem Nachmittag als aufgeregt bezeichnen?«

»Ja. Na ja, wissen Sie, sie war irgendwie nicht bei der Sache. Ständig schaute sie auf ihr Handy. Sie hatte es auf dem Schoß liegen, als ich ihr die Augenbrauen gemacht habe. Ich konnte mir schon denken, was los war: Evan hatte ihr mal wieder den letzten Nerv geraubt.«

»Hat sie Ihnen das gesagt?«

»Nein, aber ich wusste, dass sie stocksauer auf ihn war. Was glauben Sie denn, weshalb sie Ciara das mit ihrem Bruder erzählt hat? Dass sie ihm alles vererben wollte?«

Das kam Strike nun doch etwas weit hergeholt vor.

»Hat sie das in Ihrer Gegenwart gesagt?«

»Was? Nein, aber Ciara hat's mir erzählt. Hinterher, meine ich. Ich glaube, ich war gerade auf der Toilette, als sie das gesagt hat. Wie dem auch sei, ich glaube das sofort. Sofort.«

»Warum?«

Sie sah verwirrt drein. »Na ja, sie hat ihren Bruder über alles geliebt, oder? Gott, das war doch offensichtlich! Er war wahrscheinlich die einzige Person, auf die sie sich hundertprozentig verlassen konnte. Ein paar Monate vor ihrem Tod, ungefähr zu der Zeit, als sie sich zum ersten Mal von Evan getrennt hatte, da hab ich sie für Stella zurechtgemacht, und sie hat jedem erzählt, wie genervt sie von ihrem Bruder sei, weil er überall herumposaunte, was für ein Schmarotzer Evan war. Aber an diesem Nachmittag hatte Evan ihr wieder nichts als Ärger gemacht, und sie meinte, dass James – er heißt doch James, oder? –, dass James ihn von Anfang an durchschaut habe. Sie wusste, dass er nur das Beste für sie wollte, obwohl er manchmal ein bisschen rechthaberisch sein konnte. Aber es ist ein echt hartes Geschäft, wissen Sie? Da verfolgt jeder nur seine eigenen Interessen.«

»Wer war denn besonders an Lula interessiert?«

»Gott, *jeder*«, sagte Bryony und machte mit der Hand, die die Zigarette hielt, eine ausladende, das ganze Anwesen umfassende Geste. »Sie war das absolut *heißeste* Model, da wollten alle ein Stück vom Kuchen. Guy zum Beispiel …« Sie unterbrach sich. »Na ja, Guy ist Geschäftsmann, aber er hat sie vergöttert. Nach dieser Stalker-Geschichte wollte er, dass sie bei ihm einzieht. Er ist immer noch nicht über ihren Tod hinweg. Ich hab gehört, dass er durch ein Medium mit ihr Kontakt aufnehmen wollte. Hat mir Margo Leiter erzählt. Er ist nach wie vor am Boden zerstört, man kann nicht einmal ihren Namen erwähnen, ohne dass er anfängt zu heulen. Na ja, egal«, sagte Bryony. »Mehr kann ich Ihnen nicht sagen. Ich hätte mir nie träumen lassen, dass ich sie an diesem Nachmittag zum letzten Mal zu Gesicht bekommen würde. Echt tragisch, oder?«

»Hat Lula Duffield denn überhaupt erwähnt, als Sie ihre Augenbrauen … gefädelt haben?«

»Nein«, sagte Bryony. »Wieso auch, wenn er ihr so auf die Nerven ging?«

»Also hat sie Ihrer Erinnerung nach in erster Linie über Deeby Macc gesprochen?«

»Na ja … Eigentlich haben Ciara und ich über ihn gesprochen.«

»Hatten Sie nicht den Eindruck, dass sie sich darauf gefreut hat, ihn zu treffen?«

»Oh Gott, klar, natürlich.«

»Als Sie in ihrer Wohnung waren, haben Sie da ein blaues Papier mit Lulas Handschrift darauf bemerkt?«

Bryony schüttelte sich das Haar ins Gesicht und fuhr mit den Fingern hindurch.

»Was? Nein. Nein, so was ist mir nicht aufgefallen. Warum, was war das denn?«

»Keine Ahnung«, sagte Strike. »Aber das möchte ich gerne herausfinden.«

»Nein, ich hab nichts gesehen. Blau, sagten Sie? Nein.«

»Haben Sie überhaupt irgendwo beschriebenes Papier bemerkt?«

»Nein, gar nicht. Nein.« Sie warf sich das Haar wieder aus

dem Gesicht. »Klar, es könnte schon sein, dass da ein paar Zettel rumlagen, aber wenn, dann sind sie mir nicht aufgefallen.«

Das Zimmer war verraucht. Vielleicht bildete er sich deshalb ein, dass sich ihre Gesichtsfarbe verändert hatte; doch dass sie sich den rechten Fuß aufs Knie legte und die Sohle ihrer Lederballerinas nach einem nicht vorhandenen Fremdkörper absuchte, bildete er sich ganz sicher nicht ein.

»Kieran Kolovas-Jones, Lulas Fahrer …«

»Oh, der süße Typ?«, sagte Bryony. »Mit dem haben wir Lula immer aufgezogen. Er war schrecklich in sie verknallt! Ich glaube, Ciara nimmt ihn jetzt hin und wieder …« Bryony stieß ein bedeutungsschwangeres leises Kichern aus. »Sie hat einen gewissen Ruf als Partygirl. Also, man muss sie einfach mögen, aber …«

»Kieran Kolovas-Jones hat behauptet, dass Lula ein blaues Blatt Papier beschrieben habe, als sie hinten bei ihm im Wagen saß, nachdem er sie vom Haus ihrer Mutter abgeholt hatte …«

»Haben Sie schon mit Lulas Mutter gesprochen? Die ist ein bisschen seltsam.«

»… und ich wüsste gerne, was sie aufgeschrieben hat.«

Bryony schnippte ihre Kippe aus der Terrassentür und rutschte unruhig auf der Tischkante hin und her.

»Das hätte alles sein können.«

Strike wartete auf die unvermeidliche Einkaufsliste und wurde nicht enttäuscht.

»Eine Einkaufsliste oder so.«

»Ja, schon möglich; aber nur mal angenommen, dass es ein Abschiedsbrief war …«

»War es aber nicht – also, das ist doch albern! Wie soll das denn gehen? Wer schreibt denn so weit im Voraus einen Abschiedsbrief und lässt sich dann das Gesicht machen und geht tanzen? Das ergibt doch keinen Sinn.«

»Zugegeben, es klingt nicht besonders wahrscheinlich. Trotzdem würde ich gerne herausfinden, was es mit diesem Zettel auf sich hat.«

»Vielleicht hatte er gar nichts mit ihrem Tod zu tun. Könnte doch ein Brief an Evan gewesen sein. In dem sie ihm schreibt, wie genervt sie von ihm ist oder so?«

»Ich dachte, sie hätten sich erst später am Abend gestritten? Aber wie dem auch sei, warum sollte sie ihm einen Brief schreiben? Sie hatte doch seine Handynummer und wollte ihn später ohnehin treffen.«

»Keine Ahnung«, sagte Bryony nervös. »Ich meine ja nur, es könnte was völlig Unwichtiges gewesen sein.«

»Sind Sie sich ganz sicher, dass Sie kein blaues Blatt Papier gesehen haben?«

»Ja, ganz sicher.« Sie hatte zweifellos gerötete Wangen. »Ich war zum Arbeiten da und nicht zum Rumschnüffeln. Ist das alles?«

»Ja, das war's fürs Erste«, sagte Strike. »Obwohl … Bei einer Sache könnten Sie mir vielleicht noch weiterhelfen. Kennen Sie Tansy Bestigui?«

»Nein«, sagte Bryony. »Nur ihre Schwester Ursula. Sie hat mich ein paarmal vor großen Events engagiert. Eine fürchterliche Frau.«

»Inwiefern?«

»Eine dieser verwöhnten, reichen Zicken, na ja …« Bryony verzog das Gesicht. »Sie hat nicht mal annähernd so viel Kohle, wie sie gerne hätte. Die beiden Chillingham-Schwestern haben sich reiche alte Säcke angelacht. Das sind zwei richtig geldgeile Schlampen. Ursula dachte, sie hätte das große Los gezogen, indem sie Cyprian May geheiratet hat, aber er hat nicht mal annähernd genug Asche für sie. Und sie geht auf die vierzig zu – so viele Chancen hat sie nicht mehr. Wahrscheinlich ist sie deshalb noch nicht weiter aufgestiegen. Heiratstechnisch, meine ich.« Offenbar hatte sie das Gefühl, ihren verächtlichen Ton genauer erläutern zu müssen: »Tut mir leid, aber sie hat mich mal beschuldigt, ihre verdammte Mailbox abgehört zu haben.«

Die Visagistin verschränkte die Arme vor der Brust und funkelte Strike böse an.

»Also bitte! Sie hat mir ihr Handy gegeben und gesagt, ich soll ihr ein Taxi rufen. Ohne ein beschissenes Bitte oder Danke. Ich bin Legasthenikerin. Ich hab auf die falsche Taste gedrückt, und auf einmal schreit sie mich an wie eine Irre.«

»Weshalb war sie so aufgeregt?«

»Wahrscheinlich, weil ich einen Mann gehört hab, der nicht ihr Ehemann war und der gesagt hat, dass er gerade in einem Hotelzimmer liegt und sich vorstellt, wie er's ihr ordentlich besorgt«, sagte Bryony trocken.

»Vielleicht steigt sie ja doch noch auf?«

»Mit so einem? Wohl kaum. Ich meine, das war völlig niveaulos«, fügte sie hastig hinzu. »Egal, ich muss jetzt weitermachen, sonst flippt Guy noch völlig aus.«

Er ließ sie ziehen. Nachdem sie den Raum verlassen hatte, machte er sich zwei Seiten mit Notizen. Bryony Radford hatte sich als höchst unzuverlässige, beeinflussbare und verlogene Zeugin herausgestellt – und doch hatte sie ihm mehr verraten, als sie ahnte.

7

Das Shooting dauerte weitere drei Stunden. Strike wartete bis nach Einbruch der Dämmerung im Garten, rauchte und trank Mineralwasser. Immer wieder ging er hinein, um sich nach dem Fortschritt der Aufnahmen zu erkundigen, die sich quälend lange hinzogen. Gelegentlich erspähte er Somé oder hörte, wie dieser dem Fotografen oder einem seiner schwarz gekleideten Untergebenen, die zwischen den Kleiderständern herumwieselten, Befehle zubellte. Der Designer schien mit den Nerven am Ende. Endlich, es war schon fast einundzwanzig Uhr – Strike hatte bereits mehrere Stücke Pizza vertilgt, die die griesgrämige, erschöpfte Assistentin geordert hatte –, kam Ciara Porter die Treppe herunter, auf der sie mit ihren beiden Kolleginnen posiert hatte, und gesellte sich zu Strike in den Schminkraum, in dem Bryony gerade ihre Sachen zusammenpackte.

Ciara trug noch immer das steife silberne Minikleid, das sie für die letzten Fotos hatte tragen müssen. Sie war sehr dünn, fast knochig, hatte milchweiße Haut und beinahe ebensolches Haar. Ihre blassblauen Augen standen weit auseinander. Sie streckte ihre endlosen Beine aus und zündete sich eine Marlboro Light an. Die langen silberfarbenen Riemchen ihrer Plateauschuhe schlängelten sich die Waden hinauf.

»Oh mein Gott, *Sie* sind Rokers' Sohn? Wie krass!«, rief sie atemlos und riss die hellen Augen und die vollen Lippen weit auf. »Endkrass! Ich kenne Rokers nämlich. Er hat Looly und mich letztes Jahr zu seinem Greatest-Hits-Release eingeladen. Ihre Brüder hab ich auch getroffen, Al und Eddie. Die haben mir erzählt, dass sie einen großen Bruder bei der Army haben. Oh. Mein. Gott. Fertig, Bryony?«, fügte Ciara spitz hinzu.

Die Visagistin, die ihre Utensilien bis dahin in aller Ruhe zusammengepackt hatte, fing nun an, deutlich flinker zu arbeiten. Ciara beobachtete sie schweigend und rauchte.

»Ja, fertig«, sagte Bryony mit einem breiten Lächeln, schulterte eine schwere Kiste und griff sich mit der anderen Hand mehrere Köfferchen. »Bis bald, Ciara. Wiedersehen«, sagte sie mit Blick auf Strike und verschwand.

»Sie ist neugierig ohne Ende und ständig nur am Tratschen«, vertraute Ciara Strike an, warf ihr langes blondes Haar zurück und veränderte die Position ihrer schlanken Fesseln.

»Sehen Sie Al und Eddie oft?«, fragte sie.

»Nein«, sagte Strike.

»Und Ihre Mum erst!«, sagte sie unbeeindruckt und blies Rauch aus dem Mundwinkel. »Also, sie ist ja wohl eine Legende! Baz Carmichael hat vorletzte Saison eine ganze Supergroupie-Kollektion gemacht, und da waren Bebe Buell und Ihre Mum echt die perfekte Inspiration. Mit ihren Maxiröcken und den knopflosen Blusen und den Stiefeln und so.«

»Muss mir wohl entgangen sein«, murmelte Strike.

»Ach, das war irgendwie … Sie wissen ja, was man über die Ossie-Clark-Kleider sagt, dass die Männer die so gut fanden, weil man sie so leicht aufmachen und losvögeln konnte. Das war irgendwie schon die Ära Ihrer Mum, oder nicht?«

Wieder warf sie sich die Haare aus dem Gesicht und sah ihn an – nicht kalt und abschätzend wie Tansy Bestigui, sondern mit offen zur Schau gestellter Neugier. Er konnte nur schwer einschätzen, ob sie es ehrlich meinte oder lediglich eine Rolle spielte. Ihre Schönheit war wie eine dicke Spinnwebe, durch die er sie nur undeutlich wahrnahm.

»Na gut. Wenn Sie gestatten, würde ich Ihnen gerne ein paar Fragen über Lula stellen.«

»Oh mein Gott, klar. Ja. Nein, ich will echt helfen. Als ich gehört habe, dass da jemand ermittelt, dachte ich gleich: Gut so. Endlich.«

»Wirklich?«

»Gott, ja! Das war alles so schockierend! Ich konnte es überhaupt nicht glauben. Ich hab immer noch ihre Nummer eingespeichert, wollen Sie sie sehen?«

Sie kramte in einer monströsen Handtasche und förderte ein weißes iPhone zutage. Dann scrollte sie durch die Kontaktliste, beugte sich vor und zeigte ihm den mit »Looly« beschrifteten Eintrag. Strike roch ihr süßes, würziges Parfüm.

»Ich denk immer noch, sie ruft jeden Augenblick an«, sagte Ciara jetzt etwas verhaltener und ließ das Handy in die Tasche zurückfallen. »Ich kann die Nummer unmöglich löschen. Ich will's ja immer, aber ich schaff's irgendwie nicht, wissen Sie?«

Sie zog ein Bein unter sich und rauchte ein paar Sekunden lang schweigend weiter.

»Sie waren an dem Tag, an dem Lula starb, lange mit ihr zusammen, nicht wahr?«, fragte Strike.

»Gott, erinnern Sie mich nicht daran«, sagte Ciara und schloss die Augen. »Das hab ich inzwischen eine Million Mal durchgekaut! Ich kapier einfach nicht, wie man erst so gut drauf sein kann und dann ein paar Stunden später einfach tot.«

»Sie war gut gelaunt?«

»Besser denn je! Die ganze Woche schon. Wir waren gerade von einem *Vogue*-Shooting in Antigua zurück, sie und

Evan waren wieder zusammen und haben sogar so 'ne Art Treuezeremonie abgehalten, damit alle wussten, dass sie sich liebten und so. Es lief echt super für sie, sie war auf Wolke sieben.«

»Waren Sie bei dieser Zeremonie anwesend?«

»Aber sicher«, sagte Ciara und ließ ihre Kippe in eine Coladose fallen, wo sie zischend verlöschte. »Gott, das war vielleicht romantisch! Evan hat sie in Dickie Carburys Haus damit überrascht. Kennen Sie Dickie Carbury? Er ist Gastronom und hat dieses grandiose Anwesen in den Cotswolds, wir waren alle da am Wochenende, und Evan hatte passende Armreife für sie gekauft – von Fergus Keane, superhübsch, aus oxidiertem Silber. Er hat uns nach dem Essen alle zum See gescheucht, obwohl's echt kalt war und geschneit hatte, und da hat er dieses Gedicht aufgesagt, das er extra für sie geschrieben hatte, und ihr den Armreif angelegt. Looly hat sich erst nicht eingekriegt vor Lachen, aber dann hat sie selbst auch ein Gedicht vorgetragen. Walt Whitman. Das war«, sagte Ciara mit unerwartetem Ernst, »echt beeindruckend, wie sie einfach so das perfekte Gedicht parat hatte. Die Leute denken ja immer, dass Models irgendwie dumm sind, wissen Sie?« Wieder warf sie ihr Haar zurück und bot Strike eine Zigarette an, bevor sie sich selbst eine neue nahm. »Ich hab's so satt, dass ich allen immer sagen muss, dass ich 'nen Studienplatz für Englische Literatur in Cambridge hab.«

»Wirklich?«, fragte Strike. Es gelang ihm nicht, die Überraschung in seiner Stimme zu verbergen.

»Klar«, sagte sie und blies anmutig Rauch aus. »Aber na ja, das Modeln läuft so gut im Moment, da hab ich noch ein Jahr drangehängt. Das öffnet Türen, wissen Sie?«

»Diese Zeremonie fand also wann – eine Woche vor Lulas Tod statt?«

»Ja«, sagte Ciara. »Am Samstag davor.«

»Und bestand aus dem Austausch von Gedichten und Armreifen. Keine Gelübde, kein Standesbeamter?«

»Ach was, das war ja nichts Offizielles oder so, nur ein perfekter Augenblick. Bis auf Freddie Bestigui, der ist allen auf den Senkel gegangen. Zum Glück« – Ciara zog heftig an ihrer Zigarette –, »war seine bescheuerte Frau nicht auch noch dabei.«

»Tansy?«

»Tansy Chillingham, ja. So eine Schlampe! Ist ja wohl kein Wunder, dass die sich scheiden lassen. Die sind doch schon lange getrennte Wege gegangen, die hat man nie zusammen gesehen. Na ja, jedenfalls war Freddie an dem Wochenende eigentlich gar nicht so schlimm, wie man hätte denken können, wo er doch so einen schlechten Ruf hat. Nur langweilig ohne Ende, weil er sich ständig an Looly rangeschmissen hat, aber er war nicht so eklig, wie er angeblich sein kann. Ich hab diese Geschichte von diesem naiven Mädchen gehört, dem er eine Nebenrolle versprochen hatte … Keine Ahnung, ob sie wahr ist.« Ciara starrte einen Augenblick lang mit zusammengekniffenen Augen in die Glut ihrer Zigarette. »Sie hat ihn jedenfalls nicht angezeigt oder so.«

»Freddie ging also allen auf die Nerven. Wie das?«

»Gott, er hat Looly die ganze Zeit aufgelauert, und ständig ging's nur drum, wie gut sie auf der Leinwand aussehen würde und was für ein toller Typ ihr Dad war und so weiter.«

»Sir Alec?«

»Sir Alec, klar, wer sonst? Mein Gott«, sagte Ciara mit großen Augen. »Wenn sie ihren *richtigen* Vater kennengelernt hätte, wäre sie ausgeflippt, aber wie! Das war ihr größter Traum überhaupt. Nein, er hat nur gesagt, dass er Sir Alec schon ewig kannte und dass sie zusammen im East End aufgewachsen waren und so, und deswegen wäre er ja so was wie ihr Patenonkel. Aber da wollte er bestimmt nur einen Scherz machen. *Nicht lustig.* Aber egal, jeder hat gemerkt, dass er ihr nur eine Rolle in 'nem Film aufschwatzen wollte. Bei der Zeremonie war er dann superpeinlich. Hat die ganze Zeit geschrien: ›Hier kommt die Braut!‹ Er war rotzbesoffen. Er hatte sich's schon beim Essen richtig gut gegeben. Dickie musste ihm ständig sagen, dass er die Klappe halten sollte. Nach der Zeremonie sind wir alle wieder rein und haben Champagner getrunken, und Freddie hat sich ungefähr zwei Flaschen reingeschüttet, obwohl er sowieso schon dicht war. Er hat Looly pausenlos angemacht, dass sie bestimmt 'ne tolle Schauspielerin wäre, aber das hat sie überhaupt nicht gejuckt. Sie hat ihn einfach ignoriert, weil sie mit Evan auf dem Sofa gekuschelt hat, als wär sie ...«

Mit einem Mal traten Tränen in Ciaras Kajalaugen. Sie fuhr sich mit ihrer schlanken, bleichen Hand am Lidrand entlang.

»... total verliebt. Sie war so scheißglücklich, so glücklich wie noch nie.«

»Sie haben Freddie Bestigui an dem Tag, als Lula starb, wiedergesehen, nicht wahr? Sind Sie und Lula ihm am Abend auf dem Weg nach draußen nicht im Foyer begegnet?«

»Ja«, sagte Ciara, die sich noch immer die Augen tupfte. »Woher wissen Sie das?«

»Von Wilson, dem Mann vom Sicherheitsdienst. Er hat behauptet, dass Bestigui Lula gegenüber eine Bemerkung gemacht habe, die ihr nicht gefallen hat.«

»Ja, stimmt. Das hab ich ganz vergessen! Freddie hat irgendwas über Deeby Macc gesagt, ob Looly sich darauf freuen würde, wenn er kommt, und dass er einen Film mit den beiden machen wollte. Ich weiß nicht mehr genau, was er gesagt hat, aber es klang irgendwie unanständig.«

»Hatte Lula gewusst, dass Bestigui ein Freund ihres Adoptivvaters war?«

»Das sei ihr neu, hat sie gesagt. Sie ist Freddie immer aus dem Weg gegangen. Tansy konnte sie auch nicht leiden.«

»Warum nicht?«

»Na ja, Looly hat dieser ganze Mein-Mann-hat-die-größte-Yacht-Scheiß nicht interessiert, das war nicht ihr Ding. Da stand sie drüber. Nicht so wie diese Chillingham-Zicken.«

»Gut«, sagte Strike. »Was geschah am Nachmittag und dann später am Abend?«

Ciara ließ auch die zweite Zigarette mit einem kleinen Zischen in die Coladose fallen und zündete sich sofort die nächste an.

»Da muss ich nachdenken. Also, ich bin am frühen Nachmittag zu ihr in die Wohnung. Bryony kam, um ihr die Augenbrauen zu machen, und ist dann länger geblieben, weil sie uns beiden noch eine Maniküre verpasst hat. Es war so 'ne Art Mädelsnachmittag.«

»In welcher Verfassung war Lula?«

Ciara zögerte. »Na ja, sie war nicht mehr ganz so glücklich wie in der Woche zuvor. Aber ganz bestimmt nicht selbstmordgefährdet. Echt nicht.«

»Kieran, ihr Fahrer, sagte, dass sie irgendwie seltsam wirkte, als sie aus dem Haus ihrer Mutter in Chelsea kam.«

»Oh Gott, das ist doch wohl logisch, oder? Ihre Mum hat Krebs.«

»Hat Lula an diesem Nachmittag mit Ihnen über ihre Mutter geredet?«

»Nein, nicht wirklich. Also, sie hat erzählt, dass sie sie besucht habe, weil sie nach der OP ziemlich geschwächt war, aber da hat ja noch keiner gewusst, dass Lady Bristow sterben würde. Alle dachten, es würde ihr bald wieder besser gehen. Sonst hätten sie sie ja nicht operiert, oder?«

»Hat Lula noch irgendeinen anderen Grund erwähnt, weshalb sie möglicherweise nicht mehr so glücklich war?«

»Nein«, sagte Ciara und schüttelte langsam den Kopf, wobei ihr das hellblonde Haar ins Gesicht fiel. Sie strich es zurück und zog tief an der Zigarette. »Sie war schon irgendwie komisch drauf, irgendwie abwesend; aber ich dachte, das wäre, weil sie ihre Mum besucht hatte. Die beiden hatten eine seltsame Beziehung. Lady Bristow ist total überfürsorglich und besitzergreifend. Looly hat sich von ihr eingeengt gefühlt.«

»Hat Lula telefoniert, während sie mit Ihnen zusammen war?«

»Nein«, sagte Ciara nach längerem Nachdenken. »Sie hat ständig auf ihr Handy gestarrt, aber mit niemandem telefoniert, soweit ich mich erinnere. Wenn sie jemanden angerufen hätte, dann heimlich. Sie ist ein paarmal rausgegangen. Keine Ahnung.«

»Bryony vermutet, dass sie wegen Deeby Macc so nervös war.«

»Um Gottes willen«, sagte Ciara ungeduldig. »Wegen dem waren alle anderen nervös – Guy und Bryony und … na ja, ich schon auch ein bisschen«, bekannte sie mit rührender Offenheit. »Aber Looly kein Stück! Sie hat Evan geliebt. Glauben Sie bloß nicht alles, was Bryony daherquatscht.«

»Hatte Lula ein Stück Papier bei sich? Einen blauen Zettel, auf den sie etwas geschrieben hatte?«

»Nein«, sagte Ciara. »Warum? Was stand da drauf?«

»Das weiß ich noch nicht«, sagte Strike.

Ciara starrte ihn plötzlich wie vom Donner gerührt an.

»Oh Gott! Glauben Sie, das war ein Abschiedsbrief?

Oh mein Gott! Das wäre ja völlig irre! Aber – hey! Dann hätte sie sich ja schon entschieden, dass sie's machen wollte.«

»Vielleicht war es ja kein Abschiedsbrief«, sagte Strike. »Sie haben der Polizei gegenüber ausgesagt, dass Lula vorgehabt hätte, ihr Vermögen ihrem Bruder zu vermachen.«

»Ja, das stimmt«, sagte Ciara ernst und nickte. »Also, das war so: Guy hat Looly diese schicken Handtaschen aus der neuen Kollektion geschickt. Mir hätte er bestimmt keine geschickt, obwohl ich auch bei der Kampagne dabei war. Na ja, wie dem auch sei, ich hab die weiße ausgepackt, Cashile, die war echt schön; mit einem Seidenfutter zum Rausnehmen. Er hat extra für sie ein afrikanisches Muster draufmachen lassen. ›Looly, vererbst du mir die?‹, hab ich gefragt, nur so zum Spaß. Aber sie ist richtig ernst geworden. ›Das vererbe ich alles meinem Bruder. Aber der gibt sie dir bestimmt gerne, wenn du ihn fragst‹, hat sie gesagt.«

Strike hielt nach dem kleinsten Anzeichen Ausschau, dass sie log oder übertrieb, doch die Worte sprudelten frei und allem Anschein nach absolut aufrichtig über ihre Lippen.

»Fanden Sie das nicht merkwürdig?«, fragte er.

»Ja, schon irgendwie«, sagte Ciara und warf erneut die Haare aus dem Gesicht. »Looly konnte manchmal richtig düster und dramatisch sein. ›Weniger Drama, Cuckoo‹, hat Guy dann immer gesagt. Na ja«, Ciara seufzte, »die Cashile hat sie mir trotzdem nicht überlassen. Hätte sie schon machen können. Sie hatte ja schließlich vier davon.«

»Würden Sie sagen, dass Sie gut mit Lula befreundet waren?«

»Gott, ja, natürlich! Sie hat mir *alles* anvertraut!«

»Ich weiß aus verschiedenen Quellen, dass sie anderen Menschen nur zögerlich Vertrauen geschenkt hat. Sie hatte wohl Angst, dass persönliche Dinge an die Presse gelangen könnten. Hat sie nicht sogar die Leute auf die Probe gestellt, bevor sie ihnen vertraut hat?«

»Oh ja, in dieser Hinsicht war sie manchmal echt paranoid. Besonders nachdem ihre leibliche Mutter mit der Presse geredet hatte. Sie hat mich sogar mal gefragt«, sagte Ciara und wedelte lässig mit der Zigarette in der Luft herum, »ob ich jemandem erzählt hätte, dass sie wieder mit Evan zusammen sei. Also echt! Wie hätte sie das denn geheim halten wollen? So ungefähr *jeder* hat drüber geredet! ›Looly‹, hab ich gesagt, ›es gibt nur eine Unannehmlichkeit, die peinlicher ist, als in aller Munde zu sein: nicht in aller Munde zu sein.‹ Das ist von Oscar Wilde«, fügte sie freundlicherweise hinzu. »Aber das hat Looly am Berühmtsein nicht gefallen.«

»Guy Somé glaubt, dass Lula und Duffield nicht noch einmal zusammengekommen wären, wenn er sich zu der Zeit nicht im Ausland aufgehalten hätte.«

Ciara warf einen Blick zur Tür und senkte die Stimme.

»Klar, dass der so was sagt! Er war immer schon ihr Beschützer. Er hat sie angebetet. Und richtig geliebt. Er dachte, Evan wär schlecht für sie, aber ganz ehrlich? Er weiß gar nicht, wie Evan in Wirklichkeit ist. Klar, Evan ist ziemlich durch den Wind und alles, aber er ist ein guter Mensch. Vor Kurzem hat er Lady Bristow besucht, und da hab ich ihn gefragt: ›Warum zum Teufel tust du dir das an?‹ Ihre Familie hat ihn gehasst wie die Pest, wissen Sie? Und wissen Sie, was er gesagt hat? ›Ich will endlich mit jemandem reden, den es wirklich interessiert, dass sie nicht mehr da ist.‹ Wie traurig ist das denn?«

Strike räusperte sich.

»Die Presse hat sich echt auf Evan eingeschossen, das ist wirklich unfair, er kann nie irgendwas richtig machen.«

»In der Nacht, als Lula starb, war Duffield bei Ihnen, oder?«

»Gott, na klar, das musste ja jetzt kommen«, sagte Ciara leicht beleidigt. »Die haben behauptet, wir hätten gevögelt. Er hatte kein Geld dabei, und sein Fahrer war weg, deswegen ist er durch ganz London gelaufen, damit er bei mir pennen konnte. Auf dem Sofa! Wir waren zusammen, als wir's am nächsten Tag erfahren haben.«

Sie hob die Zigarette an die vollen Lippen und nahm einen tiefen Zug, während sie zu Boden starrte.

»Das war so schlimm! Das können Sie sich gar nicht vorstellen. Grauenhaft. Evan war … Oh Gott. Und dann«, sagte sie fast flüsternd, »haben alle gedacht, dass *er* es gewesen wäre. Weil Tansy Chillingham behauptet hatte, dass sie sich gestritten hätten. Die Presse ist ausgeflippt. Echt fies.«

Sie sah zu Strike auf und hielt sich das Haar aus dem Gesicht. Die grelle Deckenbeleuchtung brachte ihre perfekte Wangenstruktur nur noch besser zur Geltung.

»Haben Sie schon mit Evan gesprochen?«

»Nein.«

»Wollen Sie? Kommen Sie doch einfach mit. Er wollte heute Abend im Uzi vorbeischauen.«

»Warum nicht?«

»Super. Einen Moment!«

Sie sprang auf.

»Guy, Schatz, darf ich das anbehalten?«, rief sie durch die offen stehende Tür. »Komm schon! Ins Uzi?«

Somé betrat den Raum. Müde Augen lugten hinter den Brillengläsern hervor.

»Von mir aus. Aber lass dich ordentlich fotografieren, ja? Und wenn du es kaputt machst, verklag ich deinen dürren weißen Arsch.«

»Ich mach's schon nicht kaputt. Ich nehm Cormoran mit, damit er Evan kennenlernt.«

Sie warf die Zigarettenschachtel in die geräumige Handtasche, in der sie offenbar auch ihre Alltagskleidung aufbewahrte, und hängte sie sich über die Schulter. Auf ihren Plateauabsätzen war sie annähernd so groß wie der Detektiv. Somé sah zu Strike auf. Seine Augen verengten sich zu Schlitzen.

»Machen Sie dem kleinen Scheißer die Hölle heiß, ja?«

»Guy!«, rief Ciara und zog eine Grimasse. »Sei nicht so gemein!«

»Und immer schön vorsichtig, Master Rokeby«, fügte Somé mit gewohnter Bosheit hinzu. »Ciara ist eine Schlampe durch und durch. Stimmt doch, oder? Und sie steht auf große Männer. Genau wie ich.«

»*Guy!*«, rief Ciara in gespieltem Entsetzen. »Na los, gehen wir. Mein Fahrer wartet draußen.«

8

Derart vorgewarnt, war Strike nicht halb so überrascht, Kieran Kolovas-Jones zu sehen, wie der Fahrer über seinen Anblick erstaunt war. Kolovas-Jones wurde von der Innenbeleuchtung der Limousine nur schwach angestrahlt, als er die linke hintere Tür aufhielt; trotzdem registrierte Strike den sich rasch verändernden Gesichtsausdruck, als er ihn erkannte.

»Abend«, sagte Strike und ging ums Heck herum, um die andere Tür zu öffnen und neben Ciara einzusteigen.

»Kieran, Sie kennen Cormoran Strike, nicht wahr?«, fragte Ciara, als sie sich anschnallte. Ihr Kleid war bis zu ihrem Schoß hochgerutscht. Strike war sich nicht sicher, ob sie darunter etwas anhatte. Unter dem durchsichtig weißen Overall hatte sie jedenfalls keinen BH getragen.

»Hallo, Kieran«, sagte Strike.

Der Fahrer nickte ihm im Rückspiegel zu, ohne jedoch irgendetwas zu sagen. Er benahm sich strikt professionell, was er in der Abwesenheit von Detektiven vermutlich nicht unbedingt tat.

Als der Wagen losfuhr, fing Ciara wieder an, in ihrer Handtasche herumzuwühlen; sie zog einen Parfümflakon heraus und sprühte sich in weitem Bogen Kopf und Schultern ein; dann legte sie Lipgloss auf, wobei sie unaufhörlich vor sich hin plapperte.

»Was brauche ich alles? Geld. Cormoran, wären Sie so lieb und könnten das hier einstecken? Ich will dieses Riesending nicht mitnehmen.« Sie drückte ihm einen Packen Zwanziger in die Hand. »Sie sind ein Schatz. Oh, und ich brauche mein Handy. Haben Sie auch noch Platz für mein Handy? Gott, in dieser Handtasche sieht's schrecklich aus!«

Sie ließ sie in den Fußraum fallen.

»Als Sie sagten, für Lula wäre es der größte Traum gewesen, ihren leiblichen Vater zu finden …«

»Oh Gott, das wäre es wirklich gewesen! Sie hat ständig von ihm gesprochen. Sie war völlig von der Rolle, als diese Schlampe – ihre liebliche Mutter – ihr erzählt hatte, er sei Afrikaner gewesen. Guy hat immer behauptet, das wäre Bockmist, aber er hat diese Frau *gehasst*.«

»Er hat Marlene Higson gekannt?«

»Oh nein, er hat die ganze … na ja, die Vorstellung von ihr gehasst. Er konnte ja sehen, wie sehr das alles Looly aufregte, und er wollte sie davor beschützen, enttäuscht zu werden.«

All diese Beschützer, dachte Strike, als der Wagen im Dunkeln um eine Ecke fuhr. War Lula wirklich so fragil gewesen? Kolovas-Jones hielt sich stocksteif und korrekt; aber sein Blick begegnete Strikes im Rückspiegel weit häufiger als notwendig.

»Und dann glaubte Looly, sie hätte eine Spur zu ihm gefunden – zu ihrem richtigen Vater –, aber die war schon lange kalt. Eine Sackgasse. Das war wirklich traurig. Sie hatte für einen Moment geglaubt, sie hätte ihn gefunden, aber dann ist ihr alles zwischen den Fingern zerronnen.«

»Was für eine Spur war das?«

»Es hing irgendwie mit der Uni zusammen. Ihre Mutter hatte davon gesprochen. Looly glaubte, sie hätte das richtige College gefunden, und wollte sich die dortigen Unterlagen ansehen – mit ihrer komischen Freundin namens …«

»Rochelle?«, schlug Strike vor. Der Mercedes summte jetzt die Oxford Street entlang.

»Stimmt, Rochelle. Genau. Looly hat die Kleine in der Klinik oder so kennengelernt. Looly war … Also, sie war unfassbar süß zu ihr! Ist mit ihr shoppen gegangen und so. Leider haben sie ihn nie gefunden oder am falschen Ort gesucht. Das weiß ich nicht mehr.«

»Hieß der Mann Agyeman?«

»Ich glaube nicht, dass sie mir jemals den Namen verraten hat.«

»Oder Owusu?«

Ciaras schöne Augen starrten ihn verwundert an.

»Das ist doch Guys richtiger Name.«

»Ja, ich weiß.«

»Oh Gott«, kicherte Ciara. »Guys Vater war nie auf dem College. Er war Busfahrer. Und er hat Guy verprügelt, weil er ständig Kleider gezeichnet hat. Deshalb hat er auch seinen Namen geändert.«

Der Wagen wurde langsamer und hielt. Die lange Menschenschlange, die sich in Viererreihen fast um den Block erstreckte, endete vor einem diskreten Eingang, der zu einem Privathaus hätte gehören können. Um den weißen Portikus lungerte eine Gruppe dunkler Gestalten herum.

»Paparazzi«, sagte Kolovas-Jones, der jetzt zum ersten Mal sprach. »Vorsicht beim Aussteigen, Ciara.«

Er glitt vom Fahrersitz und trat an die hintere linke Tür, aber die Paparazzi kamen bereits herbeigerannt: bedrohlich düster gekleidete Gestalten, die Kameras mit den langen Objektiven schussbereit.

Ciara und Strike stiegen in ein trommelfeuerartiges Blitzlichtgewitter aus. Strike war jäh geblendet; er senkte den Kopf, seine Hand schloss sich intuitiv um Ciaras schlanken Oberarm, und als die zweiflügelige Tür sich auf magische Weise vor ihnen auftat, schob er sie vor sich her durch das dunkle Rechteck, das Zuflucht versprach. Die Schlange stehenden Horden protestierten laut gegen die Vorzugsbehandlung und japsten vor Aufregung; dann hörten die Blitze auf, und sie waren drinnen, wo eine industrielle Kakophonie mit lautem Basswummern unterlegt war.

»Wow, Ihr Orientierungssinn ist ja der Wahnsinn!«, rief Ciara. »Ich pralle meist nur irgendwie von den Türstehern ab, und die müssen mich dann reinschieben.«

Strikes Gesichtsfeld war noch immer von flammend gelben und purpurroten Streifen und Blitzen durchzogen. Er ließ ihren Arm los. Sie war so blass, dass sie im Halbdunkel fast zu leuchten schien. Dann wurden sie durch die Ankunft eines Dutzends weiterer Gäste tiefer in den Club hineinbugsiert.

»Kommen Sie«, sagte Ciara. Sie schob eine weiche, langfingrige Hand in seine und zog ihn hinter sich her.

Gesichter wandten sich ihnen zu, als sie sich den Weg durch die dicht gedrängte Menge bahnten; beide ein gutes Stück größer als die meisten anderen Clubbesucher. In die Wände eingelassen konnte Strike riesige Aquarien sehen, in denen gewaltige Wachsklumpen zu treiben schienen, die ihn an die alten Lavalampen seiner Mutter erinnerten. An den Wänden standen lange Lederbänke, und weiter vorn in Richtung Tanzfläche gab es Sitznischen. Wie groß der Club tatsächlich war, war aufgrund geschickt verteilter Spiegel schwer zu erkennen. An einer Stelle sah Strike sich selbst frontal als elegant gekleideten Schwergewichtler und vor ihm Ciara, eine silberne Sylphe. Die Musik hämmerte durch ihn hindurch, ließ Kopf und Körper vibrieren. Das Gedränge auf der Tanzfläche war so dicht, dass es sonderbar erschien, wie die Tanzenden auch nur stampfen und schwanken konnten.

Sie erreichten eine gepolsterte Tür mit einem kahl geschorenen Bewacher davor; der Türsteher ließ zwei Goldzähne aufblitzen, als er Ciara angrinste, und stieß dann die Geheimtür auf.

Dahinter lag eine ruhigere, aber kaum weniger belebte Bar, die anscheinend für Prominente und ihre Freunde reserviert war. Strike sah eine Fernsehmoderatorin im Minirock, einen aus einer Fernsehserie bekannten Schauspieler, einen Komiker, der vor allem wegen seines Sexualtriebs berühmt war, und schließlich, in einer entfernten Ecke, Evan Duffield.

Er trug einen Schal mit Totenkopfmuster, eine Lederjacke und hautenge schwarze Jeans, saß an der Stelle, wo zwei Lederbänke rechtwinklig aneinanderstießen, und hatte die Arme auf die Rückenlehnen gelegt. Um ihn herum drängte sich seine Entourage – vor allem Frauen. Sein einst schwarzes schulterlanges Haar war jetzt blondiert, sein Gesicht fahl und hager, und die Schatten um seine hellblauen Augen waren purpurrot.

Die Gruppe um Duffield schlug den Raum in einen fast magnetischen Bann. Strike sah die heimlichen Blicke, mit denen die anderen Gäste sie musterten, und die respektvolle Distanz, die gewahrt wurde – man blieb auf deutlich weiterem Abstand als bei sonst irgendjemandem. Strike sah auch, dass die scheinbare Unbefangenheit Duffields und die seines Gefolges geschickte Verstellung war; tatsächlich legten sie die übersteigerte Wachsamkeit von Beutetieren in Kombination mit der lässigen Arroganz von Raubtieren an den Tag. In dieser umgekehrten Nahrungskette waren es die großen Tiere, die belauert und gejagt wurden; sie bekamen, was ihnen zustand.

Duffield unterhielt sich mit einer attraktiven Brünetten. Ihre Lippen waren leicht geöffnet, während sie ihm zuhörte, sich fast lachhaft konzentriert auf ihn fokussierte. Als Ciara und Strike näher kamen, sah Strike, wie Duffield für Bruchteile einer Sekunde von der Brünetten wegsah, blitzschnell die Bar kontrollierte und die Möglichkeiten abschätzte, die sich vielleicht sonst noch boten.

»Ci!«, rief er heiser.

Die Brünette wirkte enttäuscht, als Duffield aufsprang und – schlank und trotzdem muskulös – hinter dem Tisch hervortrat, um Ciara zu begrüßen, die auf ihren Plateausohlen zwanzig Zentimeter größer war als er; sie ließ Strikes Hand los, um Duffields Umarmung zu erwidern. Einen leuchtenden Augenblick lang schien die gesamte Bar die beiden zu beobachten; dann besannen sich alle wieder auf sich selbst und kehrten zu ihrem Geplauder und ihren Cocktails zurück.

»Evan, das ist Cormoran Strike«, sagte Ciara. Sie brachte ihren Mund dicht an Duffields Ohr heran, und Strike ahnte, dass sie ihm zuflüsterte: »Er ist Jonny Rokebys Sohn!«

»Alles klar, Kumpel?«, fragte Duffield, streckte ihm die Hand hin, und Strike schlug ein.

Wie bei anderen Frauenhelden, die Strike kannte, waren Duffields Stimme und sein Benehmen leicht affektiert. Vielleicht veränderten diese Männer sich in der Gesellschaft vieler Frauen; vielleicht war es auch ihre Methode, ihre Opfer in Sicherheit zu wiegen. Duffield bedeutete seinen Begleitern mit einer Handbewegung, zur Seite zu rücken, um Platz für Ciara zu machen. Die Brünette war jetzt sichtlich geknickt. Strike blieb es überlassen, sich einen niedrigen Hocker an den Tisch zu ziehen und Ciara zu fragen, was sie trinken wolle.

»Oh, einen Boozy-Uzi«, sagte sie. »Nehmen Sie mein Geld, Sweetie.«

Ihr Cocktail roch stark nach Pernod; für sich selbst bestellte Strike ein Mineralwasser und kam mit beidem an den

Tisch zurück. Ciara und Duffield saßen sich fast Nase an Nase gegenüber, während sie sich unterhielten; als Strike die Drinks abstellte, wandte Duffield sich ihm zu.

»Und was machst du so, Cormoran? Music Biz?«

»Nein«, sagte Strike. »Ich bin Detektiv.«

»Ohne Scheiß?«, fragte Duffield. »Wen soll ich denn diesmal umgebracht haben?«

Die Gruppe um ihn herum gestattete sich, schief und unsicher zu lächeln.

»Mach keine Witze, Evan«, sagte Ciara.

»Ich mache keine Witze. Wenn ich welche mache, merkst du's garantiert, weil sie dann verdammt komisch sind.«

Die Brünette kicherte.

»Ich hab gesagt, dass ich *keine* Witze mache«, knurrte er.

Die Brünette zuckte zusammen, als hätte er sie geohrfeigt. Die anderen in der Gruppe schienen sich trotz der räumlichen Nähe leicht zurückzuziehen; sie nahmen ein eigenes Gespräch auf, aus dem Ciara, Strike und Duffield vorübergehend ausgeschlossen blieben.

»Das war nicht nett, Evan«, sagte Ciara, aber es klang nicht wirklich vorwurfsvoll, und Strike sah, dass sie der Brünetten einen erbarmungslosen Blick zuwarf.

Duffield trommelte mit den Fingern auf die Tischkante.

»Was für 'ne Art Detektiv bist du also, Cormoran?«

»Privatdetektiv.«

»Evan, Darling, Cormoran ist von Loolys Bruder angeheuert worden, um …«

Aber Duffield schien etwas Interessantes oder jemand Interessanten an der Bar entdeckt zu haben, denn er sprang auf und verschwand in der Menge.

»Er leidet immer ein bisschen an ADHS«, sagte Ciara entschuldigend. »Außerdem ist er immer noch total durch den

Wind wegen Looly. Das ist er wirklich«, beteuerte sie halb verärgert, halb amüsiert, als Strike die Augenbrauen hochzog und zu der üppigen Brünetten hinübersah, die jetzt ein leeres Mojitoglas in den Händen hielt und missmutig dreinblickte. »Sie haben da was auf Ihrem schicken Sakko«, flötete Ciara und beugte sich vor, um etwas wegzuschnippen, das Strike für Pizzakrümel hielt. Wieder stieg ihm das süße, würzige Parfüm in die Nase, und der silberne Stoff ihres Kleids war so steif, dass er wie eine Rüstung von ihrem Körper abstand und ihm einen ungehinderten Blick auf die kleinen weißen Brüste mit den muschelrosa Spitzen gewährte.

»Was ist das für ein Parfüm?«

Sie hielt ihm ihr Handgelenk unter die Nase.

»Guys neueste Kreation«, sagte sie. »Es heißt Éprise – französisch für ›verliebt‹, wissen Sie?«

»Ja.«

Duffield bahnte sich mit einem frischen Drink in der Hand den Rückweg durch die Menge, deren Gesichter sich ihm wie von seiner Aura angezogen nachdrehten. Seine Beine in den engen Jeans glichen schwarzen Pfeifenreinigern, und mit seinen dunkel schattierten Augen sah er aus wie ein verderbter Pierrot.

»Evan, Baby«, sagte Ciara, als Duffield wieder Platz genommen hatte. »Cormoran ermittelt wegen …«

»Er hat Sie schon beim ersten Mal gehört«, unterbrach Strike sie. »Fangen Sie lieber nicht noch mal davon an …«

Seiner Ansicht nach musste der Schauspieler auch ihn gehört haben. Duffield kippte seinen Drink hinunter und beteiligte sich mit ein paar Kommentaren an dem Gespräch der anderen. Ciara nahm einen kleinen Schluck von ihrem Cocktail, dann tippte sie Duffield an.

»Wie geht's mit dem Film, Sweetie?«

»Großartig. Na ja. Kaputter Drogendealer. Nicht besonders anspruchsvoll, weißt du.«

Alle lächelten, nur Duffield nicht. Er trommelte wieder auf die Tischkante, während seine Beine im Takt auf und ab federten.

»Mir ist langweilig«, verkündete er.

Er musterte mit zusammengekniffenen Augen den Ausgang, und sein Gefolge beobachtete ihn sehnsüchtig, weil jeder sich wünschte, eingesammelt und mitgenommen zu werden.

Duffield sah von Ciara zu Strike.

»Wollt ihr mit zu mir kommen?«

»Super«, quiekte Ciara. Sie stürzte ihren Cocktail hinunter und warf der Brünetten einen Raubkatzenblick zu.

Gleich außerhalb des VIP-Bereichs wurde Duffield von zwei betrunkenen Mädchen aufgehalten; eine von beiden zog ihr Top hoch und wollte, dass er ihre Brüste signierte.

»Keine Schweinereien, Schätzchen«, sagte Duffield und drängte sich an ihr vorbei. »Hast du ’nen Wagen, Cici?«, rief er über die Schulter hinweg, während er durch die Menge pflügte, ohne auf Zurufe und zeigende Finger zu achten.

»Klar, Sweetie«, antwortete sie. »Ich ruf ihn gleich an. Cormoran, haben Sie mein Handy?«

Strike fragte sich, was die lauernden Paparazzi aus der Tatsache machen würden, dass Ciara den Club mit Duffield verließ.

Sie rief etwas in ihr iPhone. Als sie den Ausgang erreichten, sagte Ciara: »Einen Moment noch. Er schickt eine SMS, wenn er draußen steht.«

Duffield und sie wirkten leicht nervös, wachsam, sich ihrer selbst bewusst wie Wettkämpfer vor dem Einzug in ein Stadion. Dann summte Ciaras Handy.

»Okay, er ist da«, sagte sie.

Strike machte Platz, um Duffield und ihr den Vortritt zu lassen, und hastete dann zur Beifahrertür, während Duffield im Blitzlichtgewitter und von spitzen Schreien aus der Warteschlange begleitet ums Wagenheck herumlief und sich auf den Rücksitz neben Ciara warf, der Kolovas-Jones beim Einsteigen geholfen hatte. Strike knallte die Beifahrertür zu, sodass die beiden Männer, die sich in den Wagen gebeugt hatten, um ein Foto nach dem anderen von Duffield und Ciara zu schießen, erschrocken zurücksprangen.

Kolovas-Jones schien geradezu unverantwortlich lange zu brauchen, um ans Steuer zurückzukehren. Während draußen immer neue Blitze aufflammten, wirkte das Innere des Mercedes auf Strike wie ein Reagenzglas: abgeschlossen und exponiert zugleich. Objektive wurden an Seitenfenster und Frontscheibe gedrückt; grimmige Gesichter schwebten durchs Dunkel heran; schwarze Gestalten huschten an dem stehenden Fahrzeug vorbei. Hinter den Blitzen wogte neugierig und aufgeregt die nur schemenhaft erkennbare Meute der wartenden Clubbesucher.

»Scheiße, gib endlich Gas!«, knurrte Strike in Richtung Kolovas-Jones, der den Motor aufheulen ließ. Die Paparazzi gaben widerstrebend die Straße frei, während sie weiter Bilder schossen.

»Bye-bye, Arschlöcher«, sagte Evan Duffield vom Rücksitz aus, als sie anfuhren. Aber die Fotografen liefen neben dem Wagen her, Blitze explodierten auf beiden Seiten, und Strike war schlagartig in Schweiß gebadet. Plötzlich war er wieder mit dem rasselnden Viking-Schützenpanzer auf einer staubigen Schotterstraße unterwegs, während es im Himmel über Afghanistan wie von Feuerwerkskörpern knallte; er hatte einen Jugendlichen entdeckt, der mit einem kleineren Jungen an der Hand von der Straße vor ihnen wegrannte. Ohne richtig darüber nachzudenken, hatte er »*Stopp!*« gebrüllt und sich nach vorn geworfen, um Anstis, seit zwei Tagen Vater, der unmittelbar hinter dem Fahrer saß, zurückzureißen. Er erinnerte sich noch an Anstis' überraschten Protest und den dumpfen Aufprall, mit dem er gegen die Heckklappe gekracht war, bevor der Viking mit einem ohrenbetäubenden Knall explodierte und die Welt zu Schemen aus Schmerz und Terror verschwamm.

Der Mercedes bog um die Ecke in eine fast leere Straße ab; Strike merkte, dass er sich so verkrampft hatte, dass seine verbliebenen Wadenmuskeln schmerzten. Im Außenspiegel konnte er zwei Motorräder sehen, die ihnen folgten; beide mit Sozius. Prinzessin Diana und die Unterführung in Paris; der Krankenwagen mit Lula Landrys Leiche; an die getönten Scheiben gedrückte Kameras, als er vorbeirollte; das alles jagte miteinander vermengt durch seine Gedanken, als der Wagen über dunkle Straßen davonraste.

Duffield zündete sich eine Zigarette an. Strike sah aus dem Augenwinkel, wie Kolovas-Jones seinen Fahrgast im Rückspiegel finster musterte, aber er protestierte nicht. Im nächsten Augenblick begann Ciara, flüsternd auf Duffield einzureden. Strike glaubte, seinen eigenen Namen zu hören.

Fünf Minuten später bogen sie um eine weitere Ecke und fuhren auf eine neue kleine Gruppe schwarz gekleideter Fotografen zu, die knipsten und blitzten und auf den Mercedes zuhielten, sowie er auftauchte. Die Motorräder hielten dicht hinter ihnen; Strike sah vier Männer rennen, um in der ersten Reihe zu stehen, sobald die Autotüren aufgingen. Adrenalin schoss durch seine Adern: Er stellte sich vor, wie er aus dem Wagen sprang, wie er um sich schlug und die teuren Kameras auf den Asphalt krachen ließ, während ihre Besitzer zu Boden gingen. Und als hätte er Strikes Gedanken gelesen, sagte Duffield mit einer Hand auf dem Türgriff: »Knips den Scheißkerlen das Licht aus, Cormoran, du bist dafür gebaut.«

Die offenen Türen, die Nachtluft und weitere verdammte Lichtblitze; Strike stürmte mit gesenktem Kopf vorwärts, fixierte Ciaras Plateauabsätze und weigerte sich, sich blenden zu lassen. Mit Strike als Nachhut nahmen sie die drei Stufen; er war es schließlich, der den Fotografen die Haustür vor der Nase zuknallte.

Gejagt worden zu sein bescherte Strike das Gefühl einer vorübergehenden Verbundenheit mit den beiden anderen; die winzige, schwach beleuchtete Diele erschien ihm sicher und behaglich. Vor der Haustür brüllten die Paparazzi noch immer durcheinander; ihre knappen Zurufe erinnerten an Soldaten, die ein Gebäude erkundeten. Duffield stand vor einer weiteren Tür, die er mit verschiedenen Schlüsseln aufzusperren versuchte.

»Ich wohn erst seit ein paar Wochen hier«, sagte er entschuldigend, als er sie endlich aufbekam, indem er sich mit der Schulter dagegenwarf. Sobald er über die Schwelle getreten war, wand er sich aus seiner engen Jacke, ließ sie achtlos zu Boden fallen und ging dann voraus, wobei er seine schmalen Hüften nur unwesentlich weniger übertrieben schwang als Guy Somé. Über einen kurzen Flur gelangten sie in ein Wohnzimmer, in dem er Licht machte.

Die minimalistische, elegant grau-schwarze Einrichtung war zugemüllt und stank nach Zigarettenrauch, Cannabis und Alkoholdunst. Strike fühlte sich lebhaft an seine Kindheit erinnert.

»Muss mal pissen«, verkündete Duffield. Bevor er verschwand, rief er mit einer Daumenbewegung, die die Richtung angab: »Drinks sind in der Küche, Cici.«

Sie bedachte Strike mit einem Lächeln, dann ging sie durch die Tür, die Duffield ihr gewiesen hatte.

Strike sah sich in dem Raum um, der aussah, als wäre er von Eltern mit untadeligem Geschmack in der Obhut ihres rebellierenden Nachwuchses zurückgelassen worden. Sämtliche waagrechten Flächen waren zugemüllt; häufig in Form hingekritzelter Notizen. An den Wänden lehnten drei Gitarren. Rund um einen übervollen gläsernen Couchtisch, von dem Teile des Unrats bereits auf den schwarzen Fellteppich darunter gerutscht waren, standen schwarz-weiße Ledersessel, die auf einen riesigen Plasmafernseher ausgerichtet waren. Jenseits der hohen Fenster mit ihren dünnen grauen Vorhängen konnte Strike noch die Umrisse der Fotografen ausmachen, die sich unter einer Straßenlaterne zusammengerottet hatten.

Als Duffield zurückkam, nestelte er noch immer am Reißverschluss seiner Hose. Dass er sich jetzt allein mit Strike wiederfand, schien ihn nervös zu machen; er kicherte. »Fühl dich wie zu Hause, Großer. Hey, ich kenn deinen Alten.«

»Ach ja?«, fragte Strike und setzte sich in einen der quadratischen Ponyfellsessel.

»Ja. War ein paarmal mit ihm zusammen«, bestätigte Duffield. »Cooler Typ.«

Er griff nach einer Gitarre, begann, eine Melodie darauf zu klimpern, kam davon ab und lehnte das Instrument wieder an die Wand.

Ciara kam mit einer Flasche Wein und drei Gläsern zurück.

»Kannst du dir keine Putzfrau nehmen, Sweetie?«, fragte sie Duffield vorwurfsvoll.

»Die geben immer gleich wieder auf«, sagte Duffield, setzte zum Sprung an und landete mit über die Lehne baumelnden

Beinen auf einem der Sessel. »Kein verschissenes Durchhaltevermögen.«

Strike schob den Müll auf dem Couchtisch zusammen, damit Ciara Flasche und Gläser abstellen konnte.

»Ich dachte, du wärst bei Mo Innes eingezogen«, sagte sie und schenkte ihnen Wein ein.

»Na ja, das hat nicht geklappt«, sagte Duffield und wühlte in dem Müll auf dem Tisch nach Zigaretten. »Der olle Freddie hat mir diese Wohnung nur für den Monat gemietet, solange ich nach Pinewood rausmuss. Er will mich von alten *Stammplätzen* fernhalten.«

Seine schmutzigen Finger glitten über etwas hinweg, das ein Rosenkranz zu sein schien; sie streiften unzählige leere Zigarettenschachteln, aus denen Kartonstücke herausgerissen waren; drei Feuerzeuge, eines davon ein graviertes Zippo; Zigarettenpapierchen; lose, verschlungene Kabel von irgendwelchen Geräten; ein Kartenspiel; ein gebrauchtes, fleckiges Taschentuch; mehrere zerknitterte Blätter Papier; ein Musikmagazin mit Duffield in düsterem Schwarz-Weiß auf der Titelseite; geöffnete und ungeöffnete Post; ein zerknülltes Paar Lederhandschuhe; etwas Kleingeld; und am Rand der Müllhalde einen unbenutzten Porzellanaschenbecher mit einem einzelnen silbernen Manschettenknopf in Form eines winzigen Revolvers. Endlich fand er unter der Couch eine angebrochene Packung Gitanes, zündete sich eine an und blies eine lange Rauchfahne zur Decke hinauf. Dann wandte er sich an Ciara, die den Männern gegenüber auf der Couch lagerte und an ihrem Wein nippte.

»Sie werden sagen, dass wir wieder miteinander ficken, Ci«, sagte er und zeigte aus dem Fenster auf die lauernden Schatten der wartenden Fotografen.

»Und welche Rolle spielt Cormoran dabei?«, fragte Ciara

mit einem raschen Blick zu Strike hinüber. »Ob sie auf 'nen Dreier tippen?«

»Security«, entschied Duffield, indem er Strike mit zusammengekniffenen Augen musterte. »Er sieht wie 'n Boxer aus. Oder wie 'n Catcher. Willst du keinen Drink, Cormoran?«

»Nein danke«, sagte Strike.

»Wie kommt's, Exalkoholiker oder Dienst?«

»Dienst.«

Duffield zog die Augenbrauen hoch und kicherte. Er wirkte nervös, starrte Strike mehrmals forschend an und trommelte mit den Fingern auf die Glasplatte. Als Ciara ihn fragte, ob er Lady Bristow noch mal besucht habe, griff er dieses Thema dankbar auf.

»Scheiße, nein, ein Mal war genug! Das war beschissen gruselig. Die arme Frau. Auf ihrem verdammten Totenbett.«

»Trotzdem war's supernett von dir, dass du hingegangen bist, Evan.«

Strike wusste, dass sie versuchte, Duffield im besten Licht erscheinen zu lassen.

»Kennen Sie Lulas Mutter gut?«, fragte er Duffield.

»Nein. Ich hatte sie vor Lus Tod nur ein einziges Mal getroffen. Sie war nicht mit mir einverstanden. Keiner aus Lus Familie war mit mir einverstanden. Ich weiß auch nicht«, sagte er zappelig, »ich wollte bloß mit jemandem reden, dem's nicht scheißegal war, dass sie tot ist.«

»Evan!«, schmollte Ciara. »*Mir* ist's nicht egal, dass sie tot ist, also entschuldige bitte!«

»Ja, also …«

Mit einer merkwürdig femininen Bewegung rollte Duffield sich in seinem Sessel fast in Embryonalhaltung zusammen und zog kräftig an seiner Zigarette. Auf dem Tisch hinter seinem Kopf stand genau im Lichtkegel einer Lampe ein großes gerahmtes Foto, das Lula Landry und ihn bei einem Modeshooting zeigte. Vor einer Kulisse aus Pappbäumen rangen sie scheinbar miteinander – sie in einer bodenlangen roten Robe, er in einem schmalen schwarzen Anzug und einer auf die Stirn geschobenen haarigen Wolfsmaske.

»Was meine Mum wohl sagen würde, wenn ich abnibbeln würde? Meine Eltern haben eine einstweilige Verfügung gegen mich am Laufen«, erklärte er Strike. »Na ja, hauptsächlich mein Scheißvater. Weil ich vor ein paar Jahren ihren Fernseher geklaut habe. Hey, weißt du was?« Er verrenkte sich den Hals, um zu Ciara hinüberzusehen. »Ich bin jetzt fünf Wochen und zwei Tage clean.«

»Das ist ja fabelhaft, Baby! Das ist fantastisch!«

»Ja«, sagte er und setzte sich wieder auf. »Willst du mir keine Fragen stellen?«, wollte er von Strike wissen. »Ich dachte, du ermittelst wegen des *Mordes* an Lu?«

Das Zittern seiner Finger unterminierte die Wirkung seiner Worte. Seine Knie begannen wieder, auf und ab zu federn – genau wie bei John Bristow.

»Glauben Sie denn, dass es Mord war?«, fragte Strike.

»Nee.« Duffield zog an seiner Zigarette. »Ja. Vielleicht. Ich weiß es nicht. Mord klingt jedenfalls vernünftiger als ein beschissener Selbstmord. Weil sie nicht gegangen wäre, ohne mir ein paar Zeilen zu schreiben. Ich wart immer noch drauf, dass ein Abschiedsbrief auftaucht, verstehst du? Erst dann weiß ich, dass es wahr ist. Es kommt mir nicht real vor. Ich kann mich nicht mal an die Beerdigung erinnern. Scheiße, ich war komplett neben mir. Ich hatte so viel Zeug eingeworfen, dass ich kaum gehen konnte. Wenn ich mich an die verdammte Beerdigung erinnern könnte, wär auch alles andere besser zu verstehen, glaub ich.«

Er klemmte sich die Zigarette zwischen die Lippen und

begann wieder, auf die gläserne Tischplatte zu trommeln. Offenbar irritierte ihn Strikes stumme Beobachtung, und nach einiger Zeit verlangte er: »Jetzt frag mich endlich was, na los! Wer hat dich überhaupt angeheuert?«

»Lulas Bruder John.«

Duffield hörte auf zu trommeln. »Dieser geldgierige, steife Wichser?«

»Geldgierig?«

»Scheiße, er war *besessen* davon, wofür sie ihr verdammtes Geld ausgegeben hat, als ob ihn das was anginge, verflucht noch mal … Diese reichen Leute halten alle anderen für verdammte Schnorrer, ist dir das schon mal aufgefallen? Ihre ganze Scheißfamilie hat mich für jemand gehalten, der aufs Geld aus war, und nach einiger Zeit« – er setzte einen Finger an die Schläfe und machte eine bohrende Bewegung – »hat sich das bei ihr festgesetzt, es hat Zweifel geweckt, kapiert?«

Er schnappte sich das Zippo vom Tisch, klappte es auf und fing an, das Zündrädchen zu bearbeiten. Strike sah zu, wie winzige blaue Funken aufstoben und erloschen, als Duffield weitersprach.

»Bestimmt hat er geglaubt, ein beschissen reicher Buchhalter wie er wär besser für sie.«

»Er ist Rechtsanwalt.«

»Was auch immer. Wo ist der Unterschied, wenn's bloß darum geht, reichen Leuten dabei zu helfen, möglichst viel Geld zusammenzuraffen? Er hat seinen beschissenen Treuhandfonds von Daddy, was kümmert's ihn da, was seine Schwester mit ihrem eigenen Geld macht?«

»Gegen welche Ausgaben war er speziell?«

»Wenn sie Zeug für mich gekauft hat. Da war die ganze Scheißfamilie gleich: Sie hatte nichts dagegen, selbst was zu bekommen; aber es sollte in der verdammten Familie bleiben, dann war das okay. Lula hat gewusst, dass es ’ne geldgierige Saubande war, aber es hatte wie gesagt seine Spuren bei ihr hinterlassen. Hat sie auf Scheißideen gebracht.«

Er warf das leere Zippo auf den Couchtisch zurück, zog die Knie bis unters Kinn und funkelte Strike mit seinen befremdlich hellblauen Augen an.

»Er hält mich also weiter für den Täter, ja? Dein Auftraggeber?«

»Nein, das glaube ich nicht«, sagte Strike.

»Dann hat er seine Scheißmeinung geändert, denn bevor das Gericht auf Selbstmord entschieden hat, ist er überall rumgelaufen und hat mich als Mörder bezeichnet. Nur hab ich ein wasserdichtes Alibi, also kann er mich mal. Alle. Können. Mich. Mal.«

Nervös und rastlos stand er auf, schenkte sich Wein nach, obwohl er sein Glas kaum angerührt hatte, und zündete sich eine weitere Zigarette an.

»Was können Sie mir über den Tag erzählen, an dem Lula gestorben ist?«, fragte Strike.

»Die Nacht, meinst du.«

»Der Tag davor kann genauso wichtig sein. Es gibt ein paar Dinge, die ich aufklären möchte.«

»Ah ja? Dann also los.«

Duffield ließ sich in den Sessel zurückfallen und zog erneut die Knie hoch.

»Lula hat zwischen zwölf und achtzehn Uhr mehrmals versucht, Sie zu erreichen, aber Sie haben sich nicht gemeldet.«

»Nein«, sagte Duffield. Wie ein kleines Kind begann er, an einem Loch am Knie seiner Jeans zu zupfen. »Ich war beschäftigt. Ich hab gearbeitet. An einem Song. Wollt den Flow nicht unterbrechen. Die gute alte Inspiration.«

»Sie hatten also gar nicht mitbekommen, dass sie Sie angerufen hatte?«

»Na ja, doch. Ich hab ihre Nummer auf dem Display gesehen.« Er rieb sich die Nase, streckte die Beine aus, legte die Füße auf den Glastisch, verschränkte die Arme und sagte: »Ich wollte ihr 'ne kleine Lektion verpassen. Sie ein bisschen im Ungewissen lassen.«

»Wieso dachten Sie, sie bräuchte eine Lektion?«

»Wegen diesem Scheißrapper! Ich wollte, dass sie zu mir zieht, solange er in ihrem Haus war. ›*Sei nicht albern, vertraust du mir etwa nicht?*‹« Seine Imitation von Lulas Stimme und Mimik war übertrieben mädchenhaft. »Ich hab zu ihr gesagt: ›Sei *du* nicht so beschissen albern. Zeig mir, dass ich nichts zu befürchten hab, komm und bleib bei mir.‹ Aber das wollt sie nicht. Also hab ich mir überlegt, dass dieses Scheißspiel auch zwei spielen können, *Darling*! Mal sehen, wie dir *das* gefällt. Also hab ich Ellie Carreira hierher zu mir geholt, und wir haben miteinander gearbeitet, und danach hab ich Ellie mit ins Uzi gebracht. Lu konnte sich echt nicht beschweren. Alles rein geschäftlich. Nur Textarbeit. Nur Freunde – wie sie und dieser Gangsta-Rapper.«

»Ich dachte, sie hätte Deeby Macc nie getroffen?«

»Hat sie auch nicht, aber der Scheißkerl hatte seine Absichten öffentlich erklärt, oder nicht? Kennst du den Song, den er geschrieben hat? Davon hat sie echt feuchte Höschen bekommen.«

»*Bitch you ain't all that …*«, begann Ciara bereitwillig zu zitieren, aber ein scharfer Blick von Duffield brachte sie wieder zum Schweigen.

»Hat sie Ihnen eine Nachricht hinterlassen?«

»Ja, mehrere. ›*Evan, ruf mich bitte an. Die Sache ist dringend. Mehr möchte ich am Telefon nicht sagen.*‹ Scheiße, es war *immer* dringend, wenn sie rauskriegen wollte, was ich vorhatte. Sie wusste, dass ich sauer war. Sie hat sich Sorgen wegen Ellie gemacht. Von der war sie echt besessen, weil sie wusste, dass wir mal gefickt hatten.«

»Sie hat gesagt, die Sache sei dringend, und sie wolle nicht am Telefon darüber reden?«

»Ja, aber damit wollte sie mich nur dazu bringen zurückzurufen. Eines ihrer Spielchen. Sie konnte beschissen eifersüchtig sein. Und verdammt manipulativ.«

»Können Sie sich vorstellen, weshalb sie an diesem Tag auch ihren Onkel mehrmals angerufen hat?«

»Welchen Onkel?«

»Tony Landry – noch ein Anwalt.«

»*Den*? Den hätte sie *nie* angerufen! Den hat sie noch mehr gehasst als ihren Bruder.«

»Sie hat ihn zur gleichen Zeit wie Sie mehrmals angerufen. Hat mehr oder weniger die gleiche Nachricht hinterlassen.«

Duffield kratzte sich mit seinen schmutzigen Nägeln das unrasierte Kinn und starrte Strike an.

»Keine Ahnung. Vielleicht wegen ihrer Mum. Weil die alte Lady B. ins Krankenhaus musste oder so.«

»Sie glauben nicht, dass an diesem Morgen etwas passiert sein könnte, das für Sie und ihren Onkel relevant oder für Sie beide hätte interessant sein können?«

»Es gibt kein einziges Thema, das sowohl mich als auch ihren Scheißonkel interessieren würde«, sagte Duffield. »Ich kenne ihn. Er interessiert sich nur für Aktienkurse und solchen Scheiß.«

»Vielleicht ist es um Lula selbst, um eine persönliche Angelegenheit gegangen?«

»Dann hätte sie diesen Scheißer nicht angerufen. Die beiden konnten sich nicht leiden.«

»Wie kommen Sie darauf?«

»Sie hat zu ihm gestanden wie ich zu meinem verdammten Vater. Beide haben uns für beschissen wertlos gehalten.«

»Hat sie mit Ihnen darüber gesprochen?«

»Oh ja. Er war der Ansicht, sie wollte mit ihren psychischen Problemen nur Aufmerksamkeit schinden, aus reiner Verzogenheit. Als wär das alles aufgesetzt. Eine Belastung für ihre Mutter. Als sie angefangen hat, das große Geld zu verdienen, ist er zwar netter zu ihr geworden, aber sie hat ihm das nicht verziehen.«

»Und sie hat Ihnen wirklich nicht erzählt, weshalb sie mit Ihnen sprechen wollte? Auch nicht, als Sie sich im Uzi getroffen haben?«

»Nein«, sagte Duffield. Er zündete sich eine weitere Zigarette an. »Sie war stinksauer, weil Ellie mit dabei war. Das hat ihr überhaupt nicht gefallen. Sie war fuchsteufelswild, stimmt's?«

Er wandte sich wieder an Ciara, die betrübt nickte.

»Sie hat überhaupt nicht mehr mit mir geredet«, sagte Duffield. »Sondern die meiste Zeit mit dir, nicht wahr?«

»Genau«, bestätigte Ciara. »Aber sie hat nichts gesagt, was aufregend oder so gewesen wäre.«

»Man hat mir erzählt, dass ihr Telefon abgehört wurde ...«, begann Strike, aber Duffield ließ ihn nicht ausreden.

»Oh ja, sie haben wochenlang unsere SMS mitgelesen. Sie wussten immer, wo wir verabredet waren und so. Scheißkerle! Als wir das rausgekriegt haben, haben wir die Handynummern gewechselt und sind mit SMS verdammt vorsichtig gewesen.«

»Es hat Sie also nicht überrascht, dass Lula am Telefon keine Details nennen wollte, wenn sie Ihnen etwas Wichtiges oder Aufregendes mitzuteilen hatte?«

»Ach was! Aber was wirklich Wichtiges hätte sie mir in dem Scheißclub erzählt.«

»Aber das hat sie nicht getan?«

»Nein. Wie gesagt, sie hat den ganzen Abend lang nicht mit mir geredet.« An Duffields markantem Kiefer zuckte ein Muskel. »Sie hat immer wieder auf ihrem Scheißhandy nachgeschaut, wie spät es war. Ich wusste, welchen Zweck das hatte: Sie wollte mich provozieren. Mir zeigen, dass sie's nicht erwarten konnte, heimzukommen und diesen gottverdammten Deeby Macc kennenzulernen. Sie hat so lange gewartet, bis Ellie aufs Klo gegangen ist, dann ist sie rübergekommen, um mir zu sagen, dass sie jetzt geht und ich meinen Armreif zurückhaben kann – den Reif, den ich ihr bei unserer Treuezeremonie geschenkt hatte. Sie hat ihn vor den Augen all dieser verfluchten Gaffer vor mir auf den Tisch geknallt. Also hab ich nach ihm gegriffen und gefragt: ›Möchte den jemand? Der wär wieder zu haben‹, und sie hat sich verpisst.«

Er sprach nicht so, als sei Lula vor einem Vierteljahr gestorben, sondern als wäre dies alles erst am Vorabend passiert; als bestünde noch eine Möglichkeit zur Versöhnung.

»Sie haben versucht, sie zurückzuhalten, stimmt's?«, fragte Strike.

Duffield kniff die Augen zusammen.

»Sie zurückzuhalten?«

»Nach Zeugenaussagen haben Sie sie am Arm gepackt.«

»Echt? Daran kann ich mich nicht mehr erinnern.«

»Aber sie hat sich losgerissen, und Sie sind im Club geblieben. Stimmt das?«

»Ich hab noch zehn Minuten gewartet, ja. Wollte ihr nicht vor all den Leuten hinterherrennen. Aber dann bin ich zu meinem Fahrer und hab mich in die Kentigern Gardens bringen lassen.«

»Mit einer Wolfsmaske auf dem Kopf«, sagte Strike.

»Klar, um diesen Arschlöchern eins auszuwischen«, sagte er und nickte in Richtung Fenster. »Die wollen doch nur Fotos, auf denen ich besoffen bin. Sie hassen es, wenn ich die Maske trage. Dann können sie kein Geld mit mir machen. Einer von denen hat sogar versucht, mir die Maske vom Kopf zu reißen, aber ich hab sie festgehalten, bin ins Auto gesprungen und hab ihnen aus dem Rückfenster den verdammten Mittelfinger gezeigt. Aber als wir in den Kentigern Gardens ankamen, waren da noch mehr von diesen Scheißern. Sie musste also schon daheim angekommen sein.«

»Kannten Sie ihren Türcode?«

»Neunzehn sechsundsechzig, klar. Aber sie hatte bestimmt dem Sicherheitsmann gesagt, dass er mich nicht reinlassen dürfte. Und ich wollte nicht vor all diesen Pennern reingehen und mich dann fünf Minuten später wieder rauswerfen lassen. Also hab ich versucht, sie vom Auto aus anzurufen, aber sie ist nicht drangegangen. Ich dachte, sie wär runtergegangen, um den verfluchten Deeby Macc in London willkommen zu heißen. Also bin ich weitergezogen, um mir Schmerzkiller zu besorgen.«

Er drückte seine Zigarette auf einer einzelnen Spielkarte an der Kante des Glastischs aus und machte sich umgehend auf die Suche nach mehr Tabak. Um seinen Redefluss in Gang zu halten, bot Strike ihm eine seiner Zigaretten an.

»Oh, danke. Vielen Dank. Ja. Also, ich hab mich von dem Fahrer bei einem Freund absetzen lassen, der später bei der Polizei eine vollständige *dahingehende Aussage* gemacht hat, wie Onkel Tony bestimmt sagen würde. Dann bin ich ein bisschen rumgelaufen, es gibt Aufnahmen von einer Parkhauskasse, die das beweisen, und dann gegen … ich weiß nicht … gegen drei? Gegen vier?«

»Halb fünf«, sagte Ciara.

»...bin ich zu Ciara, um bei ihr zu pennen.«

Duffield zog an der Zigarette, betrachtete die rote Glut, stieß Rauch aus und sagte: »Also kann mir nichts passieren, stimmt's?«

Strike fand die offenkundige Selbstzufriedenheit, mit der Duffield gesprochen hatte, äußerst unsympathisch.

»Wann haben Sie erfahren, dass Lula tot war?«

Duffield zog wieder die Beine unters Kinn.

»Ciara hat mich geweckt und es mir gesagt. Ich konnt's nicht... Scheiße, ich war... Nun ja, beschissene Sache.«

Er legte die Arme über den Kopf und starrte die Decke an.

»Scheiße, ich konnt's nicht... Ich konnt's nicht glauben. Konnt's einfach nicht fassen, verdammt noch mal.«

Und während Strike ihn beobachtete, glaubte er zu sehen, wie Duffield von der Erkenntnis überflutet wurde, dass das Mädchen, von dem er so leichtfertig gesprochen hatte, das er nach eigener Aussage gereizt, geneckt und geliebt hatte, wirklich und endgültig nicht mehr zurückkommen würde; dass es auf schneebedecktem Asphalt zerschmettert liegen geblieben war und dass ihre Beziehung sich nie mehr würde kitten lassen. Während Duffield jetzt die kahle weiße Decke anstarrte, veränderte sich sein Gesicht für Augenblicke ins Groteske. Er schien von einem Ohr zum anderen zu grinsen, doch es war eine Grimasse des Schmerzes, der Anstrengung, die nötig war, um Tränen zu unterdrücken. Seine Arme glitten hinab, und er verbarg sein Gesicht darin, während sein Kinn auf den Knien ruhte.

»Oh, *Sweetie.*« Ciara stellte ihr Weinglas laut klirrend auf den Tisch und beugte sich nach vorn, um ihm eine Hand auf das knochige Knie zu legen.

»Scheiße, ich war total hinüber«, stieß Duffield heiser hinter seinen Armen hervor. »Ich war total am Ende. Ich wollt sie heiraten! Hab sie verdammt geliebt, wirklich. Scheiße, ich will nicht mehr drüber reden.«

Er sprang auf und verließ den Raum, schniefte dabei demonstrativ und wischte sich die Nase mit dem Ärmel ab.

»Hab ich's Ihnen nicht gesagt?«, flüsterte Ciara Strike zu. »Er ist total fertig.«

»Ich weiß nicht recht. Er scheint doch die Kurve gekriegt zu haben. Hat seit fünf Wochen kein Heroin mehr genommen.«

»Ich weiß, und ich will nicht, dass er rückfällig wird.«

»Bei einem Polizeiverhör geht es anders zu. Wir sprechen doch ganz höflich miteinander.«

»Aber Sie machen dabei so ein schreckliches Gesicht! Wirklich. Na ja, *streng*, und als würden Sie ihm kein Wort glauben.«

»Denken Sie, dass er zurückkommt?«

»Ja, natürlich. Bitte seien Sie ein bisschen netter zu ihm …«

Als Duffield wieder hereinkam, lehnte sie sich schnell wieder auf der Couch zurück; er wirkte grimmig entschlossen, und sein tänzelnder Gang schien leicht verhalten. Er ließ sich in den Sessel fallen, in dem er zuvor gesessen hatte, und sagte zu Strike: »Mir sind die Kippen ausgegangen. Kann ich noch eine von deinen haben?«

Widerstrebend, weil er nur noch drei übrig hatte, rückte Strike eine heraus, gab ihm Feuer und sagte dann: »In Ordnung, wenn wir weiterreden?«

»Über Lula? Du kannst über sie reden, wenn du willst. Ich weiß nicht, was ich dir noch erzählen sollte. Ich hab keine weiteren Informationen.«

»Warum hatten Sie sich getrennt? Beim ersten Mal, meine ich; wieso sie im Uzi mit Ihnen Schluss gemacht hat, ist mir klar.«

Aus dem Augenwinkel sah er Ciara eine empörte kleine Handbewegung machen; offenbar fiel dies nicht unter den Begriff »netter«.

»Scheiße, was hat das damit zu tun?«

»Alles ist wichtig«, erklärte Strike. »Es geht mir um das Gesamtbild; wie's in ihrem Leben ausgesehen hat. Es hilft zu erklären, weshalb sie sich umgebracht haben könnte.«

»Ich dachte, du fahndest nach einem Mörder?«

»Ich suche die Wahrheit. Warum also hatten Sie sich beim ersten Mal getrennt?«

»Verdammt, warum ist dieser Scheiß wichtig?«, explodierte Duffield. Wie Strike vermutet hatte, war er jähzornig und leicht reizbar. »Scheiße, willst du's so hindrehen, als wär ich schuld daran, dass sie vom Balkon gesprungen ist? Wie kann unsere erste Trennung was damit zu tun gehabt haben, Blödmann? Die war zwei beschissene Monate vor ihrem Tod! Scheiße, ich könnt mich auch Detektiv nennen und 'nen Haufen dämlicher Fragen stellen. Die Kohle stimmt vermutlich, was, wenn man irgendeinen bekloppten reichen Auftraggeber findet?«

»Evan, nicht!«, sagte Ciara betrübt. »Du hast gesagt, du wolltest helfen ...«

»Klar will ich das, aber ist dieser Scheiß fair?«

»Sie sind nicht verpflichtet, zu antworten«, sagte Strike.

»Ich hab nichts zu verbergen, aber dieser Scheiß ist persönlich, kapiert? Getrennt haben wir uns«, plärrte er los, »wegen meiner Drogen und weil ihre Familie und ihre Freunde einen Scheiß über mich verbreitet haben und weil sie wegen dieser Drecksmedien keinem Menschen mehr vertraut hat. Wegen all dem *Druck*!«

Duffield wölbte seine Hände zu zitternden Klauen und drückte sie wie Kopfhörer auf seine Ohren.

»Druck, gottverdammter *Druck,* deswegen haben wir uns getrennt.«

»Sie haben damals häufig Drogen konsumiert?«

»Ja.«

»Und Lula mochte das nicht?«

»Na ja, die Leute um sie herum haben ihr eingeredet, dass sie das nicht mag, klar?«

»Wer zum Beispiel?«

»Zum Beispiel ihre Familie, zum Beispiel Guy Somé, diese beschissene kleine Schwuchtel!«

»Was genau meinten Sie, als Sie sagten, dass sie wegen der Medien niemandem mehr vertraut hat?«

»Scheiße, ist das nicht arschklar? Weißt du das nicht längst von deinem Alten?«

»Ich weiß 'nen Scheiß über meinen Vater«, sagte Strike kühl.

»Ey, sie haben ihr Scheiß*handy* abgehört, und das ist ein *Scheiß*gefühl, hast du denn gar keine Fantasie? Sie ist total paranoid geworden und hat Leute verdächtigt, Zeug über sie zu verbreiten. Hat versucht, sich zu merken, was sie am Telefon gesagt hatte und was nicht – und wer den Zeitungen Material geliefert haben könnte. Das hat sie total verunsichert.«

»Hat sie *Ihnen* vorgeworfen, Storys zu verkaufen?«

»Nein«, knurrte Duffield, um dann genauso vehement fortzufahren: »Ja, manchmal. ›*Woher wussten sie, dass du kommen würdest? Woher wussten sie, dass ich zu dir gesagt habe*‹, blablabla … Ich hab ihr erklärt, dass dieser ganze Scheiß zum Berühmtsein dazugehört, okay? Aber sie dachte, sie könnt alles für sich behalten.«

»Aber Sie haben der Presse nie Storys über sie verkauft?«

Er hörte Ciara geräuschvoll einatmen.

»Scheiße, nein«, sagte Duffield beherrscht und erwiderte

Strikes Blick, ohne zu blinzeln. »Kein einziges verdammtes Mal. Okay?«

»Und Sie waren wie lange getrennt?«

»Zwei Monate, mehr oder weniger.«

»Aber Sie haben sich wieder versöhnt – wann, ungefähr eine Woche vor ihrem Tod?«

»Ja. Auf Mo Innes' Party.«

»Und achtundvierzig Stunden später hat dann diese Treuezeremonie stattgefunden? In Carburys Haus in den Cotswolds?«

»Ja.«

»Und wer wusste im Voraus davon?«

»Das war 'ne ganz spontane Sache. Ich hab die Armreife gekauft, und wir haben's einfach gemacht. Das war schön, Mann.«

»Das war's echt«, bestätigte Ciara traurig.

»Dass die Presse davon so schnell Wind bekommen konnte, hieß das nicht, dass jemand dabei gewesen sein muss und es ihr gesteckt hat?«

»Ja, das stimmt wohl.«

»Weil Ihre Handys nicht mehr abgehört wurden, oder? Sie hatten neue Nummern.«

»Verdammt, ich weiß nicht, ob sie noch abgehört wurden! Das musst du die Scheißkerle von der Presse fragen, die so was machen.«

»Hat sie jemals mit Ihnen über ihre Versuche gesprochen, ihren Vater aufzuspüren?«

»Er war tot … Was, du meinst, den richtigen? Ja, sie hat ihn gesucht, aber das war zwecklos, oder nicht? Nicht mal ihre Mutter wusste, wer er war.«

»Sie hat Ihnen also nie erzählt, ob sie es geschafft hatte, etwas über ihn herauszufinden?«

»Sie hat's versucht, ist damit aber nicht weit gekommen, und dann hat sie beschlossen, Afrikanistik zu studieren. Das sollte ihr Daddy sein – dieser ganze verdammte afrikanische Kontinent! Dahinter hat dieses Arschloch Somé gesteckt, der wieder mal Scheiße aufgerührt hatte.«

»In welcher Hinsicht?«

»Alles, was sie mir entfremdet hat, war gut. Alles, was den Zusammenhalt zwischen ihnen gestärkt hat. In Bezug auf sie war er verdammt eifersüchtig. Er war in sie verknallt. Ich weiß, dass er schwul ist«, fügte Duffield ungeduldig hinzu, als Ciara protestieren wollte, »aber er ist nicht der Erste, der wegen einer Freundin komisch reagiert. Er ist scharf auf Männer, aber sie wollte er nicht aus den Augen lassen. Er hat Heulanfälle gekriegt, wenn sie ihn nicht besucht hat, und mochte es nicht, wenn sie für jemand anders gearbeitet hat. Scheiße, mich hasst er! Aber du mich auch, du kleiner Scheißer! Hat Lu immer wieder mit Deeby Macc aufgezogen. Er hätte es bestimmt genossen, wenn sie ihn gefickt hätte. Um mich richtig fertigzumachen. Um sämtliche beschissenen Einzelheiten zu hören. Ihn durch sie kennenzulernen, seine Scheißklamotten an 'nem Gangsta zu fotografieren. Er ist echt kein Dummkopf, Somé. Hat sie dauernd für sein Geschäft eingespannt. Hat versucht, sie billig oder umsonst zu kriegen, und sie war blöd genug, sich das gefallen zu lassen.«

»Hat Somé Ihnen die geschenkt?«, fragte Strike und zeigte auf die schwarzen Lederhandschuhe auf dem Couchtisch. Er hatte das kleine goldene GS-Markenzeichen auf den Stulpen entdeckt.

»Ey, was?«

Duffield beugte sich nach vorn und hakte den Zeigefinger unter einen der Handschuhe; er hob ihn vor seine Augen, um ihn zu begutachten.

»Scheiße, du hast recht! Die fliegen in die Tonne.« Er warf den Handschuh in eine Ecke und traf eine abgestellte Gitarre, die einen hohl hallenden Ton von sich gab. »Ich hab sie nach diesem Termin behalten«, sagte Duffield und zeigte auf den schwarz-weißen Magazintitel. »Somé würd mir nicht den Dampf seiner Pisse schenken. Hast du noch 'ne Kippe?«

»Leider nicht«, log Strike. »Wollen Sie mir erzählen, warum Sie mich hierher eingeladen haben, Evan?«

Es folgte längeres Schweigen. Duffield funkelte Strike an, der dem Schauspieler ansah, dass der wusste, dass er wegen der Zigaretten gelogen hatte. Auch Ciara blickte ihn an: mit leicht geöffneten Lippen ein Inbegriff schöner Verwirrung.

»Wie kommst du darauf, dass ich dir noch was zu erzählen hätte?«, höhnte Duffield.

»Ich glaube nicht, dass Sie mich allein deshalb eingeladen haben, um meine Gesellschaft zu genießen.«

»Oh, ich weiß nicht«, höhnte Duffield, »vielleicht hab ich gehofft, du wärst 'ne Lachnummer wie dein Alter?«

»Evan!«, fauchte Ciara.

»In Ordnung, wenn Sie mir nichts weiter zu erzählen haben …«, sagte Strike und stemmte sich aus seinem Sessel. Zu seiner Überraschung und zu Duffields sichtlichem Missvergnügen stellte Ciara ihr leeres Weinglas ab und entfaltete ihre langen Beine, um ebenfalls aufzustehen.

»Also gut«, sagte Duffield scharf. »Es gibt da noch was.«

Strike sank in seinen Sessel zurück. Ciara warf Duffield eine ihrer Zigaretten zu. Während er seinen Dank murmelte, setzte sie sich wieder und beobachtete Strike.

»Sprechen Sie weiter«, sagte er, als Duffield sich mit seinem Feuerzeug zu schaffen machte.

»Also gut. Ob's wichtig ist, weiß ich nicht«, sagte er. »Aber ich will nicht, dass du irgendwem sagst, von wem du diese Informationen hast.«

»Das kann ich nicht garantieren.«

Duffield machte ein finsteres Gesicht, und seine Beine zappelten unruhig, während er mit gesenktem Blick an der Zigarette zog. Aus dem Augenwinkel nahm Strike wahr, dass Ciara etwas sagen wollte, und brachte sie mit erhobener Hand zum Schweigen.

»Also«, sagte Duffield, »vorgestern war ich mit Freddie Bestigui Mittag essen. Er hat sein BlackBerry auf dem Tisch liegen lassen, als er an die Bar gegangen ist.« Duffield paffte und zappelte immer noch. »Ich will da nicht rausfliegen«, sagte er und funkelte Strike an. »Ich brauch diesen Scheißjob.«

»Bitte weiter«, sagte Strike.

»Er hat 'ne Mail gekriegt. Und ich hab Lulas Namen gesehen. Da hab ich sie gelesen.«

»Okay.«

»Sie war von seiner Frau. Mit etwa folgendem Text: ›Ich weiß, wir sollten nur über unsere Anwälte verkehren, aber wenn du nicht mehr als anderthalb Millionen ausspuckst, erzähl ich allen, wo ich war, als Lula Landry gestorben ist, und wie ich dort gelandet bin. Ich werde nicht den Kopf für dich hinhalten. Das ist keine leere Drohung. Ich denke darüber nach, zur Polizei zu gehen.‹ Oder so ähnlich.«

Durch die Fenster mit den zugezogenen Vorhängen drang das Lachen der draußen versammelten Paparazzi.

»Das ist eine sehr nützliche Information«, erklärte Strike. »Vielen Dank.«

»Ich will nicht, dass Bestigui davon erfährt, dass ich dir das erzählt hab.«

»Ich glaube nicht, dass Ihr Name ins Spiel kommen muss«, sagte Strike und stand wieder auf.

»Augenblick, ich komm mit«, sagte Ciara, das Handy am Ohr. »Kieran? Wir kommen jetzt raus, Cormoran und ich. Ja, sofort. Bye-bye, Evan, Darling!«

Sie beugte sich über ihn und küsste ihn auf beide Wangen, während Duffield, der sich halb aufgerichtet hatte, leicht verstört wirkte.

»Ihr könnt doch hier pennen, wenn ihr …«

»Nein, Sweetie, ich hab morgen Nachmittag ein Shooting. Ich brauche meinen Schönheitsschlaf«, sagte sie.

Fotoblitze blendeten Strike, als er aus dem Haus trat, aber diesmal wirkten die Paparazzi verwirrt. Als er Ciara auf den Stufen den Arm bot und dann nach ihr hinten in den Mercedes einstieg, rief einer von ihnen laut: »Scheiße, wer sind Sie?«

Strike knallte grinsend die Tür zu. Kolovas-Jones fuhr los. Diesmal wurden sie nicht verfolgt.

Nachdem Kolovas-Jones schweigend ungefähr einen Straßenblock weit gefahren war, sah er in den Rückspiegel und fragte Ciara: »Nach Hause?«

»Ich denke, ja. Stellen Sie bitte das Radio an, Kieran? Ich will Musik hören«, sagte sie. »Ein bisschen lauter, Sweetie! Oh, ich liebe diesen Song!«

»Telephone« von Lady Gaga erfüllte die Limousine.

Der orangerote Widerschein der Straßenbeleuchtung huschte über Ciaras Gesicht, als sie sich Strike zuwandte. Ihr Atem roch nach Alkohol, ihre Haut nach ihrem süßen, würzigen Parfüm.

»Wollen Sie mich weiter nichts fragen?«

»Wissen Sie was?«, sagte Strike. »Das will ich tatsächlich. Wozu sind Handtaschen mit heraustrennbarem Innenfutter gut?«

Sie starrte ihn sekundenlang an, dann brach sie in Kichern

aus und stieß ihn sacht an. Geschmeidig und zart lehnte sie sich an ihn und sagte: »Sie sind *wirklich* komisch!«

»Also, wozu sind sie gut?«

»Nun, das macht die Tasche einfach, na ja, individueller; man kann sie beliebig verändern; man kann mehrere Futter kaufen und durchwechseln. Man kann sie sogar rausnehmen und als Schal tragen; sie sind echt schön. Seide mit genialen Mustern. Und der Reißverschlussrand ist Rock 'n' Roll.«

»Interessant«, sagte Strike, als sie ihr Bein leicht an seines drückte, während sie ein weiteres kehliges Kichern hören ließ.

Call all you want, but there's no one home, sang Lady Gaga.

Die Musik übertönte ihre Unterhaltung, trotzdem sah Kolovas-Jones unnötig oft in den Rückspiegel, statt sich auf die Straße zu konzentrieren. Nach einer weiteren Minute sagte Ciara: »Guy hat recht, ich mag große Männer. Du bist sehr maskulin. Und irgendwie *streng*. Das ist sexy.«

Und einen Straßenblock weiter flüsterte sie: »Wo wohnst du?«, während sie ihre seidenweiche Wange katzengleich an seiner rieb.

»Ich schlafe auf einer Campingliege in meinem Büro.«

Ciara kicherte wieder. Sie war eindeutig beschwipst.

»Ist das dein Ernst?«

»Ja.«

»Dann gehen wir zu mir, okay?«

Ihre Zunge war kühl und süß und schmeckte nach Pernod.

»Hast du mit meinem Vater geschlafen?«, brachte Strike heraus, als ihre vollen Lippen einmal nicht auf seinen lagen.

»Nein ... Gott, nein!« Ein kleines Kichern. »Er färbt sich die Haare ... Aus der Nähe sind sie, also, fast *lila* ... Ich hab ihn immer die rockende Pflaume genannt ...«

Und dann, zehn Minuten später, drängte die Stimme der

Vernunft ihn, sich nicht von Begierde in eine demütigende Situation bringen zu lassen. Er tauchte gerade lange genug auf, um Luft zu holen und zu murmeln: »Ich hab nur ein Bein.«

»Red keinen Unsinn!«

»Es ist aber wahr … hab's in Afghanistan verloren.«

»Armes Baby …«, flüsterte sie. »Ich will's reiben, damit es besser wird.«

»Ähem … nur ist das nicht mein Bein … Aber es hilft …«

9

Robin lief die scheppernden Eisenstufen in den flachen schwarzen Schuhen hinauf, die sie schon am Vortag getragen hatte. Weil ihr das Wort »Galoschen« nicht mehr aus dem Kopf gegangen war, hatte sie vor vierundzwanzig Stunden ihr unelegantestes Paar ausgewählt, um damit den Tag über unterwegs zu sein. Angesichts all der Dinge, die sie in den alten Schuhen erreicht hatte, hatten sie inzwischen den Glanz von Aschenputtels Glaspumps angenommen. Weil sie es kaum erwarten konnte, Strike zu berichten, was sie herausgefunden hatte, war sie die Denmark Street mit ihren sonnenbeschienenen Aushubbergen fast entlanggerannt. Bestimmt würde selbst das letzte bisschen Verlegenheit wegen Strikes betrunkener Eskapaden von vorgestern der gemeinsamen Aufregung über ihre tollen Entdeckungen weichen.

Aber dann machte sie auf dem Treppenabsatz halt. Die Glastür war abgesperrt, das Büro dahinter dunkel und still.

Sie schloss auf und kontrollierte rasch die Beweislage. Die Zwischentür zu seinem Büro stand offen. Die Campingliege war ordentlich zusammengeklappt. Der Papierkorb enthielt keine Reste eines Abendessens. Der Bildschirm war ausgeschaltet, der Wasserkocher kalt. Daraus musste Robin schließen, dass Strike die Nacht nicht (wie sie es für sich selbst ausdrückte) zu Hause verbracht hatte.

Sie hängte ihren Mantel auf, dann zog sie ein kleines Notizbuch aus ihrer Handtasche, schaltete den Computer ein und fing an – nachdem sie einige Minuten lang hoffnungsvoll, aber vergebens gewartet hatte –, eine Zusammenfassung ihrer Ermittlungsergebnisse vom Vortag zu tippen. Sie hatte kaum geschlafen, so aufgeregt war sie bei dem Gedanken gewesen, Strike alles persönlich berichten zu können. Es jetzt niederschreiben zu müssen war eine bittere Enttäuschung. Wo zum Teufel steckte er?

Während ihre Finger über die Tastatur flogen, bot sich ihr eine Antwort an, die ihr nicht sonderlich gefiel. Die Nachricht von der Verlobung seiner Ex hatte ihn schwer getroffen – war es da nicht wahrscheinlich, dass er sie aufgesucht hatte, um sie zu beknien, diesen anderen Mann nicht zu heiraten? Hatte er auf der Charing Cross Road nicht lauthals verkündet, Charlotte liebe Jago Ross überhaupt nicht? Vielleicht stimmte das sogar; vielleicht hatte Charlotte sich Strike in die Arme geworfen, und die beiden waren mittlerweile wieder versöhnt und schliefen ineinander verschlungen in dem Haus oder in der Wohnung, aus der er vor vier Wochen ausgezogen war. Robin erinnerte sich an Lucys Fragen und Andeutungen über Charlotte und hatte den Verdacht, solch eine Versöhnung bedeute nichts Gutes für die Sicherheit ihres Jobs. *Spielt keine Rolle mehr,* sagte sie sich dann, während sie rasend und ungewöhnlich fehlerhaft weitertippte. *In einer Woche bist du ohnehin weg.* Aber dieser Gedanke brachte sie umso mehr auf.

Alternativ konnte Strike natürlich zu Charlotte gegangen und abgewiesen worden sein. In diesem Fall warf die Frage, wo er sich gegenwärtig aufhielt, ein zwar weniger persönliches, dafür aber umso dringenderes Problem auf. Wenn er nun ausgegangen war – ungehindert und unbeschützt, aber fest entschlossen, sich wieder zu betrinken? Robins geschäftige Finger wurden langsamer, hörten mitten im Satz auf zu tippen. Sie drehte sich auf ihrem Bürostuhl leicht zur Seite, um das stumme Telefon anzustarren.

Sie konnte ohne Weiteres der einzige Mensch sein, der wusste, dass Cormoran Strike nicht war, wo er sein sollte. Sollte sie ihn vielleicht auf dem Handy anrufen? Und wenn er sich nicht meldete? Wie viele Stunden sollte sie warten, bevor sie die Polizei alarmierte? Sie überlegte, ob sie Matthew im Büro anrufen und seinen Rat einholen sollte, kam aber sofort wieder davon ab.

Matthew und sie hatten sich gestritten, als Robin so spät heimgekommen war, nachdem sie den betrunkenen Strike aus dem Tottenham heimbegleitet hatte. Matthew hatte ihr wieder einmal erklärt, sie sei naiv, leicht zu beeindrucken und ein Dummerchen, das auf Geschichten von Pechsträhnen hereinfalle; Strike habe es nur auf eine billige Sekretärin abgesehen und bediene sich zu diesem Zweck emotionaler Erpressung; vermutlich gebe es gar keine Charlotte, sondern das alles sei nur ein geschicktes Manöver, um sich Robins Mitgefühl und Dienste zu sichern. Robin war wütend geworden und hatte Matthew erklärt, wenn irgendjemand sie erpresse, dann sei das doch wohl er mit seinem ständigen Gerede von dem Geld, das sie verdienen müsse, und seinen Andeutungen, dass sie weniger als ihren Beitrag leiste. War ihm nicht aufgefallen, dass sie gern bei Strike arbeitete; war sein unsensibler, beschränkter Buchhalterverstand nie auf die Idee gekommen, ihr könnte vor einem sterbenslangweiligen Job in einer Personalabteilung grausen? Matthew war entgeistert gewesen und hatte sich dann entschuldigt (obwohl er sich vorbehielt, Strikes Verhalten zu missbilligen), aber Robin, im Allgemeinen nachgiebig und freundlich, war kalt und zornig geblieben. Der am folgenden Morgen geschlossene Waffenstillstand war mit Feindseligkeiten gespickt gewesen, speziell auf Robins Seite.

Als sie jetzt das Telefon anstarrte, übertrug ein Teil ihres

Zorns auf Matthew sich auf Strike. Wo in aller Welt steckte er? Was tat er? Wieso benahm er sich genauso unzuverlässig, wie Matthew ihm zu sein vorwarf? Sie war da, hielt hier die Stellung, während er vermutlich hinter seiner Exverlobten her war, ohne sich um ihren Auftrag zu kümmern …

… *seinen* Auftrag …

Plötzlich ein Geräusch im Treppenhaus. Robin glaubte, Strikes leicht unrunde Schritte zu hören. Sie blickte zur Tür hinüber und wartete, bis sie sicher war, dass die Schritte den ersten Treppenabsatz hinter sich gelassen hatten. Dann drehte sie sich entschlossen nach dem Monitor um und begann wieder zu tippen, während ihr Herz jagte.

»Morgen.«

»Hi.«

Sie bedachte Strike mit einem flüchtigen Blick, während sie eifrig weitertippte. Er sah müde aus, war unrasiert und ungewohnt gut angezogen. Das bestätigte sie sofort in ihrer Überzeugung, dass er versucht hatte, sich mit Charlotte zu versöhnen – allem Anschein nach erfolgreich. Die beiden folgenden Sätze strotzten nur so von Tippfehlern.

»Wie läuft's?«, fragte Strike, dem ihr verkniffenes Gesicht und ihre unterkühlt abweisende Art auffielen.

»Gut.«

Sie hatte jetzt vor, ihm ihren perfekt getippten Bericht hinzulegen und dann eiskalt und ruhig ein Gespräch über ihr bevorstehendes Ausscheiden zu eröffnen. Sie wollte Strike vorschlagen, eine neue Aushilfe einzustellen, damit sie ihre Nachfolgerin einarbeiten konnte, bevor sie ging.

Strike, dessen scheußliche Pechsträhne erst vor wenigen Stunden auf fabelhafte Art beendet worden war und der in besserer Stimmung war als seit vielen Monaten, hatte sich darauf gefreut, seine Sekretärin zu sehen. Er hatte nicht die

Absicht, sie mit einem Bericht über seine nächtlichen Eskapaden zu unterhalten (oder zumindest nicht über die, die so viel dazu beigetragen hatten, ihm seine Selbstachtung zurückzugeben), denn er war in derlei Dingen intuitiv schweigsam und hoffte, die durch seinen übermäßigen Konsum von Doom Bar niedergerissenen Grenzen wenigstens in Teilen wiederherstellen zu können. Vorgenommen hatte er sich eine ausführliche Entschuldigung für seinen Alkoholexzess, eine Beteuerung seiner Dankbarkeit und eine Zusammenfassung der interessanten Schlussfolgerungen, die er aus den gestrigen Gesprächen gezogen hatte.

»Möchten Sie eine Tasse Tee?«

»Nein danke.«

Er sah auf die Uhr.

»Ich bin nur elf Minuten zu spät …«

»Wann Sie auftauchen, ist Ihre Sache. Ich meine«, versuchte sie zurückzurudern, denn ihr Tonfall war zu offen feindselig gewesen, »es geht mich nichts an, was Sie … wann Sie ins Büro kommen.«

Nachdem sie zuvor im Stillen verschiedene beruhigende und großzügige Antworten auf Strikes mögliche Entschuldigungen für seine Betrunkenheit eingeübt hatte, fand sie sein Verhalten jetzt geschmacklos frei von Scham- oder Reuegefühlen.

Strike machte sich an dem Wasserkocher zu schaffen und stellte ihr einige Minuten später einen dampfenden Becher Tee hin.

»Ich hab doch gesagt, dass ich …«

»Könnten Sie sich einen Augenblick von diesem wichtigen Schriftstück losreißen, während ich etwas sage?«

Sie speicherte den Bericht per Tastenbefehl ab, dann wandte sie sich ihm mit verschränkten Armen zu. Strike setzte sich auf das alte Sofa.

»Ich wollte sagen, dass mir das mit vorgestern Abend leidtut.«

»Sie brauchen sich nicht zu entschuldigen«, wehrte sie mit gepresster, nervöser Stimme ab.

»Doch, das muss ich. Ich kann mich nicht mehr an viel erinnern. Ich hoffe, dass ich nicht allzu widerlich war.«

»Das waren Sie nicht.«

»Was passiert war, haben Sie vermutlich mitbekommen. Meine Exverlobte hat sich gerade mit einem alten Freund verlobt. Nach unserer Trennung hat sie nur drei Wochen gebraucht, um einen anderen Ring an den Finger zu bekommen. Das ist übrigens nur so dahergesagt; ich hab ihr nie einen Ring gekauft; ich hatte nie das Geld dafür.«

Es hatte also keine Versöhnung gegeben, schloss Robin; aber wo hatte er dann die Nacht verbracht? Sie ließ die Arme sinken und griff geistesabwesend nach ihrem Tee.

»Es war nicht Ihre Aufgabe, mich dort aufzuspüren, aber Sie haben mich vermutlich daran gehindert, in der Gosse zu landen oder mich mit irgendjemandem zu prügeln, und dafür danke ich Ihnen sehr.«

»Kein Problem.«

»Und danke für das Alka-Seltzer.«

»Hat es geholfen?«, fragte Robin steif.

»Ich hätte das hier beinahe vollgespuckt«, sagte Strike und versetzte dem durchgesessenen Sofa einen leichten Faustschlag, »aber als die Wirkung einsetzte, hat es gut geholfen.«

Robin lachte leise, und Strike erinnerte sich wieder an die Mitteilung, die sie unter der Tür durchgeschoben hatte, während er schlief – und an die Ausrede, die sie für ihre taktvolle Abwesenheit erfunden hatte.

»Also gut, nun, ich will hören, wie es Ihnen gestern ergangen ist«, log er. »Spannen Sie mich nicht länger auf die Folter!«

Robin blühte auf wie eine Seerose.

»Ich bin eben dabei, alles aufzuschreiben …«

»Erstatten Sie mir einfach mündlich Bericht; Ihre Ausarbeitung können Sie später zu den Akten legen«, sagte Strike mit dem geheimen Vorbehalt, dass sie sich leicht wieder entfernen ließe, falls sie wertlos wäre.

»In Ordnung«, sagte Robin aufgeregt und nervös zugleich. »Also, wie ich in meiner Nachricht geschrieben habe, wollte ich mich mit Professor Agyeman und dem Malmaison Hotel in Oxford befassen.«

Strike nickte; er war für diesen Hinweis dankbar, denn er hatte sich an keine Einzelheiten der Nachricht erinnern können, die er so schaurig verkatert überflogen hatte.

»Also«, sagte Robin leicht atemlos, »war ich als Erstes bei der SOAS, der School of Oriental and African Studies, am Russell Square. Das haben Ihre Notizen doch bedeutet, nicht wahr?«, fügte sie hinzu. »Ich habe auf einem Stadtplan nachgesehen – von dort aus ist das British Museum zu Fuß erreichbar. Das sollte das Gekritzel doch heißen?«

Strike nickte wieder.

»Nun, ich bin hingegangen, habe behauptet, ich schriebe eine Doktorarbeit über afrikanische Politik und benötigte Informationen über Professor Agyeman. So bin ich bei einer sehr hilfsbereiten Sekretärin im Fachbereich Politikwissenschaft gelandet, die selbst für ihn gearbeitet hatte. Sie hat mir eine Unmenge an Informationen über ihn gegeben, darunter eine Bibliografie und eine Kurzbiografie. Er selbst hatte dort seinen Bachelor gemacht.«

»Tatsächlich?«

»Ja«, sagte Robin. »Und ich habe ein Foto.«

Sie zog eine Fotokopie aus der Innenklappe des Notizbuchs und reichte sie Strike.

Er erblickte einen gut aussehenden Schwarzen mit schmalem Gesicht, hohen Wangenknochen, grauem Bürstenhaarschnitt und einer goldgeränderten Brille, deren Bügel auf übergroßen Ohren ruhten. Er starrte ihn sekundenlang an, und als er endlich sprach, sagte er: »Jesus.«

Robin wartete hochgestimmt.

»*Jesus*«, wiederholte Strike. »Wann ist er gestorben?«

»Vor fünf Jahren. Die Sekretärin war immer noch ganz traurig. Sie sagte, er sei wahnsinnig klug und der netteste, freundlichste Mann überhaupt gewesen. Ein engagierter Christ.«

»Hatte er Familie?«

»Ja. Er hat seine Frau und einen Sohn hinterlassen.«

»Einen Sohn«, wiederholte Strike.

»Richtig«, bestätigte Robin. »Er ist in der Army.«

»In der Army«, echote Strike. »Sagen Sie's mir nicht.«

»Er ist in Afghanistan.«

Strike stand auf und wanderte mit dem Foto von Professor Josiah Agyeman in der Hand auf und ab.

»Das Regiment wissen Sie nicht zufällig, was? Aber das spielt keine Rolle. Das kann ich rauskriegen«, sagte er.

»Ich habe danach gefragt«, sagte Robin und blätterte in ihren Notizen, »aber das verstehe ich nicht ganz. Gibt es ein Regiment, das Sappeure oder so ähnlich …«

»Pioniere«, sagte Strike. »Das kann ich alles überprüfen.«

Er blieb neben Robins Schreibtisch stehen und starrte erneut in das Gesicht von Professor Josiah Agyeman.

»Er war ursprünglich aus Ghana«, fuhr sie fort. »Die Familie hat bis zu seinem Tod in Clerkenwell gewohnt.«

Strike gab ihr die Fotokopie zurück.

»Heben Sie die gut auf. Verdammt gute Arbeit, Robin.«

»Das ist noch nicht alles«, sagte sie erhitzt, aufgeregt und angestrengt bemüht, nicht zu lächeln. »Nachmittags bin ich mit dem Zug nach Oxford gefahren, ins Malmaison Hotel. Wussten Sie, dass dieses Hotel ein ehemaliges Gefängnis ist?«

»Wirklich?«, fragte Strike und ließ sich wieder aufs Sofa sinken.

»Ja. Es ist sogar recht hübsch. Na ja, wie auch immer, ich dachte mir, ich könnte mich als Alison ausgeben und nachfragen, ob Tony Landy dort etwas hätte liegen lassen …«

Strike nahm einen Schluck Tee und überlegte sich, wie wenig wahrscheinlich es war, dass jemand eine Sekretärin drei Monate nach einem Ereignis mit einem solchen Auftrag losschickte.

»Jedenfalls war das ein Fehler.«

»Ach ja?«, fragte er in sorgfältig neutralem Tonfall.

»Ja, weil ausgerechnet Alison selbst am Siebten im Malmaison nach Tony Landry gefragt hat. Eine furchtbar peinliche Situation, weil eines der Mädchen an der Rezeption sich noch an sie erinnern konnte.«

Strike stellte seinen Becher ab.

»Also das«, sagte er, »ist ja mal wirklich interessant.«

»Ich weiß«, sagte Robin. »Nun musste ich mir schnell etwas anderes einfallen lassen.«

»Haben Sie wieder behauptet, Annabel zu heißen?«

»Nein«, sagte sie und musste lachen. »Ich hab gesagt: ›Okay, dann will ich die Wahrheit sagen: Ich bin seine Freundin.‹ Und ich hab ein Tränchen verdrückt.«

»Sie haben *geweint*?«

»Das war noch nicht mal schwierig«, sagte Robin verwundert. »Ich hab mich einfach in die Rolle hineinversetzt. Ich hab mir vorgestellt, er hätte eine Affäre.«

»Doch nicht mit Alison? Sie haben sie doch dort gesehen, da kann doch niemand glauben, dass …«

»Nein, ich habe gesagt, er sei bestimmt gar nicht in dem Hotel gewesen … Jedenfalls habe ich eine ziemliche Szene gemacht, und zuletzt hat mich die Rezeptionistin, die mit Alison gesprochen hatte, zur Seite genommen und versucht, mich zu beruhigen. Sie hat gesagt, sie dürfe ohne wichtigen Grund keine Auskunft über ihre Gäste geben, das sei die Politik des Hauses, blablabla … Sie wissen schon. Aber damit ich aufhörte zu weinen, hat sie mir letztlich doch gesagt, dass er am Abend des Sechsten eingecheckt und am Morgen des Achten ausgecheckt hatte. Er hat sich beim Auschecken darüber beschwert, dass er zum Frühstück die falsche Zeitung bekommen habe, deshalb konnte sie sich so gut an ihn erinnern. Also war er definitiv dort. Ich habe sie sogar ein bisschen, Sie wissen schon, hysterisch gefragt, wie sicher sie sich sei, dass er es war, und sie hat ihn haargenau beschrieben. Ich weiß, wie er aussieht«, fügte sie hinzu, bevor Strike fragen konnte. »Ich habe mir sein Bild angesehen, bevor ich nach Oxford gefahren bin; es steht auf der Website von Landry, May, Patterson.«

»Sie sind brillant«, sagte Strike, »und dies ist alles sehr verdächtig. Was hat sie Ihnen über Alison erzählt?«

»Dass sie dort war und ihn sprechen wollte, aber er war wohl nicht da. Aber man hat auch ihr bestätigt, dass er dort eingecheckt habe. Und dann ist sie wieder gegangen.«

»Sehr merkwürdig. Sie hätte doch wissen müssen, dass er auf der Tagung war; warum hat sie es nicht erst dort versucht?«

»Keine Ahnung.«

»Hat diese hilfreiche Hotelangestellte ihn außer beim Ein- und Auschecken zwischendurch noch mal gesehen?«

»Nein«, sagte Robin. »Aber wir wissen, dass er auf der Tagung war, stimmt's? Das habe ich überprüft.«

»Wir wissen, dass er sich eingeschrieben und vermutlich sein Namensschild in Empfang genommen hat. Und dann ist er nach Chelsea zurückgefahren, um seine Schwester, Lady Bristow, zu besuchen. Weshalb?«

»Nun … Es ging ihr nicht gut.«

»Wirklich? Sie hatte gerade eine lebensrettende Operation hinter sich.«

»Sie haben ihr die Gebärmutter entfernt«, sagte Robin. »Ich glaube nicht, dass man sich danach so toll fühlt.«

»Wir haben also einen Mann, der seine Schwester nicht besonders gern mag – das weiß ich von ihm persönlich –, der aber zumindest glauben muss, sie werde nach ihrer Entlassung aus dem Krankenhaus von ihren Kindern betreut. Wozu die Eile, sie zu besuchen?«

»Also«, sagte Robin hörbar verunsichert, »ich denke mal … Sie war eben erst aus dem Krankenhaus zurück …«

»Was er gewusst haben muss, *bevor* er nach Oxford gefahren ist. Warum ist er also nicht in London geblieben, hat sie besucht, wenn ihm so viel an ihr lag, und ist erst nachmittags zu seiner Tagung gefahren? Wozu gut fünfundfünfzig Meilen weit fahren, in diesem Luxusknast übernachten, zu der Tagung gehen, sich einschreiben und dann nach London zurückrasen?«

»Vielleicht hat er einen Anruf bekommen, dass ihr Zustand sich verschlechtert hatte? Vielleicht hat John Bristow ihn angerufen und gebeten zu kommen?«

»Bristow hat nie erwähnt, dass er seinen Onkel zu einem Besuch aufgefordert hätte. Ich behaupte, dass die zwei damals Zoff hatten. Beide sind wortkarg, was Landrys Besuch betrifft. Keiner der beiden redet gern darüber.«

Strike stand auf, begann leicht hinkend auf und ab zu gehen, nahm die Schmerzen in seinem Bein jedoch kaum wahr.

»Nein«, sagte er, »dass Bristow seine Schwester, von der jeder behauptet, sie sei der Liebling ihrer Mutter gewesen, um einen Besuch gebeten hat … Das klingt vernünftig. Dass er aber seinen Onkel, der verreist und keineswegs ihr größter Fan war, um einen weiten Umweg gebeten haben soll … Das riecht irgendwie faul. Und jetzt erfahren wir, dass Alison ihn in seinem Oxforder Hotel gesucht hat. An einem Werktag. War sie auf eigene Faust unterwegs, oder hat jemand sie hingeschickt?«

Das Telefon klingelte. Robin nahm den Hörer ab. Zu Strikes Überraschung imitierte sie umgehend einen gekünstelten australischen Dialekt.

»Sorry, nah, sie is nicht hiah … Nah … Nah … Ich waaß nich, wo sie is … Nah … Mein Nahm is Annabel …«

Strike kicherte in sich hinein. Robin warf ihm einen Blick voll gespielter Empörung zu. Nachdem sie fast eine Minute lang breitestes Australisch gesprochen hatte, legte sie auf.

»Temporary Solutions«, sagte sie.

»Ich lerne gerade eine ganz neue Annabel kennen. Diese hier hat eher südafrikanisch als australisch geklungen.«

»Ich will hören, was Sie gestern alles erlebt haben«, sagte Robin, die ihre Ungeduld nicht länger zügeln konnte. »Haben Sie mit Bryony Radford und Ciara Porter sprechen können?«

Strike berichtete, was sich ereignet hatte, und ließ nur die Ereignisse nach seinem Besuch bei Evan Duffield aus. Besonderen Nachdruck legte er auf Bryony Radfords Beteuerung, allein die Legasthenie habe sie dazu gebracht, Ursula Mays Mailbox abzuhören; auf Ciara Porters wiederholte Behauptung, Lula habe ihr erklärt, sie wolle alles ihrem Bruder hinterlassen; auf Evan Duffields Verärgerung darüber, dass

Lula im Uzi immer wieder auf die Uhr gesehen hatte; und auf die Nachricht, die Tansy Bestigui ihrem zukünftigen Exmann geschickt hatte.

»Und wo *war* Tansy?«, fragte Robin, die jedes seiner Worte erfreulich aufmerksam aufgenommen hatte. »Wenn wir das herausfinden könnten …«

»Oh, ich kann mir denken, wo sie war«, sagte Strike. »Aber es wird schwierig werden, sie zu diesem Eingeständnis zu bewegen, weil es sie um die Chance bringen könnte, sich eine Abfindung in Höhe von mehreren Millionen von Freddie zu erstreiten. Sie könnten übrigens selbst darauf kommen; Sie brauchen sich nur die Polizeifotos noch mal anzusehen.«

»Aber …«

»Sehen Sie sich die Aufnahmen von der Fassade am Morgen von Lulas Tod an und denken Sie darüber nach, wie *wir* sie gesehen haben. Das schult Ihr detektivisches Auge.«

Eine Woge des Glücks und der Aufregung brandete über Robin hinweg, die sich jedoch sofort an kaltem Bedauern darüber brach, dass sie bald in eine Personalabteilung wechseln würde.

»Ich muss mich umziehen«, sagte Strike und stand auf. »Versuchen Sie noch mal, Freddie Bestigui für mich zu erreichen?«

Er verschwand in seinem Büro, schloss die Tür hinter sich und tauschte seinen Glücksanzug (wie er ihn in Zukunft vielleicht nennen würde) gegen ein bequemes altes Hemd und eine weiter geschnittene Hose. Als er auf dem Weg zur Toilette an Robins Schreibtisch vorbeikam, war sie am Telefon – mit dem gelangweilt aufmerksamen Gesichtsausdruck eines Menschen in der Warteschleife.

Während Strike sich an dem ramponierten Waschbecken die Zähne putzte, dachte er darüber nach, wie viel leichter sein Leben mit Robin nun sein würde, seit er stillschweigend eingestanden hatte, im Büro zu wohnen.

Als er zurückkam, hatte sie den Hörer aufgelegt und war sichtlich verärgert. »Ich glaube nicht, dass sie sich noch die Mühe machen, meine Nachricht zu notieren«, sagte sie erbost. »Er ist in den Pinewood Studios und will nicht gestört werden.«

»Ah, wenigstens wissen wir so, dass er wieder im Lande ist«, sagte Strike.

Er nahm die Akte zur Hand, sank wieder aufs Sofa und machte sich schweigend daran, sie mit Notizen über die gestrigen Gespräche zu ergänzen. Robin, die ihn aus dem Augenwinkel beobachtete, war von der Sorgfalt fasziniert, mit der Strike seine Erkenntnisse dokumentierte und genau festhielt, wie, wo und von wem er die einzelnen Informationen erhalten hatte.

»Bestimmt«, sagte sie nach längerem Schweigen, während sie abwechselnd Strike bei der Arbeit zugesehen und auf Google Earth ein Bild der Fassade der Kentigern Gardens 18 betrachtet hatte, »muss man sehr gewissenhaft sein, damit man nichts vergisst?«

»Nicht nur das«, sagte Strike und schrieb weiter, ohne aufzublicken. »Man will vor allem dem Strafverteidiger keine Angriffspunkte liefern.«

Er sprach so ruhig, so vernünftig, dass Robin einige Sekunden lang über die Bedeutung seiner Worte nachdachte, um sicherzugehen, dass sie nichts falsch verstanden hatte.

»Sie meinen … im Allgemeinen?«, fragte sie schließlich. »Prinzipiell?«

»Nein«, sagte Strike und kritzelte immer noch vor sich hin. »Ich meine, dass ich vor allem nicht will, dass der Strafverteidiger im Prozess gegen Lula Landrys Mörder seinen

Mandanten freibekommt, weil er nachweisen kann, dass ich außerstande bin, prozessgerechte Akten zu führen, was meine Glaubwürdigkeit als Zeuge infrage stellen würde.«

Strike gab wieder an, das wusste er, aber er konnte nicht anders. Er hatte einen Lauf, wie er es sich selbst gegenüber ausdrückte. Dass er sich während einer Mordermittlung amüsierte, mochte manch einer geschmacklos finden, aber er selbst hatte schon an düsteren Orten Humor gefunden.

»Würden Sie losflitzen und uns ein paar Sandwiches holen, Robin?«, fügte er hinzu, nur um den Kopf heben und ihren befriedigend erstaunten Gesichtsausdruck sehen zu können.

Während sie unterwegs war, übertrug er seine restlichen Notizen und wollte eben einen alten Freund in Deutschland anrufen, als Robin mit zwei Sandwichtüten und einer Zeitung hereingeplatzt kam.

»Der *Standard* hat Ihr Bild auf der Titelseite!«, keuchte sie.

»Was?«

Das Foto zeigte Ciara, die Duffield in seine Wohnung folgte. Ciara sah hinreißend aus; ihr Anblick versetzte Strike für einen Augenblick in die Zeit nach halb drei in der vergangenen Nacht, als sie nackt und weiß unter ihm gelegen hatte; als ihr seidenweiches langes Haar wie das einer Meerjungfrau übers Kopfkissen geflossen war, während sie geflüstert und gestöhnt hatte.

Strike konzentrierte sich wieder auf das Foto. Er war halb abgeschnitten und hob den Arm, um die Paparazzi in Schach zu halten.

»Das ist schon in Ordnung«, erklärte er Robin schulterzuckend und gab ihr die Zeitung zurück. »Die haben mich für den Aufpasser gehalten.«

»Hier steht«, sagte Robin und blätterte um, »dass sie Duffields Wohnung gegen zwei Uhr nachts mit ihrem Leibwächter verlassen hat.«

»Also, da haben Sie's.«

Robin starrte ihn an. Sein Bericht über die vergangene Nacht hatte mit Duffield, Ciara und ihm in Duffields Apartment geendet. Die Details, die er ihr verraten hatte, hatten sie derart gefangen genommen, dass sie darüber ganz vergessen hatte, sich zu fragen, wo er geschlafen haben mochte. Sie hatte angenommen, er habe das Model und den Schauspieler in dessen Wohnung zurückgelassen.

Ins Büro war er in dem Anzug gekommen, den er auf dem Foto trug.

Sie wandte sich halb ab und las die Fortsetzung des Artikels auf Seite zwei. Darin hieß es ziemlich unverblümt, Ciara und Duffield hätten sich miteinander vergnügt, während der vermeintliche Leibwächter auf dem Flur gewartet hätte.

»Ist sie in Wahrheit auch so hinreißend?«, fragte Robin mit wenig überzeugend gespielter Lässigkeit und faltete den *Standard* zusammen.

»Ja, das ist sie«, sagte Strike und fragte sich, ob er sich nur einbildete, dass diese vier Silben wie Prahlerei klangen. »Wollen Sie Käse mit Essiggurke oder Eiersalat?«

Robin griff aufs Geratewohl zu und kehrte zum Essen an ihren Schreibtisch zurück. Ihre neue Hypothese darüber, wo Strike die Nacht verbracht hatte, war noch aufregender als ihre Reaktion auf die Fortschritte bei den Ermittlungen. Es würde schwierig sein, ihr Bild von ihm als einem bitter enttäuschten Romantiker mit der Tatsache zu vereinbaren, dass er gerade erst (es erschien unglaublich, aber trotzdem hatte sie den erbärmlichen Versuch, seinen Stolz zu verbergen, als solchen erkannt) mit einem Topmodel geschlafen hatte.

Das Telefon klingelte erneut. Strike, der den Mund voll

hatte, hob eine Hand, um Robin zuvorzukommen, schluckte und meldete sich selbst.

»Cormoran Strike.«

»Strike, hier ist Wardle.«

»Hi, wie geht's?«

»Nicht so gut. Wir haben eine Leiche mit Ihrer Karte in der Tasche aus der Themse gefischt. Jetzt fragen wir uns natürlich, was Sie uns darüber erzählen können.«

10

Es war das erste Taxi, das Strike sich seit dem Tag zu benutzen berechtigt fühlte, an dem er seine Sachen aus Charlottes Apartment fortgeschafft hatte. Während sie in Richtung Wapping fuhren, verfolgte er gedankenversunken die Fahrpreisanzeige. Der Taxifahrer war entschlossen, ihm zu erklären, weshalb Gordon Brown eine verdammte Schande sei. Strike schwieg dazu.

Es war nicht das erste Leichenschauhaus, das Strike besuchte, und bei Weitem nicht die erste Leiche, die er in Augenschein nahm. Er war fast immun geworden gegenüber der Zerstörung durch Schusswunden, gegenüber zerfetzten, zerrissenen und zerschmetterten Leibern, deren Eingeweide, glänzend und blutig, vor ihm lagen wie in einer Fleischereiauslage. Strike war nie sehr empfindlich gewesen; selbst grauenhaft verstümmelte Leichen, kalt und weiß in ihren Kühlfächern, waren ihm in seinem Job hygienisch und gewöhnlich vorgekommen. Es waren die Toten gewesen, die er in ihrem Urzustand gesehen hatte, nicht von Beamten und Verfahren aufgebahrt und aufbereitet, die später auferstanden und durch seine Träume krochen. Seine Mutter in ihrem Lieblingskleid – bodenlang, mit Glockenärmeln – im Leichenschauhaus: jung und trotzdem ausgemergelt, aber ohne sichtbare Einstiche. Sergeant Gary Topley, der im blutbesprenkelten Staub einer afghanischen Straße lag, das Gesicht unversehrt, aber keinen Körper mehr unterhalb der Rippen. Er hatte im heißen Sand gelegen und versucht, nicht in Garys ausdrucksloses Gesicht zu sehen, und sich davor gefürchtet, an sich selbst hinabzublicken und feststellen zu müssen, wie viel von seinem eigenen Körper fehlte ... Aber dann war er in die Bewusstlosigkeit abgeglitten, aus der er erst im Feldlazarett wieder erwacht war.

An einer kahlen Klinkerwand des kleinen Vorraums zum Leichenschauhaus hing ein impressionistischer Kunstdruck. Strike fixierte ihn, fragte sich, woher er ihn kannte, und erinnerte sich schließlich daran, dass er bei Lucy und Greg über dem Kaminsims gehangen hatte.

»Mr. Strike?«, fragte der grauhaarige Pathologiegehilfe, der in weißem Kittel und Latexhandschuhen an der inneren Tür erschienen war.

Es waren fast immer gut gelaunte, freundliche Männer, diese Verwalter der Leichen. Strike folgte ihm in die frostige Helligkeit eines großen fensterlosen Innenraums mit massiven stählernen Kühlfachtüren entlang der rechten Wand. Der geflieste Fußboden fiel zu einem Zentralabfluss hin ab; das Licht war gleißend hell. Ihre Schritte hallten von den harten, glänzenden Oberflächen wider, sodass der Eindruck entstand, eine kleine Gruppe von Männern marschierte in den Raum.

Vor einem der Kühlfächer stand eine fahrbare Metallbahre bereit, und daneben warteten die beiden Kriminalbeamten Wardle und Carver. Ersterer empfing Strike mit einem Nicken und einem gemurmelten Gruß; Letzterer, schmerbäuchig, mit fleckigem Gesicht und Schuppen auf Kragen und Schultern seines Jacketts, grunzte lediglich.

Der Pathologiegehilfe drückte den schweren Hebel der Kühlfachtür herunter. Nun wurden drei anonyme Schädeldächer sichtbar: drei übereinandergestapelte Leichen, jeweils in ein durch häufiges Waschen dünn und welk gewordenes Laken gehüllt. Der Pathologiegehilfe kontrollierte das an das mittlere Leichentuch geklammerte Etikett; es trug keinen Namen, sondern nur das aufgekritzelte Datum des Vortags. Er zog die auf Rollen laufende Metallbahre mit der Leiche heraus und platzierte sie geschickt auf dem bereitstehenden Wagen. Strike sah, wie Carvers Kiefer mahlten, als er zurücktrat, damit der Pathologiemitarbeiter den Wagen ein Stück zur Seite schieben konnte. Mit einem metallisch dumpfen Schlag verschwanden die restlichen Leichen wieder aus der Sicht.

»Den Aufbahrungsraum sparen wir uns, nachdem wir unter uns sind«, sagte der Pathologiegehilfe munter. »In der Mitte ist das Licht am besten«, fügte er hinzu, während er den Wagen in die Nähe des Ablaufs schob und das Leichentuch zurückzog.

Vor ihnen lag Rochelle Onifade: aufgedunsen und angeschwollen, ihr Gesicht für immer von seinem misstrauischen Ausdruck befreit, der nichtssagender Verwunderung gewichen war. Strike hatte nach Wardles knapper Beschreibung am Telefon gewusst, was er sehen würde, sobald das Laken weggezogen wurde; aber die schreckliche Verwundbarkeit der Toten wurde ihm nun erneut bewusst, da er auf den Körper hinabsah – viel kleiner als zuvor, als sie vor ihm gesessen, Fritten gegessen und Wissen zurückgehalten hatte.

Strike nannte ihren Namen, buchstabierte ihn, damit der Pathologiegehilfe und Wardle ihn korrekt aufs Schreibbrett beziehungsweise ins Notizbuch übernehmen konnten; er gab auch die einzige Adresse an, die er gekannt hatte: Obdachlosenheim St. Elmo in Hammersmith.

»Wer hat sie gefunden?«

»Die Wasserschutzpolizei hat sie letzte Nacht rausgefischt«, meldete sich Carver zum ersten Mal zu Wort. In seiner Stimme mit dem Südlondoner Akzent schwang ein deutlich feindseliger Unterton mit. »Leichen brauchen meist ungefähr drei Wochen, um aufzutauchen, was?«, fügte er hinzu, wobei sein Kommentar – mehr Feststellung als Frage – dem Pathologiegehilfen galt, der vorsichtig hüstelte.

»Das ist der Durchschnittswert, aber mich würd's nicht wundern, wenn er in diesem Fall unterschritten worden ist. Es gibt bestimmte Hinweise …«

»Das erfahren wir von der Rechtsmedizin«, sagte Carver und winkte ab.

»Es können keine drei Wochen gewesen sein«, sagte Strike, was ihm ein solidarisches Lächeln des Pathologiegehilfen eintrug.

»Warum nicht?«, wollte Carver wissen.

»Weil ich ihr erst vor zwei Wochen einen Burger mit Fritten spendiert habe.«

»Ah«, sagte der Pathologiegehilfe und nickte Strike über den Leichnam hinweg zu. »Ich wollte gerade sagen, dass vor dem Tod zugeführte große Mengen Kohlehydrate den Auftrieb beeinflussen können. Die Gase …«

»Und bei dieser Gelegenheit haben Sie ihr Ihre Karte gegeben, ja?«, fragte Wardle.

»Ja. Mich wundert, dass sie noch lesbar war.«

»Sie steckte zusammen mit ihrer Oyster Card in einer Plastikhülle in ihrer Gesäßtasche. Durch die Hülle war sie geschützt.«

»Was hatte sie an?«

»Eine viel zu große rosafarbene Kunstpelzjacke. Sah aus wie eine Muppet-Figur. Jeans und Laufschuhe.«

»Wie an dem Tag, an dem ich ihr den Burger gekauft habe.«

»Dann müsste ihr Mageninhalt eine genaue …«, begann der Pathologiegehilfe.

»Wissen Sie, ob sie Angehörige hatte?«, fragte Carver.

»Sie hat eine Tante in Kilburn. Den Namen kenne ich allerdings nicht.«

Zwischen Rochelles fast geschlossenen Lidern blitzten durch die schmalen Schlitze weiße Augäpfel mit dem für Ertrunkene typischen Glanz. In den Hautfalten zwischen Mund und Nase waren Spuren blutigen Schaums zu erkennen.

»Wie sehen ihre Hände aus?«, fragte Strike den Pathologiegehilfen, weil Rochelle nur bis zur Brust aufgedeckt war.

»Kümmern Sie sich nicht um ihre Hände«, knurrte Carver. »Wir sind hier fertig, danke«, erklärte er mit laut durch den Raum hallender Stimme, und an Strike gewandt: »Kommen Sie, wir müssen mit Ihnen reden. Der Wagen steht draußen.«

Er half der Polizei bei ihren Ermittlungen. Strike erinnerte sich noch daran, diesen Ausdruck als kleiner Junge, der von allen Aspekten der Polizeiarbeit fasziniert gewesen war, in den Nachrichten gehört zu haben. Seine Mutter hatte diese merkwürdige Faszination stets auf ihren Bruder Ted zurückgeführt, einen ehemaligen Militärpolizisten, der für Strike ein unerschöpflicher Quell spannender Reise-, Kriminal- und Abenteuergeschichten gewesen war. Der Polizei bei ihren Ermittlungen helfen: Als Fünfjähriger hatte Strike sich einen edlen, selbstlosen Bürger vorgestellt, der Zeit und Kraft opferte, um die Polizei zu unterstützen, die ihn mit Vergrößerungsglas und Schlagstock ausrüstete und ihm erlaubte, unter dem Tarnmantel glanzvoller Anonymität tätig zu werden.

Die Realität war ein kleiner Vernehmungsraum mit einem Becher Automatenkaffee von Wardle, dessen Einstellung Strike gegenüber nichts von der Feindseligkeit enthielt, die Carver aus allen Poren quoll; trotzdem hatte sich alle frühere Freundlichkeit verflüchtigt. Strike vermutete, dass Wardles

Vorgesetzter das ganze Ausmaß ihrer Zusammenarbeit nicht kannte.

Auf einem kleinen schwarzen Tablett auf der verkratzten Tischplatte lagen siebzehn Pence in Münzen, ein einzelner Sicherheitsschlüssel und der in Plastik gehüllte Fahrschein; Strikes Visitenkarte war zerknickt und verfärbt, aber noch gut lesbar.

»Was ist mit ihrer Handtasche?«, fragte Strike Carver, der ihm am Tisch gegenübersaß, während Wardle an einem Aktenschrank lehnte. »Grau. Billiges Kunstleder. Die ist nicht aufgetaucht, was?«

»Wahrscheinlich hat sie die in ihrem Wohnheim zurückgelassen oder wo zum Teufel sie sonst gelebt hat«, sagte Carver. »Selbstmörder packen im Allgemeinen keine Tasche, bevor sie springen.«

»Ich glaube nicht, dass sie gesprungen ist.«

»Ach, tatsächlich nicht?«

»Ich wollte ihre Hände sehen. Sie hat Wasser im Gesicht gehasst, das hat sie mir selbst erzählt. Wenn jemand im Wasser um sich schlägt, zeigt die Position seiner Hände …«

»Es ist wirklich nett, Ihre sachverständige Meinung zu hören«, sagte Carver mit schwerfälliger Ironie. »Ich weiß, wer Sie sind, Mr. Strike.«

Er lehnte sich auf seinem Stuhl zurück, faltete die Hände hinter dem Kopf und ließ dabei angetrocknete Schweißflecken unter den Achseln seines Oberhemds erkennen. Ihr scharfer, saurer Geruch, vermischt mit einer deutlichen Zwiebelnote, waberte über den Tisch.

»Er war bei der SIB«, warf Wardle von seinem Platz neben dem Aktenschrank aus ein.

»Das weiß ich«, blaffte Carver und runzelte die von Schuppen fleckigen, buschigen Augenbrauen. »Anstis hat mir alles über das beschissene Bein und die Einsatzmedaille erzählt. Ein farbenprächtiger Lebenslauf!«

Carver nahm die Hände vom Kopf, beugte sich nach vorn und faltete sie stattdessen auf der Tischplatte. Das grelle Neonlicht schmeichelte seinem Teint, der die Farbe von Corned Beef hatte, und den dunklen Tränensäcken unter den stechenden Augen nicht besonders.

»Ich weiß, wer Ihr Alter ist, und all das.«

Strike rieb sich das unrasierte Kinn und wartete.

»Sie wären gern so reich und berühmt wie Ihr Daddy, was? Darum geht's hier wohl?«

Carver hatte die blutunterlaufenen hellblauen Augen, die Strike (seit er einen Fallschirmjägermajor kennengelernt hatte, der später wegen schwerer Körperverletzung unehrenhaft entlassen worden war) stets mit cholerischen, gewalttätigen Menschen in Verbindung brachte.

»Rochelle ist nicht gesprungen. Lula Landry auch nicht.«

»Bockmist!«, brüllte Carver. »Sie reden mit den beiden Männern, die *bewiesen* haben, dass Landry gesprungen ist. Scheiße, wir haben jedes bisschen Beweismaterial genau unter die Lupe genommen. Ich weiß, worauf Sie's abgesehen haben. Sie knöpfen diesem armen Trottel Bristow ab, so viel Sie nur kriegen können. Hey, was gibt's da zu grinsen?«

»Ich denke daran, wie Sie als Idiot dastehen werden, wenn die Presse von dieser Vernehmung erfährt.«

»Wagen Sie bloß nicht, mir mit der Presse zu drohen, Arschloch!«

Carvers grobes, breites Antlitz war verkniffen; seine blitzenden blauen Augen leuchteten in seinem purpurroten Gesicht.

»Sie sitzen echt in der Scheiße, Kumpel, und ein berühmter Dad, ein Holzbein und ein Krieg können Sie da auch nicht rausholen. Woher wissen wir, dass Sie das arme Ding nicht so verängstigt haben, dass es gesprungen ist? Rochelle war psychisch labil, stimmt's? Woher wissen wir, dass Sie ihr nicht eingeredet haben, sie hätte was Unrechtes getan? Sie waren der Letzte, der sie lebend gesehen hat, Kumpel. Ich würde nicht sitzen wollen, wo Sie gerade sitzen.«

»Rochelle war so lebendig wie Sie, als sie die Grantley Road überquert hat und von mir weggegangen ist. Sie finden bestimmt jemanden, der sie später noch gesehen hat. Diese Jacke vergisst man nicht.«

Wardle stieß sich von dem Aktenschrank ab, zog einen Stuhl aus Hartplastik an den Vernehmungstisch und setzte sich.

»Also raus damit«, forderte er Strike auf. »Mit Ihrer Theorie.«

»Sie hat Lula Landrys Mörder erpresst.«

»Reden Sie keinen Scheiß«, knurrte Carver, und Wardle schnaubte amüsiert und leicht theatralisch.

»Am Tag vor ihrem Tod«, sagte Strike, »hat Landry sich in einem Laden in Notting Hill mit Rochelle getroffen. Landry hat Rochelle sofort in die Umkleidekabine gezogen, in der sie telefoniert und jemanden gebeten hat, in den frühen Morgenstunden in ihre Wohnung zu kommen. Eine der Verkäuferinnen hat den Anruf mit angehört; sie stand nur durch einen Vorhang von ihr getrennt in der benachbarten Kabine. Ein Mädchen namens Mel, rote Haare, Tätowierungen.«

»Wenn's um Promis geht, erfinden die Leute allen möglichen Scheiß«, blaffte Carver.

»Wenn Landry dort mit irgendwem telefoniert hat«, sagte Wardle, »dann mit Duffield oder ihrem Onkel. Die Verbindungsdaten zeigen, dass das die Einzigen waren, die sie an diesem Nachmittag angerufen hat.«

»Und wozu wollte sie Rochelle dabeihaben?«, fragte Strike. »Wozu hat sie ihre Freundin mit in die Umkleidekabine genommen?«

»Frauen machen solche Sachen«, sagte Carver. »Die gehen auch gruppenpinkeln.«

»Benutzen Sie Ihren Scheißverstand! Sie hat mit Rochelles Handy telefoniert«, sagte Strike aufgebracht. »Sie hatte ihre Freunde getestet, um zu sehen, wer die Medien über sie auf dem Laufenden hält. Rochelle hatte als Einzige dichtgehalten. Als feststand, dass das Mädchen vertrauenswürdig war, hat sie ihr ein Handy gekauft und die Kosten dafür getragen. Ihr eigenes Handy war abgehört worden, nicht wahr? Sie hatte erlebt, dass Leute sie belauschten und dann darüber berichteten. Deshalb hatte sie ein Nokia gekauft und unter falschem Namen angemeldet, um sicher kommunizieren zu können, wenn sie das wollte. Ich gestehe Ihnen zu, dass das weder Duffield noch ihren Onkel ausschließt, weil der Anruf mit dem ›offiziellen‹ Handy ein vereinbartes Signal gewesen sein mochte. Aber alternativ hat sie Rochelles Handy dazu benutzt, mit jemand anders zu reden, von dem die Medien nichts wissen sollten. Ich habe Rochelles Handynummer. Finden Sie heraus, bei welchem Anbieter sie war, dann können Sie das alles nachprüfen. Das Handy selbst ist ein mit Strass besetztes rosafarbenes Nokia, aber das werden Sie nicht finden.«

»Natürlich nicht, weil es auf dem Grund der Themse liegt«, sagte Wardle.

»Natürlich nicht«, sagte Strike. »Weil der Mörder es hat. Er hat es ihr abgenommen, bevor er sie in den Fluss gestoßen hat.«

»Scheißdreck!«, höhnte Carver, und Wardle, der sich offenbar wider besseres Wissen interessiert gezeigt hatte, schüttelte den Kopf.

»Warum wollte Landry Rochelle bei sich haben, als sie telefoniert hat?«, wiederholte Strike. »Warum nicht vom Auto aus telefonieren? Warum hat Rochelle ihre Story über Landry nie verkauft, obwohl sie obdachlos und praktisch mittellos war? Dafür hätte die Presse ihr einen Haufen Geld gezahlt. Wieso hat sie auch dann nicht Kasse gemacht, als Landry schon tot war und nicht mehr darunter leiden konnte?«

»Aus Anstand?«, schlug Wardle vor.

»Ja, das ist eine Möglichkeit«, sagte Strike. »Die andere ist, dass sie genug Geld hatte, weil sie den Mörder erpresst hat.«

»Bockmist«, ächzte Carver erneut.

»Ach ja? Diese Muppet-Jacke, in der sie aus dem Wasser gezogen worden ist, hat anderthalb Riesen gekostet.«

Eine winzige Pause.

»Wahrscheinlich hat Landry sie ihr geschenkt«, sagte Wardle.

»Stimmte das, hätte sie's geschafft, ihr etwas zu schenken, das im Januar noch gar nicht auf dem Markt war.«

»Als Model hatte sie Insiderkontakte ... Schluss mit diesem Scheiß«, knurrte Carver, als ärgere er sich über sich selbst.

»Warum«, fragte Strike, indem er sich, auf die Ellenbogen gestützt, in Carvers giftigen Körpergeruch lehnte, »hat Lula Landry für eine Viertelstunde einen Umweg zu diesem Laden gemacht?«

»Sie hatte es eilig.«

»Warum ist sie überhaupt dorthingefahren?«

»Sie wollte das Mädchen nicht enttäuschen.«

»Sie hatte Rochelle gebeten, quer durch die Stadt zu fahren – dieses mittellose, obdachlose Mädchen, das sie sonst immer von ihrem Chauffeur heimfahren ließ. Sie hat sie in eine Umkleidekabine gezerrt und ist nach einer Viertelstunde wieder gegangen, sodass Rochelle zusehen musste, wie sie allein nach Hause kam.«

»Sie war eine verwöhnte Zicke.«

»Warum ist sie dann überhaupt aufgekreuzt? Wenn sie eine verwöhnte Zicke war, dann muss sie darin einen Vorteil gesehen haben. Und wenn sie keine verwöhnte Zicke war, muss sie sich in einem Gemütszustand befunden haben, der sie untypisch hat handeln lassen. Es gibt eine lebende Zeugin dafür, dass Lula am Telefon jemanden gebeten hat, sie irgendwann nach ein Uhr morgens in ihrer Wohnung zu besuchen. Und es gibt dieses blaue Blatt Papier, das sie in der Hand hatte, bevor sie zu Vashti gegangen ist, und das seither niemand mehr gesehen haben will. Was hat sie damit gemacht? Wieso hat sie hinten im Wagen gesessen und irgendetwas aufgeschrieben, bevor sie sich mit Rochelle getroffen hat?«

»Das könnte …«, begann Wardle.

»Es war keine beschissene Einkaufsliste«, knurrte Strike und schlug mit der Faust auf die Tischplatte, »und niemand schreibt mit acht Stunden Vorlauf einen Abschiedsbrief und geht dann noch tanzen! Sie hat ein verdammtes *Testament* geschrieben, kapieren Sie das nicht? Sie hat es zu Vashti mitgenommen, um es von Rochelle als Zeugin unterschreiben zu lassen …«

»Bockmist!«, kam es erneut von Carver, aber Strike ignorierte ihn, sprach nur noch mit Wardle.

»… was dazu passt, dass sie Ciara Porter erzählt hatte, sie wolle alles ihrem Bruder vermachen. Das hatte sie nun schriftlich gemacht. Es war ihr wichtig.«

»Wozu plötzlich ein Testament machen?«

Strike zögerte, ließ sich zurücksinken. Carver grinste ihn spöttisch an.

»Da ist Ihre Fantasie wohl am Ende?«

Strike atmete mit einem langen Seufzer aus. Eine unangenehme Nacht mit alkoholgetränkter Bewusstlosigkeit; die vergnüglichen Exzesse in der darauffolgenden Nacht; in zwölf Stunden nur ein Sandwich mit Käse und Essiggurke. Er fühlte sich ausgelaugt, erschöpft.

»Hätte ich handfeste Beweise, wäre ich damit längst zu Ihnen gekommen.«

»Die Wahrscheinlichkeit, dass Leute aus dem Umfeld von Selbstmördern sich umbringen, steigt erheblich an, wussten Sie das? Diese Raquelle war depressiv. Sie hatte einen schlechten Tag, erinnerte sich an den Ausweg, den ihre Freundin gewählt hatte, und sprang. Eine Trittbrettfahrerin. Womit wir wieder bei Ihnen wären, Kumpel, wie Sie Leute verfolgen und sie …«

»… in den Abgrund stoßen, ja«, sagte Strike. »Das höre ich immer wieder. Unter den gegenwärtigen Umständen verdammt geschmacklos. Was ist mit Tansy Bestiguis Aussage?«

»Wie oft noch, Strike? Wir haben nachgewiesen, dass sie nichts gehört haben kann«, sagte Wardle. »Das haben wir eindeutig nachgewiesen.«

»Nein, haben Sie nicht«, widersprach Strike, der jetzt, in diesem Moment, in dem er es am wenigsten erwartet hatte, die Geduld verlor. »Ihr ganzer Fall baut auf einer gewaltigen Ermittlungspanne auf! Hätten Sie Tansy Bestigui ernst genommen, hätten Sie sie in die Mangel genommen und die Wahrheit aus ihr rausgeholt, könnte Rochelle Onifade vielleicht noch leben.«

Carver, der vor Zorn bebte, behielt Strike noch eine Stunde da. Sein abschließender Akt der Verachtung bestand darin, Wardle energisch anzuweisen, ihm »Rokeby junior« aus den Augen zu schaffen.

Wardle begleitete Strike ohne ein weiteres Wort zum Ausgang.

»Sie müssen etwas für mich tun«, sagte Strike und blieb am Ausgang stehen. Draußen verdunkelte sich der Himmel.

»Von mir haben Sie schon genug bekommen, Kumpel«, sagte Wardle mit einem schiefen Grinsen. »Damit« – er wies mit dem Daumen über die Schulter, wo Carver und seine Übellaunigkeit warteten – »hab ich Ihretwegen jetzt tagelang zu tun. Ich hab Ihnen doch gesagt, dass es Selbstmord war.«

»Wardle, wenn dieser Scheißkerl nicht geschnappt wird, sind zwei weitere Leute in Gefahr.«

»Strike ...«

»Was, wenn ich beweisen kann, dass Tansy Bestigui nicht in ihrer Wohnung war, als Lula gefallen ist? Dass sie an einem Ort war, an dem sie alles gehört haben könnte?«

Wardle sah zur Decke auf und schloss kurz die Augen.

»Wenn Sie das beweisen können ...«

»Noch kann ich's nicht, aber in ein paar Tagen.«

Zwei Männer gingen lachend und schwatzend an ihnen vorbei. Wardle schüttelte den Kopf, wirkte irritiert, blieb aber trotzdem stehen.

»Wenn Sie noch was von der Polizei wollen, müssen Sie Anstis anrufen. *Er* ist Ihnen was schuldig.«

»Anstis kann das nicht für mich tun. *Sie* müssen Deeby Macc anrufen.«

»Scheiße, warum das denn?«

»Ich hab's Ihnen doch gesagt. Ich werde bloß abgewimmelt. Aber mit Ihnen redet er; Sie besitzen die nötige Autorität, und er scheint Sie zu mögen.«

»Soll das heißen, dass Macc weiß, wo Tansy Bestigui war, als Landry gestorben ist?«

»Scheiße, natürlich nicht, er war im Barrack! Ich will wissen, welche Klamotten er sich aus den Kentigern Gardens ins

Claridges hat bringen lassen. Vor allem welche Sachen er von Guy Somé bekommen hatte.«

Für Wardle sprach Strike den Vornamen nicht wie *Gi* aus.

»Sie wollen ... Wozu?«

»Weil einer der von den Überwachungskameras erfassten Läufer Deebys Sweatshirt getragen hat.«

Wardle zögerte einen Augenblick lang und schüttelte dann verärgert den Kopf.

»Dieses Zeug sieht man überall«, sagte er. »Diese GS-Klamotten. Jogginganzüge. Sportschuhe.«

»Es war ein maßgefertigter Kapuzenpulli, ein Einzelstück. Rufen Sie Deeby an und fragen Sie ihn, was er von Somé bekommen hat. Mehr will ich nicht. Auf wessen Seite möchten Sie stehen, wenn sich erweist, dass ich recht habe, Wardle?«

»Drohen Sie mir bloß nicht, Strike.«

»Ich drohe Ihnen nicht. Ich denke an einen Doppelmörder, der dort draußen herumläuft und den nächsten Mord plant. Falls Sie sich wegen der Presse Sorgen machen, glaube ich nicht, dass sie jemanden, der sich nach dem Auftauchen einer weiteren Toten noch an die Selbstmordtheorie klammert, ungeschoren davonkommen lassen wird. Rufen Sie Deeby Macc an, Wardle, bevor noch jemand umgebracht wird.«

11

»Nein«, sagte Strike nachdrücklich, als er an diesem Abend telefonierte. »Das wäre viel zu gefährlich. Überwachung gehört nicht zu den Aufgaben einer Sekretärin.«

»Der Besuch des Hotels Malmaison in Oxford oder der SOAS auch nicht«, stellte Robin fest, »aber Sie waren trotzdem froh, dass ich hingefahren bin.«

»Sie beschatten niemanden, Robin! Auch Matthew wäre darüber bestimmt nicht sehr glücklich.«

Komisch, dachte Robin, die im Morgenmantel mit dem Handy am Ohr auf ihrem Bett saß; wie Strike sich den Namen ihres Verlobten hatte merken können, ohne ihn persönlich zu kennen. Ihrer Erfahrung nach machten sich Männer im Allgemeinen nicht die Mühe, Informationen dieser Art zu verinnerlichen. Matthew vergaß oft Namen, sogar den seiner neugeborenen Nichte; aber vermutlich war Strike dafür ausgebildet, sich an derlei Details zu erinnern.

»Ich brauche keine Erlaubnis von Matthew«, sagte sie. »Außerdem wär's nicht gefährlich; Sie halten Ursula May schließlich nicht für die Mörderin …« (Der Satz schloss mit einem unausgesprochenen: »Oder etwa doch?«)

»Nein, aber ich will nicht, dass irgendjemand mitbekommt, dass ihre Aktivitäten mich interessieren. Das könnte den Mörder nervös machen, und ich will nicht, dass noch jemand aus großer Höhe stürzt …«

Robin glaubte zu hören, wie ihr Herz unter dem dünnen Stoff ihres Morgenmantels pochte. Sie wusste, dass er ihr nicht verraten würde, wen er als Mörder verdächtigte; sie fürchtete sich sogar ein wenig davor, es zu erfahren, obwohl sie an fast nichts anderes mehr denken konnte.

Sie war es gewesen, die Strike angerufen hatte. Stunden waren vergangen, seit sie seine SMS mit der Mitteilung erhalten hatte, die Polizei habe ihn mitgenommen und sie solle bitte nach Feierabend das Büro hinter sich abschließen. Robin hatte sich Sorgen gemacht.

»Dann ruf ihn doch an, wenn du sonst nicht schlafen kannst«, hatte Matthew gesagt – nicht gerade barsch und ohne direkt anzudeuten, dass er, ohne nähere Einzelheiten zu kennen, bedingungslos auf der Seite der Polizei stand.

»Hören Sie, ich möchte, dass Sie etwas für mich tun«, sagte Strike nun. »Rufen Sie gleich morgen früh John Bristow an und erzählen Sie ihm von Rochelle.«

»Wird gemacht«, sagte Robin, deren Blick auf dem großen Plüschelefanten ruhte, den Matthew ihr vor acht Jahren zu ihrem ersten gemeinsamen Valentinstag geschenkt hatte. Der Schenker selbst sah sich im Wohnzimmer *Newsnight* an. »Und was haben Sie vor?«

»Ich fahre zu den Pinewood Studios hinaus, um ein paar Worte mit Freddie Bestigui zu wechseln.«

»Wie bitte?«, fragte Robin. »Sie werden nie im Leben zu ihm vorgelassen.«

»Doch, das werde ich«, sagte Strike.

Nachdem Robin aufgelegt hatte, saß er noch einige Zeit regungslos in seinem dunklen Büro. Der Gedanke an eine halb verdaute McDonald's-Mahlzeit in Rochelles aufgedunsenem Leib hatte ihn nicht daran gehindert, auf der Rückfahrt von Scotland Yard zwei Big Macs, eine große Tüte Pommes und einen McFlurry zu verzehren. Blubbernde Geräusche aus seinem Magen vermischten sich jetzt mit dem gedämpften Basswummern aus dem 12 Bar Café, das Strike inzwischen kaum mehr wahrnahm; die Töne hätten sein eigener Puls sein können.

Ciara Porters unordentliches, mädchenhaftes Apartment, ihr voller, stöhnender Mund, ihre langen, blassen Beine, die sie um seinen Rücken geschlagen hatte, gehörten zu einem weit zurückliegenden Leben. All seine Gedanken waren jetzt auf die untersetzte, reizlose Rochelle Onifade konzentriert. Er erinnerte sich daran, wie sie keine fünf Minuten, nachdem sie ihn verlassen hatte, hastig in ihr Handy gesprochen hatte – in genau denselben Klamotten, in denen sie später aus der Themse gefischt worden war.

Er glaubte zu wissen, was sich abgespielt hatte. Rochelle hatte den Mörder angerufen, um ihm mitzuteilen, dass sie gerade mit einem Privatdetektiv zu Mittag gegessen hatte; über ihr rosa glitzerndes Telefon hatten sie ein Treffen vereinbart; noch am selben Abend waren sie nach einer Mahlzeit oder einem Drink durch die Nacht in Richtung Fluss geschlendert. Strike dachte an die Hammersmith Bridge, salbeigrün und golden; in dem Viertel, in dem Rochelle angeblich eine neue Wohnung hatte; mit ihrem niedrigen Geländer und der reißenden Themse darunter als Selbstmörderbrücke berüchtigt. Sie konnte nicht schwimmen. Eine nächtliche Szene: zwei Liebende, die sich spielerisch balgen, ein einzelner Wagen fährt schnell vorüber, ein Schrei und ein Klatschen. Würde irgendjemand etwas gesehen haben?

Nicht wenn der Mörder eiserne Nerven und unverschämtes Glück gehabt hatte – und dies war ein Mörder, der schon reichlich Nervenstärke und schier unerträglich tollkühnes Vertrauen darauf unter Beweis gestellt hatte. Aufgrund dieser großspurigen Selbstüberschätzung, die Strikes Zielperson in seiner Erfahrung einzigartig machte, würde der Strafverteidiger zweifellos auf vermindert schuldfähig plädieren. Und vielleicht, dachte er, lag auch eine Erkrankung, irgendeine Verrücktheit vor, die sich kategorisieren ließ; aber der psychologische Aspekt interessierte ihn wenig. Wie John Bristow wollte er Gerechtigkeit.

In der Dunkelheit seines Büros schweiften seine Gedanken unwillkürlich und wenig hilfreich in die Vergangenheit ab: zu dem persönlichsten Tod von allen, von dem Lucy völlig zu Unrecht annahm, er verfolge Strike bei allen Ermittlungen – zu dem Mord, der Lucys und sein Leben in zwei Abschnitte zerlegt hatte, sodass alles in ihrer Erinnerung scharf in Ereignisse vor und nach dem Tod ihrer Mutter eingeteilt war. Lucy glaubte, er sei wegen Ledas Tod weggelaufen, um zur Militärpolizei zu gehen; ihrer Überzeugung nach hatte ihn die nicht beweisbare Schuld seines Stiefvaters dazu getrieben, sodass jeder Tote, den er in seinem Berufsleben sah, ihn an seine Mutter erinnern musste; sodass jeder Mörder, mit dem er es zu tun bekam, ihm als ein Echo seines Stiefvaters erschien; sodass er sich gezwungen fühlte, in einem fortwährenden Akt persönlicher Wiedergutmachung andere Tode aufzuklären.

Aber Strike hatte diesen Beruf schon lange angestrebt, bevor Leda sich den letzten Schuss gesetzt hatte; lange bevor er verstand, dass seine Mutter (wie jeder andere Mensch auch) sterblich war und dass Morde mehr als nur Rätsel waren, die gelöst werden mussten. Es war Lucy, die nicht vergessen konnte; die von Erinnerungen wie von einem Schwarm Schmeißfliegen umschwirrt war; die auf alle unnatürlichen Tode die widersprüchlichen Gefühle projizierte, die der vorzeitige Tod ihrer Mutter in ihr ausgelöst hatte.

Heute Abend tat er jedoch einmal genau das, was er nach Lucys Meinung gewohnheitsmäßig tat: Er erinnerte sich an

Leda und stellte eine Verbindung zwischen ihr und diesem Fall her. *Leda Strike, Supergroupie*, stand unter den Pressefotos, auch unter dem berühmtesten von allen – dem einzigen, das seine Eltern zusammen zeigte. Da war sie in Schwarz-Weiß: mit ihrem herzförmigen Gesicht, dem glänzenden dunklen Haar und ihren rehbraunen Augen; und da war – von Leda durch einen Kunsthändler, durch einen aristokratischen Playboy (der eine inzwischen durch eigene Hand gestorben, der andere an AIDS) und durch Carla Astolfi, die zweite Ehefrau seines Vaters, getrennt – Jonny Rokeby persönlich, androgyn und wild, mit fast so langen Haaren wie Leda. Cocktailgläser und Zigaretten, zwischen den geöffneten Lippen des Models hervorquellender Rauch, aber seine Mutter schöner und stilvoller als alle anderen.

Außer Strike hatten anscheinend alle Ledas Tod als das bedauerliche, aber unvermeidliche Ergebnis eines gefährlich außerhalb gesellschaftlicher Normen geführten Lebens hingenommen. Selbst ihre ältesten und besten Freunde hatten geglaubt, sie habe sich die in ihrem Körper festgestellte Überdosis selbst gespritzt. Nach fast einhelliger Überzeugung hatte seine Mutter sich gefährlich nahe an den zwielichtigen Randgebieten des Lebens bewegt, und so war zu erwarten gewesen, dass sie eines Tages außer Sicht geraten und dann ein schlimmes Ende nehmen würde: kalt und steif auf einem zerwühlten Bett mit schmutziger Bettwäsche.

Warum sie das getan haben sollte, konnte niemand recht erklären, nicht einmal Onkel Ted (der schweigend und erschüttert am Spültisch in der Küche lehnte), auch nicht Tante Joan (die mit verweinten Augen, aber zornig an dem kleinen Küchentisch saß und die neunzehnjährige Lucy im Arm hielt, die an ihrer Schulter schluchzte). Eine Überdosis schien einfach zu Ledas Leben zu passen – zu den Hausbesetzungen und den Musikern und den wilden Partys; zum Schmutz und Elend ihrer letzten Beziehung und ihrer Lebensumstände; zu den in ihrem Umfeld ständig verfügbaren Drogen; zu ihrer so leichtfertigen Suche nach Nervenkitzeln und Highs. Nur Strike hatte herumgefragt, ob jemand davon wisse, dass seine Mutter dazu übergegangen sei, sich Heroin zu spritzen; nur er hatte einen wesentlichen Unterschied zwischen ihrer Vorliebe für Cannabis und einer Heroinsucht gesehen; nur er hatte unbeantwortete Fragen gehabt und verdächtige Umstände vermutet. Aber er war ein zwanzigjähriger Student gewesen, auf den niemand gehört hatte.

Nach dem Strafprozess und der Verurteilung hatte Strike seine Sachen gepackt und alles hinter sich gelassen: das kurzzeitige Medieninteresse; Tante Joans große Enttäuschung über sein abgebrochenes Oxfordstudium; Charlotte, die ob seines Verschwindens empört und wütend war, aber bereits wieder mit einem anderen schlief; Lucys tränenreiche Szenen. Nur Onkel Ted hatte ihn dabei unterstützt, zur Army zu verschwinden, und dort hatte er das Leben wiedergefunden, das Leda ihn gelehrt hatte: häufige Ortswechsel, Selbstvertrauen und der immerwährende Reiz des Neuen.

Heute Abend konnte er jedoch nicht anders, als seine Mutter als spirituelle Schwester des schönen, bedürftigen und depressiven Mädchens, das zerschmettert im Schnee gelegen hatte, und der reizlosen, obdachlosen Außenseiterin zu sehen, die jetzt in einem Kühlfach des Leichenschauhauses lag. Leda, Lula und Rochelle waren keine Frauen wie Lucy oder seine Tante Joan gewesen; sie hatten nicht die vernünftigen Vorsichtsmaßnahmen gegen Gewalt oder Zufälle ergriffen; sie hatten sich nicht durch Hypotheken und ehrenamtliche Tätigkeiten, solide Ehemänner und aufgeweckte Kinder ans Leben gekettet; deswegen wurde ihr Tod nicht als »tragisch«

eingeordnet, wie es bei einer gesetzten, wohlgelittenen Hausfrau der Fall gewesen wäre.

Wie leicht es doch war, den Selbstzerstörungswillen eines Menschen auszunutzen; wie einfach es war, ihn mit einem kleinen Rempler ins Jenseits zu befördern und dann zurückzutreten, mit den Schultern zu zucken und zu nicken: das sei die unvermeidliche Folge eines chaotischen, desaströsen Lebens gewesen.

Fast alle physischen Spuren des Mordes an Lula waren vernichtet, von Ermittlern zertrampelt oder zugeschneit worden; das für Strike überzeugendste Argument blieb die körnige Schwarz-Weiß-Aufnahme zweier Männer, die vom Tatort wegliefen: Beweismaterial, das die Polizei sich flüchtig angesehen und sogleich verworfen hatte, weil sie der festen Überzeugung gewesen war, niemand könne das Gebäude betreten haben, Landry habe Selbstmord verübt, und die Aufnahmen der Überwachungskameras zeigten nichts anderes als zwei Herumtreiber mit zweifelhaften Absichten.

Strike gab sich einen Ruck und sah auf die Armbanduhr. Es war 22.25 Uhr, aber er war sich sicher, dass der Mann, den er sprechen wollte, noch wach war. Er schaltete die Schreibtischlampe ein, griff nach seinem Handy und wählte eine Nummer in Deutschland.

»Oggy«, erklang eine blecherne Stimme am anderen Ende. »Wie geht's dir, Mann?«

»Du musst mir einen Gefallen tun, Kumpel.«

Und dann bat Strike Lieutenant Graham Hardacre, ihm alle nur möglichen Informationen über einen gewissen Agyeman bei den Pionieren zu beschaffen – Vorname und Dienstgrad unbekannt, aber unter besonderer Berücksichtigung seiner Dienstzeiten in Afghanistan.

12

Es war erst das zweite Auto, hinter dessen Steuer er saß, seit er sein Bein verloren hatte. Einmal hatte er versucht, Charlottes Lexus zu fahren, aber heute hatte er sich darum bemüht, sich in keiner Weise kastriert zu fühlen, und einen Honda Civic mit Automatik gemietet.

Die Fahrt nach Iver Heath hinaus dauerte weniger als eine Stunde. In die Pinewood Studios gelangte Strike durch eine Kombination aus Beredtheit, Einschüchterung und kurzem Vorzeigen eines echten, aber abgelaufenen Dienstausweises; der anfangs teilnahmslose Wachmann hatte sich von Strikes lässigem Selbstbewusstsein und den Worten »Special Investigation Branch« auf dem Dienstausweis mit Lichtbild beeindrucken lassen.

»Haben Sie einen Termin?«, fragte er Strike aus seiner erhöhten Position in seinem Wachhäuschen hinter einem Elektrozaun und hielt dabei mit einer Hand die Sprechmuschel des Telefonhörers zu.

»Nein.«

»In welcher Angelegenheit kommen Sie?«

»Mr. Evan Duffield«, sagte Strike und sah den Wachmann ein finsteres Gesicht machen, bevor er sich abwandte und etwas in den Hörer murmelte.

Ungefähr eine Minute später bekam Strike erklärt, wohin er fahren müsse, und wurde durchgewinkt. Während er der in sanften Kurven um die Studios herumführenden Zufahrt folgte, dachte er erneut daran, wie leicht sich der Ruf mancher Leute, chaotisch und selbstzerstörerisch zu sein, für alle möglichen Zwecke ausnutzen ließ.

Er parkte einige Reihen hinter dem Mercedes mit Fahrer, dessen Platz mit PRODUZENT FREDDIE BESTIGUI gekennzeichnet war, stieg gemächlich aus, während Bestiguis Chauffeur ihn im Rückspiegel beobachtete, und erreichte eine Glastür, hinter der eine mit einem grauen Läufer belegte Treppe begann. Ein junger Mann, der wie eine etwas gepflegtere Version von Spanner aussah, kam gerade heruntergetrabt.

»Wo finde ich Mr. Freddie Bestigui?«, fragte Strike.

»Zweiter Stock, erste Tür rechts.«

Bestigui war so hässlich wie auf den Fotos. Stiernackig und pockennarbig saß er hinter einer Glastrennwand an seinem Schreibtisch und starrte mit finsterer Miene auf seinen Computerbildschirm. In dem Großraumbüro davor herrschte reger Betrieb; es war voller attraktiver junger Frauen an Schreibtischen; an diversen Säulen klebten Filmplakate, und neben Terminpläne für Filmproduktionen waren Fotos von Haustieren gepinnt. Eine hübsche Rothaarige gleich am Eingang, die die Freisprechgarnitur einer Telefonistin trug, sah zu Strike auf und fragte: »Was kann ich für Sie tun?«

»Ich will zu Mr. Bestigui. Keine Sorge, ich finde selbst hinein.«

Noch ehe sie antworten konnte, stand er bereits im Büro des Produzenten.

Bestigui sah auf. In seinem aufgedunsenen Gesicht waren die Augen kaum mehr als Schlitze, und sein dunkler Teint war mit Altersflecken gesprenkelt.

»Wer sind Sie?«

Er war schon dabei, sich hochzustemmen. Seine Hände mit den dicken Fingern lagen auf den Armlehnen seines Drehsessels.

»Ich bin Cormoran Strike. Ich bin Privatdetektiv und arbeite im Auftrag …«

»Elena!« Bestigui hatte seinen Kaffee umgestoßen; die braune Brühe breitete sich auf dem polierten Holz aus und tränkte seine Unterlagen. »Verschwinden Sie, verdammt noch mal! Raus! RAUS!«

»… von John Bristow, Lula Landrys Bruder.«

»ELENA!«

Die hübsche, schlanke Rothaarige mit der Freisprechgarnitur kam hereingestürzt und blieb angstvoll zitternd hinter Strike stehen.

»Rufen Sie den Sicherheitsdienst, Sie dämliche kleine Schlampe!«

Sie lief wieder hinaus. Bestigui, der höchstens einen Meter fünfundsechzig groß war, kam jetzt hinter seinem Schreibtisch hervor; er fürchtete sich so wenig vor dem hünenhaften Strike wie ein Pitbull, auf dessen Hof ein Rottweiler aufgetaucht war. Elena hatte die Tür offen gelassen; die jungen Frauen im Vorzimmer starrten ängstlich hypnotisiert herüber.

»Ich versuche schon seit einigen Wochen, Sie zu erreichen, Mr. Bestigui …«

»Sie sitzen echt in der Scheiße, Freundchen«, sagte Bestigui und stürzte mit vorgerecktem Kinn und durchgedrücktem Kreuz auf Strike zu.

»… um mit Ihnen über die Nacht zu reden, in der Lula Landry gestorben ist.«

Zwei Männer in weißen Oberhemden und mit Funkgeräten in den Händen rannten die Glastrennwand hinter Strike entlang: jung, fit, angespannt.

»Schafft den Kerl raus!«, brüllte Bestigui, als die beiden Sicherheitsleute in der Tür zusammenprallten und sich dann nacheinander hereinzwängten.

»Vor allem darüber«, fuhr Strike fort, »wo Ihre Ehefrau war, als Lula in den Tod stürzte …«

»Schafft ihn raus und ruft die verdammte Polizei! Wie ist er überhaupt hier reingekommen?«

»… weil ich Fotos gesehen habe, die die Aussage Ihrer Frau plausibel erscheinen lassen. Hände weg!«, fuhr Strike den jüngeren Sicherheitsmann an, der ihn jetzt am Oberarm zupfte, »sonst werfe ich Sie aus dem Fenster dort drüben.«

Der junge Mann ließ nicht los, sondern sah Bestigui an, als erwarte er weitere Anweisungen.

Die glitzernden dunklen Augen des Produzenten starrten Strike durchdringend an. Er ballte seine Schlägerhände zu Fäusten und streckte dann wieder die Finger. Nach mehreren Sekunden sagte er plötzlich: »Sie reden einen Scheiß.«

Aber er wies die Sicherheitsleute nicht an, Strike aus seinem Büro zu schleppen.

»Der Fotograf hat am frühen Morgen des achten Januar auf dem Gehweg gegenüber Ihrem Haus gestanden. Der Kerl weiß gar nicht, was er da abgelichtet hat. Wenn Sie nicht darüber sprechen möchten, soll mir das recht sein. Polizei oder Presse – Sie haben die Wahl. Das Ergebnis ist letztlich das gleiche.«

Strike machte ein paar Schritte in Richtung Tür. Das überraschte die Sicherheitsleute, die ihn noch an den Armen hielten, und brachte sie vorübergehend in eine absurde Position, so als hielten sie ihn zurück.

»Verschwindet«, wies Bestigui seine Lakaien abrupt an. »Ich rufe euch, wenn ich euch brauche. Und macht die Tür hinter euch zu.«

Die beiden gingen. Als die Tür ins Schloss gefallen war, sagte Bestigui: »Also gut, wie auch immer Ihr beschissener Name ist, Sie haben fünf Minuten.«

Strike ließ sich unaufgefordert in einen der schwarzen Ledersessel vor Bestiguis Schreibtisch fallen, während der Produzent auf die andere Seite zurückkehrte und ihn mit einem harten, kalten Blick musterte, der nicht allzu viel Ähnlichkeit mit dem hatte, den Strike von dessen zukünftiger Exfrau kannte; dies war der nüchtern abschätzende Blick eines Zockers. Bestigui griff nach einem Päckchen Zigarillos, zog einen schwarzen Glasaschenbecher zu sich heran und griff nach einem goldenen Feuerzeug.

»Also gut, lassen Sie hören, was diese angeblichen Fotos zeigen«, sagte er und blinzelte durch den beißenden Rauch wie ein Filmmafioso.

»Die Silhouette«, sagte Strike, »einer Frau, die vor einem Ihrer Wohnzimmerfenster auf dem Balkon kauert. Sie scheint nackt zu sein, aber wie Sie und ich wissen, trägt sie Unterwäsche.«

Bestigui paffte einige Sekunden lang, dann nahm er den Zigarillo aus dem Mund und sagte: »Blödsinn. Von der Straße aus wäre das nicht zu erkennen gewesen. Der Boden des Balkons ist aus Stein, da gibt's aus diesem Winkel nichts zu sehen. Sie stochern im Nebel.«

»In Ihrem Wohnzimmer brannte Licht. Man sieht ihre Umrisse durch die Lücken im Balkongeländer. Platz hatte sie ausreichend, weil die Pflanzenkübel noch nicht dastanden, nicht wahr? Manche Leute können der Versuchung einfach nicht widerstehen, einen Tatort nachträglich zu verändern, selbst wenn sie erst einmal davongekommen sind.« Im Plauderton fügte Strike hinzu: »Es sollte so aussehen, als habe es dort draußen nie genug Platz für eine kauernde Gestalt gegeben, stimmt's? Aber Sie können nicht zurückgehen und die Realität per Photoshop verändern. Ihre Frau war am idealen Ort, um ganz genau mitzubekommen, was sich auf Lula

Landrys Balkon vor dem Sturz ereignet hat. Ich stelle mir den Ablauf folgendermaßen vor«, fuhr Strike fort, während Bestigui weiter durch den Rauch seines Zigarillos blinzelte. »Ihre Frau und Sie hatten Streit, während sie sich ausgezogen hat, um zu Bett zu gehen. Vielleicht hatten Sie ihren im Bad gebunkerten Stoff entdeckt oder sie dabei überrascht, wie sie ein paar Lines gezogen hat. Also haben Sie beschlossen, sie angemessen zu bestrafen, indem Sie sie bei Minusgraden auf den Balkon sperrten. Man könnte sich vielleicht fragen, weshalb eine ganze Horde Paparazzi nicht mitbekommen hat, dass über ihren Köpfen eine fast nackte Frau auf den Balkon hinausgeschubst wurde, aber es hat heftig geschneit, und sie sind vermutlich auf und ab gestampft, um sich warmzuhalten, und ihre Aufmerksamkeit war auf die Straße gerichtet, weil sie auf Lula Landry und Deeby Macc warteten. Und Tansy hat keinen Laut von sich gegeben, nicht wahr? Sie hat sich geduckt und versteckt gehalten; sie wollte sich vor dreißig Fotografen nicht halbnackt zu erkennen geben. Vielleicht haben Sie sie auch genau in dem Augenblick hinausgestoßen, in dem Lulas Wagen um die Ecke kam. Kein Mensch hätte zu Ihrem Balkon hinaufgesehen, während Lula Landry in ihrem Kleidchen aufkreuzte.«

»Sie reden einen Scheiß«, sagte Bestigui. »Sie haben überhaupt keine Fotos.«

»Ich habe nie behauptet, dass ich sie *habe*. Ich habe gesagt, dass ich sie *gesehen* habe.«

Bestigui nahm seinen Zigarillo aus dem Mund, wollte dann doch lieber nichts sagen und steckte ihn sich wieder zwischen die Lippen. Strike ließ einige Sekunden verstreichen, aber als klar war, dass Bestigui die Möglichkeit, sich zu äußern, nicht ergreifen würde, fuhr er fort: »Tansy muss angefangen haben, ans Wohnzimmerfenster zu hämmern, sobald

Landry an ihr vorbeigefallen war. Sie haben nicht damit gerechnet, dass Ihre Frau kreischend an die Scheibe hämmern würde, was? Und weil Sie nicht wollten, dass jemand Ihre kleine Strafaktion bemerkte, haben Sie ihr aufgemacht. Sie ist an Ihnen vorbeigestürmt, laut schreiend aus der Wohnung gerannt und zu Derrick Wilson hinuntergelaufen. Sie haben einen Blick übers Balkongeländer geworfen und Lula Landry tot auf der Straße liegen sehen.«

Bestigui paffte gemächlich, ohne Strike aus den Augen zu lassen.

»Was Sie als Nächstes getan haben, könnte Sie in den Augen der Geschworenen ziemlich belasten. Denn Sie haben nicht den Notruf gewählt. Sie sind nicht Ihrer unterkühlten, hysterischen Frau nachgelaufen. Sie sind nicht einmal – was die Geschworenen verständlich finden könnten – ins Bad gegangen, um das Kokain zu beseitigen, das dort offen herumlag. Nein, noch bevor Sie Ihrer Frau nachgelaufen sind oder die Polizei angerufen haben, haben Sie zuallererst das Fenster abgewischt. Es sollte keine Fingerabdrücke geben, die bewiesen hätten, dass Tansy die Fensterscheibe von außen berührt hatte, stimmt's? Sie wollten vor allem sicherstellen, dass niemand Ihnen würde nachweisen können, dass Sie Ihre Frau bei Minusgraden auf den Balkon gesperrt hatten. Mit Ihrem unappetitlichen Ruf für Gewalt und sexuelle Übergriffe und weil Ihnen vielleicht die Anzeige einer jungen Mitarbeiterin drohte, wollten Sie den Medien oder dem Staatsanwalt kein zusätzliches Beweismaterial liefern, nicht wahr?

Sobald die Scheibe sauber war, sind Sie nach unten gerannt und haben Ihre Frau mehr oder weniger mit Gewalt in Ihre Wohnung zurückgeholt. In der kurzen Zeit bis zum Eintreffen der Polizei haben Sie ihr eingebläut zu verschweigen, wo sie zum Zeitpunkt des Sturzes wirklich war. Ich weiß nicht, was Sie ihr angedroht oder versprochen haben; was es auch war, es hat funktioniert. Trotzdem konnten Sie sich noch immer nicht ganz sicher fühlen, denn sie war so schockiert und verzweifelt, dass Sie fürchten mussten, sie könnte mit der Wahrheit herausplatzen. Deshalb haben Sie versucht, die Polizei abzulenken, indem Sie sich über die in Deeby Maccs Wohnung umgestoßenen Rosen aufgeregt haben. Ihre Hoffnung dabei war, dass Tansy sich endlich zusammenreißen und dass sie sich an Ihre Vereinbarung halten würde. Nun, das hat sie bisher auch getan, nicht wahr? Weiß der Teufel, wie viel Sie das kosten wird, aber sie hat sich von den Medien durch den Dreck zerren lassen; sie hat es ertragen, als kokaingeschädigte Fantastin hingestellt zu werden; sie ist bei ihrer blödsinnigen Geschichte geblieben, Landry und ihren Mörder trotz Schallschutzfenstern zwei Stockwerke über sich streiten gehört zu haben. Sobald sie jedoch erfährt, dass es Fotos gibt, die beweisen, wo sie war«, sagte Strike, »wird sie bestimmt gerne reinen Tisch machen wollen. Ihre Frau glaubt vielleicht, dass sie Geld mehr liebt als alles andere auf der Welt, aber ihr Gewissen setzt ihr zu. Und ich bin sehr zuversichtlich, dass sie ziemlich bald auspacken wird.«

Bestigui hatte den Zigarillo bis zum letzten Zentimeter aufgeraucht. Nun drückte er ihn in dem schwarzen Glasaschenbecher aus. Lange Sekunden verstrichen, in denen durch die Glaswand Geräusche aus dem Vorzimmer in Bestiguis Büro drangen: Stimmen, das Klingeln eines Telefons.

Bestigui stand auf und ließ die Segeltuchjalousie vor der Trennwand hinunter, sodass keines der aufgeregten Mädchen dort draußen mehr hereinsehen konnte. Er setzte sich wieder, knetete mit dicken Fingern nachdenklich seine narbige untere Gesichtshälfte, sah zu Strike hinüber und starrte wieder die leere Leinwand an, die er geschaffen hatte. Strike konnte geradezu sehen, wie der Produzent seine Möglichkeiten abwägte, als mischte er ein Deck Spielkarten.

»Die Vorhänge waren zugezogen«, sagte Bestigui zuletzt. »Auf dem Balkon war's nicht hell genug, als dass jemand sie hätte erkennen können. Und Tansy wird bei ihrer Story bleiben.«

»Darauf würde ich an Ihrer Stelle nicht wetten«, sagte Strike und streckte die Beine. Die Prothese drückte unbequem. »Wenn ich ihr erzähle, dass der juristische Fachausdruck für das, was Sie gemeinsam getan haben, ›Verschwörung zum Zweck der Strafvereitelung‹ ist und verspätet gezeigte Reue ihr eine Gefängnisstrafe ersparen könnte; wenn ich hinzufüge, dass ihr als Opfer häuslicher Gewalt die Sympathie der Öffentlichkeit sicher sein wird und wie viel Geld ihr die Exklusivrechte an ihrer Story vermutlich einbringen könnten; wenn sie erkennt, dass sie die Gelegenheit haben wird, vor Gericht auszusagen, man ihr glauben wird und sie dazu beitragen kann, dass der Mörder ihrer Nachbarin verurteilt wird … Mr. Bestigui, ich glaube, dass nicht einmal Sie genug Geld haben, um sich ihr Schweigen zu erkaufen.«

Die grobporige Haut um Bestiguis Mundwinkel zuckte. Er griff nach der Schachtel mit den Zigarillos, zog aber keinen weiteren heraus. Langes Schweigen folgte, und er drehte die Schachtel zwischen den Fingern hin und her.

Zuletzt sagte er: »Ich gebe nichts von alldem zu. Verschwinden Sie!«

Strike bewegte sich nicht.

»Ich weiß, dass Sie's kaum erwarten können, Ihren Anwalt anzurufen«, sagte er, »aber ich glaube, dass Sie hier den Silberstreifen am Horizont übersehen.«

»Ich habe genug von Ihnen! Sie sollen verschwinden, hab ich gesagt!«

»So unangenehm es auch sein wird, eingestehen zu müssen, was sich in jener Nacht wirklich ereignet hat, ist es noch immer besser, als zum Hauptverdächtigen in einem Mordprozess zu werden. Von jetzt an geht's nur mehr um das geringere Übel. Wenn Sie zugeben, was wirklich geschehen ist, kommen Sie vielleicht drum herum, als Lulas Mörder angeklagt zu werden.«

Das sicherte ihm Bestiguis ungeteilte Aufmerksamkeit.

»Sie können es nicht gewesen sein«, sagte Strike, »denn wenn Sie Landry zwei Etagen drüber vom Balkon gestoßen hätten, hätten Sie Tansy nicht binnen Sekunden nach dem Sturz wieder ins Wohnzimmer lassen können. Ich denke, dass Sie Ihre Frau ausgesperrt haben, ins Schlafzimmer gegangen sind, es sich im Bett gemütlich gemacht – die Polizei hat geglaubt, jemand habe darin geschlafen – und den Wecker im Auge behalten haben. Sie durften nicht riskieren einzuschlafen. Hätten Sie Ihre Frau zu lange draußen in der Kälte gelassen, wären Sie womöglich wegen Totschlags dran gewesen. Kein Wunder, dass Wilson gesagt hat, sie habe gezittert wie ein Windhund – vermutlich aufgrund einer beginnenden Unterkühlung.«

Wieder eine Pause, in der Bestiguis dicke Finger leicht an die Schreibtischkante trommelten. Strike zog sein Notizbuch heraus.

»Sind Sie jetzt bereit, mir ein paar Fragen zu beantworten?«

»Arschloch!«

Der Produzent ließ seinem bisher unterdrückten Zorn nunmehr freien Lauf. Er reckte das Kinn vor und zog die Schultern bis zu den Ohren hoch. Strike stellte sich vor, dass er so ausgesehen hatte, als er mit ausgestreckten Händen auf seine magere, zugekokste Frau losgegangen war.

»Sie sitzen in der Scheiße«, sagte Strike gelassen, »aber wie tief Sie darin versinken, hängt ganz von Ihnen ab. Sie können alles leugnen, sich mit Ihrer Frau vor Gericht und in den Medien streiten und letzten Endes wegen falscher eidesstattlicher Versicherung und Behinderung polizeilicher Ermittlungen im Knast landen. Oder Sie können jetzt gleich anfangen, kooperativ zu sein, um sich die Dankbarkeit und das Wohlwollen von Lulas Angehörigen zu verdienen. Damit würden Sie Reue demonstrieren, die dazu beitragen könnte, das Gericht milde zu stimmen. Tragen Ihre Informationen dazu bei, Lulas Mörder zu fassen, dürften Sie nicht viel Schlimmeres zu befürchten haben als eine richterliche Rüge. Es wird die Polizei sein, die dann von der Öffentlichkeit und den Medien in die Mangel genommen wird.«

Bestigui atmete schwer, aber er schien über Strikes Worte nachzudenken. Zuletzt knurrte er: »Es gibt keinen beschissenen Mörder. Wilson hat dort oben niemanden gefunden. Landry ist gesprungen«, sagte er mit einem kurzen, herablassenden Kopfschütteln. »Sie war 'ne zugekiffte kleine Drogenmaus, wie meine verdammte Frau.«

»Es gibt einen Mörder«, erwiderte Strike, »und Sie haben ihm geholfen, damit durchzukommen.«

Irgendetwas in Strikes Gesichtsausdruck unterdrückte Bestiguis erkennbaren Wunsch, höhnisch aufzulachen. Seine Augen glichen Schlitzen aus schwarzem Glas, als er über Strikes Worte nachdachte.

»Sie wollten einen Film mit Lula machen?«

Dieser Themenwechsel schien Bestigui zu verwirren.

»War bloß 'ne Idee«, murmelte er. »Sie war 'ne Spinnerin, aber hinreißend.«

»Sie wollten versuchen, einen Film mit ihr und Deeby Macc zu machen?«

»Lizenz zum Gelddrucken, die zwei zusammen.«

»Was ist mit diesem Film über Lulas Leben, den Sie nach ihrem Tod geplant haben? Wie ich höre, war Tony Landry davon nicht sehr begeistert?«

Zu Strikes Überraschung erschien auf Bestiguis breitem Gesicht ein geradezu lüsternes Grinsen.

»Wer hat Ihnen das erzählt?«

»Stimmt es nicht?«

Der Produzent schien erstmals wieder das Gefühl zu haben, die Oberhand zu gewinnen.

»Nein, das stimmt nicht. Anthony Landry hat mir ziemlich deutlich zu verstehen gegeben, dass er gerne darüber reden will, sobald Lady Bristow tot ist.«

»Er war also nicht wütend, als er Sie deswegen anrief?«

»Solange die Sache geschmackvoll wird, blabla ...«

»Kennen Sie Tony Landry gut?«

»Nur dem Namen nach.«

»Aus welchem Zusammenhang?«

Bestigui kratzte sich am Kinn, lächelte in sich hinein.

»Er ist natürlich der Scheidungsanwalt Ihrer Frau.«

»Vorläufig noch«, sagte Bestigui.

»Sie glauben, dass sie ihn feuern wird?«

»Das muss sie vielleicht«, sagte Bestigui, dessen Lächeln mittlerweile zu einem befriedigten Grinsen geworden war. »Interessenkonflikt. Wir werden sehen.«

Strike sah in sein Notizbuch und fragte sich, indem er wie ein begabter Pokerspieler leidenschaftslos seine Chancen berechnete, wie riskant es sein mochte, diese Befragung ohne Beweise auf der Hand bis ans Limit fortzusetzen.

»Vermute ich richtig«, sagte er dann und blickte wieder auf, »dass Sie Landry erzählt haben, Sie wüssten, dass er mit der Frau seines Partners schläft?«

Nach kurzer sprachloser Überraschung lachte Bestigui laut auf: ein ungehobeltes, aggressives, hämisches Tröten.

»Das wissen Sie, ja?«

»Wie haben *Sie* es herausgefunden?«

»Ich habe jemanden wie Sie angeheuert. Ich dachte, Tansy ginge fremd, aber in Wirklichkeit hat sie nur ihrer verdammten Schwester Alibis verschafft, während Ursula es mit Tony Landry getrieben hat. Das wird bestimmt lustig – die Scheidung der Mays zu verfolgen. Hochkarätige Anwälte auf beiden Seiten. Alte Familienfirma geht in die Brüche. Cyprian May ist nicht so schlaff, wie er aussieht. Er hat damals meine zweite Frau vertreten. Es wird riesigen Spaß machen, diese Sache zu beobachten. Zuzusehen, wie Anwälte sich zur Abwechslung mal gegenseitig ficken.«

»Damit haben Sie den Scheidungsanwalt Ihrer Frau wohl ziemlich in der Hand, was?«

Bestigui grinste hässlich.

»Bisher weiß keiner der beiden davon. Ich warte auf den geeigneten Augenblick, um es ihnen mitzuteilen.«

Aber dann schien Bestigui sich plötzlich wieder daran zu erinnern, dass Tansy in ihrem Scheidungskrieg eine noch wirkungsvollere Waffe besitzen könnte. Das Grinsen verschwand von seinem zerfurchten Gesicht und ließ Verbitterung zurück.

»Noch eine letzte Sache«, sagte Strike. »Ich möchte, dass Sie an die Nacht zurückdenken, in der Lula gestorben ist. Haben Sie außerhalb Ihrer Wohnung irgendetwas gehört, nachdem Sie Ihrer Frau in die Eingangshalle nachgelaufen waren und sie zurückgeholt hatten?«

»Ich denke, Ihre ganze Scheißargumentation basiert darauf, dass man in meiner Wohnung bei geschlossenen Fenstern nichts hören kann?«, knurrte der Produzent.

»Ich rede nicht von draußen auf der Straße; ich rede von dem Bereich vor Ihrer Wohnungstür. Tansy hat wahrscheinlich alles andere übertönt; aber ich frage mich, ob Sie, sobald sie mit ihr zurück in Ihrem Flur waren – vielleicht haben Sie dort haltgemacht und versucht, sie zu beruhigen, als Sie sie wieder in die Wohnung gebracht hatten? –, eine Bewegung im Treppenhaus vor Ihrer Tür gehört haben? Oder hat Tansy zu laut gekreischt?«

»Scheiße, sie war echt laut«, sagte Bestigui. »Ich hab nichts anderes hören können.«

»Überhaupt nichts?«

»Nichts Verdächtiges. Bloß Wilson, der auf dem Flur vorbeigerannt ist.«

»Wilson.«

»Ja.«

»Wann war das?«

»In der Zeit, die Sie meinen. Als wir wieder in unserer Wohnung waren.«

»Gleich nachdem Sie die Tür geschlossen hatten?«

»Ja.«

»Aber Wilson war doch schon nach oben gerannt, als Sie noch in der Eingangshalle waren, nicht wahr?«

»Ja.«

Die Falten auf Bestiguis Stirn und um seine Mundwinkel wurden tiefer.

»Als Sie in Ihre Wohnung gekommen sind, muss Wilson also doch längst außer Sicht- und Hörweite gewesen sein?«

»Ja …«

»Aber Sie haben Schritte auf der Treppe gehört, gleich nachdem Sie die Wohnungstür geschlossen hatten?«

Bestigui antwortete nicht sofort. Strike sah ihm an, dass er sich erstmal alles selbst zurechtlegte.

»Ich habe … ja … Schritte gehört. Vorbeirennen. Auf der Treppe.«

»Genau«, sagte Strike. »Und konnten Sie hören, ob dort eine oder mehrere Personen vorbeigerannt sind?«

Bestigui runzelte die Stirn, starrte ins Leere, blickte an dem Detektiv vorbei in die trügerische Vergangenheit. »Es war … eine. Daher habe ich auf Wilson getippt. Aber das kann er nicht … Wilson war noch oben, hat ihre Wohnung durchsucht … weil ich ihn später habe runterkommen hören … Nachdem ich die Polizei alarmiert hatte, habe ich gehört, wie er draußen vorbeirannte … Das hatte ich ganz vergessen«, sagte Bestigui und wirkte für den Bruchteil einer Sekunde fast verletzlich. »Ich hab's echt vergessen. Ich hatte den Überblick verloren. Tansy hat die ganze Zeit weitergekreischt.«

»Und Sie waren natürlich darauf bedacht, die eigene Haut zu retten«, sagte Strike energisch, indem er Notizbuch und Kugelschreiber einsteckte und sich aus dem Ledersessel hochstemmte. »Nun, ich will Sie nicht länger aufhalten; Sie werden Ihren Anwalt anrufen wollen. Sie haben mir sehr geholfen. Ich denke, dass wir uns vor Gericht wiedersehen werden.«

13

Tags darauf rief Eric Wardle an.

»Ich habe mit Deeby telefoniert«, sagte er knapp.

»Und?« Strike gab Robin ein Zeichen, ihm Stift und Papier zu reichen. Sie hatten gemeinsam an ihrem Schreibtisch gesessen, sich Tee und Kekse gegönnt und dabei über Brian Mathers' neuesten Drohbrief geplaudert, in dem er, übrigens nicht zum ersten Mal, versprach, Strike den Bauch aufzuschlitzen und auf seine Eingeweide zu pissen.

»Somé hatte ihm einen speziell für ihn entworfenen Kapuzenpulli schicken lassen. Mit einer Waffe aus Nieten vorn drauf und ein paar Zeilen aus einem seiner Songs auf dem Rücken.«

»Nur diesen einen Pulli?«

»Ja.«

»Was noch?«, fragte Strike.

»Er kann sich außerdem noch an einen Gürtel, eine Mütze und ein Paar Manschettenknöpfe erinnern.«

»Handschuhe waren nicht dabei?«

Wardle schwieg einen Moment lang, als würde er in seinen Notizen nachsehen.

»Nein, von Handschuhen hat er nichts gesagt.«

»Schön, damit wäre das geklärt.«

Wardle sagte gar nichts. Strike wartete ab, ob der Polizist auflegen oder ob er weitere Informationen liefern würde.

»Die Untersuchung des Todesfalls ist für Dienstag angesetzt«, fuhr Wardle unvermittelt fort. »Von Rochelle Onifade.«

»Richtig«, sagte Strike.

»Sie klingen, als würde Sie das nicht sonderlich interessieren.«

»Tut es auch nicht.«

»Ich dachte, Sie seien überzeugt, dass sie ermordet wurde?«

»Bin ich auch, aber das wird die Untersuchung weder beweisen noch widerlegen. Wissen Sie zufällig, wann die Trauerfeier stattfinden soll?«

»Nein«, antwortete Wardle gereizt. »Was hat das damit zu tun?«

»Ich dachte, vielleicht gehe ich hin.«

»Wieso das denn?«

»Sie hatte eine Tante, oder haben Sie das vergessen?«, sagte Strike.

Wardle legte auf; wahrscheinlich angewidert, wie Strike vermutete.

Später am Vormittag rief Bristow an und teilte Strike Zeit und Ort von Rochelles Trauerfeier mit. »Alison hat das alles herausgefunden«, erklärte er dem Detektiv am Telefon. »Sie ist unglaublich effizient.«

»Ganz eindeutig«, sagte Strike.

»Ich werde auf jeden Fall hingehen. Als Vertretung für Lula. Ich hätte Rochelle beistehen sollen.«

»Wenn Sie mich fragen, stand von Anfang an fest, dass es so enden würde, John. Bringen Sie Alison mit?«

»Ja, sie möchte mitkommen«, sagte Bristow, klang dabei aber wenig begeistert.

»Dann sehen wir uns dort. Ich hoffe, dass Rochelles Tante auch kommt und ich mit ihr sprechen kann.«

Als Strike Robin erzählte, dass Bristows Freundin herausgefunden habe, wann und wo die Trauerfeier stattfinden sollte, reagierte sie fast beleidigt. Sie hatte dies auf Strikes

Bitte hin ebenfalls zu ermitteln versucht und jetzt offenbar das Gefühl, dass Alison ihr ein Schnippchen geschlagen hatte.

»Ich wusste gar nicht, dass Sie so ehrgeizig sind«, sagte Strike gut gelaunt. »Machen Sie sich deswegen keine Gedanken. Vielleicht hatte sie einen Vorsprung.«

»Inwiefern?«

Aber Strike sah sie nur nachdenklich an.

»Was ist denn?«, fragte Robin leicht verunsichert.

»Ich möchte, dass Sie mich zu der Trauerfeier begleiten.«

»Ach«, sagte Robin. »Gut. Und warum?«

Sie vermutete, Strike würde ihr erklären, es sähe natürlicher aus, wenn sie als Paar hingingen, so wie es natürlicher ausgesehen hatte, mit einer Frau zusammen bei Vashti aufzutauchen. Stattdessen sagte er: »Ich möchte, dass Sie dort etwas für mich erledigen.«

Nachdem er knapp und präzise ausgeführt hatte, was sie zu tun hatte, sah Robin ihn verständnislos an. »Aber warum?«

»Das kann ich Ihnen nicht sagen.«

»Warum nicht?«

»Auch das möchte ich lieber nicht sagen.«

Robin sah Strike längst nicht mehr durch Matthews Augen; sie fragte sich nicht mehr, ob er seinen Klienten etwas vorspielte, ob er für seine Auftraggeber besonders dick auftrug oder sich als klüger ausgab, als er tatsächlich war. Inzwischen fand sie die Vorstellung, er könnte sich absichtlich mysteriös geben, absurd. Dennoch wiederholte sie, als könne sie nicht glauben, was sie soeben gehört hatte: »Brian Mathers.«

»Ganz genau.«

»Der Drohbriefschreiber.«

»Ganz genau.«

»Aber«, sagte Robin, »was in aller Welt sollte er mit Lula Landrys Tod zu tun haben?«

»Nichts«, antwortete Strike einigermaßen aufrichtig. »Bis jetzt.«

Das Krematorium im Norden Londons, in dem Rochelles Trauerfeier drei Tage später stattfand, war kalt, anonym und deprimierend. Jeder Hinweis auf irgendeine Konfession war akribisch vermieden worden; angefangen bei den dunklen Holzbänken und nackten Wänden, an denen kein einziges religiöses Symbol zu sehen war, bis hin zu dem abstrakten Buntglasfenster, einem Mosaik kleiner Quadrate, die wie Edelsteine funkelten. Während Strike auf seiner harten Holzbank saß, dem näselnden Trauerredner zuhörte, der immer von »Roselle« statt von Rochelle sprach, und den Regen auf das farbenfrohe Patchworkfenster über ihm nieseln sah, erschloss sich ihm plötzlich der Charme von vergoldeten Cherubim und Heiligen aus Gips, grimassierenden Wasserspeiern, alttestamentarischen Engeln und mit Edelsteinen besetzten massivgoldenen Kruzifixen; von allem, was irgendwie ein Gefühl von Majestät und Größe vermittelte, ein Leben nach dem Tod verhieß oder einem Dasein wie dem von Rochelle wenigstens im Nachhinein Wert verlieh. Für kurze Zeit hatte sie das irdische Paradies erblicken dürfen: dekoriert mit Designerklamotten, voll von Prominenten, über die man herziehen konnte, und bevölkert mit gut aussehenden Chauffeuren, mit denen es sich scherzen ließ. Und das hier hatte ihr die Sehnsucht nach jenem Paradies eingebracht: sieben Trauergäste und einen Trauerredner, der nicht einmal wusste, wie sie hieß.

Die Zeremonie war beschämend unpersönlich; über der gesamten Feier schien eine leichte Verlegenheit zu liegen; die harten Fakten aus Rochelles Leben wurden peinlich berührt verschwiegen. Niemand hatte das Gefühl, in der ersten Reihe sitzen zu dürfen. Selbst die übergewichtige Schwarze mit der dicken Brille und dem Strickhut, die vermutlich Rochelles Tante war, hatte sich lieber in die vierte Bank gesetzt, so als müsste sie Abstand zu dem billigen Sarg wahren. Der angehende Glatzkopf, den Strike im Obdachlosenheim kennengelernt hatte, war ebenfalls gekommen, wenn auch in offenem Hemd und Lederjacke. Hinter ihm saß ein gut gekleideter junger Asiate mit wachem Gesicht, der sich möglicherweise als der Psychiater entpuppen würde, der Rochelles Gruppentherapie geleitet hatte.

Strike saß in seinem abgetragenen dunkelblauen Anzug in der letzten Bank, neben ihm Robin in dem schwarzen Kostüm, das sie zu ihren Vorstellungsgesprächen trug. Auf der anderen Seite des Mittelgangs saßen Bristow, elend und bleich, und Alison, deren nasser doppelreihiger schwarzer Regenmantel leicht im kalten Licht glänzte.

Billige rote Vorhänge glitten auf, der Sarg fuhr nach hinten weg, und das ertrunkene Mädchen wurde von Flammen verschlungen. Die stummen Trauergäste in der Aussegnungshalle lächelten einander gequält und verlegen an und verharrten unsicher, so als wollten sie nach all den Unzulänglichkeiten der Trauerzeremonie nicht auch noch überstürzt verschwinden. Rochelles Tante, deren exzentrische Aura an psychische Auffälligkeit grenzte, stellte sich ihnen als Winifred vor und verkündete dann laut und mit einem vorwurfsvollen Unterton: »Es gibt Sandwiches im Pub. Ich dachte, es würden mehr Leute kommen.«

Als wäre jeder Widerspruch zwecklos, marschierte sie allen voran aus der Aussegnungshalle und dann die Straße hinauf zum Red Lion, dicht gefolgt von den übrigen sechs Trauergästen, die ihre Köpfe gegen den Nieselregen einzogen.

Die versprochenen Sandwiches lagen angetrocknet und

wenig appetitanregend auf einem mit Klarsichtfolie abgedeckten Aluminiumtablett, das auf einem Tischchen in der Ecke des schmuddeligen Pubs stand. Irgendwann auf dem Weg zum Red Lion hatte Tante Winifred begriffen, wer John Bristow war, und ihn in Beschlag genommen; mittlerweile hatte sie ihn an der Bar festgenagelt und redete ohne Unterlass auf ihn ein. Bristow antwortete brav, wann immer sie ihn zu Wort kommen ließ, aber mit jeder Minute häuften sich seine zusehends hilfesuchenden Blicke in Strikes Richtung, der unterdessen mit Rochelles Psychiater sprach.

Der Psychiater parierte geschickt sämtliche Versuche, ihn in ein Gespräch über die von ihm geleitete ambulante Patientengruppe zu verwickeln, bis er zuletzt Strikes Frage nach möglichen Enthüllungen, die Rochelle gemacht haben könnte, mit einem höflichen Verweis auf seine ärztliche Schweigepflicht abwehrte.

»Hat es Sie überrascht, dass sie sich getötet hat?«

»Nein, eigentlich nicht. Sie war zutiefst verstört, müssen Sie wissen, und Lula Landrys Tod hatte sie sehr mitgenommen.«

Kurz darauf verabschiedete er sich mit einem Gruß in die Runde und ging.

Robin, die an einem kleinen Tisch am Fenster gesessen und ein Gespräch mit Alison anzuknüpfen versucht hatte, gab irgendwann auf und verschwand auf die Damentoilette.

Strike schlenderte durch den kleinen Gastraum und ließ sich auf Robins verwaistem Platz nieder. Alison warf ihm einen strafenden Blick zu und konzentrierte sich dann wieder ganz auf Bristow, der immer noch von Rochelles Tante belagert wurde. Ihren regenfleckigen Mantel hatte Alison gar nicht erst aufgeknöpft. Vor ihr auf dem Tisch stand ein kleines Glas mit einer Flüssigkeit, die wie Portwein aussah, und um ihren

Mund spielte ein leicht verächtliches Lächeln, so als fände sie die armselige Umgebung ihrer unwürdig. Strike suchte immer noch nach einer guten Eröffnung, als sie unerwartet erklärte: »John hätte heute Morgen eigentlich einen Termin mit den Testamentsvollstreckern von Conway Oates gehabt. Jetzt muss Tony sich allein mit ihnen treffen. Er ist außer sich.«

Sie sagte das so, als wäre Strike irgendwie dafür verantwortlich, als dürfte er ruhig wissen, was er angerichtet hatte. Sie nahm einen Schluck Port. Die Haare hingen ihr kraftlos auf die Schultern, und das Glas verschwand beinahe in ihren riesigen Händen. Trotz ihres plumpen Äußeren, das andere Frauen zu Mauerblümchen degradiert hätte, wirkte sie ungeheuer von sich eingenommen.

»Sie finden nicht, dass es eine nette Geste von John war, zur Trauerfeier zu kommen?«, fragte Strike.

Alisons »Pah« war die Karikatur eines Lachens.

»Als hätte er das Mädchen überhaupt *gekannt*.«

»Warum sind Sie mitgekommen?«

»Weil Tony es wollte.«

Strike gefiel die Befangenheit, mit der sie den Namen ihres Chefs aussprach.

»Warum?«

»Um John im Auge zu behalten.«

»Tony ist also der Meinung, dass man John auf die Finger sehen muss, was?«

Sie antwortete nicht.

»Sie sind für beide da, nicht wahr? Für John und Tony?«

»Wie bitte?«, fragte sie scharf.

Es freute ihn, dass er sie so aus der Fassung gebracht hatte.

»In der Kanzlei, meine ich. Als Sekretärin?«

»Ach so – oh nein. Ich arbeite für Tony und Cyprian. Ich bin nur für die Seniorpartner zuständig.«

»Ach so. Wie kam ich nur darauf, dass Sie auch für John zuständig wären?«

»Ich arbeite auf einer ganz anderen Geschäftsebene«, erklärte Alison. »Für John ist das Zentralsekretariat zuständig. In der Kanzlei haben wir nichts miteinander zu tun.«

»Ihre Romanze erblühte also über alle Sekretariatszuständigkeiten und Stockwerke hinweg?«

Sie erwiderte seine scherzhafte Bemerkung mit verächtlichem Schweigen. Offenbar empfand sie Strikes bloße Gegenwart als beleidigend und war der Auffassung, dass er bestenfalls das absolute Mindestmaß an Höflichkeit verdient hatte.

Der Mitarbeiter des Obdachlosenheims stand allein in der Ecke, bediente sich an den Sandwiches und schlug sichtlich die Zeit tot, bis er sich mit Anstand verabschieden konnte. Robin kehrte von der Damentoilette zurück und wurde sofort von Bristow abgefangen, der verzweifelt jemanden suchte, der ihn von Tante Winifred befreite.

»Und wie lange sind Sie schon mit John zusammen?«, fragte Strike.

»Ein paar Monate.«

»Sie waren schon vor Lulas Tod ein Paar, nicht wahr?«

»Er hat mich nicht lang danach gefragt, ob ich mit ihm ausgehen wollte«, korrigierte sie ihn.

»Damals ging es ihm bestimmt sehr schlecht, nicht wahr?«

»Er war ein Wrack.« Es klang nicht mitfühlend, sondern eher herablassend.

»Hatte er schon länger mit Ihnen geflirtet?«

Strike erwartete nicht, dass sie ihm darauf antworten würde; aber er täuschte sich. Obwohl sie sich alle Mühe gab, es sich nicht anmerken zu lassen, war ihrer Antwort anzuhören, wie stolz und zufrieden sie war.

»Er kam nach oben, um etwas mit Tony zu besprechen.

Tony war beschäftigt, und so wartete John in meinem Büro. Er erzählte mir von seiner Schwester, und die Gefühle überwältigten ihn. Ich gab ihm ein Taschentuch, und wenig später fragte er mich, ob ich mit ihm ausgehen würde.«

Obwohl sie für Bristow höchstens lauwarme Gefühle zu hegen schien, erfüllten seine Annäherungsversuche sie mit spürbarer Genugtuung; sie waren eine Art Trophäe. Strike fragte sich, ob Alison jemals zum Essen ausgeführt worden war, bevor der verzweifelte Bristow auftauchte. Damals waren zwei Menschen mit ungesunden Bedürfnissen aufeinandergetroffen: *Ich gab ihm ein Taschentuch, und er fragte mich, ob ich mit ihm ausgehen würde.*

Der Mann aus dem Obdachlosenheim knöpfte unauffällig seine Jacke zu. Als er Strikes Blick auffing, winkte er ihm kurz zum Abschied zu und verschwand dann, ohne mit jemandem ein Wort gewechselt zu haben.

»Und wie findet es der große Boss, dass seine Sekretärin mit seinem Neffen ausgeht?«

»Mein Privatleben geht Tony nichts an«, sagte sie.

»Auch wieder wahr«, sagte Strike. »Außerdem kann ausgerechnet er schlecht etwas dagegen sagen, wenn jemand das Geschäftliche mit dem Vergnügen verbindet, oder? Wo er doch selbst mit Cyprian Mays Frau schläft.«

Im ersten Moment ließ Alison sich von seinem ungezwungenen Tonfall täuschen und klappte den Mund auf, um ihm zu antworten; dann wurde ihr bewusst, was er da gesagt hatte, und ihre Selbstsicherheit zersplitterte.

»Das ist nicht wahr!« Ihr Gesicht brannte. »Wer hat das behauptet? Das ist gelogen. Das ist *erstunken und erlogen*. Das stimmt nicht. Auf keinen Fall.«

Hinter ihren trotzigen Protesten hörte er ein verängstigtes Kind.

»Wirklich? Warum hat Cyprian May Sie dann am siebten Januar nach Oxford geschickt, um Tony dort aufzuspüren?«

»Das … Da wollte er nur … Er hatte vergessen, dass Tony noch ein paar Dokumente unterzeichnen musste, mehr nicht.«

»Und er konnte kein Fax und keinen Kurier schicken, weil …«

»Es waren streng vertrauliche Dokumente.«

»Alison.« Strike sah mit Vergnügen, wie nervös sie geworden war. »Wir wissen beide, dass das völliger Quatsch ist. Cyprian war überzeugt, dass Tony sich verdrückt hatte, um sich irgendwo heimlich mit Ursula zu treffen, nicht wahr?«

»Das war er nicht! Das hat er nicht!«

An der Bar fuchtelte Tante Winifred windmühlengleich mit den Armen vor Bristow und Robin herum, die sie beide mit einem starren Lächeln ansahen.

»Und Sie haben ihn in Oxford angetroffen?«

»Nein, weil …«

»Um welche Uhrzeit sind Sie dort angekommen?«

»Gegen elf, aber da war er …«

»Cyprian hat Sie sofort losgeschickt, als Sie morgens in die Kanzlei kamen, stimmt's?«

»Die Dokumente mussten sofort unterzeichnet werden.«

»Aber Tony war weder in seinem Hotel noch im Konferenzzentrum?«

»Ich habe ihn verpasst«, beteuerte sie gleichermaßen wütend und verzweifelt, »weil er nach London zurückgefahren war, um Lady Bristow zu besuchen.«

»Ach ja«, sagte Strike. »Richtig. Ziemlich merkwürdig, weder Ihnen noch Cyprian Bescheid zu geben, dass er noch mal nach London fahren wollte, nicht wahr?«

»Nein.« Sie bemühte sich heldenhaft, wieder die Oberhand

zu gewinnen. »Man konnte ihn ja erreichen. Er hatte immer noch sein Handy an. Er brauchte nicht Bescheid zu sagen.«

»Haben Sie ihn denn auf dem Handy angerufen?«

Sie schwieg.

»Haben Sie angerufen, und er hat den Anruf nicht entgegengenommen?«

Sie nippte an ihrem Port und köchelte stumm vor sich hin.

»Mal ganz ehrlich, es würde auch die Stimmung versauen, wenn man einen Anruf von seiner Sekretärin entgegennimmt, während man gerade so richtig bei der Sache ist.«

Er nahm an, dass ihr das missfallen würde, und wurde nicht enttäuscht.

»Sie sind abscheulich! Wirklich abscheulich!« Ihre Stimme war belegt, und auf ihren Wangen leuchtete das dumpfe Dunkelrot der Prüderie, die sie mit ihrer überheblichen Art zu kaschieren versuchte.

»Leben Sie allein?«, fragte er sie.

»Was tut das denn nun wieder zur Sache?«, fragte sie, völlig aus dem Gleichgewicht gebracht.

»Ich habe mich nur gefragt... Sie fanden es also nicht merkwürdig, dass Tony sich über Nacht in einem Hotel in Oxford einmietete, am nächsten Morgen nach London zurückkehrte und dann erneut nach Oxford fuhr, um rechtzeitig aus seinem Hotel auszuchecken?«

»Er fuhr wieder nach Oxford, weil er nachmittags an der Konferenz teilnehmen wollte.«

»Ach, wirklich? Waren Sie dort und haben ihn angetroffen?«

»Er war dort«, sagte sie ausweichend.

»Und das können Sie belegen, nicht wahr?«

Sie schwieg störrisch.

»Sagen Sie«, setzte Strike nach, »wäre es Ihnen lieber, wenn

Tony den ganzen Tag mit Ursula May im Bett verbracht oder aber wenn er eine Auseinandersetzung mit seiner Nichte gehabt hätte?«

An der Bar rückte Tante Winifred ihren Strickhut gerade und zurrte ihren Gürtel fest. Anscheinend machte sie sich abmarschbereit.

Alison rang sekundenlang mit sich, dann erklärte sie mit einem leisen Zischen, als würde sich etwas lang Unterdrücktes Luft machen: »Die beiden haben nichts miteinander. Ich *weiß*, dass sie nichts miteinander haben. Ursula ist einzig und allein auf Geld aus; alles andere interessiert sie nicht, und Tony besitzt weniger als Cyprian. Ursula würde Tony nicht wollen. Ganz bestimmt nicht.«

»Man kann nie wissen. Vielleicht hat ja die Leidenschaft über ihre Geldgier gesiegt«, sagte Strike, ohne den Blick von Alison zu nehmen. »So was soll vorkommen. Ich als Mann kann das schwer beurteilen, aber Tony sieht doch nicht schlecht aus, oder?«

Er sah ihren rohen Schmerz und ihre nackte Wut, als sie mit erstickter Stimme erwiderte: »Tony hat recht. Sie nutzen John nur aus. Sie wollen so viel wie möglich aus der Sache herausschlagen. John ist schier unzurechnungsfähig – Lula ist *gesprungen.* Sie ist *gesprungen.* Sie war schon immer labil. John ist wie seine Mutter, er ist hysterisch, er bildet sich alles Mögliche ein. Lula nahm Drogen, sie war so ein Mensch, völlig unbeherrscht, immerzu machte sie Ärger, Hauptsache, sie stand im Mittelpunkt. Sie war absolut verzogen. Verschwenderisch. Sie hätte alles haben können, sie hätte jeden haben können, aber nichts war ihr gut genug!«

»Ich wusste gar nicht, dass Sie Lula persönlich kannten.«

»Ich … Tony hat mir von ihr erzählt.«

»Er konnte sie absolut nicht leiden, was?«

»Er sah sie so, wie sie wirklich war. Sie war verdorben. Manche Frauen«, sagte sie, und ihre Brüste hoben und senkten sich dabei unter dem formlosen Regenmantel, »sind eben so.«

Eine kalte Brise schnitt durch die muffige Luft, als die Tür hinter Rochelles Tante zuschwang. Bristow und Robin blieben starr lächelnd stehen, bis sich die Tür ganz geschlossen hatte, dann tauschten sie einen erleichterten Blick aus.

Der Barkeeper war verschwunden. Inzwischen standen sie nur noch zu viert in dem kleinen Raum. Erst jetzt bemerkte Strike die Ballade aus den Achtzigern, die im Hintergrund spielte: »The Power of Love« von Jennifer Rush.

Bristow und Robin kamen an ihren Tisch.

»Ich dachte, Sie wollten mit Rochelles Tante sprechen?«, fragte Bristow. Er sah angeschlagen aus, als hätte er sich völlig umsonst einem Martyrium unterzogen.

»Nicht so dringend, dass ich ihr jetzt nachlaufen müsste«, erwiderte Strike gut gelaunt. »Erzählen Sie mir einfach, was sie Ihnen erzählt hat.«

Strike sah Robin und Bristow an, dass alle beide sein freundliches Desinteresse befremdlich fanden. Alison wühlte währenddessen mit gesenktem Kopf in ihrer Handtasche.

Es hatte aufgehört zu regnen, die Gehwege waren rutschig, und der Himmel war düster wie vor einem weiteren Platzregen. Während die beiden Frauen schweigend vorausgingen, gab Bristow dem Privatdetektiv gewissenhaft alles wieder, was ihm von der Unterhaltung mit Tante Winifred im Gedächtnis geblieben war. Strike hörte ihm allerdings nur mit halbem Ohr zu. Sein Blick lag auf den Rücken der beiden Frauen, beide ganz in Schwarz – und damit, für den unaufmerksamen Beobachter, beinahe identisch, austauschbar. Er dachte an die Skulpturen am Queen's Gate, die ganz und gar nicht identisch waren, obwohl ein träges Auge es so wahrnehmen würde; eine männlich, eine weiblich, zwar der gleichen Gattung angehörend, aber doch grundverschieden.

Als Strike sah, wie Robin und Alison neben einem BMW stehen blieben, der vermutlich Bristow gehörte, wurde auch er langsamer und schnitt dessen fortdauerndes Rezitativ über Rochelles turbulente Beziehungen zu ihren Verwandten abrupt ab.

»John, ich muss Sie noch etwas fragen.«

»Schießen Sie los.«

»Sie sagen, Sie hätten gehört, wie Ihr Onkel am Morgen vor Lulas Tod in die Wohnung Ihrer Mutter kam?«

»Ja, das stimmt.«

»Sind Sie sich hundertprozentig sicher, dass der Mann, den Sie gehört haben, Tony war?«

»Ja, natürlich.«

»Aber Sie haben ihn nicht gesehen, oder?«

»Ich …« Bristows Hasengesicht sah ihn verdattert an. »Nein, ich … Ich glaube nicht, dass ich ihn tatsächlich zu sehen bekam. Aber ich habe gehört, wie er die Haustür aufschloss. Und ich hörte seine Stimme aus dem Flur.«

»Wäre es möglich, dass Sie, weil Sie Tony erwartet hatten, einfach *angenommen* haben, dass es Tony wäre?«

Wieder blieb er kurz still.

Als er antwortete, hatte sich seine Stimme verändert. »Wollen Sie damit sagen, dass Tony gar nicht dort war?«

»Ich will vor allem wissen, wie sicher Sie sich sind, dass er dort war.«

»Ich … Also, bis zu diesem Augenblick war ich mir absolut sicher. Außer ihm hat niemand einen Schlüssel zur Wohnung meiner Mutter. Es hätte niemand anders sein können.«

»Sie haben also gehört, wie jemand die Haustür aufschloss. Und Sie hörten einen Mann reden. Sprach er mit Ihrer Mutter oder mit Lula?«

»Ähem …« Bristows riesige Schneidezähne schienen noch weiter vorzuragen, während er über Strikes Frage nachsann. »Ich hörte ihn hereinkommen. Ich glaube, ich hörte, wie er etwas zu Lula sagte …«

»Hörten Sie auch, wie er wieder ging?«

»Ja. Ich hörte ihn den Flur entlanggehen. Und wie die Tür ins Schloss fiel.«

»Erwähnte Lula, dass Tony da gewesen war, als sie sich von Ihnen verabschiedete?«

Wieder blieb es still. Bristow hob die Hand über den Mund und überlegte.

»Ich … Sie umarmte mich nur, sonst nichts … Ja, ich glaube, sie sagte etwas davon, dass sie mit Tony gesprochen hätte. Oder? Bin ich einfach davon ausgegangen, dass sie mit ihm gesprochen hatte, weil ich dachte … Aber wenn es nicht mein Onkel war, wer war es dann?«

Strike wartete ab. Bristow starrte nachdenklich auf den Gehweg. »Aber er *muss* es gewesen sein. Immerhin hat Lula mit dem Besucher gesprochen und sein Kommen nicht für erwähnenswert gehalten, darum kann es doch nur Tony gewesen sein, oder? Wer sonst hätte noch einen Schlüssel gehabt?«

»Wie viele Schlüssel gibt es insgesamt?«

»Vier. Drei Ersatzschlüssel.«

»Das sind aber viele.«

»Na ja, Lula, Tony und ich hatten jeweils einen. Mum wollte, dass wir uns selbst in die Wohnung einlassen können, vor allem nachdem sie erkrankt war.«

»Und alle Schlüssel sind noch dort, wo sie hingehören?«

»Ja … Also, ich glaube es zumindest. Lulas Schlüssel kam wahrscheinlich mit ihren anderen Sachen zu meiner Mutter zurück. Tony hat seinen noch, ich habe meinen, und der von meiner Mutter … Ich nehme an, dass der irgendwo in ihrer Wohnung liegt.«

»Sie wissen also nichts davon, dass irgendwelche Schlüssel verloren gegangen wären?«

»Nein.«

»Und es hat auch keiner von Ihnen je seinen Schlüssel verliehen?«

»Mein Gott, warum sollten wir das tun?«

»Mir gehen diese Fotos nicht aus dem Kopf, die von Lulas Laptop gelöscht wurden, während er in der Wohnung Ihrer Mutter stand. Falls irgendwo noch ein Schlüssel herumschwirrt …«

»Das ist unmöglich«, sagte Bristow. »Das ist … ich … Wieso behaupten Sie, dass Tony nicht dort war? Er muss dort gewesen sein. Er hat doch selbst erklärt, dass er mich durch die offene Tür gesehen hat.«

»Sie sind auf dem Weg von Lulas Wohnung zu Ihrer Mutter kurz in der Kanzlei gewesen, richtig?«

»Ja.«

»Um ein paar Akten zu holen?«

»Genau. Ich ging nur kurz in mein Büro und schnappte sie mir. Ich war gleich wieder draußen.«

»Also waren Sie wann genau bei Ihrer Mutter?«

»Da kann es nicht später als zehn Uhr gewesen sein.«

»Und der Besucher, wann traf der ein?«

»Vielleicht … Vielleicht eine halbe Stunde später? Ich kann mich wirklich nicht mehr genau daran erinnern. Ich habe nicht auf die Uhr gesehen. Aber wieso sollte Tony behaupten, er wäre dort gewesen, wenn er es gar nicht war?«

»Nun, wenn er gewusst hatte, dass Sie in der Wohnung Ihrer Mutter arbeiten wollten, könnte er leicht behaupten, dass er sie besucht hätte und Sie dabei nicht stören wollte, sondern einfach den Flur hinuntergegangen sei, um mit Ihrer Mutter zu sprechen. Ich nehme an, sie hat der Polizei gegenüber seine Anwesenheit bestätigt?«

»Ich denke doch. Ja, ich glaube schon.«

»Aber sicher sind Sie sich nicht?«

»Ich glaube nicht, dass wir je darüber gesprochen haben. Mutter war noch benommen und hatte starke Schmerzen; sie hat den größten Teil des Tages verschlafen. Und am nächsten Morgen erfuhren wir das von Lula …«

»Aber Sie fanden es nicht befremdlich, dass Tony nicht ins Arbeitszimmer kam, um mit Ihnen zu sprechen?«

»Überhaupt nicht«, sagte Bristow. »Er war miserabel gelaunt, weil ihm die Geschichte mit Conway Oates auf den Magen geschlagen war. Es hätte mich wirklich sehr überrascht, wenn er zum Plaudern aufgelegt gewesen wäre.«

»John, ich will Ihnen keine Angst einjagen, aber ich glaube, dass Sie und auch Ihre Mutter in Gefahr sein könnten.«

Bristows kurzes, meckerndes Lachen klang dünn und wenig überzeugend. Strike sah, wie Alison in einiger Entfernung vor ihnen mit verschränkten Armen zu ihnen herüberschaute, ohne Robin eines Blickes zu würdigen.

»Das … Das meinen Sie doch nicht ernst, oder?«, fragte Bristow.

»Todernst.«

»Aber … Wer … Cormoran, wollen Sie damit sagen, dass Sie wissen, wer Lula umgebracht hat?«

»Ja, ich glaube schon – aber bevor ich alles in trockenen Tüchern habe, muss ich noch einmal mit Ihrer Mutter sprechen.«

Bristow sah aus, als wünschte er sich, er könnte in Strikes Geist eintauchen. Halb ängstlich, halb flehentlich huschte sein kurzsichtiger Blick über Strikes Gesicht.

»Ich muss aber dabei sein«, sagte er. »Sie ist sehr schwach.«

»Natürlich. Wie wäre es mit morgen Vormittag?«

»Tony wird toben, wenn ich schon wieder während der Arbeitszeit verschwinde.«

Strike wartete ab.

»Na schön«, sagte Bristow. »Na schön. Morgen Vormittag. Um halb elf?«

14

Der nächste Morgen war frisch und klar. Strike fuhr mit der U-Bahn ins vornehme grüne Chelsea. Diesen Teil Londons kannte er kaum, denn Leda hatte es nicht einmal in ihren verschwendungssüchtigsten Lebensphasen vermocht, in der Umgebung des Royal Chelsea Hospital, das sich blass und huldreich in der Frühlingssonne erhob, Fuß zu fassen.

Die Franklin Row war eine charmante platanengesäumte Straße mit Backsteinhäusern und einer von einem Geländer eingefassten Rasenfläche, auf der Grundschulkinder unter den Augen mehrerer Lehrer in Trainingsanzügen Spiele spielten. Ihre fröhlichen Rufe durchbrachen die gediegene Stille, die ansonsten nur von leisem Vogelgezwitscher gestört wurde; nicht ein einziger Wagen fuhr vorüber, während Strike, die Hände in den Hosentaschen, den Bürgersteig zu Lady Bristows Haus entlangschlenderte.

Neben der teilweise verglasten Tür am oberen Ende der vier weißen Steinstufen war ein altmodisches Bakelitelement mit mehreren Klingeln in die Wand eingelassen. Strike überzeugte sich, dass Lady Bristows Name deutlich neben Wohnung E verzeichnet war, kehrte dann auf den Bürgersteig zurück und blieb in der angenehmen Wärme stehen, um die Straße im Auge zu behalten.

Es wurde zehn Uhr dreißig, doch von John Bristow war nichts zu sehen. Der Platz blieb verlassen – bis auf die zwanzig kleinen Kinder, die jenseits der Raseneinfassung zwischen Reifen und bunten Kegeln hin und her rannten.

Um Viertel vor elf vibrierte Strikes Handy in der Hosentasche. Die SMS kam von Robin:

Alison hat eben angerufen. JB wurde aufgehalten. Er will nicht, dass Sie ohne ihn mit seiner Mutter sprechen.

Strike schickte augenblicklich eine SMS an Bristow:

Wie lange werden Sie aufgehalten? Können wir das später nachholen?

Kaum hatte er die Nachricht abgeschickt, da läutete sein Handy. »Ja, hallo?«, meldete sich Strike.

»Oggy?«, hörte er Graham Hardacres blecherne Stimme, die aus Deutschland an sein Ohr drang. »Ich hab das Material über Agyeman.«

»Dein Timing ist gespenstisch gut.« Strike holte sein Notizbuch heraus. »Schieß los!«

»Er heißt Jonah Francis Agyeman und ist Lieutenant bei den Royal Engineers. Einundzwanzig, unverheiratet, sein gegenwärtiger Kampfeinsatz begann am elften Januar. Im Juni kommt er zurück. Nächste Verwandte: seine Mutter. Keine Geschwister, keine Kinder.«

Das Handy zwischen Kinn und Schulter geklemmt, kritzelte Strike die Angaben in sein Notizbuch. »Ich bin dir was schuldig, Hardy«, sagte er, während er das Notizbuch wieder einsteckte. »Ein Bild hast du nicht zufällig, oder?«

»Ich könnte dir eins mailen.«

Strike diktierte Hardacre die E-Mail-Adresse der Detektei, dann beendeten sie nach ein paar knappen Erkundigungen über das jeweilige Wohlergehen sowie wechselseitigen besten Wünschen das Gespräch.

Es war fünf vor elf. Mit dem Handy in der Hand stand Strike noch immer auf dem friedlichen grünen Platz, über dem ein winziges silbernes Flugzeug eine dicke weiße Spur durch den hellblauen Himmel zog. Endlich erreichte ihn mit einem kurzen, in der stillen Straße deutlich hörbaren Zirpen die SMS mit Bristows Antwort:

Heute geht es nicht. Musste nach Rye. Vielleicht morgen?

Strike seufzte. »Tut mir leid, John«, murmelte er, stieg die Stufen hinauf und drückte Lady Bristows Klingel.

Die Eingangshalle mochte noch so still, geräumig und sonnendurchflutet sein, sie strahlte dennoch das leicht deprimierende Flair von gemeinschaftlichem Eigentum aus, das weder die eimerförmige Vase mit Trockenblumen übertünchen konnte noch die Kombination von dunkelgrünem Teppichboden und blassgelben Wänden, die man wahrscheinlich ihrer Unaufdringlichkeit wegen gewählt hatte. Genau wie in den Kentigern Gardens gab es hier einen Aufzug, diesmal allerdings mit Holztüren. Strike entschied sich für die Treppe. Das Gebäude hatte etwas leicht Heruntergekommenes an sich, was jedoch nichts an der dezenten Aura von Reichtum änderte, die es verströmte.

Die Tür zur obersten Wohnung wurde von einer lächelnden karibischen Pflegedienstschwester geöffnet, die ihn auch schon ins Haus gelassen hatte.

»Sie sind nicht Mr. Bristow«, stellte sie fröhlich fest.

»Nein, ich bin Cormoran Strike. John ist unterwegs.«

Sie ließ ihn herein. Lady Bristows Flur war angenehm unaufgeräumt, in verblichenem Rot tapeziert und mit zahllosen Aquarellen in alten vergoldeten Rahmen dekoriert; in einem Schirmständer drängten sich die Gehstöcke, und an den Kleiderhaken hingen mehrere Mäntel. Zu seiner Rechten konnte Strike am Ende des Flurs einen schmalen Ausschnitt des Arbeitszimmers ausmachen: einen schweren Holzschreibtisch und einen Drehstuhl, der mit dem Rücken zur Tür stand.

»Würden Sie bitte im Wohnzimmer warten, während ich nachsehe, ob Lady Bristow Sie empfangen kann?«

»Natürlich.«

Er trat durch die Tür, die sie ihm gewiesen hatte, in einen gemütlichen, schlüsselblumengelb tapezierten Raum mit mehreren Bücherregalen, in denen gerahmte Fotos aufgestellt waren. Auf einem Couchtisch neben dem bequemen Chintzsofa stand ein altmodisches Wählscheibentelefon. Strike überzeugte sich schnell davon, dass die Pflegerin außer Sichtweite war, hob dann den Hörer ab und setzte ihn leicht schief wieder auf die Gabel.

Neben dem Erkerfenster thronte auf einem *Bonheur du jour* ein großes, in Silber gerahmtes Hochzeitsfoto von Sir und Lady Alec Bristow. Der Bräutigam, ein rundlicher, strahlender bärtiger Mann, sah deutlich älter aus als seine Gemahlin; die Braut war dünn, blond und auf unauffällige Weise hübsch. Strike positionierte sich mit dem Rücken zur Tür, tat so, als würde er das Foto bewundern, und zog die kleine Schublade des zierlichen Kirschholztischchens auf. Darin lag ein Vorrat an elegantem hellblauem Briefpapier mit passenden Umschlägen. Er schob die Schublade leise wieder zu.

»Mr. Strike? Sie können jetzt zu ihr.«

Er trat zurück in den rot tapezierten Flur und von dort aus in ein großes Schlafzimmer, das hauptsächlich in gedecktem Hellblau und Weiß gehalten war und insgesamt einen eleganten, geschmackvollen Eindruck vermittelte. Linker Hand führten zwei angelehnte Türen in ein kleines Bad sowie in einen weiteren, größeren Raum, der offenbar als Ankleidezimmer diente. Die Möbel waren grazil und im französischen Stil gehalten; die Requisiten einer schweren Krankheit – ein Infusionsbeutel an einer Metallstange, eine sauber glänzende Bettpfanne auf der Kommode, ein Sortiment an Medikamenten – wirkten wie brutale Eindringlinge.

Die sterbende Frau trug eine dicke elfenbeinweiße Bettjacke und lagerte, zwergenhaft in ihrem ausladenden, mit Schnitzereien verzierten Bett, auf Bergen von weißen Kissen. Nichts war von Lady Bristows jugendlicher Schönheit geblieben. Inzwischen zeichneten sich die Knochen unter der dünnen, glänzenden, schuppigen Gesichtshaut ab. Die Augen waren eingesunken und von einem matten Film überzogen, und ihr flaumiges, babyfeines graues Haar ließ rosafarbene Kopfhaut durchscheinen. Die ausgezehrten Arme lagen schlaff auf der Decke, unter der ein Katheterschlauch heraushing. Der Tod war deutlich zu spüren, so als stünde er geduldig und höflich wartend hinter dem Vorhang.

Ein leichter Limettenblütenduft lag in der Luft, überdeckte aber nur notdürftig den Geruch von Desinfektionsmitteln und körperlichem Verfall; Gerüche, die Strike unwillkürlich in das Krankenhaus zurückversetzten, in dem er selbst monatelang hilflos gelegen hatte. Ein weiteres großes Erkerfenster war einen Spalt weit nach oben geschoben worden, damit die warme, frische Luft und die entfernten Rufe der Sport treibenden Kinder ins Zimmer dringen konnten. Der Blick ging direkt auf die Wipfel der belaubten, sonnenbeschienenen Platanen.

»Sind Sie der Privatdetektiv?«

Ihre Stimme war dünn und brüchig; die Worte klangen leicht zittrig. Strike hatte sich insgeheim bereits gefragt, ob Bristow sie über seinen Beruf aufgeklärt hatte, und war froh, dass sie Bescheid wusste.

»Ja, mein Name ist Cormoran Strike.«

»Wo ist John?«

»Er wurde in der Kanzlei aufgehalten.«

»Schon wieder«, murmelte sie und dann: »Tony spannt ihn zu sehr ein. Das ist nicht in Ordnung.« Sie versuchte, Strike mit trüben Augen zu fixieren, und deutete dann mit einem schwach erhobenen Finger auf einen kleinen lackierten Stuhl. »Setzen Sie sich doch.«

Ihre blasse Iris war von kalkigen weißen Linien umgeben. Während Strike sich setzte, fiel sein Blick auf den Nachttisch, auf dem zwei weitere silbern gerahmte Fotos standen. So etwas wie ein elektrischer Schlag durchzuckte ihn, als er unversehens in die Augen eines pausbäckigen zehnjährigen Charlie Bristow mit kurzem Pony und langen Nackenhaaren blickte: bis in alle Ewigkeit in den Achtzigerjahren gefangen und in ein Schulhemd mit langem, spitz zulaufendem Kragen und riesigem Krawattenknoten gezwängt. Er sah genauso aus wie damals, als er sich winkend von seinem besten Freund Cormoran Strike in die Osterferien verabschiedet hatte.

Neben Charlies Bild stand ein kleineres, auf dem ein hübsches, zierliches Mädchen mit langen schwarzen Ringellocken und großen braunen Augen in einer dunkelblauen Schuluniform zu sehen war: Lula Landry, höchstens sechs Jahre alt.

»Mary«, sagte Lady Bristow, ohne die Stimme zu erheben, und die Pflegerin eilte an ihre Seite. »Könnten Sie Mr. Strike etwas zu trinken bringen … einen Kaffee vielleicht? Oder Tee?«, fragte sie ihn, und er fühlte sich um zweieinhalb Jahrzehnte zurückversetzt in Charlie Bristows sonnigen Garten zu der eleganten blonden Mutter und der eiskalten Limonade.

»Ein Kaffee wäre schön, vielen Dank.«

»Bitte verzeihen Sie mir, dass ich ihn nicht selbst mache«, sagte Lady Bristow, nachdem die Pflegerin mit schweren Schritten aus dem Zimmer gegangen war, »aber wie Sie sehen können, bin ich mittlerweile völlig auf die Freundlichkeit von Fremden angewiesen. Genau wie die arme Blanche Dubois.«

Sie schloss kurz die Augen, wie um sich besser auf einen inneren Schmerz konzentrieren zu können. Er fragte sich, wie stark ihre Medikamente waren. Unter ihren tadellosen Manieren erahnte er eine kaum wahrnehmbare Verbitterung, so wie der Limettenblütenduft auch nicht vollends den Verwesungsgeruch überdecken konnte, und das stimmte ihn nachdenklich, denn immerhin verbrachte Bristow einen Großteil seiner freien Zeit damit, ihr aufzuwarten.

»Warum ist John nicht hier?«, fragte Lady Bristow mit geschlossenen Augen.

»Er wurde in der Kanzlei aufgehalten«, wiederholte Strike.

»Ach ja, richtig, das hatten Sie bereits gesagt.«

»Lady Bristow, ich würde Ihnen gern ein paar Fragen stellen, und ich möchte mich schon vorab entschuldigen, falls sie Ihnen zu persönlich vorkommen oder zu aufwühlend sein sollten.«

»Wenn Sie das durchgemacht haben, was ich durchgemacht habe«, sagte sie leise, »dann kann Sie kaum noch etwas erschüttern. Fragen Sie nur.«

»Danke. Würde es Sie stören, wenn ich mir Notizen mache?«

»Nein, überhaupt nicht«, sagte sie und sah nur mäßig interessiert zu, wie er seinen Stift und das Notizbuch herausholte.

»Wenn es Ihnen nichts ausmacht, würde ich mich zuerst gern darüber unterhalten, wie Lula in Ihre Familie kam. Wussten Sie irgendetwas über ihren familiären Hintergrund, als Sie Lula adoptierten?«

Wie sie mit ihren kraftlosen Armen auf der Decke dalag, erschien sie ihm wie das Sinnbild von Hilflosigkeit und Passivität.

»Nein«, sagte sie. »Ich wusste überhaupt nichts über sie. Vielleicht hat Alec etwas gewusst, aber falls dem so war, dann hat er mir nie davon erzählt.«

»Wie kommen Sie darauf, dass Ihr Mann etwas über Lula gewusst haben könnte?«

»Alec hat sich immer so gründlich wie nur möglich in alles eingearbeitet«, erklärte sie ihm mit einem schwachen, nostalgischen Lächeln. »Er war ein sehr erfolgreicher Geschäftsmann, müssen Sie wissen.«

»Aber er hat Ihnen nie etwas über Lulas leibliche Familie erzählt?«

»Oh nein, das hätte er keinesfalls getan.« Sie schien die bloße Vorstellung befremdlich zu finden. »Ich wollte immer, dass sie mein Kind ist, ganz allein meines, verstehen Sie? Falls Alec tatsächlich etwas wusste, hätte er mich beschützen wollen. Ich hätte die Vorstellung nicht ertragen, dass eines Tages jemand kommen und sie mir wegnehmen könnte. Ich hatte bereits Charlie verloren, und ich hatte mir so sehr eine Tochter gewünscht; der Gedanke, sie auch zu verlieren …«

Die Pflegerin kehrte mit einem Tablett zurück, auf dem zwei Tassen und ein Teller mit Schokoladenkeksen standen.

»Ein Kaffee«, verkündete sie gut gelaunt und stellte die Tasse in Strikes Reichweite auf den Nachttisch, »und ein Kamillentee.« Dann ging sie wieder.

Lady Bristow schloss die Augen. Strike nahm einen großen Schluck Kaffee.

»In dem Jahr, bevor sie starb, begann Lula, nach ihren leiblichen Eltern zu suchen, nicht wahr?«

»Das ist richtig«, sagte Lady Bristow, ohne die Augen aufzuschlagen. »Kurz nachdem man bei mir den Krebs entdeckt hatte.«

In der eintretenden Stille stellte Strike seine Tasse mit einem leisen Klirren auf die Untertasse zurück. Durch das offene Fenster drang das fröhliche Geschrei der Kinder unten auf dem Platz zu ihnen herein.

»John und Tony waren ungeheuer wütend auf sie«, sagte Lady Bristow. »Sie fanden, sie hätte nicht anfangen dürfen, nach ihrer leiblichen Mutter zu suchen, während ich gerade so schwer erkrankt war. Der Krebs hatte schon gestreut, als man ihn entdeckte. Ich musste sofort mit der Chemotherapie beginnen. John hat sich damals sehr bemüht; er fuhr mich immerzu ins Krankenhaus und holte mich ab, und während der schlimmsten Phasen blieb er bei mir. Selbst Tony stand mir bei, doch Lula interessierte sich anscheinend nur ...« Sie schlug seufzend die trüben Augen auf und suchte nach Strikes Gesicht. »Tony war immer schon der Meinung, dass sie völlig verzogen wäre. Ich nehme an, dass das meine Schuld war. Aber ich hatte schon Charlie verloren, müssen Sie verstehen; also hätte ich einfach alles für sie getan.«

»Wissen Sie, wie viel Lula über ihre leiblichen Eltern in Erfahrung bringen konnte?«

»Nein, leider nicht. Ich glaube, sie ahnte, wie sehr mir das alles zu schaffen machte. Sie erzählte mir kaum etwas darüber. Ich weiß natürlich, dass sie ihre Mutter ausfindig gemacht hat, weil sie damit diesen entsetzlichen Presserummel auslöste. Lulas Mutter war genau so, wie Tony es prophezeit hatte. Sie hatte Lula nie gewollt. Eine grässliche, grässliche Frau«, flüsterte Lady Bristow. »Aber Lula besuchte sie trotzdem immer wieder. Während ich mich einer Chemotherapie unterziehen musste. Mir fielen die Haare aus ...«

Ihre Stimme versiegte. Strike kam sich, wie möglicherweise von ihr beabsichtigt, vor wie ein gefühlloser Klotz, als er dennoch weiterbohrte: »Was war mit ihrem leiblichen Vater? Hat sie Ihnen je erzählt, ob sie auch etwas über ihn herausgefunden hatte?«

»Nein«, antwortete Lady Bristow matt. »Aber ich habe sie auch nie gefragt. Ich hatte den Eindruck, dass sie die ganze Sache aufgegeben hatte, nachdem sie diese grauenhafte Mutter ausfindig gemacht hatte. Ich wollte nicht mit ihr darüber reden, ich wollte nichts davon wissen. Das hätte mich viel zu sehr angestrengt. Ich glaube, das wusste sie.«

»Bei ihrem letzten Besuch hat sie Ihnen also nicht von ihrem leiblichen Vater erzählt?«, hakte Strike nach.

»Oh nein«, antwortete sie leise. »Nein. Sie war nicht lange hier. Direkt nachdem sie angekommen war, erklärte sie mir, sie könne nicht lange bleiben, das weiß ich noch genau. Sie wollte sich mit ihrer Freundin Ciara Porter treffen.«

Das Empfinden, schlecht behandelt worden zu sein, waberte langsam auf ihn zu, genau wie der Bettlägerigengeruch, den sie absonderte: ein bisschen moderig, ein bisschen überreif. Irgendetwas an ihr erinnerte ihn an Rochelle; obwohl die beiden so verschieden waren, wie es zwei Frauen nur sein konnten, strahlten beide die Missgunst all jener aus, die sich benachteiligt und vernachlässigt fühlten.

»Können Sie mir sagen, worüber Sie und Lula an jenem Tag gesprochen haben?«

»Sie müssen wissen, ich stand damals unter starken Schmerzmitteln. Ich hatte gerade eine schwere Operation überstanden. Ich kann mich nicht mehr an alle Einzelheiten erinnern.«

»Aber Sie wissen noch, dass Lula Sie besuchen kam?«, fragte Strike.

»Oh ja«, sagte sie. »Sie weckte mich auf, ich hatte geschlafen.«

»Wissen Sie noch, worüber Sie sprachen?«

»Über meine Operation natürlich«, erwiderte sie beinahe spitz. »Und dann eine Weile über ihren großen Bruder.«

»Ihren großen …«

»Charlie«, erklärte Lady Bristow wehmütig. »Ich erzählte ihr von dem Tag, an dem er starb. Ich hatte noch nie mit ihr darüber gesprochen. Es war der schlimmste, der allerschlimmste Tag meines Lebens.«

Strike konnte sich gut vorstellen, wie sie, niedergestreckt und benebelt, aber nichtsdestotrotz voller Groll ihre Tochter gegen deren Willen an ihrem Bett festgehalten hatte, indem sie über ihre Schmerzen und ihren toten Sohn gesprochen hatte.

»Woher hätte ich wissen sollen, dass ich sie danach nie wiedersehen sollte?«, hauchte Lady Bristow. »Ich hatte doch keine Ahnung, dass ich wenig später zum zweiten Mal ein Kind verlieren würde.«

Ihre blutgeäderten Augen füllten sich mit Tränen. Sie blinzelte, und zwei dicke Tropfen liefen ihr über die eingefallenen Wangen.

»Könnten Sie bitte in dem Schubfach dort nachsehen«, flüsterte sie und zeigte dabei mit einem verwitterten Finger auf den Nachttisch, »und mir meine Tabletten reichen?«

Strike zog die Schublade auf und erblickte einen Stapel weißer Schachteln in verschiedenen Größen und mit verschiedenen Aufdrucken.

»Und welche …«

»Egal. Es ist überall das Gleiche drin«, sagte sie.

Er nahm eine Schachtel heraus; sie war klar und deutlich mit »Valium« beschriftet. Ihr Vorrat reichte leicht für eine zehnfache Überdosis.

»Wenn Sie mir ein paar davon aus der Folie drücken könnten?«, bat sie ihn. »Ich nehme sie mit etwas Tee, wenn er inzwischen abgekühlt ist …«

Er reichte ihr die Tasse und die Tabletten; ihre Hände zitterten; er musste die Untertasse festhalten und dabei unwillkürlich an einen Priester denken, der die heilige Kommunion verabreichte.

»Danke«, murmelte sie und sank, während er den Tee auf den Tisch zurückstellte, wieder in ihre Kissen, um ihn mit klagendem Blick anzusehen. »Hat John mir nicht erzählt, dass Sie Charlie gekannt haben?«

»Das stimmt«, sagte Strike. »Ich habe ihn nie vergessen.«

»Nein, natürlich nicht. Er war ein so liebenswertes Kind. Das haben immer alle gesagt. Der süßeste Junge, der mir je begegnet ist, der allersüßeste. Ich vermisse ihn jeden einzelnen Tag.«

Während vor dem Fenster die Kinder schrien und die Platanen rauschten, stellte Strike sich vor, wie das Zimmer wohl an einem Wintermorgen vor mehreren Monaten ausgesehen haben mochte, als die Bäume noch kahl in den Himmel geragt hatten und Lula Landry dort gesessen hatte, wo er jetzt saß, den Blick vielleicht auf das Bild des toten Charlie geheftet, während ihre benommene Mutter ihr die schreckliche Geschichte erzählt hatte.

»Ich hatte bis dahin nie wirklich mit Lula darüber gesprochen. Die Jungs waren mit den Rädern losgezogen. Wir hörten John schreien und dann Tony rufen, rufen …«

Strikes Stift hatte das Papier noch kein einziges Mal berührt. Er beobachtete das Gesicht der sterbenden Frau, während sie erzählte.

»Alec erlaubte mir nicht, ihn noch einmal zu sehen, ich durfte nicht einmal in die Nähe des Steinbruchs. Als er mir berichtete, was geschehen war, fiel ich in Ohnmacht. Ich dachte, ich müsste sterben. Ich wollte sterben. Ich konnte nicht verstehen, wie Gott so etwas zulassen konnte. Seither hat sich mir immer stärker der Gedanke aufgedrängt, dass ich es vielleicht nicht anders verdient habe«, sagte Lady Bristow gedankenverloren, den Blick an die Decke gerichtet. »Ich habe mich oft gefragt, ob ich nicht vielleicht bestraft werde. Weil ich sie zu sehr geliebt habe. Ich habe sie verwöhnt. Ich konnte einfach nicht Nein sagen. Weder bei Charlie noch bei Alec und Lula. Es muss doch eine Strafe sein; weil es ansonsten unaussprechlich grausam wäre, oder? Mich das wieder und wieder und wieder durchmachen zu lassen?«

Strike hatte keine Antwort darauf. Zugegeben, sie bot ein mitleiderregendes Bild, aber er merkte, dass er sie nicht annähernd so sehr bedauern konnte, wie sie es möglicherweise verdiente. In die unsichtbaren Roben ihres Martyriums gehüllt, lag sie sterbend vor ihm und präsentierte ihm ihre Hilflosigkeit und Passivität wie teures Geschmeide, und doch merkte er, dass er vor allem Abscheu empfand.

»Ich wollte Lula um jeden Preis haben«, fuhr Lady Bristow fort, »aber ich glaube nicht, dass sie je wirklich … Sie war ein so süßes kleines Ding! So wunderschön! Ich hätte alles für dieses Mädchen getan. Aber sie liebte mich nie so, wie Charlie und John mich liebten. Vielleicht war es damals schon zu spät. Vielleicht bekamen wir sie zu spät.

John war sehr eifersüchtig, als sie zu uns kam. Er war so unglücklich wegen Charlie … Trotzdem wurden sie enge Freunde. Die besten Freunde.«

Eine winzige Falte durchzog die papierdünne Haut auf ihrer Stirn.

»Und Tony lag falsch.«

»Inwiefern lag er falsch?«, fragte Strike leise.

Ihre Finger zuckten über die Decke. Sie schluckte. »Tony war der Meinung, wir hätten Lula nicht adoptieren dürfen.«

»Warum nicht?«, fragte Strike.

»Tony konnte keines meiner Kinder leiden«, antwortete Yvette Bristow. »Mein Bruder ist ein sehr harter Mann. Sehr kalt. Nach Charlies Tod sagte er schreckliche Dinge. Alec hat sich deswegen sogar mit ihm geprügelt. Weil es nicht wahr war. Was Tony sagte, war einfach nicht wahr.«

Ihr milchiger Blick glitt zu Strikes Gesicht hinüber, und er meinte, für einen kurzen Moment die Frau zu erkennen, die sie früher einmal gewesen war, als sie sich noch auf ihr Aussehen verlassen konnte: extrem anhänglich, ein bisschen kindisch, aufreizend unselbstständig, ein überfeminines Geschöpf, beschützt und verhätschelt von Sir Alec, der ihr jeden Wunsch von den Augen abzulesen versuchte.

»Was hat Tony damals gesagt?«

»Schreckliche Dinge über John und Charlie. Grässliche Dinge. Ich will sie«, verkündete sie schwach, »nicht wiederholen. Und als er dann hörte, dass wir ein kleines Mädchen adoptieren wollten, rief er Alec an und sagte ihm, wir sollten das bleiben lassen. Alec hat getobt«, flüsterte sie. »Er hat Tony nicht mehr ins Haus gelassen.«

»Haben Sie das auch Lula erzählt, als sie an jenem Tag zu Besuch war?«, fragte Strike. »Das mit Tony und was er gesagt hatte, nachdem Charlie gestorben war? Als Sie sie adoptierten?«

Sie schien einen Tadel aus seiner Frage herauszuhören.

»Ich weiß nicht mehr genau, was ich zu ihr gesagt habe. Ich hatte soeben eine schwere Operation überstanden. Ich war benommen von den vielen Medikamenten. Ich weiß nicht einmal mehr genau, was ich gerade eben gesagt habe ...« Und dann wechselte sie unvermittelt das Thema: »Dieser Junge erinnerte mich an Charlie. Lulas Freund. Dieser hübsche Bursche. Wie heißt er noch?«

»Evan Duffield.«

»Genau. Er kam mich vor Kurzem besuchen, müssen Sie wissen. Erst neulich. Ich weiß nicht mehr genau, wann … Ich verliere allmählich jedes Zeitgefühl. Inzwischen bekomme ich so viele Medikamente. Aber er kam mich besuchen. Das war wirklich reizend von ihm. Er wollte über Lula sprechen.«

Strike dachte an Bristows Behauptung, dass seine Mutter nicht gewusst habe, wer Duffield war, und fragte sich, ob Lady Bristow mit ihrem Sohn vielleicht ein Spielchen getrieben hatte, indem sie sich hilfloser gegeben hatte, als sie tatsächlich war, um seinen Beschützerinstinkt zu wecken.

»Charlie wäre bestimmt genauso hübsch geworden, wenn er nicht gestorben wäre. Vielleicht wäre er jetzt ein Sänger oder Schauspieler. Er führte für sein Leben gern Dinge auf, wissen Sie noch? Dieser Junge, dieser Evan, tat mir leid. Er hat mit mir zusammen geweint. Er erzählte mir, dass er gedacht hätte, sie würde sich mit einem anderen Mann treffen.«

»Mit welchem anderen Mann?«

»Diesem Sänger«, antwortete Lady Bristow nachdenklich. »Diesem Sänger, der Lieder über sie geschrieben hatte. Wenn man jung und schön ist, kann man sehr grausam sein. Er tat mir so leid. Er erzählte mir, dass er sich schuldig fühlte. Ich sagte ihm, er habe dazu keinen Grund.«

»Warum fühlte er sich denn schuldig?«

»Weil er ihr nicht in die Wohnung gefolgt war. Weil er nicht dort war, um zu verhindern, dass sie starb.«

»Könnten wir noch einmal kurz zurückgehen zu dem Tag, bevor Lula starb?«

Sie sah ihn vorwurfsvoll an.

»An mehr kann ich mich wirklich nicht erinnern, fürchte

ich. Ich habe Ihnen alles erzählt, was ich noch weiß. Ich war eben aus dem Krankenhaus entlassen worden. Ich war nicht ich selbst. Sie hatten mir so viele Schmerzmittel gegeben.«

»Das verstehe ich. Ich wollte nur wissen, ob Sie sich erinnern, dass Ihr Bruder Tony Sie an jenem Tag besucht hat.«

Es blieb kurz still, und Strike beobachtete, wie sich etwas in dem entkräfteten Gesicht verhärtete.

»Nein, ich kann mich nicht erinnern, dass Tony vorbeigekommen wäre«, antwortete Lady Bristow schließlich. »Ich weiß, dass er behauptet, er wäre hier gewesen, aber ich kann mich nicht entsinnen, dass er mich besucht hätte. Vielleicht habe ich da gerade geschlafen.«

»Er behauptet, er wäre hier gewesen, während Lula Sie besucht hat.«

Lady Bristow zuckte kaum sichtbar mit den zerbrechlichen Schultern. »Vielleicht war er ja hier, ich kann mich jedenfalls nicht daran erinnern.« Und dann, plötzlich kraftvoller: »Seit mein Bruder weiß, dass ich im Sterben liege, ist er sehr viel netter zu mir. Er besucht mich viel häufiger. Wobei er natürlich jedes Mal gegen John giftet. So wie immer schon. Aber John war ungeheuer gut zu mir. Als ich krank wurde, hat er Dinge für mich getan … Dinge, die kein Sohn sollte tun müssen. Eigentlich wäre es angemessener gewesen, wenn Lula … Aber sie war dazu viel zu verzogen. Ich habe sie geliebt, aber sie konnte mitunter egoistisch sein. Sehr egoistisch.«

»Noch einmal zu dem Tag, als Sie Lula das letzte Mal sahen …«, wiederholte Strike beharrlich, aber Lady Bristow schnitt ihm das Wort ab.

»Nachdem sie gegangen war, war ich vollkommen durcheinander«, sagte sie. »Wirklich durcheinander. Das passiert mir regelmäßig, wenn ich über Charlie rede. Bestimmt konnte sie sehen, wie aufgewühlt ich war, aber sie wollte sich trotzdem mit ihrer Freundin treffen. Ich musste wieder Tabletten nehmen, um einschlafen zu können. Nein, Tony habe ich an dem Tag nicht gesehen; mich kam überhaupt niemand mehr besuchen. Es mag ja sein, dass er behauptet, er sei hier gewesen, aber ich kann mich an nichts weiter erinnern – bis John mich mit dem Abendessen weckte. Er war wütend. Er schimpfte mit mir.«

»Warum das denn?«

»Er findet, dass ich zu viele Tabletten nehme«, beschwerte sich Lady Bristow schmollend wie ein kleines Mädchen. »Ich weiß, er will nur mein Bestes, der arme John, aber er begreift nicht … Er konnte nicht … Ich musste in meinem Leben so viel Leid ertragen. An jenem Abend saß er lange an meinem Bett. Wir sprachen über Charlie. Wir unterhielten uns bis in die frühen Morgenstunden. Und während wir uns unterhielten«, sie senkte die Stimme zu einem Flüstern, »während wir hier saßen und redeten, stürzte Lula … Währenddessen stürzte sie von ihrem Balkon.

Daher war es auch John, der mir am nächsten Morgen davon erzählen musste. Die Polizei hatte im Morgengrauen vor der Tür gestanden. Er kam in mein Zimmer, um es mir zu sagen, und …« Sie schluckte und schüttelte matt und wie halbtot den Kopf. »Darum ist der Krebs zurückgekehrt, das weiß ich genau. Ein Mensch kann nur ein gewisses Maß an Leid ertragen.«

Sie sprach immer undeutlicher. Noch während er überlegte, wie viel Valium sie wohl insgesamt genommen hatte, schloss sie schläfrig die Augen.

»Yvette, dürfte ich vielleicht Ihr Bad benützen?«, fragte er schnell.

Sie gestattete es ihm mit einem müden Nicken.

Strike stand auf und verschwand schnell und überraschend leise für einen Mann seiner Größe in ihrem Ankleidezimmer.

Der kleine Raum war von deckenhohen Mahagonitüren gesäumt. Strike öffnete die erste Tür und warf einen Blick auf die dicht mit Kleidern und Mänteln vollgehängten Kleiderstangen, auf die Regalfächer voller Taschen und Hüte. Ihm schlug der Geruch von alten Schuhen und Stoffen entgegen, der, obwohl die einzelnen Stücke ganz offenkundig teuer gewesen waren, an die Kleiderkammer einer Wohlfahrtsorganisation erinnerte. Heimlich öffnete und schloss er Tür um Tür, bis er beim vierten Anlauf auf einen Stapel brandneuer Handtaschen in unterschiedlichen Farben stieß, die jemand in das oberste Regalfach gequetscht hatte.

Er zog die blaue Tasche herunter, ein neu glänzendes Modell. Sah das GS-Logo und das seidene Innenfutter, das mit einem Reißverschluss befestigt war. Fuhr mit dem Finger darüber, tastete jeden Winkel ab und schob die Tasche anschließend ins Regal zurück.

Als Nächstes zog er die weiße Tasche heraus; hier war das Seidenfutter mit einem afrikanisch anmutenden Muster bedruckt. Wieder tastete er mit dem Finger das Innere ab. Dann zog er den Reißverschluss des Futters auf. Es löste sich, genau wie von Ciara beschrieben, als Halstuch mit metallgezacktem Rand, und darunter kam die raue Unterseite des weißen Leders zum Vorschein. Auf den ersten Blick war nichts weiter zu erkennen, doch dann entdeckte er einen schmalen hellblauen Streifen entlang der steifen stoffbezogenen Pappe, die der Tasche Stand gab. Er hob die Pappe an und sah darunter ein zusammengefaltetes hellblaues Stück Papier liegen, das in krakeliger Handschrift beschrieben war.

Strike stopfte das Innenfutter wieder in die Tasche, schob sie eilig an ihren Platz zurück und zog aus der Innentasche seines Jacketts eine Klarsichthülle, in die er das hellblaue Blatt Papier steckte, das er aufgefaltet, aber noch nicht gelesen hatte.

Er schloss die Mahagonitür und öffnete die nächste. Hinter der vorletzten Tür stieß er auf einen Safe, der mit einem digitalen Tastenfeld gesichert war.

Strike zog eine zweite Klarsichtfolie aus der Jacke, stülpte sie über die Hand und begann, eine Reihe von Tasten zu drücken, doch noch ehe er den ersten Testlauf absolviert hatte, hörte er draußen eine Bewegung. Hastig versenkte er die Klarsichthülle in seiner Hosentasche, drückte die Schranktür so leise wie möglich zu und kehrte ins Schlafzimmer zurück, wo sich die Pflegerin eben über Yvette Bristow beugte. Als sie ihn hörte, drehte sie sich um.

»Falsche Tür«, erklärte Strike. »Ich dachte, hier ginge es ins Bad.«

Er verschwand in dem kleinen angeschlossenen Badezimmer, schloss die Tür ab und las, bevor er um der Pflegerin willen die Toilettenspülung drückte und den Wasserhahn aufdrehte, Lula Landrys auf dem Briefpapier ihrer Mutter verfasstes und von Rochelle Onifade bezeugtes Testament.

Als er ins Zimmer zurückkehrte, hatte Yvette Bristow die Augen noch immer nicht wieder aufgeschlagen.

»Sie schläft«, erklärte ihm die Pflegerin. »Sie schläft fast nur noch.«

»Ja«, sagte Strike, während das Blut in seinen Ohren rauschte. »Bitte richten Sie ihr meine Grüße aus, wenn sie wieder aufwacht. Ich muss jetzt leider gehen.«

Gemeinsam schritten sie den gemütlichen Flur entlang.

»Lady Bristow scheint wirklich sehr krank zu sein«, sagte Strike.

»Oh ja, das ist sie«, sagte die Pflegerin. »Sie kann jeden Moment sterben. Es geht ihr ganz und gar nicht gut.«

»Ich glaube, ich habe im Wohnzimmer etwas liegen lassen«, erklärte Strike plötzlich und bog ab in das gelbe Zimmer, in dem er vorhin gewartet hatte, beugte sich dort über das Sofa, sodass die Pflegerin nur seinen Rücken sah, und setzte behutsam den Hörer auf die Gabel zurück.

»Ach ja, da ist es ja«, sagte er und tat so, als würde er etwas in seine Tasche stopfen. »Nun denn, vielen Dank für den Kaffee.«

Er hatte die Hand schon an der Klinke, als er sich noch einmal umdrehte.

»Ihre Valiumsucht hat sich also nicht gebessert?«, fragte er.

Die Pflegerin lächelte ihn nichtsahnend und milde an.

»Die ist so schlimm wie eh und je, aber inzwischen kann ihr das nicht mehr schaden. Ganz ehrlich«, sagte sie, »ich würde diesen Ärzten ja was erzählen! Nach den Daten auf den Schachteln zu urteilen, hat sie sich jahrelang von dreien gleichzeitig Rezepte ausstellen lassen.«

»Äußerst unprofessionell«, bestätigte Strike. »Noch einmal vielen Dank für den Kaffee. Auf Wiedersehen.«

Im nächsten Moment eilte er die Stufen hinab, das Handy schon in der Hand und so aufgeregt, dass er sich nicht auf seine Schritte konzentrierte und im letzten Stockwerk unter einem lauten Schmerzensschrei mit der Prothese von der Treppenstufe abrutschte. Sein Knie verdrehte sich, und er polterte schwer und ungebremst sechs weitere Stufen hinab, bevor er liegen blieb, mit atemberaubenden, feurigen Schmerzen in Knie und Stumpf, als wäre das Bein gerade erst abgetrennt worden, als wären die Narben noch nicht verheilt.

»Fuck. *Fuck!*«

»Alles in Ordnung?«, rief die Pflegerin von oben herunter und beugte sich über das Geländer, sodass ihr Gesicht auf dem Kopf zu stehen schien.

»Es geht schon … Nichts passiert!«, brüllte er hinauf. »Bin nur ausgerutscht. Keine Sorge. Fuck, fuck, *fuck*«, stöhnte er leise, während er sich am Treppengeländer hochzog und es nicht wagte, seine Prothese wieder voll zu belasten.

So schwer wie möglich auf das Geländer gestützt, humpelte er die letzten Stufen abwärts; halb hüpfend durchquerte er die Eingangshalle, um sich schließlich an die schwere Haustür zu klammern und sich auf die Stufen vor dem Haus zu hieven.

Die Schulkinder zogen eben in hell- und dunkelblauen Zweierreihen ab in Richtung Schule und Mittagspause. Strike lehnte sich mit dem Rücken gegen den warmen Backstein, verfluchte sich mit Inbrunst und versuchte abzuschätzen, welchen Schaden er soeben angerichtet hatte. Der Schmerz war kaum auszuhalten, und die ohnehin gereizte Haut fühlte sich an wie frisch aufgerissen; sie brannte unter dem Gelkissen, das sie eigentlich schützen sollte, und ihm graute vor der Vorstellung, zu Fuß zur U-Bahn zu gehen.

Er setzte sich auf die oberste Treppenstufe, bestellte per Handy ein Taxi und telefonierte danach erst mit Robin, dann mit Wardle und zuletzt mit der Kanzlei Landry, May, Patterson.

Als das schwarze Taxi um die Ecke bog und er sich hochzog und unter immer schlimmeren Schmerzen zum Bürgersteig hinunterhumpelte, fiel ihm zum ersten Mal auf, wie sehr diese würdevollen schwarzen Gefährte Leichenwagen ähnelten.

TEIL FÜNF

Felix qui potuit rerum cognoscere causas.

Glücklich, wer den Dingen auf den Grund sehen konnte.

VERGIL, *GEORGICA*, 2. BUCH

1

»Ich hätte angenommen«, sagte Eric Wardle langsam und betrachtete das Testament in der Klarsichthülle, »dass Sie dies zuerst Ihrem Klienten zeigen würden.«

»Das hätte ich auch getan, aber er ist in Rye«, sagte Strike. »Und die Sache ist dringend. Ich habe Ihnen doch gesagt, dass ich zwei weitere Morde zu verhindern versuche. Wir haben es hier mit einem Wahnsinnigen zu tun, Wardle!«

Er schwitzte vor Schmerzen. Selbst jetzt, da er hinter dem sonnenbeschienenen Fenster des Feathers saß und versuchte, dem Polizisten Dampf zu machen, fragte sich Strike, ob er sich bei dem Sturz in Yvette Bristows Treppenhaus möglicherweise das Knie ausgerenkt oder den kümmerlichen Rest des Tibiaknochens, der ihm geblieben war, gebrochen hatte. Während der Fahrt mit dem Taxi hatte er sein Bein nicht abtasten wollen. Jetzt wartete ebendieses Taxi draußen auf ihn, und der Taxameter knabberte stetig an dem Vorschuss, den Bristow ihm gezahlt hatte und dem keine zweite Rate folgen würde, weil es noch heute zu einer Verhaftung kommen würde, vorausgesetzt, Wardle erwachte endlich aus seinem Tiefschlaf.

»Zugegeben, das könnte möglicherweise ein Motiv darstellen …«

»Möglicherweise?«, wiederholte Strike. »*Möglicherweise?* Zehn Millionen könnten *möglicherweise* ein Motiv sein? Scheiße …«

»… aber ich brauche handfeste Beweise, und die haben Sie mir bis jetzt nicht geliefert.«

»Ich habe Ihnen gerade eben erklärt, wo Sie die finden! Habe ich bisher nicht jedes Mal recht behalten? Ich habe Ihnen doch erklärt, dass es ein verfluchtes Testament war, und hier«, Strike tippte mit dem Finger auf die Klarsichthülle, »haben Sie es, verdammte Scheiße! Und jetzt kümmern Sie sich um den Haftbefehl!«

Wardle sah immer noch stirnrunzelnd auf das Testament hinab und massierte sich die Wange seines ebenmäßigen Gesichts, als hätte er Zahnschmerzen.

»Verdammt noch mal«, rief Strike, »wie oft soll ich es Ihnen noch sagen? Tansy Bestigui war auf dem Balkon, sie hörte Landry sagen: ›Es ist zu spät, ich hab's getan‹ …«

»Sie bewegen sich da auf äußerst dünnem Eis, Kumpel«, sagte Wardle. »Die Verteidigung verarbeitet uns zu Hackfleisch, wenn wir einen Verdächtigen belügen. Falls Bestigui herausfindet, dass es gar keine Fotos gibt, wird er alles abstreiten.«

»Soll er ruhig. Sie wird es bestimmt nicht abstreiten. Sie will sich die Sache doch sowieso von der Seele reden. Aber wenn Sie so ein Feigling sind, dass Sie lieber gar nichts unternehmen, Wardle«, sagte Strike, dem der eisige Schweiß über den Rücken lief, während das, was von seinem rechten Bein noch übrig war, wie Feuer brannte, »und deshalb jeder andere aus Landrys Umkreis im Leichenschauhaus endet, dann werde ich mich direkt an die beschissene Presse wenden. Dann werde ich den Zeitungen erklären, dass ich Ihnen sämtliche Informationen übergeben habe, die ich zusammentragen konnte, und dass Sie jede Gelegenheit hatten, den Täter zu schnappen. Dann bessere ich mein Honorar damit auf, dass ich die Rechte an meiner Geschichte meistbietend verhökere. Das können Sie auch Carver ausrichten. Hier«, er schob einen abgerissenen Zettel über den Tisch, auf den er eine sechsstellige Nummer notiert hatte, »probieren Sie zuerst die hier aus. Und jetzt besorgen Sie sich den verdammten Haftbefehl!«

Er schob Wardle das Testament zu und ließ sich vom Barhocker gleiten. Der Weg aus dem Pub zum Taxi führte durch die Hölle. Je schwerer er sein rechtes Bein belastete, umso peinigender wurden die Schmerzen.

Seit ein Uhr mittags hatte Robin alle zehn Minuten versucht, Strike zu erreichen, ohne dass er auch nur einen ihrer Anrufe entgegengenommen hätte. Sie probierte es gerade ein weiteres Mal, als er unter enormen Schwierigkeiten die Eisentreppe zu seinem Büro erklomm, indem er sich mit beiden Händen am Geländer hinaufzog. Sobald sie sein Handy im Treppenhaus klingeln hörte, eilte sie auf den Absatz hinaus.

»Da sind Sie ja! Ich versuche seit Ewigkeiten, Sie anzurufen, Sie haben haufenweise … Was ist denn los, ist alles in Ordnung?«

»Es geht mir gut«, log er.

»Nein, das … Was ist passiert?«

Sie eilte ihm entgegen. Er war kalkweiß und verschwitzt und sah aus, als würde er sich jeden Moment übergeben.

»Haben Sie getrunken?«

»Nein, ich habe nicht getrunken, verfluchte Scheiße!«, fuhr er sie an. »Ich habe … Bitte entschuldigen Sie! Ich hab nur Schmerzen. Ich muss mich setzen.«

»Was ist denn passiert? Lassen Sie mich …«

»Ich schaff das schon. Kein Problem. Ich komme zurecht.«

Mühsam zog er sich auf den Treppenabsatz hoch und schleppte sich zum Sofa. Als er sich mit seinem vollen Gewicht darauf fallen ließ, meinte Robin, tief in der Polsterung etwas knacksen zu hören, und dachte unwillkürlich: *Wir brau-*

chen ein neues. Und gleich darauf: *Aber ich werde dann nicht mehr hier sein.*

»Was ist denn passiert?«, fragte sie wieder.

»Ich bin die Treppe runtergefallen«, sagte Strike keuchend und immer noch im Mantel. »Wie ein absoluter Volltrottel.«

»Was für eine Treppe? Was war denn los?«

Ihre gleichermaßen entsetzte und neugierige Miene ließ ihn trotz seiner Höllenqualen lächeln.

»Ich habe mich mit niemandem geprügelt, Robin. Ich bin bloß ausgerutscht.«

»Ach so, ich verstehe. Sie sind ein bisschen ... Sie sehen ein bisschen blass aus. Und Sie haben sich bestimmt nichts getan? Ich könnte ein Taxi rufen ... Vielleicht sollten Sie zum Arzt gehen.«

»Das ist nicht nötig. Haben wir irgendwo noch Schmerztabletten?«

Sie brachte ihm Wasser und Paracetamol. Er nahm ein paar Tabletten, streckte dann die Beine aus, verzog das Gesicht und fragte: »Was war hier inzwischen los? Hat Graham Hardacre Ihnen ein Bild geschickt?«

»Ja«, sagte sie und eilte zurück an ihren Computer. »Hier.«

Mit einer schnellen Mausbewegung und einem Klick ließ sie das Porträt von Lieutenant Jonah Agyeman auf dem Bildschirm erscheinen.

Schweigend betrachteten sie das Antlitz eines jungen Mannes, dessen unbestreitbare Attraktivität nicht einmal von den riesigen Ohren beeinträchtigt wurde, die er von seinem Vater geerbt hatte. Die dunkelrot-schwarz-goldene Uniform stand ihm ausgezeichnet. Das Lächeln unter den hohen Wangenknochen war leicht schief, das Kinn energisch und die Haut dunkelbraun mit einem leichten Stich ins Rötliche wie frisch aufgebrühter Tee. Er strahlte den gleichen sorglosen Charme aus wie Lula Landry – etwas Undefinierbares, das dazu verleitete, sein Gesicht länger anzusehen.

»Er sieht ihr wirklich ähnlich«, stellte Robin leise fest.

»Allerdings. War sonst was los?«

Robin schien aus ihrer Versunkenheit aufzuschrecken.

»Oh Gott, ja … Vor einer halben Stunde hat John Bristow angerufen und gesagt, dass er Sie nicht erreichen kann, und außerdem hat Tony Landry drei Mal angerufen.«

»Das habe ich mir fast gedacht. Was hat er gesagt?«

»Er war absolut … Also, beim ersten Anruf wollte er Sie sprechen, und als ich ihm erklärte, dass Sie nicht hier seien, hat er einfach aufgelegt, bevor ich ihm Ihre Handynummer geben konnte. Beim nächsten Mal verlangte er, dass Sie ihn auf der Stelle zurückrufen, und hatte schon aufgelegt, bevor ich ihm auch nur sagen konnte, dass Sie immer noch nicht zurück seien. Aber beim dritten Anruf, da war er einfach … also … da war er fuchsteufelswild. Und schrie mich an.«

»Ich hoffe, er ist nicht unverschämt geworden.« Strike sah sie finster an.

»Eigentlich nicht. Jedenfalls nicht mir gegenüber … Dafür ist er über Sie hergezogen.«

»Was hat er gesagt?«

»Ich wurde nicht richtig schlau daraus, aber er bezeichnete John Bristow als ›dummes Arschloch‹, und dann schimpfte er, dass Alison ihren Job hingeworfen hätte, was in seinen Augen wohl irgendwie Ihre Schuld sein muss, weil er immerzu brüllte, er würde Sie verklagen und beruflich ruinieren und so weiter.«

»Alison hat gekündigt?«

»Ja.«

»Hat er gesagt, woher sie … Nein, natürlich nicht, wie hätte er das auch wissen sollen?«, beendete er den Satz, sprach dabei aber mehr zu sich selbst als zu Robin.

Er sah auf sein Handgelenk. Offenbar war seine billige Armbanduhr bei dem Treppensturz irgendwo aufgeschlagen. Sie war um Viertel vor eins stehen geblieben.

»Wie viel Uhr ist es?«

»Zehn vor fünf.«

»Schon so spät?«

»Ja. Brauchen Sie noch irgendwas? Ich kann auch länger bleiben.«

»Nein, ich möchte, dass Sie jetzt gehen.«

Er sagte das so angespannt, dass Robin, anstatt aufzustehen und ihre Sachen zu holen, wie versteinert sitzen blieb.

»Was wird denn jetzt passieren?«

Strike war damit beschäftigt, knapp unterhalb des Knies an seinem Bein herumzufummeln.

»Gar nichts. Sie haben in letzter Zeit einfach zu viele Überstunden gemacht. Ich wette, Matthew ist froh, wenn Sie zur Abwechslung mal früher heimkommen.«

Durch das Hosenbein hindurch konnte er den Sitz der Prothese unmöglich korrigieren.

»Bitte, Robin, gehen Sie«, sagte er und sah sie dabei an.

Sie zögerte, stand dann auf und griff nach ihrem Mantel und der Handtasche.

»Danke«, sagte er. »Dann bis morgen.«

Sie ging. Er lauschte auf ihre Schritte auf der Treppe, damit er endlich das Hosenbein hochkrempeln konnte, aber er hörte nichts. Die Glastür ging wieder auf, und sie stand erneut vor ihm.

»Sie erwarten jemanden«, sagte sie, eine Hand an der Tür. »Hab ich recht?«

»Vielleicht«, sagte Strike. »Aber das tut nichts zur Sache.«

Mit einem Lächeln versuchte er, ihre Anspannung, ihre Ängstlichkeit zu vertreiben.

»Machen Sie sich um mich keine Sorgen.« Und als auch das keine Wirkung zeigte, ergänzte er: »Ich habe früher ein bisschen geboxt, in der Army.«

Robin schnaubte unsicher. »Ja, das haben Sie erwähnt.«

»Wirklich?«

»Mehrmals. An dem Abend, als Sie … Sie wissen schon.«

»Ach so. Richtig. Also, es stimmt.«

»Aber wen erwarten Sie?«

»Matthew würde es nicht gutheißen, wenn ich Ihnen das verriete. Gehen Sie jetzt heim, Robin, wir sehen uns dann morgen.«

Und diesmal ging sie wirklich, wenn auch widerwillig. Er wartete ab, bis er die Tür hinaus auf die Denmark Street zuschlagen hörte, dann krempelte er das Hosenbein hoch und schnallte die Prothese ab, um sein geschwollenes Knie und den geröteten, wunden Beinstumpf zu untersuchen. Er fragte sich, welche Verletzungen er sich bei seinem Sturz wohl zugezogen hatte, aber heute Abend hatte er keine Zeit, um den Schaden von einem Fachmann begutachten zu lassen.

Im Nachhinein bereute er fast, dass er Robin nicht gebeten hatte, ihm noch etwas zu essen zu besorgen. Immer mit einer Hand am Schreibtisch, an der Oberkante des Aktenschranks oder an der Sofalehne, um nicht umzukippen, hüpfte er unbeholfen durch sein Büro und machte sich eine Tasse Tee. Er ließ sich auf Robins Stuhl nieder, um den Tee zu trinken, aß dort eine halbe Packung Vollkornkekse und betrachtete dabei lange Jonah Agyemans Gesicht. Das Paracetamol richtete rein gar nichts gegen die Schmerzen in seinem Bein aus.

Als er die Kekse aufgegessen hatte, sah er wieder auf sein Handy. Robin hatte mehrmals versucht, ihn anzurufen, John Bristow zwei Mal. Strike hoffte, dass von den drei Menschen, mit deren Besuch er heute Abend eventuell rechnete, Bristow als Erster auftauchen würde. Wenn die Polizei einen konkreten Beweis für einen Mord verlangte, konnte allein sein Klient ihn liefern (auch wenn ihm das vielleicht nicht klar war). Falls stattdessen Tony Landry oder Alison Cresswell in seiner Tür stehen sollten, *darf ich mich nur nicht…* Strike schnaubte kurz, weil ihm unwillkürlich die Wendung »auf dem falschen Fuß erwischen lassen« in den Sinn gekommen war.

Aber es wurde sechs und dann halb sieben, ohne dass jemand geklingelt hätte. Strike cremte den Stumpf mit Salbe ein und schnallte unter Höllenqualen die Prothese wieder an. Vor Schmerz stöhnend, humpelte er in sein Büro, ließ sich auf seinen Stuhl fallen und löste mit einer Geste der Kapitulation die Riemen um das falsche Bein, bevor er den Kopf auf die Arme sinken ließ, um seinen müden Augen ein paar Minuten Ruhe zu gönnen.

2

Schritte auf der Eisentreppe. Strike setzte sich abrupt auf und fragte sich, ob er fünf oder fünfzig Minuten geschlafen hatte. Jemand klopfte an die Glastür.

»Kommen Sie rein, es ist offen!«, rief er und vergewisserte sich kurz, dass sein Hosenbein die nicht angeschnallte Prothese verdeckte.

Zu Strikes großer Erleichterung betrat John Bristow den Raum. Der Anwalt blinzelte ihn sichtlich aufgebracht durch die dicken Brillengläser an.

»Hi, John. Setzen Sie sich doch.«

Aber Bristow stampfte nur mit rotfleckigem Gesicht auf ihn zu, genauso wutentbrannt wie damals, als Strike sich geweigert hatte, den Fall zu übernehmen, und umklammerte mit einer Hand die Rückenlehne des angebotenen Stuhls.

»Ich habe Ihnen doch erklärt«, sagte er, abwechselnd errötend und erbleichend, und zielte dabei mit einem knochigen Finger auf Strike, »ich habe Ihnen *klar* und *deutlich* erklärt, dass Sie nur mit meiner Mutter reden dürfen, wenn ich dabei bin!«

»Ich weiß, John, aber ...«

»Sie ist mit den Nerven *völlig* am Ende. Ich weiß nicht, was Sie zu ihr gesagt haben, aber sie hat nur noch geweint, als sie mich heute Nachmittag angerufen hat.«

»Das tut mir wirklich leid; ich hatte nicht den Eindruck, dass meine Fragen sie so belastet hätten ...«

»Sie ist in einem schrecklichen Zustand!«, brüllte Bristow

ihn an, und seine Hasenzähne glänzten. »Wie konnten Sie es *wagen*, sie ohne mich zu besuchen? Wie konnten Sie das *wagen*?«

»Weil ich glaube, dass wir es mit einem Mörder zu tun haben, der möglicherweise bald wieder zuschlägt, genau wie ich es Ihnen nach Rochelles Trauerfeier prophezeit habe«, sagte Strike. »Die Situation ist gefährlich, und ich will, dass die Sache ein Ende hat.«

»*Sie* wollen, dass die Sache ein Ende hat? Was glauben Sie, wie es *mir* dabei geht?«, ereiferte sich Bristow, und seine Stimme überschlug sich dabei. »Haben Sie auch nur eine Vorstellung, was Sie mit Ihrem Besuch angerichtet haben? Nicht genug, dass meine Mutter völlig verstört ist; jetzt ist auch noch meine Freundin wie vom Erdboden verschluckt, und wenn Tony recht hat, ist auch das Ihre Schuld! Was haben Sie mit Alison angestellt? Wo ist sie?«

»Das weiß ich nicht. Haben Sie versucht, sie anzurufen?«

»Sie geht nicht ans Telefon. Was zum Teufel ist eigentlich los? Ich bin den ganzen Tag für nichts und wieder nichts durch die Gegend gefahren, und jetzt komme ich zurück und …«

»Für nichts und wieder nichts?« Strike verlagerte unauffällig sein Bein, damit die Prothese nicht umkippte.

Schwer schnaufend warf Bristow sich in den Stuhl ihm gegenüber und versuchte mit zusammengekniffenen Augen, Strike gegen die durch das Fenster strömende Abendsonne auszumachen.

»Irgendjemand«, erklärte er wütend, »hat heute Morgen meine Sekretärin angerufen und sich als ein wichtiger Mandant ausgegeben, der mich angeblich unbedingt treffen wollte. Also bin ich bis nach Rye gefahren, nur um festzustellen, dass der Mann gar nicht im Lande ist und mich überhaupt niemand aus seinem Büro angerufen hat. Könnten Sie bitte«, ergänzte er und schirmte die Augen mit der Hand ab, »die Jalousie herunterlassen? Ich kann rein gar nichts erkennen.«

Strike zog kurz an der Kordel, die Jalousie sauste klappernd herab und tauchte sie beide in ein kühles, dezent gestreiftes Halbdunkel.

»Das ist wirklich sonderbar«, sagte Strike. »Das klingt beinahe so, als hätte Sie jemand aus der Stadt locken wollen.«

Bristow antwortete nicht. Er sah Strike wütend und schwer atmend an.

»Es reicht«, erklärte er unvermittelt. »Ich entziehe Ihnen den Auftrag. Meinetwegen können Sie den Vorschuss behalten, den ich Ihnen bezahlt habe. Ich muss an meine Mutter denken.«

Strike zog verstohlen sein Handy aus der Tasche, drückte ein paar Tasten und legte es auf seinen Schoß.

»Wollen Sie gar nicht wissen, was ich heute im Ankleidezimmer Ihrer Mutter entdeckt habe?«

»Sie waren … *Sie waren im Ankleidezimmer meiner Mutter?*«

»Ganz richtig. Ich wollte einen Blick in diese brandneuen Handtaschen werfen, die Lula am Tag vor ihrem Tod bekommen hatte.«

Bristow begann zu stammeln: »Sie … Sie …«

»Die Handtaschen haben ein heraustrennbares Futter. Bizarre Idee, nicht wahr? Und unter dem Futter der weißen Tasche lag ein Testament; von Lula handschriftlich auf dem blauen Briefpapier Ihrer Mutter verfasst und bezeugt von Rochelle Onifade. Ich habe es der Polizei übergeben.«

Bristow blieb der Mund offen stehen. Sekundenlang fehlten ihm die Worte. Schließlich flüsterte er: »Aber … Aber was stand darin?«

»Dass sie ihren gesamten Besitz ihrem Bruder Lieutenant Jonah Agyeman von den Royal Engineers hinterlässt.«

»Jonah … wem?«

»Werfen Sie einen Blick auf den Computer im Vorzimmer. Da finden Sie sein Bild.«

Bristow stand auf und tappte wie ein Schlafwandler nach nebenan. Strike sah, wie der Bildschirm aufleuchtete, sobald Bristow die Maus bewegte. Über der makellosen Ausgehuniform lächelte Agyemans offenes Gesicht ihn süffisant an.

»Oh mein Gott«, keuchte Bristow.

Er kehrte zu Strike zurück, ließ sich wieder in den Stuhl sinken und starrte den Privatdetektiv mit großen Augen an. »Ich … Ich glaube das einfach nicht.«

»Das ist der Mann auf den Aufnahmen der Überwachungskameras«, sagte Strike, »der kurz nach Lulas Tod vom Tatort wegrannte. Er war auf Heimaturlaub und wohnte währenddessen bei seiner verwitweten Mutter in Clerkenwell. Darum ist er zwanzig Minuten später auch die Theobalds Road entlanggelaufen. Er wollte nach Hause.«

Bristow holte hörbar Luft.

»Alle haben mich für einen Spinner gehalten!«, rief er. »Dabei habe ich mir verflucht noch mal nichts von alldem eingebildet!«

»Nein, John, Sie sind kein Spinner«, sagte Strike. »Wirklich nicht. Sie sind ein geisteskranker Psychopath.«

Durch das abgedunkelte Fenster drangen die Geräusche der stets wachen Großstadt, das Rumoren und Lärmen von Menschen und Maschinen. Der einzige Laut jedoch, der in dem Zimmer hervorgebracht wurde, war Bristows stockender Atem.

»Verzeihung?«, fragte er geradezu lächerlich höflich. »Was haben Sie eben gesagt?«

Strike lächelte ihn an. »Ich sagte, Sie sind ein geisteskranker Psychopath. Sie haben Ihre Schwester umgebracht, sind damit durchgekommen und haben mich dann gebeten, ihren Tod noch einmal zu untersuchen.«

»Das … Das meinen Sie doch nicht ernst.«

»Oh doch, und wie. Mir war von Anfang an klar, dass niemand so sehr von Lulas Tod profitiert wie Sie, John. Zehn Millionen, sobald Ihre Mutter den Geist aufgibt. Nicht zu verachten, wie? Vor allem weil ich glaube, dass Ihnen nicht viel mehr geblieben ist als Ihr Gehalt, auch wenn Sie noch so gern mit Ihrem angeblichen Treuhandvermögen angeben. Albris-Aktien sind heutzutage kaum mehr das Papier wert, auf dem sie gedruckt sind, oder?«

Bristow starrte ihn sekundenlang mit offenem Mund an; dann setzte er sich steif auf und blickte vielsagend auf die Campingliege in der Zimmerecke.

»Und das von einem abgerissenen Penner, der in seinem Büro schläft. Das ist doch lächerlich!« Bristow sprach betont ruhig und abfällig, aber sein Atem ging ungewöhnlich schnell.

»Ich weiß, dass Sie mehr besitzen als ich«, sagte Strike. »Aber wie Sie selbst so richtig bemerkt haben, sagt das nicht viel aus. Und ich kann mir immerhin zugutehalten, dass ich noch nicht so tief gesunken bin, das Geld meiner Klienten zu veruntreuen. Wie viel haben Sie von Conway Oates' Konto abgezweigt, bevor Tony Ihnen auf die Schliche kam?«

»Ach, jetzt veruntreue ich auch noch Gelder?« Bristow lachte gekünstelt.

»Ja, ich denke schon«, sagte Strike. »Nicht dass mich das irgendetwas anginge. Es ist mir gleich, ob Sie Lula umgebracht haben, weil Sie das unterschlagene Geld ersetzen mussten oder weil Sie auf ihre Millionen scharf waren oder weil Sie

Ihre Adoptivschwester abgrundtief hassten. Die Geschworenen wird das allerdings sehr wohl interessieren. Die sind immer ganz wild auf Motive.«

Bristows Knie federte wieder auf und ab.

»Sie haben ja völlig den Verstand verloren«, erklärte er mit einem weiteren gekünstelten Lachen. »Immerhin haben Sie selbst ein Testament gefunden, in dem sie mir überhaupt nichts, sondern alles *diesem Mann da* hinterlässt.« Er deutete ins Nebenzimmer, wo er Jonahs Bild betrachtet hatte. »Gerade haben Sie mir noch erzählt, dass genau dieser Mann an der Kamera vorbei zu Lulas Wohnung unterwegs war, und zwar in ihrer Todesnacht, derselbe Mann, der zehn Minuten später wieder an der Kamera vorbeirannte. Und dennoch beschuldigen Sie mich. *Mich!*«

»Dass Jonah auf diesem Überwachungsband zu sehen war, wussten Sie schon, bevor Sie mich erstmals aufsuchten. Das hat Rochelle Ihnen erzählt. Sie war dabei, als Lula von Vashti aus Jonah anrief und sich mit ihm für spätabends verabredete; und sie hat auch das Testament bezeugt, in dem er als Alleinerbe eingesetzt wurde. Sie meldete sich bei Ihnen, erzählte Ihnen alles und erpresste Sie damit. Sie wollte eine eigene Wohnung und ein paar teure Kleider, und im Gegenzug versprach sie, niemandem zu verraten, dass Sie nichts von Lula erben würden.

Natürlich wusste Rochelle nicht, dass Sie Ihre Schwester umgebracht hatten. Sie glaubte, Jonah hätte Lula aus dem Fenster gestoßen. Und nachdem sie Lulas Testament gesehen hatte, in dem sie mit keinem Wort erwähnt wurde, und außerdem von ihrer Freundin bei ihrer letzten Begegnung einfach im Laden stehen gelassen wurde, war sie so verbittert, dass es ihr egal war, ob der Mörder ungeschoren davonkam, solange sie nur etwas von dem Geld abbekam.«

»Was für ein absoluter Unfug! Sie haben völlig den Verstand verloren.«

»Sie haben mir so viele Steine wie nur möglich in den Weg gelegt, damit ich Rochelle nicht finde«, fuhr Strike fort, als hätte er Bristow gar nicht gehört. »Erst haben Sie behauptet, Sie wüssten nicht, wie sie hieß oder wo sie wohnte; Sie reagierten völlig fassungslos, als ich meinte, dass sie wichtig für die Ermittlungen sein könnte; und Sie löschten die Fotos von Lulas Laptop, weil ich nicht wissen sollte, wie sie aussah. Rochelle hätte mich zwar direkt zu dem Mann führen können, dem Sie diesen Mord anzuhängen versuchten; andererseits wusste sie aber auch, dass es ein Testament gab, nach dem Sie leer ausgegangen waren, und Ihnen war vor allem daran gelegen, dieses Testament zu verschweigen, bis Sie es gefunden und vernichtet hatten. Was für eine Ironie, dass es die ganze Zeit im Kleiderschrank Ihrer Mutter lag.

Aber selbst wenn Sie es vernichtet hätten, John, was dann? Sie konnten sich nicht sicher sein, ob Jonah nicht längst wusste, dass er Lula beerben würde. Und was Sie überdies nicht wussten: Es gab noch jemanden, der bezeugen konnte, dass ein Testament vorlag. Bryony Radford, die Visagistin.«

Strike sah, wie Bristows Zunge aus seinem Mund schnellte, um die Lippen zu befeuchten. Er konnte die Angst des Anwalts spüren.

»Bryony würde zwar nur ungern zugeben, dass sie in Lulas Sachen herumgeschnüffelt hat; aber sie sah das Testament in Lulas Wohnung liegen, bevor Lula es verstecken konnte. Allerdings ist Bryony Legasthenikerin. Sie las ›John‹ statt ›Jonah‹. Da das mit Ciaras Behauptung, Lula werde alles ihrem Bruder vererben, übereinstimmte, schloss Bryony, dass Sie das Geld ohnehin bekommen würden und sie darum niemandem zu erzählen brauchte, was sie heimlich gelesen hatte. Eine Zeit lang hatten Sie wirklich teuflisches Glück, John.

Aber ich kann nachvollziehen, warum ein kranker Geist wie Ihrer den besten Ausweg aus dieser Zwangslage darin sah, Jonah den Mord in die Schuhe zu schieben. Falls er als Mörder verurteilt würde, dann wäre es gleichgültig, ob das Testament irgendwann auftauchte oder nicht – oder ob er oder irgendwer sonst davon wusste –, weil das Erbe dann auf jeden Fall an Sie gefallen wäre.«

»Lächerlich!«, schnaufte Bristow. »Sie sollten Ihren Beruf an den Nagel hängen und Fantasyromane schreiben, Strike. Sie haben nicht den geringsten Beweis für all das, was Sie da behaupten …«

»Oh doch, den habe ich«, fiel Strike ihm ins Wort, und Bristow verstummte augenblicklich. Selbst im Halbdunkel war ihm anzusehen, wie bleich er geworden war. »Das Band der Überwachungskamera.«

»Wie Sie selbst zugegeben haben, ist auf diesem Band zu sehen, wie Jonah Agyeman vom Tatort wegrannte!«

»Die Kamera hat noch einen zweiten Mann erfasst.«

»Also hatte er einen Komplizen – jemanden, der Schmiere stehen musste.«

»Ich frage mich, auf welchen psychischen Defekt Ihr Verteidiger wohl plädieren wird, John?«, fragte Strike vorgeblich freundlich. »Auf eine narzisstische Störung? Eine Art Allmachtskomplex? Sie halten sich für absolut unantastbar, nicht wahr? Für ein Genie, gegen das wir anderen wie Schimpansen dastehen? Der zweite Mann, der vom Tatort wegrannte, war weder ein Autodieb, noch war er Jonahs Komplize oder hat für ihn Schmiere gestanden. Er war nicht einmal schwarz. Er war ein Weißer mit schwarzen Handschuhen. Das waren Sie.«

»Nein«, sagte Bristow. Seine Stimme vibrierte vor Panik; aber dann, mit fast sichtbarer Anstrengung, setzte er wieder ein überhebliches Lächeln auf. »Wie hätte ich das sein können? Ich war in Chelsea bei meiner Mutter. Sie hat Ihnen das selbst erklärt! Tony hat mich dort gesehen. Ich war in Chelsea.«

»Ihre Mutter ist eine valiumsüchtige Invalidin, die praktisch tagaus, tagein schläft. Sie sind erst tief in der Nacht nach Chelsea zurückgefahren, nachdem Sie Lula umgebracht hatten. So wie ich es sehe, sind Sie in den frühen Morgenstunden in das Zimmer Ihrer Mutter geschlichen, haben die Uhr zurückgestellt, um sie dann aufzuwecken und so zu tun, als wäre es Zeit fürs Abendessen. Sie halten sich für ein Verbrechergenie, John, aber dieser Trick wurde schon millionenfach angewandt, allerdings selten mit einem derart leichtgläubigen Opfer. Ihre Mutter nimmt so viele Beruhigungsmittel, dass sie kaum noch weiß, welcher Tag gerade ist.«

»Ich war den ganzen Tag in Chelsea«, wiederholte Bristow, und sein Knie begann wieder, auf und ab zu federn. »Den ganzen Tag – abgesehen von einer kurzen Stippvisite in der Kanzlei, um meine Akten zu holen.«

»Sie haben einen Kapuzenpulli und Handschuhe aus der Wohnung unter der von Lula gestohlen. Beides tragen Sie auf den Aufnahmen der Überwachungskamera«, fuhr Strike fort, ohne auf Bristows Einwände einzugehen. »Und das war der entscheidende Fehler. Dieser Kapuzenpulli war ein Unikat. Es gibt ihn nur ein einziges Mal; Guy Somé hatte ihn eigens für Deeby Macc entworfen. Dieser Kapuzenpulli konnte nur aus der Wohnung unter Lulas stammen, und deshalb wissen wir, wo Sie sich versteckt hatten.«

»Dafür gibt es absolut keinen Beweis«, sagte Bristow. »Ich warte immer noch auf einen Beweis.«

»Natürlich warten Sie darauf«, bestätigte Strike knapp.

»Ein Unschuldiger würde nicht hier sitzen und mir zuhören. Er wäre längst aus dem Raum gestürmt. Aber keine Bange, ich habe Beweise.«

»Das ist unmöglich«, sagte Bristow heiser.

»Motiv, Mittel, Gelegenheit, John. Sie hatten alles. Aber beginnen wir am Anfang. Sie bestreiten nicht, dass Sie morgens zu Lula fuhren …«

»Nein, natürlich nicht.«

»… weil Sie dort gesehen wurden. Aber ich glaube nicht, dass Lula Ihnen je den Vertrag mit Somé ausgehändigt hatte, den Sie als Vorwand nahmen, um in ihre Wohnung zu gelangen. Ich glaube, den hatten Sie irgendwann vorher mitgehen lassen. Wilson winkte Sie durch, und wenige Minuten später stritten Sie lautstark mit Lula an ihrer Wohnungstür. Auch das können Sie nicht abstreiten, denn die Putzfrau hörte Sie. Zum Glück für Sie ist Lechsinkas Englisch so schlecht, dass sie Ihre Version des Streits bestätigte: dass Sie wütend auf Lula waren, weil sie sich mit ihrem schmarotzenden, drogensüchtigen Freund ausgesöhnt hatte. Aber ich glaube, in Wahrheit ging es bei dem Streit darum, dass Lula sich weigerte, Ihnen Geld zu geben. All ihre klügeren Freunde haben mir bestätigt, dass Sie geradezu schamlos hinter dem Vermögen Ihrer Schwester her waren, aber an diesem Tag brauchten Sie offenbar besonders dringend ein Handgeld, sonst hätten Sie sich nicht unter einem Vorwand Zutritt zu ihrem Haus verschafft und sie noch im Treppenhaus angebrüllt. Hatte Tony einen Fehlbetrag auf Conway Oates' Konto bemerkt? Den Sie dringend ersetzen mussten?«

»Das sind nichts als haltlose Spekulationen«, wehrte sich Bristow, doch sein Bein federte weiter wild auf und ab.

»Ob sie haltlos sind, wird sich vor Gericht zeigen«, sagte Strike.

»Ich habe nie abgestritten, dass Lula und ich eine Auseinandersetzung hatten.«

»Nachdem sie Ihnen keinen Scheck ausstellte, sondern Ihnen stattdessen die Tür vor der Nase zuschlug, nahmen Sie wieder die Treppe nach unten und sahen dabei, dass ein Stockwerk tiefer die Tür offen stand. Wilson und der Techniker von der Alarmanlagenfirma hatten nur Augen für das Tastenfeld, und Lechsinka war gerade irgendwo beschäftigt – vielleicht mit Staubsaugen, denn dann hätte niemand gehört, wie Sie hinter den beiden Männern vorbeischlichen. Es war kein besonders riskantes Unterfangen. Wenn sich die Männer umgedreht und Sie bemerkt hätten, hätten Sie immer noch so tun können, als wollten Sie Wilson nur dafür danken, dass er Sie eingelassen hatte. Aber die beiden waren so mit der Alarmanlage beschäftigt, dass Sie unbemerkt in die Wohnung kamen und sich irgendwo verstecken konnten. Platz gab es reichlich. In einem leeren Schrank vielleicht. Oder unter dem Bett.«

Bristow schüttelte stetig und stumm den Kopf.

»Wahrscheinlich haben Sie gehört, wie Wilson Lechsinka anwies, die Alarmanlage mit dem Code neunzehn sechsundsechzig zu aktivieren. Schließlich verschwanden Lechsinka, Wilson und der Mann von Securibell, und Sie blieben allein in der Wohnung zurück. Dummerweise hatte Lula bis dahin das Haus verlassen, sodass Sie nicht wieder hinaufgehen und sie erneut bedrängen konnten, doch noch Geld lockerzumachen.«

»Reine Fantastereien«, sagte der Anwalt. »Ich war noch nie in der Wohnung im zweiten Stock. Nachdem ich von Lula weggefahren war, war ich kurz im Büro, um meine Akten zu holen …«

»Und zwar bei Alison, haben Sie das nicht erzählt, als wir

erstmals Ihren Tagesablauf durchgegangen sind?«, fragte Strike.

Rote Flecken blühten auf Bristows sehnigem Nacken. Nach kurzem Zögern räusperte er sich und sagte: »Ich weiß nicht mehr genau, ob … Ich weiß nur noch, dass ich nur kurz in der Kanzlei war; ich wollte so schnell wie möglich zu meiner Mutter zurück.«

»Was glauben Sie, wie es vor Gericht wirken wird, wenn Alison in den Zeugenstand tritt und den Geschworenen erzählt, dass sie von Ihnen gebeten wurde, für Sie zu lügen, John? Sie haben ihr den am Boden zerstörten, trauernden Bruder vorgespielt und sie dann zum Essen ausgeführt, und das arme Mädchen war so überglücklich, vor Tony endlich einmal als eine begehrenswerte Frau dazustehen, dass es sich tatsächlich darauf eingelassen hat. Ein paar Tage später haben Sie Alison dann überredet, gegenüber der Polizei auszusagen, dass sie Sie am Morgen vor Lulas Tod im Büro gesehen hätte. Sie hielt Sie damals nur für übervorsichtig und paranoid, nicht wahr? Sie war der Meinung, ihr vergötterter Tony hätte Ihnen bereits ein felsenfestes Alibi für den Tag gegeben. Also war sie überzeugt, dass es nichts weiter zur Sache tue, wenn sie eine kleine, harmlose Lüge erzählte, um Ihnen Seelenfrieden zu geben.

Aber Alison war an diesem Tag gar nicht in der Kanzlei, um Ihnen irgendwelche Akten auszuhändigen, John. Sobald sie in ihrem Büro auftauchte, schickte Cyprian sie nach Oxford, um nach Tony zu suchen. Sie wurden nervös, als Ihnen nach Rochelles Trauerfeier aufging, dass ich darüber Bescheid wusste, nicht wahr?«

»Alison ist nicht allzu helle«, sagte Bristow gedehnt und wusch sich dabei pantomimisch die Hände, während sein Knie wie wild auf und ab hüpfte. »Bestimmt hat sie die Tage durcheinandergebracht. Sie hat mich eindeutig missverstanden. Ich habe sie nie gebeten zu behaupten, sie hätte mich an dem Tag in der Kanzlei gesehen. Da steht ihr Wort gegen meines. Vielleicht will sie sich an mir rächen, weil ich mich von ihr getrennt habe.«

Strike lachte. »Sie sind so oder so geliefert, John. Nachdem meine Mitarbeiterin heute Vormittag in der Kanzlei angerufen hat, um Sie nach Rye zu locken …«

»Ihre *Mitarbeiterin*?«

»Sicher doch. Schließlich wollte ich ungestört die Wohnung Ihrer Mutter durchsuchen. Alison half uns freundlicherweise mit dem Namen Ihres Mandanten aus. Ich hatte sie angerufen, müssen Sie wissen, und ihr alles erzählt, angefangen von den Beweisen, die ich dafür habe, dass Tony mit Ursula May schläft, bis zu Ihrer bevorstehenden Verhaftung. Danach war sie offenbar überzeugt, dass sie sich nach einem neuen Freund und einem neuen Job umsehen sollte. Ich hoffe, sie ist zu ihrer Mutter nach Sussex gefahren – das habe ich ihr jedenfalls geraten. Sie haben Alison am Gängelband gehalten, weil Sie glaubten, sie würde Ihnen notfalls ein Alibi geben, und weil Sie auf diese Weise stets in Erfahrung bringen konnten, was Tony, den Sie so fürchten, dachte. Aber in letzter Zeit habe ich mir zunehmend Sorgen gemacht, dass Alison Ihnen vielleicht nicht länger nützlich sein und irgendwo zu Tode stürzen könnte.«

Bristow versuchte sich an einem weiteren abfälligen Lachen, brachte aber nur einen künstlichen, hohl klingenden Laut zustande.

»Kurz und gut; es hat Sie niemand gesehen, wie Sie an jenem Vormittag irgendwelche Akten aus der Kanzlei holten«, fuhr Strike fort. »Denn stattdessen hockten Sie in Ihrem Versteck in Apartment zwei in den Kentigern Gardens.«

»Was für ein Unfug! Ich war bei meiner Mutter in Chelsea«, widersprach Bristow.

»Ich glaube nicht, dass Sie da schon geplant hatten, Lula umzubringen«, fuhr Strike fort, als hätte Bristow nichts gesagt. »Wahrscheinlich hatten Sie nur vor, ihr bei ihrer Rückkehr aufzulauern. In der Kanzlei rechnete niemand mit Ihnen, schließlich wollten Sie an dem Tag von zu Hause aus arbeiten, um Ihrer kranken Mutter Gesellschaft zu leisten. Sie konnten sich aus einem vollen Kühlschrank bedienen, und Sie wussten, wie Sie aus der Wohnung und wieder hineinkommen konnten, ohne den Alarm auszulösen. Sie hatten freie Sicht auf die Straße und hätten, falls Deeby Macc mit seiner Entourage aufgetaucht wäre, problemlos aus der Wohnung schleichen und das Haus verlassen können, wobei Sie am Empfang irgendwas darüber zusammengelogen hätten, wie Sie in der Wohnung Ihrer Schwester gewartet hätten. Die einzige Gefahr bestand darin, dass etwas für Deeby Macc geliefert werden könnte; aber als diese riesige Rosenvase gebracht wurde, bemerkte niemand, dass Sie sich in der Wohnung versteckten, nicht wahr?

Ich nehme an, dass während der vielen Stunden, die Sie in all diesem Luxus warteten, der Gedanke an einen Mord in Ihnen aufzukeimen begann. Haben Sie irgendwann begonnen, sich auszumalen, wie schön es wäre, wenn Lula, die doch bestimmt kein Testament aufgesetzt hätte, nicht mehr da wäre? Ihnen muss klar gewesen sein, dass Ihre kranke Mutter viel leichter zu erweichen wäre, wenn Sie ihr letztes lebendes Kind wären. Und das allein war bestimmt ein fantastisches Gefühl, habe ich recht, John? Die Vorstellung, endlich, *endlich* das einzige Kind zu sein? Nie mehr hinter einem besser aussehenden, liebenswerteren Geschwister zurückstehen zu müssen?«

Selbst in der sich senkenden Dunkelheit konnte er Bristows vorstehende Zähne und den bohrenden Blick seiner schwachen Augen ausmachen.

»Sie konnten Ihre Mutter noch so sehr umgarnen und ihr den liebenden Sohn vorspielen – Sie standen bei ihr nie an erster Stelle, habe ich recht? Ihr Herz hatte immer Charlie gehört, nicht wahr? Jeder hatte ihn lieber, selbst Onkel Tony. Und als Charlie nicht mehr da war, als Sie sich endlich Hoffnungen machen konnten, auch einmal im Mittelpunkt zu stehen, was geschah da? Da tauchte Lula auf, und alle sorgten sich fortan nur noch um sie, schauten nur auf Lula und vergötterten sie. Ihre Mutter hat nicht einmal ein Foto von Ihnen an ihrem Sterbebett. Nur Fotos von Charlie und Lula. Nur die Bilder der beiden Kinder, die sie wirklich liebte.«

»Ich scheiß auf Sie«, knurrte Bristow. »Ich scheiß auf Sie, Strike! Was wissen Sie schon, Sie mit dieser Hure von Mutter? Woran ist sie gleich wieder gestorben, an Syphilis?«

»Wie nett«, kommentierte Strike anerkennend. »Ich wollte Sie ohnehin fragen, ob Sie sich über mein Privatleben schlaugemacht haben, als Sie auf der Suche nach einem Einfaltspinsel waren, den Sie nach Herzenslust manipulieren konnten. Ich wette, Sie haben geglaubt, nachdem auch meine Mutter jung und unter ungeklärten Umständen gestorben war, hätte ich besonders großes Mitgefühl mit dem armen trauernden John Bristow, oder? Sie dachten, mit mir hätten Sie ein leichtes Spiel ... Aber egal, John. Wenn Ihre Verteidiger nicht auf eine psychische Störung plädieren können, dann werden sie bestimmt damit argumentieren, dass Ihre Kindheit an allem schuld sei. Ungeliebt. Vernachlässigt. Immer im Schatten eines anderen. Immer mit dem Gefühl, benachteiligt worden zu sein, nicht wahr? Das ist mir gleich bei unserer ersten Begegnung aufgefallen, als Sie bei der Erinnerung, wie Lula die

Auffahrt hinauf in Ihr Zuhause, in Ihr Leben gebracht wurde, vor Rührung in Tränen ausbrachen. Ihre Eltern hatten Sie nicht einmal mitgenommen, als sie Lula abholten, habe ich recht? Sie mussten zu Hause warten wie irgendein Haustier – der Sohn, der ihnen nicht genügte, nachdem Charlie gestorben war; der Sohn, der schon wieder hintanstehen musste.«

»Das muss ich mir nicht anhören«, flüsterte Bristow.

»Sie können jederzeit gehen«, sagte Strike und versuchte, die Augen in den tiefen Schatten hinter Bristows Brillengläsern zu erkennen. »Warum sind Sie überhaupt noch hier?«

Aber der Anwalt blieb stumm auf seinem Stuhl sitzen, wippte mit dem Knie und rang weiter die Hände, als wollte er Strikes Beweisführung um jeden Preis hören.

»War es beim zweiten Mal einfacher?«, fragte der Privatdetektiv leise. »Fiel es Ihnen leichter, Lula umzubringen, als damals Charlie?«

Er sah die bleichen Zähne aufleuchten, als Bristow den Mund aufklappte, aber er hörte keinen Laut.

»Tony weiß, dass Sie damals Ihre Hände im Spiel hatten, nicht wahr? Dieser ganze Bockmist über seine gefühllosen Kommentare, nachdem Charlie gestorben war. Tony war da, er war im Steinbruch; er sah, wie Sie mit dem Rad von der Stelle wegfuhren, wo Sie Charlie in den Tod getrieben hatten. Haben Sie Charlie so lange angestachelt, bis er zu nah an den Rand fuhr? Ich kannte Charlie: Einer Mutprobe konnte er nie widerstehen. Tony sah Charlie im Steinbruch liegen und eröffnete Ihren Eltern daraufhin, dass Sie seiner Meinung nach die Schuld an seinem Tod trugen, nicht wahr? Darum hat sich Ihr Vater mit ihm geprügelt. Darum fiel Ihre Mutter in Ohnmacht. Darum durfte Ihr Onkel nach Charlies Tod nicht mehr ins Haus: nicht weil er behauptet hatte,

Ihre Mutter setze ihren Kindern keine Grenzen, sondern weil er ihr erklärt hatte, dass sie einen Psychopathen heranzog.«

»Das ist … Nein«, krächzte Bristow. »Nein!«

»Tony durfte damals keinen Familienskandal riskieren und schwieg. Allerdings geriet er in Panik, als er hörte, dass Ihre Eltern ein kleines Mädchen adoptieren wollten, stimmt's? Er rief an und versuchte, ihnen Einhalt zu gebieten. Er machte sich zu Recht Sorgen, oder? Ich glaube, Sie haben sich seit jeher vor Tony gefürchtet. Was für eine Ironie, dass er sich selbst in eine Ecke manövriert hatte, in der er Ihnen ein Alibi für den Mord an Lula geben musste.«

Bristow sagte jetzt nichts mehr. Dafür atmete er umso schneller.

»Tony musste vorgeben, dass er an jenem Tag irgendwo anders war als mit Cyprian Mays Frau zusammen in einem Hotelbett, und erzählte darum, dass er spontan nach London zurückgefahren sei, um seine kranke Schwester zu besuchen. Erst später ging ihm auf, dass Sie und Lula angeblich zur selben Zeit dort waren.

Seine Nichte war tot und konnte ihm daher nicht mehr gefährlich werden; trotzdem blieb ihm nichts anderes übrig, als zu behaupten, er hätte Sie durch die offene Tür des Arbeitszimmers gesehen, aber nicht mit Ihnen gesprochen. Und Sie haben das natürlich bestätigt. Sie haben beide gelogen, dass sich die Balken bogen, und sich dabei ständig gefragt, was der andere wohl im Schilde führte, aber Sie hatten jeweils zu viel Angst, um einander zur Rede zu stellen. Ich glaube, Tony redete sich ein, dass er Sie zur Rechenschaft ziehen würde, sobald Ihre Mutter gestorben wäre. Vielleicht hat er damit sein Gewissen beruhigt. Aber er war trotzdem so besorgt, dass er Alison bat, Sie im Auge zu behalten. Während Sie mir gleichzeitig diesen Schwachsinn aufgetischt haben: dass Lula Sie umarmt hätte und Sie sich ausgesöhnt hätten, ehe sie wieder nach Hause fuhr.«

»Ich war dort«, erklärte Bristow kratzig. »Ich war in der Wohnung meiner Mutter. Falls Tony nicht dort war, ist das seine Sache. Sie können nicht beweisen, dass ich nicht dort war.«

»Ich brauche überhaupt nichts zu beweisen, John. Ich will damit nur sagen, dass Sie inzwischen nur noch Ihre valiumsüchtige Mutter als Alibi haben. Aber nehmen wir einmal rein hypothetisch an, dass Sie, während Lula Ihre kranke Mutter besucht und Tony irgendwo in einem Hotel mit Ursula zugange ist, in Apartment zwei ausharren und dort eine ziemlich gewagte Lösung für Ihre ständigen Geldprobleme ersinnen. Erst warten Sie eine Weile ab. Aber irgendwann ziehen Sie die schwarzen Lederhandschuhe über, die für Deeby im Schrank bereitliegen, weil Sie keine Fingerabdrücke hinterlassen wollen. Und damit beginnt die Sache zu stinken. Weil das so aussieht, als hätten Sie damit gerechnet, dass Sie Gewalt anwenden müssen. Dann, am frühen Nachmittag, kommt Lula zurück, und dummerweise trifft gleich darauf auch Ciara ein – wie Sie bestimmt durch den Spion in der Tür feststellen konnten.« Strikes Stimme wurde fester. »Und ab da sieht es wirklich finster für Sie aus. Ihre Verteidigung hätte vielleicht erfolgreich auf Totschlag plädieren können – es war ein Unfall; es kam zu einem Handgemenge, und dabei kippte sie über die Balkonbrüstung –, wenn Sie nicht in der fremden Wohnung geblieben wären, solange Sie wussten, dass Lula Besuch hatte. Ein Mann, der seine Schwester nur nötigen will, ihm einen fetten Scheck auszustellen, hätte vielleicht, *vielleicht*, tatsächlich gewartet, bis sie wieder allein war; aber das hatten Sie bereits am Vormittag probiert und waren damit gescheitert. Warum also nicht nach oben gehen, wenn sie möglicherweise in besserer Stimmung ist und nicht so kann, wie sie will, weil im Zimmer nebenan ihre Freundinnen sitzen? Vielleicht hätte sie Ihnen ja etwas zukommen lassen, nur um Sie wieder loszuwerden?«

Strike konnte fast spüren, wie die Silhouette im Schatten auf der anderen Seite seines Schreibtischs Angst und Hass ausstrahlte.

»Aber stattdessen«, fuhr er fort, »warteten Sie weiter ab. Sie beobachteten, wie sie das Haus verließ, und warteten weiter, den ganzen Abend lang. Bestimmt waren Sie bis dahin sehr, sehr angespannt. Sie hatten reichlich Zeit gehabt, sich einen groben Plan zurechtzulegen. Sie hatten die Straße im Auge behalten; Sie wussten genau, wer im Gebäude war und wer nicht; Sie hatten sich ausgerechnet, dass Sie mit etwas Glück unerkannt und unbemerkt verschwinden könnten. Und eines dürfen wir nicht vergessen – Sie hatten schon einmal getötet. Das ändert alles.«

Bristow reagierte mit einer abrupten, schnellen Bewegung, kaum mehr als ein Zucken; Strike wappnete sich, doch Bristow blieb auf seinem Stuhl sitzen, und Strike wurde mit Schrecken bewusst, dass er die Prothese nicht angeschnallt, sondern nur unter sein Bein gelehnt hatte.

»Sie haben aus dem Fenster geschaut und gesehen, wie Lula allein nach Hause kam, aber da wurde das Haus noch von Paparazzi belagert. In diesem Moment wären Sie beinahe verzweifelt, nicht wahr? Aber dann zogen wie durch ein Wunder die Fotografen ab, fast als wollte das Universum selbst Ihnen bei Ihrem Vorhaben beistehen. Ich bin mir ziemlich sicher, dass Lulas Fahrer der Meute einen Tipp gegeben hatte. Der Mann ist ganz wild darauf, Kontakte zur Presse zu knüpfen. Also ist die Straße schlagartig leer. Ihr Augenblick ist gekommen. Sie ziehen Deebys Kapuzenpulli über. Ein großer Fehler. Aber Sie müssen zugeben, dass nach all den glücklichen Zufällen, die Ihnen an diesem Abend in die Hand spielten, irgendetwas schiefgehen musste.

Und dann – und dafür gebe ich Ihnen zehn von zehn Punkten, denn das hat mich wirklich lange beschäftigt – nahmen Sie ein paar weiße Rosen aus der Vase, nicht wahr? Sie wischten die Stiele kurz ab – nicht so gründlich, wie Sie es hätten tun sollen, aber einigermaßen –, gingen damit ins Treppenhaus, wobei Sie die Tür angelehnt ließen, und nahmen die Treppe zur Wohnung Ihrer Schwester.

Übrigens haben Sie dabei übersehen, dass ein paar Spritzer Wasser auf den Stufen landeten. Wilson rutschte später darauf aus.

Sie standen also vor Lulas Wohnung und klopften an. Und was sah sie, als sie durch den Spion blickte? Weiße Rosen. Sie hatte bei weit geöffneten Fenstern auf dem Balkon gestanden und nach ihrem lange verschollenen Bruder Ausschau gehalten, der in diesem Augenblick die Straße entlangkommen sollte, aber irgendwie schien er ins Haus gekommen zu sein, ohne dass sie ihn bemerkt hatte. Vorfreudig riss sie die Tür auf – und Sie waren drin.«

Bristow war erstarrt. Selbst sein Knie hatte aufgehört zu federn.

»Sie haben sie umgebracht, so wie Sie damals Charlie und später Rochelle umgebracht haben: ein kurzer, fester Stoß – vielleicht haben Sie Lula dabei noch hochgehoben? Jedenfalls war sie genauso wenig darauf gefasst wie alle anderen, habe ich recht?

Sie brüllten sie an, weil sie Ihnen kein Geld hatte geben wollen, weil sie Sie um die Liebe Ihrer Eltern betrogen hatte, um die Sie seit jeher betrogen worden waren.

Sie schrie, dass Sie keinen Penny bekommen würden, selbst

wenn Sie sie umbrächten. Und während Sie mit ihr stritten und sie durch das Wohnzimmer hindurch in Richtung Balkon trieben, eröffnete sie Ihnen, dass sie noch einen Bruder hatte; einen leiblichen Bruder, der in diesem Augenblick auf dem Weg zu ihr war und den sie in ihrem Testament als Alleinerben eingesetzt hatte.

›Es ist zu spät, ich hab's getan!‹, schrie sie. Und Sie beschimpften sie als verlogene, dreckige Schlampe und stießen sie über die Balkonbrüstung in den Tod.«

Bristow atmete kaum hörbar.

»Wahrscheinlich hatten Sie die Rosen an der Wohnungstür fallen lassen. Also sind Sie wieder zurückgelaufen, haben die Blumen aufgesammelt und sind die Treppe hinunter in die andere Wohnung gerannt, wo Sie die Stängel wieder in die Vase gerammt haben. Verflucht noch mal, Sie hatten solches Glück! Später wurde diese Vase versehentlich von einem Polizisten umgeworfen, dabei waren die Rosen der einzige Hinweis darauf, dass jemand in der Wohnung gewesen war; Sie haben sie bestimmt nicht wieder so in das Bukett stecken können, wie der Florist sie arrangiert hatte; nicht, da Sie wussten, dass Sie innerhalb weniger Minuten aus dem Haus verschwinden mussten.

Der nächste Schritt erforderte eiserne Nerven. Wahrscheinlich hatten Sie nicht damit gerechnet, dass die Polizei so schnell gerufen würde, aber im ersten Stock hatte Tansy Bestigui auf dem Balkon gekauert. Sie hörten sie kreischen und begriffen, dass Sie weniger Zeit hatten als erhofft, um das Gebäude zu verlassen. Wilson lief auf die Straße, um nach Lula zu sehen, und gleich darauf sahen Sie durch den Türspion, wie er nach oben in Lulas Wohnung rannte. Sie schalteten die Alarmanlage wieder ein, schlichen aus der Wohnung und hasteten die Treppe hinunter. Die Bestiguis schrien einander in ihrer Wohnung an. Sie eilten nach unten – was Freddie Bestigui zwar hörte, aber der hatte zu diesem Zeitpunkt andere Probleme … Die Lobby war leer … Sie liefen weiter, auf die Straße hinaus, wo dichter Schnee fiel. Ab diesem Moment rannten Sie, so schnell Ihre Beine Sie trugen, nicht wahr? Mit der Kapuze über dem Gesicht, um Ihr Gesicht zu verdecken, und den schwarzen Handschuhen an den Händen. Und am Ende der Straße sahen Sie noch jemanden rennen, als ginge es um sein Leben – jenen Mann, der gerade eine Straßenecke weiter mit ansehen musste, wie seine Schwester in den Tod stürzte. Sie kannten sich nicht. Ich glaube, Sie haben nicht einen Gedanken daran verschwendet, wer er war, jedenfalls nicht in diesem Moment. Sie stürmten in den Anziehsachen, die Sie aus Deeby Maccs Wohnung gestohlen hatten, an der Überwachungskamera vorbei und dann die Halliwell Street entlang, wo Ihnen das Glück erneut wohlgesinnt war, weil es dort keine Kameras gibt.

Ich nehme an, Sie warfen den Kapuzenpulli und die Handschuhe in irgendeinen Mülleimer und hielten dann ein Taxi an. Die Polizei hatte keinen Anlass, nach einem weißen Mann im Anzug zu fahnden, der in dieser Nacht dort unterwegs war. Sie fuhren nach Hause zu Ihrer Mutter, machten ihr etwas zu essen, verstellten die Uhr auf ihrem Nachttisch und weckten sie auf. Sie ist immer noch davon überzeugt, dass Sie gerade mit ihr über Charlie sprachen – wie ungeheuer passend, John –, während Lula in den Tod stürzte.

Sie hätten damit durchkommen können, John. Sie hätten genug geerbt, um Rochelle bis an ihr Lebensende Schweigegeld zu zahlen. Mit Ihrem Glück wäre Jonah Agyeman vielleicht sogar in Afghanistan gestorben; jedes Mal, wenn Sie das Bild von einem toten schwarzen Soldaten in der Zeitung sahen, haben Sie sich Hoffnungen gemacht, nicht wahr? Aber Sie wollten sich nicht auf Ihr Glück verlassen. Sie sind ein krankes, arrogantes Arschloch, und Sie haben geglaubt, Sie könnten das noch besser hinbekommen.«

Es blieb lange still.

»Keine Beweise«, wiederholte Bristow schließlich. Inzwischen war es so dunkel im Büro, dass Strike nur noch einen dunklen Schatten sah. »Sie haben keinen einzigen Beweis.«

»Ich fürchte, da liegen Sie falsch«, sagte Strike. »Die Durchsuchung dürfte inzwischen angeordnet sein.«

»Welche Durchsuchung?« Bristow hatte sich so weit gefangen, dass er sich nun traute zu lachen. »Die der Mülltonnen in ganz London, um nach einem Kapuzenpulli zu wühlen, der angeblich vor drei Monaten weggeworfen wurde?«

»Nein, die des Safes Ihrer Mutter natürlich.«

Strike überlegte, ob er die Jalousie schnell genug würde hochziehen können. Der Lichtschalter war zu weit weg, und das Büro war nahezu stockdunkel, aber er wollte Bristows Silhouette keine Sekunde aus den Augen lassen. Er war überzeugt davon, dass dieser dreifache Mörder nicht unvorbereitet gekommen war.

»Ich habe den Polizisten ein paar vielversprechende Kombinationen vorgeschlagen«, fuhr Strike fort. »Wenn keine davon stimmt, wird man den Safe wohl von einem Experten öffnen lassen müssen. Aber wenn ich wetten müsste, würde ich mein Geld auf die 030483 setzen.«

Ein Rascheln, das Aufblitzen einer blassen Hand, und im nächsten Moment hechtete Bristow über den Schreibtisch. Strike spürte, wie die Messerspitze seine Brust entlangschrammte, als er Bristow zur Seite stieß; der Anwalt rutschte vom Schreibtisch, rollte sich ab und griff erneut an. Und diesmal kippte Strike unter Bristows vollem Gewicht mit seinem

Stuhl nach hinten und kam eingeklemmt zwischen Wand und Schreibtisch zu liegen.

Strike hielt Bristows Handgelenk umklammert, aber er konnte in der Dunkelheit nicht erkennen, wo sich das Messer befand. Er schlug zu und traf Bristow so hart unter dem Kinn, dass dessen Kopf in den Nacken kippte und die Brille durch die Luft flog; der nächste Schlag schleuderte Bristow gegen die Wand; Strike versuchte, sich aufzusetzen, obwohl Bristows Unterleib sein unerträglich schmerzendes halbes Bein zu Boden drückte, und im selben Moment bohrte sich das Messer in seinen Oberarm: Er spürte, wie es in das Fleisch drang, spürte warmes Blut fließen und weißglühenden, stechenden Schmerz.

Vor dem halbdunklen Fenster sah er Bristows Umriss mit dem hoch erhobenen Arm; mit aller Kraft stemmte er sich gegen das Gewicht des Anwalts und konnte den zweiten Hieb abwehren, dann warf er mit übermenschlicher Anstrengung seinen Gegner ab und versuchte, ihn zu Boden zu pressen, wobei ihm die Prothese aus dem Hosenbein rutschte und Blut spritzte, ohne dass er noch hätte sagen können, wo das Messer abgeblieben war.

Strikes Kampfanstrengungen brachten den Schreibtisch zum Umkippen, und dann, gerade als er mit seinem gesunden Knie Bristows dünne Brust auf den Boden drückte und mit der Hand des unverletzten Arms nach dem Messer tastete, spaltete ein grelles Licht seine Netzhaut in zwei Teile, und er hörte eine Frau schreien.

Strike erblickte das Messer, das auf seinen Bauch zielte; in seiner Not packte er die Prothese, die neben ihm lag, und prügelte damit auf Bristows Gesicht ein, ein Mal, zwei Mal …

»Stopp! STOPP, CORMORAN! SIE BRINGEN IHN NOCH UM!«

Strike wälzte sich von Bristow herunter, der reglos liegen blieb, ließ die Beinprothese fallen, sank neben dem umgekippten Schreibtisch auf den Rücken und umklammerte den blutenden Arm mit der freien Hand.

»Ich dachte«, keuchte er, ohne Robin wirklich zu sehen, »ich hätte Sie heimgeschickt?«

Aber sie war schon am Telefon.

»Polizei und Krankenwagen!«

»Und rufen Sie ein Taxi!«, krächzte Strike, heiser vom vielen Reden. »Ich werde auf keinen Fall gemeinsam mit diesem Stück Scheiße ins Krankenhaus fahren.«

Er streckte den Arm aus und griff nach dem Handy, das in der Ecke auf dem Boden lag. Das Display des Geräts war zersplittert, aber es nahm immer noch auf.

EPILOG

Nihil est ab omni parte beatum.

Nichts ist in jeder Hinsicht glückselig.

HORAZ, *ODEN*, 2. BUCH

ZEHN TAGE SPÄTER

Die Britische Armee verlangt von ihren Soldaten, ihr sämtliche persönlichen Bedürfnisse und Bindungen in einem Maß unterzuordnen, das für Zivilisten kaum zu begreifen ist. So gut wie nichts hat Vorrang vor den Anforderungen des Militärs; und unvorhersehbare menschliche Krisen – wie Geburten oder Todesfälle, Hochzeiten, Scheidungen und Krankheiten – beeinträchtigen sein Getriebe für gewöhnlich ebenso wenig wie ein paar Kieselsteine, die gegen die Bodenplatte eines Panzers schlagen. Nichtsdestotrotz liegen hin und wieder außergewöhnliche Umstände vor; und aufgrund eines solchen Umstands wurde der Einsatz von Lieutenant Jonah Agyeman in Afghanistan vorzeitig beendet.

Die Metropolitan Police benötigte seine Anwesenheit in der Heimat, und obwohl die Army die Ansprüche der Polizei im Allgemeinen nicht über ihre eigenen stellt, war man in diesem Fall bereit, Hilfe zu leisten. Die Umstände, unter denen Agyemans Schwester gestorben war, erregten international Aufmerksamkeit, und mit einem Ansturm der Medien auf einen bis dato unbekannten Pionier wäre weder ihm selbst noch der Army gedient gewesen. Und so wurde Jonah in ein Flugzeug nach Großbritannien gesteckt, wo das Militär ihn beeindruckend geschickt vor der geifernden Presse abschirmte.

Ein beträchtlicher Teil der Zeitungsleserinnen und -leser war davon überzeugt, dass Lieutenant Agyeman überglücklich sein müsste, weil er erstens vorzeitig von seinem Kampfeinsatz zurückkehren durfte und ihm zweitens Reichtümer in Aussicht standen, die seine wildesten Träume überstiegen. In Wirklichkeit wirkte der junge Soldat, den Cormoran Strike zehn Tage nach der Verhaftung des Mörders seiner Schwester im Tottenham traf, beinahe trotzig und schien immer noch unter Schock zu stehen.

Die beiden Männer hatten zu verschiedenen Zeiten das gleiche Leben geführt und den gleichen Tod riskiert. Auch dies war ein Band, das kein Zivilist verstehen konnte, und so sprachen sie eine halbe Stunde lang ausschließlich über die Army.

»Sie waren bei der SIB?«, fragte Agyeman. »Na klar, wenn dir einer das Leben versauen kann, dann einer von denen.«

Strike lächelte. Er hielt Agyeman nicht für undankbar, auch wenn die Stiche in seinem Arm jedes Mal schmerzhaft zogen, sobald er sein Glas hob.

»Meine Mutter möchte, dass ich ausscheide«, sagte der Soldat. »Sie sagt immer, dann wäre der ganze Mist wenigstens zu irgendwas gut gewesen.«

Es war der erste indirekte Hinweis darauf, dass sie nicht zum Plaudern zusammensaßen und dass Jonah in diesem Moment nicht war, wo er eigentlich sein sollte, bei seinem Regiment und in dem Leben, für das er sich entschieden hatte.

Und dann begann er unvermittelt zu erzählen, als hätte er monatelang auf Strike gewartet: »Sie wusste nicht, dass mein Dad noch ein Kind hatte. Er hat es ihr nie erzählt. Er wusste nicht einmal mit Sicherheit, ob diese Marlene wirklich schwanger gewesen war oder ob sie ihm nur was vorgespielt hatte. Erst kurz vor seinem Tod, als er nur noch ein paar Tage zu leben hatte, hat er sich mir anvertraut. ›Belaste deine Mutter nicht damit‹, hat er gesagt. ›Ich erzähl dir das alles nur, weil ich sterben werde und weil ich nicht weiß, ob irgendwo da draußen vielleicht ein Halbbruder oder eine Halbschwester von dir lebt.‹ Er hat gesagt, dass die Mutter eine Weiße und irgendwann plötzlich verschwunden gewesen sei. Vielleicht hatte sie das Kind auch abgetrieben. Oh Mann, wenn Sie meinen Vater gekannt hätten! Jeden einzelnen Sonntag in der Kirche! Noch auf seinem Totenbett hat er die heilige Kommunion empfangen. So was hätte ich nie von ihm erwartet, niemals.

Ich hätte meiner Mum bestimmt nichts von Dad und dieser anderen Frau erzählt. Aber dann bekomme ich aus heiterem Himmel diesen Anruf. Gott sei Dank war ich gerade zufällig zu Hause auf Heimaturlaub. Allerdings sagte Lula«, er stockte kurz, bevor er ihren Namen aussprach, als wüsste er nicht recht, ob er sie so nennen durfte, »dass sie sofort aufgelegt hätte, wenn meine Mum an den Apparat gegangen wäre. Sie sagte, sie hätte niemanden verletzen wollen. Sie klang wirklich anständig.«

»Ich glaube, das war sie auch«, sagte Strike.

»Schon … aber, oh Mann, das war echt schräg! Was würden Sie sagen, wenn ein Topmodel bei Ihnen anrufen und Ihnen erklären würde, dass sie Ihre Schwester ist?«

Strike dachte an seine eigene bizarre Familiengeschichte. »Wahrscheinlich würde ich ihr glauben«, sagte er.

»Na ja gut, wahrscheinlich schon. Warum sollte sie auch lügen? Jedenfalls dachte ich das damals. Also gab ich ihr meine Handynummer, und wir telefonierten ein paarmal miteinander, wenn sie gerade mit ihrer Freundin Rochelle unterwegs war. Sie hatte alles haarklein arrangiert, damit die Presse auch ja nichts mitbekam! Mir war das nur recht. Ich wollte meiner Mutter die Aufregung ersparen.«

Agyeman hatte ein Päckchen Lambert & Butler aus der Jackentasche gezogen und spielte jetzt nervös mit der Zigarettenschachtel. Bestimmt hatte er die Zigaretten billiger im Army-Supermarkt gekauft, dachte Strike und spürte sofort einen nostalgischen Stich.

»Sie ruft mich also an, einen Tag bevor … bevor es passierte«, fuhr Jonah fort, »und bettelt mich an, dass wir uns sehen müssten. Dabei hatte ich ihr schon gesagt, dass ich diesmal keine Zeit hätte, mich mit ihr zu treffen. Mann, die ganze Sache setzte mir höllisch zu. Meine Schwester, das Topmodel. Gleichzeitig hatte meine Mum eine Scheißangst um mich, weil ich bald nach Helmand verlegt werden sollte. Da konnte ich ihr doch nicht aus heiterem Himmel eröffnen, dass Dad noch ein anderes Kind hatte! Nicht in dieser Situation! Also sagte ich Lula, dass ich mich nicht mit ihr treffen könnte.

Sie flehte mich an, ich solle sie wenigstens kurz besuchen, bevor ich wieder abfliegen würde. Sie klang so aufgeregt. Ich sagte, vielleicht könnte ich später noch mal aus dem Haus gehen, Sie wissen schon, nachdem Mum ins Bett gegangen wäre. Ich würde ihr einfach vorschwindeln, dass ich mich noch mit einem Kumpel auf ein schnelles Bier treffen wollte oder so. Lula sagte, ich sollte möglichst spät vorbeikommen, so um halb eins. Also«, fuhr Jonah fort und massierte sich verlegen den Nacken, »ging ich hin. Ich kam bis zur Straßenecke … und sah sie fallen.«

Er wischte sich mit der Hand über den Mund.

»Ich rannte los. Ich rannte einfach los. Ich hatte nicht den leisesten Schimmer, was ich tun sollte. Ich wollte nicht dort sein, ich wollte niemandem irgendwas erklären müssen. Ich wusste, dass sie psychische Probleme hatte, und mir wollte nicht aus dem Kopf, wie aufgeregt sie am Telefon geklungen hatte. Ich dachte: Hat sie mich vielleicht extra hergelockt, damit ich sie springen sehe? Ich habe die ganze Nacht kein Auge zugetan. Ganz ehrlich, ich war froh, als ich wieder nach Afghanistan flog. Und damit den ganzen Medienrummel hinter mir ließ.«

Um sie herum herrschte Hochbetrieb, immer mehr Mittagessensgäste drängten in den Pub.

»Ich glaube, Lula wollte Sie so dringend sehen, weil ihre Mutter ihr gerade etwas sehr Wichtiges anvertraut hatte«, sagte Strike. »Lady Bristow hatte reichlich Valium genommen. Ich schätze, die alte Dame wollte dem Mädchen ein schlechtes Gewissen machen, damit es bei ihr blieb, und so erzählte sie Lula, was Tony vor vielen Jahren über John gesagt hatte: dass er seinen jüngeren Bruder Charlie in den Steinbruch geschubst und ihn umgebracht habe. Darum war Lula so aufgelöst, als sie die Wohnung ihrer Mutter verließ, und darum versuchte sie so verzweifelt, ihren Onkel zu erreichen: Sie wollte herausfinden, ob etwas Wahres an dieser Geschichte war. Und ich glaube, sie wollte Sie so dringend sehen, weil sie jemanden in ihrer Nähe haben wollte, den sie lieben und dem sie vertrauen konnte. Ihre Mutter war ein schwieriger Mensch und lag im Sterben, ihren Onkel hasste sie, und ihr Adoptivbruder war, wie sie gerade erst erfahren hatte, vermutlich ein Mörder. Sie war wahrscheinlich völlig verzweifelt. Ganz bestimmt aber hatte sie Angst. Noch am selben Morgen hatte Bristow versucht, ihr Geld abzupressen. Mit Sicherheit fragte sie sich, was ihm sonst noch alles zuzutrauen war.«

Auch über dem Gläserklirren und Stimmengewirr im Pub war Jonahs Bemerkung klar und deutlich zu verstehen: »Ich bin froh, dass Sie dem Schwein den Kiefer gebrochen haben.«

»Und die Nase«, ergänzte Strike gut gelaunt. »Ich kann von Glück reden, dass er mir das Messer in den Arm gestoßen hat, sonst hätte ich kaum auf Notwehr plädieren können.«

»Er kam bewaffnet«, bemerkte Jonah nachdenklich.

»Natürlich«, sagte Strike. »Ich hatte meine Sekretärin angewiesen, ihm während der Trauerfeier für Rochelle unauffällig zu stecken, dass ich Drohbriefe von einem Irren bekomme, der mich aufschlitzen will. Damit hat sie ihm die Idee eingepflanzt. Er dachte, wenn es zum Äußersten käme, könnte er immer noch versuchen, meinen Tod dem armen alten Brian Mathers in die Schuhe zu schieben. Dann wäre er wahrscheinlich heimgefahren, hätte noch einmal den Wecker seiner Mutter zurückgestellt und den gleichen Trick ein zweites Mal abgezogen. Er ist schlicht nicht zurechnungsfähig. Was nicht heißt, dass er kein schlauer Scheißer wäre.«

Es gab wenig mehr zu sagen. Als sie den Pub verließen, unternahm Agyeman, der bereits nervös darauf bestanden hatte, alle Getränke zu bezahlen, einen halbherzigen Versuch, Strike Geld anzubieten, nachdem die Medien lang und breit über dessen finanzielle Nöte berichtet hatten. Strike schlug das Angebot aus, aber er verübelte es Agyeman nicht. Er sah dem jungen Mann an, dass er sich noch nicht an die Vorstellung gewöhnt hatte, schlagartig so reich geworden zu sein; dass die ungewohnte Verantwortung, die damit verbundenen Anforderungen, die Verlockungen und anstehenden Entscheidungen immer noch schwer auf ihm lasteten; dass er eher ratlos war als froh. Natürlich bedrückte ihn darüber hinaus auch das allgegenwärtige schreckliche Wissen, wie er zu diesem Reichtum gekommen war. Strike schätzte, dass Agyemans Gedanken wie wild zwischen seinen Kameraden in Afghanistan, Visionen von brandneuen Sportwagen und dem Bild seiner tot im Schnee liegenden Halbschwester hin und her sprangen. Wer wäre sich der Launenhaftigkeit des Schicksals – der Willkür des Würfels – bewusster als ein Soldat?

»Er kommt doch nicht damit durch, oder?«, fragte Agyeman unvermittelt, als sie sich gerade verabschieden wollten.

»Natürlich nicht«, sagte Strike. »Die Presse weiß noch nichts davon, aber die Polizei hat Rochelles Handy im Safe seiner Mutter gefunden. Er hatte nicht den Mut, es zu entsorgen. Und er hatte den Code des Safes neu eingestellt, damit nur er selbst ihn öffnen konnte: auf 030483. Ostersonntag neunzehn dreiundachtzig: der Tag, an dem er meinen Kumpel Charlie tötete.«

Es war Robins letzter Arbeitstag. Strike hatte sie eingeladen, ihn zu dem Treffen mit Jonah Agyeman zu begleiten, nachdem sie so viel dazu beigetragen hatte, ihn aufzuspüren, aber sie hatte abgelehnt. Strike hatte das Gefühl, dass sie Distanz zu dem Fall, zu ihrer Arbeit, zu ihm gewinnen wollte. Am Nachmittag hatte er einen Termin im Amputationszentrum im Queen Mary's Hospital; bis er aus Roehampton zurückkam, würde sie schon fort sein. Matthew wollte mit ihr übers Wochenende nach Yorkshire fahren.

Während Strike durch das fortwährende Baustellenchaos zu seinem Büro hinkte, fragte er sich, ob er seine temporäre Sekretärin nach dem heutigen Tag je wiedersehen würde. Er glaubte es nicht. Anfangs hatte ihn nur das Wissen um die zeitliche Begrenzung ihres Arrangements mit ihrer Anwesenheit ausgesöhnt, aber mittlerweile war ihm klar, dass er Robin vermissen würde. Sie war mit ihm im Taxi zum Krankenhaus gefahren und hatte ihren Trenchcoat um seinen blutenden Arm gewickelt.

Der Medienrummel um Bristows Verhaftung hatte Strikes Geschäft ganz und gar nicht geschadet. Vielleicht würde er in Kürze wirklich eine Sekretärin brauchen, und tatsächlich hörte er, während er sich die Stufen zu seinem Büro hinaufschleppte, Robins Stimme am Telefon: »…frühestens einen Termin am Dienstag, fürchte ich; am Montag hat Mr. Strike den ganzen Tag zu tun … Ja … auf jeden Fall … Ich trage Sie dann für elf Uhr ein. Ja. Danke. Auf Wiederhören.«

Als Strike eintrat, rollte sie auf ihrem Drehstuhl herum. »Und, wie ist Jonah so?«, erkundigte sie sich.

»Nett«, sagte Strike und ließ sich vorsichtig auf das durchgebrochene Sofa sinken. »Natürlich hat er an der ganzen Sache schwer zu knabbern. Aber die Alternative wäre gewesen, dass Bristow die zehn Millionen eingesteckt hätte, also wird er sich damit abfinden müssen.«

»Während Sie unterwegs waren, haben drei potenzielle Klienten angerufen«, sagte sie. »Allerdings habe ich beim letzten kein gutes Gefühl. Das könnte schon wieder ein Journalist sein. Er wollte lieber über Sie als über sein Anliegen reden.«

Es hatte eine ganze Reihe solcher Anrufe gegeben. Die Presse hatte sich begeistert auf die Story gestürzt, die man aus so vielen Blickwinkeln analysieren konnte und die alles enthielt, was die Medien liebten. Auch über Strike war ausführlich berichtet worden. Die meisten Zeitungen hatten, worüber er sehr froh war, ein Foto verwendet, das zehn Jahre alt war und ihn in seiner Uniform als jungen Militärpolizisten zeigte; aber sie hatten auch das Foto von dem Rockstar, seiner Frau und dem Supergroupie ausgegraben.

Viel war über die Unfähigkeit der Polizei geschrieben worden; man hatte Carver dabei fotografiert, wie er mit wehendem Jackett und deutlich sichtbaren Schweißflecken die Straße entlanggelaufen war; Wardle hingegen, der gut aussehende Wardle, der Strike geholfen hatte, Bristow zu verhaften, war bislang gnädig behandelt worden, vor allem von

Journalistinnen. Hauptsächlich hatten die Medien jedoch ein weiteres Mal Lula Landrys Leichnam gefleddert; neben jedem Artikel erstrahlten Aufnahmen des toten Models mit dem makellosen Gesicht und dem geschmeidigen, wohlproportionierten Körper.

Strike hörte Robin reden; er hatte einen Moment nicht aufgepasst, weil ihn das Pochen in seinem Arm und seinem Bein abgelenkt hatte.

»... Aufzeichnungen aus den Akten und Ihrem Notizbuch. Weil Sie in Zukunft jemanden brauchen, wissen Sie? Sie werden das allein nicht mehr schaffen.«

»Nein«, stimmte er ihr zu und rappelte sich auf; eigentlich hatte er damit bis später warten wollen, wenn sie sich verabschiedeten, aber dieser Augenblick war so gut wie jeder andere, und wenigstens hatte er damit einen guten Grund, aus dem höllisch unbequemen Sofa aufzustehen. »Hören Sie, Robin, ich habe mich nie richtig bei Ihnen bedankt ...«

»Doch, das haben Sie«, versicherte sie ihm eilig. »Im Taxi zum Krankenhaus – und außerdem ist das gar nicht nötig. Mir hat es Spaß gemacht. Ehrlich gesagt ... fand ich es richtig toll.«

Er war bereits in sein Büro gehumpelt und überhörte darum das leise Zittern in ihrer Stimme. Das Geschenk lag versteckt ganz unten in seiner Sporttasche. Es war miserabel verpackt.

»Hier«, sagte er. »Das ist für Sie. Ohne Sie hätte ich das nicht geschafft.«

»Oh«, sagte Robin halb erstickt, und Strike bemerkte gerührt und zugleich erschrocken, dass Tränen über ihre Wangen liefen. »Das wäre doch nicht nötig ...«

»Machen Sie es erst zu Hause auf«, sagte er – zu spät. Das Paket entfaltete sich bereits von selbst. Durch einen Spalt im

Geschenkpapier rutschte etwas Giftgrünes auf die Schreibtischplatte. Ihr stockte der Atem.

»Sie … Oh mein Gott, Cormoran …«

Sie hielt das Kleid hoch, das sie bei Vashti anprobiert und sofort ins Herz geschlossen hatte, und starrte ihn mit hochrotem Kopf und funkelnden Augen über den Kragen hinweg an. »Das können Sie sich doch gar nicht leisten!«

»Kann ich doch«, sagte er und lehnte sich an die Trennwand zwischen den beiden Büros, was nur geringfügig bequemer war, als auf dem Sofa zu sitzen. »Die Aufträge rollen nur so herein. Sie waren unglaublich. Ihr neuer Chef kann von Glück reden, dass er Sie kriegt.«

Sie wischte sich hektisch mit dem Blusenärmel über die Augen. Ein Schluchzen und ein paar unverständliche Worte entrangen sich ihrer Kehle. Blind tastete sie nach den Taschentüchern, die sie aus der Kaffeekasse finanziert hatte, um für weitere Klientinnen wie Mrs. Hook gewappnet zu sein, schnäuzte sich, trocknete sich die Augen und erklärte dann, während das grüne Kleid schlaff und vergessen auf ihrem Schoß lag: »Ich will aber nicht gehen.«

»Ich kann mir Sie nicht leisten, Robin«, antwortete er nur.

Natürlich hatte er mit dem Gedanken gespielt; in der vergangenen Nacht hatte er wach auf seiner Campingliege gelegen, im Kopf unzählige Berechnungen angestellt und ein Angebot zu erarbeiten versucht, das im Vergleich zu ihrem zukünftigen Gehalt bei der Media-Consulting-Firma nicht wie eine Ohrfeige gewirkt hätte. Er war zu keinem Ergebnis gekommen. Er konnte die Zahlungen für seinen allergrößten Kredit nicht länger aufschieben; ihm stand eine Mieterhöhung ins Haus, und er konnte auch nicht ewig in seinem Büro hausen. Zwar hatten sich seine wirtschaftlichen Aussichten kurzfristig immens verbessert, aber seine Zukunft war noch immer keineswegs gesichert.

»Ich würde gar nicht erwarten, dass Sie mir das Gleiche zahlen wie die«, gestand Robin mit belegter Stimme.

»Das könnte ich auch nicht mal annähernd«, sagte Strike.

(Aber sie kannte Strikes finanzielle Situation fast so gut wie er selbst und hatte darum schon überschlagen, wie viel sie höchstens verlangen konnte. Als Matthew sie am Vorabend in Tränen aufgelöst vorgefunden hatte, weil ihr der anstehende Jobwechsel so zusetzte, hatte sie ihm den Betrag genannt, den Strike ihr schätzungsweise bestenfalls zahlen konnte.

»Aber bis jetzt hat er dir noch gar kein Angebot gemacht«, hatte Matthew eingewandt. »Oder?«

»Nein, aber wenn er mir eins machen würde ...«

»Also, dann wäre das deine Entscheidung«, hatte Matthew steif geantwortet. »Das müsstest du schon selbst wissen. Es wäre allein deine Sache.«

Matthew wollte nicht, dass sie blieb, das wusste sie genau. Während man Strike zusammengeflickt hatte, hatte er stundenlang mit ihr in der Notaufnahme gesessen und nur darauf gewartet, Robin heimbringen zu können. Er hatte ihr steif erklärt, dass sie gute Arbeit geleistet und lobenswerte Initiative gezeigt habe, aber seither hatte er sich eher distanziert verhalten und schien es ihr beinahe zu verübeln, wenn ihre Freundinnen sie um Insiderinformationen über alles, was in der Presse gedruckt wurde, anbettelten.

Aber bestimmt würde Matthew Strike sympathisch finden, wenn sich die beiden einmal begegneten? Und Matthew hatte selbst gesagt, dass es allein ihre Sache wäre, wie sie sich entschied ...)

Robin richtete sich auf, schnäuzte sich noch einmal und erklärte Strike ruhig, wenn auch von kleinen Hicksern unterbrochen, für welchen Betrag sie liebend gern bleiben würde.

Strike brauchte ein paar Sekunden, um auf ihr Angebot zu reagieren. Das von ihr vorgeschlagene Gehalt konnte er knapp aufbringen; es lag nur um vierzig Pfund monatlich über dem, was er als gerade noch vertretbar errechnet hatte. Sie war, wie man es auch drehte und wendete, ein Aktivposten, den er zu diesem Preis unmöglich ersetzen konnte. Es gab nur einen winzigen Haken an der Sache…

»Das wäre machbar«, sagte er. »Schon. So viel könnte ich Ihnen zahlen.«

Das Telefon klingelte. Strahlend griff sie nach dem Hörer und nahm den Anruf so glückselig an, als hätte sie ihn seit Tagen erwartet: »Ach, hallo, Mr. Gillespie! Wie geht es Ihnen? Mr. Strike hat den Scheck schon losgeschickt, ich habe ihn heute Vormittag persönlich in die Post gegeben… Alle ausstehenden Zahlungen und noch etwas mehr… Oh nein, Mr. Strike legt großen Wert darauf, das Darlehen vollständig zurückzuzahlen… Also, das ist sehr freundlich von Mr. Rokeby, aber Mr. Strike möchte es lieber ablösen. Er ist zuversichtlich, den Restbetrag innerhalb der nächsten Monate begleichen zu können…«

Als Strike eine Stunde später auf einem harten Plastikstuhl im Amputationszentrum saß und das schmerzende Bein ausstreckte, überlegte er, dass er das grüne Kleid auf keinen Fall gekauft hätte, wenn er gewusst hätte, dass Robin bleiben würde. Matthew wäre bestimmt nicht begeistert über das Geschenk, vor allem wenn er Robin zum ersten Mal darin sehen und auch noch erfahren würde, dass sie es zuerst Strike vorgeführt hatte.

Seufzend griff er nach einer Ausgabe des *Private Eye*, die

auf dem Tisch neben seinem Stuhl lag. Als der Arzt ihn aufrief, reagierte er erst nicht, so vertieft war er in eine Glosse mit der Überschrift »Landry unter – Presse im freien Fall«, in dem unzählige Beispiele journalistischer Fehlleistungen im Zusammenhang mit dem gelösten Fall aufgeführt wurden. So viele Kolumnisten hatten Kain und Abel erwähnt, dass die Zeitschrift einen satirischen Artikel darüber verfasst hatte.

»Mr. Strick?«, rief der Arzt zum zweiten Mal. »Mr. Cameron Strick?«

Er sah grinsend auf.

»Strike«, sagte er laut und deutlich. »Ich heiße Cormoran Strike.«

»Ach so, ich bitte um Verzeihung … Hier entlang …«

Während Strike dem Arzt hinterherhinkte, stieg aus seinem Unterbewusstsein ein Satz auf, den er irgendwann vor langer Zeit gelesen hatte; Jahre bevor er seinen ersten Toten zu sehen bekommen oder staunend einen afrikanischen Wasserfall betrachtet hatte und lange bevor er zum ersten Mal beobachtet hatte, wie das Gesicht eines Mörders in sich zusammenfiel, als er begriff, dass man ihn überführt hatte.

Ein Name bin ich nun …

»Nehmen Sie bitte die Prothese ab und legen Sie sich auf den Untersuchungstisch.«

Woher stammte der Satz nur? Strike legte sich hin, sah stirnrunzelnd zur Decke auf und hatte im nächsten Moment den Arzt vergessen, der sich jetzt über seinen Beinstumpf beugte, ihn murmelnd in Augenschein nahm und vorsichtig betastete.

Erst nach Minuten hatte Strike die Zeilen wieder hervorgekramt, die er vor so vielen Jahren auswendig gelernt hatte.

Mein Wandern kennt kein Rasten: Ich will das Leben trinken
bis zum letzten Schluck; habe es allezeit
in hohem Maß genossen, habe gelitten, mit Menschen,
die mich liebten, und allein; an Land und als
die regnerischen Hyaden das düstere Meer erregten
durch peitschenden Sturm. Ein Name bin ich nun …

Leseprobe aus

DER SEIDENSPINNER

Der zweite Fall für Cormoran Strike und
seine entschlossene Assistentin Robin Ellacott!

Gebundene Ausgabe,
ca. 640 Seiten, erscheint im November 2014.
Deutsch von Wulf Bergner,
Christoph Göhler und Kristof Kurz

…Blut und Rache die Bühne, der Tod das Stück,
der Federkiel ein blutbeflecktes Schwert,
ein tragischer Kerl der Dichter auf hohem Kothurn,
dem nicht Lorbeer krönt sein Haupt, jedoch ein Kranz aus
sengend heißen Flammen.

THOMAS DEKKER, *DER EDLE SPANISCHE SOLDAT*

1

FRAGE
Was nährt dich?

ANTWORT
Unterbrochner Schlaf

THOMAS DEKKER, *DER EDLE SPANISCHE SOLDAT*

»Strike«, sagte die heisere Stimme am anderen Ende der Leitung, »ich will schwer für Sie hoffen, dass jemand Berühmtes gestorben ist.«

Der große unrasierte Mann, der mit dem Telefon am Ohr durch die Finsternis vor der Morgendämmerung marschierte, musste grinsen. »So was in der Richtung.«

»Es ist sechs Uhr früh, verdammt noch mal!«

»Halb sieben. Sie müssen schon kommen und es sich holen, wenn Sie es haben wollen«, sagte Cormoran Strike. »Ich bin ganz in der Nähe Ihrer Wohnung. Hier ist ein ...«

»Woher wissen Sie, wo ich wohne?«, wollte die Stimme wissen.

»Von Ihnen«, antwortete Strike und unterdrückte ein Gähnen. »Sie wollen die Wohnung doch verkaufen.«

»Oh. Gutes Gedächtnis«, sagte der andere halbwegs besänftigt.

»Das Café hier hat rund um die Uhr ...«

»Nein, verdammt. Kommen Sie später in meinem Büro vorbei und …«

»Culpepper, ich habe heute Morgen noch einen Termin mit einem anderen Klienten, und der zahlt besser als Sie. Außerdem war ich die ganze Nacht wach. Sie brauchen den Kram jetzt, wenn Sie was damit anfangen wollen.«

Ein Stöhnen. Strike hörte das Rascheln einer Bettdecke.

»Es ist hoffentlich wirklich heißes Material.«

»Das Smithfield Café in der Long Lane«, sagte Strike und legte auf.

Das leichte Humpeln wurde stärker, als er den Abhang zum Smithfield Market hinunterging. Das Marktgebäude ragte wie ein Monolith in der Winterschwärze auf – ein gewaltiger, rechteckiger viktorianischer Tempel des Fleisches, wo seit Jahrhunderten an jedem Werktag ab vier Uhr morgens tote Tiere angeliefert, zerteilt, verpackt und an Metzgereien und Restaurants in ganz London verkauft wurden. Stimmen waren durch das Dunkel zu hören, gebrüllte Befehle und das Brummen und Piepen zurücksetzender Lastwagen, aus denen die Kadaver ausgeladen wurden. Sowie er die Long Lane betrat, war er nur mehr einer von vielen dick vermummten Männern, die zielstrebig ihren Montagmorgengeschäften nachgingen.

Unter einem steinernen Greif, der über einer Ecke des Marktgebäudes wachte, standen mehrere Kuriere in neonfarbenen Westen und hielten Teebecher in den behandschuhten Händen. Auf der gegenüberliegenden Straßenseite glühten die Lichter des rund um die Uhr geöffneten Smithfield Café wie ein Kaminfeuer in der Dunkelheit – ein Unterschlupf voller Wärme und fettigem Essen, der gerade so groß war wie ein Schrank.

Eine Toilette gab es dort nicht, nur eine Vereinbarung mit dem Ladbrokes-Wettbüro einige Häuser weiter. Da die Buchmacher jedoch erst in drei Stunden öffnen würden, schlug Strike einen Umweg durch eine Seitengasse ein, wo er seine Blase – die er während der durchwachten Nacht bis zum Bersten mit schwachem Kaffee gefüllt hatte – in einem dunklen Hauseingang entleerte. Müde und hungrig trat er mit einer Vorfreude, wie sie nur ein Mann kennt, der seine körperlichen Grenzen überschritten hat, in das nach Eiern, Speck und Bratfett duftende Café.

Zwei Männer in Fleecepullovern und Regenjacken waren soeben von einem Tisch aufgestanden. Strike manövrierte seinen massigen Körper in die enge Nische und ließ sich mit einem zufriedenen Grunzen auf den harten Stuhl aus Holz und Metall fallen. Kaum hatte Strike bestellt, brachte ihm der italienische Inhaber des Cafés auch schon einen großen weißen Becher mit Tee, zu dem kleine dreieckige Butterbrote serviert wurden. Fünf Minuten später stand ein komplettes englisches Frühstück auf einem großen ovalen Teller vor ihm.

Strike fiel unter den stämmigen Männern, die in dem Café ein und aus gingen, nicht weiter auf. Er war groß, dunkel, hatte dichtes, kurzes, gelocktes Haar, das sich über der hohen, gewölbten Stirn bereits ein wenig lichtete, eine breite Boxernase und buschige Augenbrauen, die ihm ein mürrisches Aussehen verliehen. Bartstoppeln bedeckten sein Kinn, und er hatte Schatten wie Blutergüsse unter den dunklen Augen. Beim Essen starrte er gedankenverloren auf das Marktgebäude gegenüber. Der nächstgelegene Eingang – als Nummer zwei ausgeschildert – nahm im zunehmenden Tageslicht endlich Gestalt an, und ein strenges, uraltes bärtiges Steingesicht über dem Torbogen starrte zu ihm zurück. Hatte es je einen Gott der Kadaver gegeben?

Er wollte sich gerade über seine Würstchen hermachen, als Dominic Culpepper eintrat. Der Journalist mit dem Teint eines Chorknaben war fast so groß wie Strike, aber deutlich schlanker. Sein Gesicht war seltsam asymmetrisch, als hätte es jemand gegen den Uhrzeigersinn verdreht, um seiner nahezu mädchenhaften Schönheit Einhalt zu gebieten.

»Ich hoffe, es lohnt sich«, sagte Culpepper und nahm Platz, zog die Handschuhe aus und sah sich beinahe misstrauisch in dem Café um.

»Wollen Sie etwas essen?«, fragte Strike, den Mund voll Wurst.

»Nein«, antwortete Culpepper.

»Sie hätten wohl lieber ein Croissant?«, sagte Strike und grinste.

»Sie können mich mal, Strike.«

Es war geradezu erbärmlich einfach, den einstigen Privatschuljungen auf die Palme zu bringen. Trotzig bestellte er sich einen Tee, wobei er den gleichgültigen Kellner mit »Kumpel« ansprach (wie Strike amüsiert bemerkte).

»Also?«, fragte Culpepper ungeduldig, sobald er den heißen Becher in seinen großen, blassen Händen hielt.

Strike kramte in seinen Manteltaschen, zog einen Umschlag hervor und schob ihn über den Tisch. Culpepper nahm den Inhalt heraus und fing an zu lesen.

»Verdammte Scheiße«, flüsterte er nach einer Weile. Er blätterte fieberhaft durch die Seiten, von denen manche mit Strikes Handschrift bedeckt waren. »Wo zum Teufel haben Sie das her?«

Strike, der erneut den Mund voll Wurst hatte, tippte mit dem Finger auf ein Blatt, auf das eine Büroadresse gekritzelt war.

»Von seiner Assistentin höchstpersönlich. Sie ist stinksauer«, sagte er, nachdem er endlich geschluckt hatte. »Er hat sie gevögelt, genau wie die beiden anderen, von denen Sie ja bereits wissen. Sie hat erst jetzt begriffen, dass sie nicht die nächste Lady Parker sein wird.«

»Wie zur Hölle haben Sie das denn herausgefunden?« Aufgeregt sah Culpepper von den Papieren in seinen zitternden Händen zu Strike auf.

»Ermittlungsarbeit«, nuschelte Strike, der bereits auf dem nächsten Wurstbissen kaute. »Habt ihr das nicht auch mal so gemacht, ehe ihr das Ganze an Leute wie mich ausgesourct habt? Culpepper, die Frau macht sich Sorgen um ihre Zukunft auf dem Arbeitsmarkt. Deshalb will sie ungern in der Geschichte auftauchen, in Ordnung?«

Culpepper schnaubte verächtlich. »Daran hätte sie denken sollen, bevor sie das Zeug hier geklaut hat.«

Im Nu hatte Strike dem Journalisten die Blätter wieder entrissen.

»Sie hat gar nichts geklaut. Er hat ihr gestern Nachmittag aufgetragen, diese Unterlagen auszudrucken. Ihr einziges Vergehen war, sie mir zu zeigen. Culpepper, wenn Sie vorhaben, ihr Privatleben in der Presse breitzutreten, dann nehme ich den Kram hier sofort wieder an mich.«

»Scheiße.« Vergeblich schnappte er nach den Beweisen für einen schweren Fall von Steuerhinterziehung, die Strike in seiner behaarten Hand hielt. »Also gut, meinetwegen wird sie nicht erwähnt. Aber er wird sich zusammenreimen können, woher wir die Informationen haben. Er ist ja nicht völlig bescheuert.«

»Was soll er denn tun? Sie vor Gericht zerren, damit sie auch noch jede andere schmierige Sache auspackt, von der sie in den vergangenen fünf Jahren Wind bekommen hat?«

»Na schön«, sagte Culpepper und seufzte, nachdem er einen Augenblick darüber nachgedacht hatte. »Jetzt geben Sie schon her. Ich werde sie nicht erwähnen, aber mit ihr reden muss ich ja wohl, oder? Mich vergewissern, dass sie koscher ist.«

»Die Unterlagen sind koscher. Mit ihr müssen Sie nicht reden«, sagte Strike entschieden.

Die zitternde, verliebte, verratene Frau, von der sich Strike gerade erst verabschiedet hatte, durfte unter keinen Umständen allein mit Culpepper sprechen. Mit ihren wilden Rachegelüsten gegenüber dem Mann, der ihr eine Hochzeit und Kinder versprochen hatte, würde sie sich selbst und ihren Zukunftschancen irreparable Schäden zufügen. Strike hatte nicht lange gebraucht, um ihr Vertrauen zu gewinnen. Sie war knapp zweiundvierzig, und sie war der irrigen Annahme aufgesessen, schon bald die Mutter von Lord Parkers Kindern zu werden; stattdessen wurde sie jetzt von dem geradezu blutrünstigen Drang beherrscht, es ihm heimzuzahlen. Strike hatte stundenlang mit ihr zusammengesessen, sich die tragische Geschichte ihrer Verblendung angehört und sie dabei beobachtet, wie sie in ihrem Wohnzimmer weinend auf- und abmarschiert war, sich auf dem Sofa vor- und zurückgewiegt und sich dabei die Fingerknöchel gegen die Stirn gepresst hatte. Schließlich hatte sie zugestimmt – zu einem Verrat, mit dem sie all ihre Hoffnungen zu Grabe tragen würde.

»Sie werden sie mit keinem Wort erwähnen«, sagte Strike. Er hielt die Unterlagen fest in seiner Faust, die doppelt so groß war wie die seines Gegenübers. »Verstanden? Es ist auch ohne sie eine verdammt heiße Story.«

Culpepper zögerte einen Moment, dann verzog er das Gesicht und gab nach.

»Schon gut, schon gut. Geben Sie her.«

Der Journalist stopfte die Unterlagen in die Innentasche seines Mantels und stürzte seinen Tee hinunter. Sein momentaner Zorn auf Strike schien zu verrauchen angesichts der verlockenden Aussicht, schon bald den Ruf eines Mitglieds des englischen Hochadels zu ruinieren.

»Lord Parker of Pennywell«, flüsterte er frohgemut. »Du bist wirklich und wahrhaftig am Arsch, Freundchen.«

»Das übernimmt doch sicher Ihr Arbeitgeber?«, fragte Strike, als die Rechnung auf ihrem Tisch landete.

»Ja, ja …«

Culpepper warf eine Zehnpfundnote daneben. Gemeinsam verließen die beiden Männer das Café. Sobald die Tür hinter ihnen zugefallen war, zündete sich Strike eine Zigarette an.

»Wie haben Sie sie zum Reden gebracht?«, fragte Culpepper, als sie durch die Kälte an den Motorrädern und Lieferwagen vorbeigingen, die noch immer vor dem Marktgebäude verkehrten.

»Ich hab ihr zugehört«, sagte Strike.

Culpepper warf ihm einen argwöhnischen Blick zu. »Alle anderen Privatschnüffler, mit denen ich zu tun habe, hacken sich normalerweise in irgendwelche Mailboxen ein.«

»Das ist illegal«, sagte Strike und blies Rauch in die Dämmerung.

»Aber wie …«

»Sie schützen Ihre Quellen und ich meine.«

Schweigend legten sie weitere fünfzig Meter zurück. Strikes Humpeln wurde mit jedem Schritt schlimmer.

»Das wird riesig … eine Riesensache«, verkündete Culpepper vergnügt. »Dieser scheinheilige alte Sack prangert die Gier der Konzerne an und hat selber zwanzig Millionen auf den Caymans gebunkert!«

»Immer gern zu Diensten«, sagte Strike. »Die Rechnung kommt per E-Mail.«

Culpepper bedachte ihn mit einem weiteren argwöhnischen Blick.

»Haben Sie das von Tom Jones' Sohn letzte Woche in der Zeitung gelesen?«

»Tom Jones?«

»Der walisische Sänger«, sagte Culpepper.

»Ach, der«, sagte Strike ohne große Begeisterung. »Ich kannte mal einen Tom Jones in der Army.«

»Haben Sie's gelesen?«

»Nein.«

»Schön langes Interview. Er behauptet, dass er seinen Vater nie persönlich getroffen und nie auch nur ein Sterbenswörtchen von ihm gehört hat. Ich wette, dass er weitaus mehr bekommen hat als das, was auf Ihrer Rechnung stehen wird.«

»Warten Sie's ab«, sagte Strike.

»Ich meine ja nur ... Ein einziges kleines Interview, und Sie bräuchten ein paar Nächte lang mal keine Sekretärinnen zu verhören.«

»Culpepper, wenn Sie nicht damit aufhören«, sagte Strike, »muss ich aufhören, für Sie zu arbeiten.«

»Ich könnte die Story natürlich trotzdem bringen«, sagte Culpepper. »Der verlorene Sohn des Rockstars – ein Kriegsheld, der seinen Vater nie kennengelernt hat und jetzt als Privat...«

»Jemanden damit zu beauftragen, fremde Telefone anzuzapfen, ist ebenfalls illegal, soweit ich weiß.«

Am Ende der Long Lane blieben sie stehen und sahen einander an. Culpepper lachte verunsichert.

»Dann warte ich also auf Ihre Rechnung, ja?«

»Geht klar.«

Sie gingen in verschiedene Richtungen davon. Strike machte sich auf den Weg zur U-Bahn-Haltestelle.

»Strike!« Culpeppers Stimme hallte ihm durch die Dämmerung nach. »Haben Sie sie gevögelt?«

»Ich bin gespannt auf Ihre Story, Culpepper«, rief Strike müde zurück, ohne sich umzudrehen.

Er humpelte den dunklen U-Bahn-Eingang hinunter und verschwand aus Culpeppers Blickfeld.

2

Wie lange dauert das Duell? Ich kann nicht bleiben
Und werd es nicht! Ich bin ein viel gefragter Mann.

FRANCIS BEAUMONT UND PHILIP MASSINGER,
DER KLEINE FRANZÖSISCHE ANWALT

Die U-Bahn war bereits ziemlich voll: schlaffe, blasse, verkniffene, resignierte Montagmorgengesichter. Strike ergatterte einen freien Sitz gegenüber einer jungen Blondine mit verquollenen Augen, deren Kopf ständig zur Seite kippte. Immer wieder schreckte sie aus dem Schlaf, setzte sich gerade auf und versuchte in der Befürchtung, ihre Haltestelle verpasst zu haben, mit dem Blick die vorbeihuschenden Schilder auf den Bahnsteigen zu erfassen.

Der Zug ratterte und klapperte, während er Strike zu der schlecht isolierten, kargen Zweieinhalbzimmer-Dachgeschosswohnung brachte, die er sein Zuhause nannte. Todmüde und umgeben von all den leeren Schafgesichtern grübelte er über die Umstände nach, die für ihrer aller Existenz verantwortlich waren. Jede Geburt war bei genauerer Betrachtung reiner Zufall. Bei einhundert Millionen Spermien, die blind durch die Dunkelheit schwammen, war die Chance, eine bestimmte Person zu werden, verschwindend gering. Wie viele der Fahrgäste in diesem Wagen waren geplant gewesen, fragte er sich, vor Müdigkeit ganz benommen, und wie viele waren wie er selbst Unfälle?

In seiner Grundschulklasse hatte es ein Mädchen mit einem Feuermal im Gesicht gegeben, und Strike hatte immer eine geheime Verbindung zwischen ihnen verspürt. Beiden haftete seit ihrer Geburt ein unveränderliches Merkmal an, das sie von den anderen unterschied und für das sie nicht verantwortlich waren. Selbst sehen konnten sie es nicht, dafür aber alle anderen – und die hatten nicht einmal den Anstand, es höflich zu ignorieren. Die Faszination, die er auf wildfremde Menschen gelegentlich ausübte, hatte der damals Fünfjährige auf seine Einmaligkeit und Einzigartigkeit zurückgeführt – bis er irgendwann begriff, dass man ihn lediglich als die Zygote eines berühmten Rocksängers betrachtete, als das zufällige Nebenprodukt des Fehltritts eines treulosen Prominenten. Strike war seinem leiblichen Vater nur zwei Mal begegnet. Jonny Rokeby hatte seine Vaterschaft erst nach einem DNA-Test anerkannt.

Dominic Culpepper stellte die Verkörperung der überheblichen Sensationsgeilheit dar, die Strike immer dann entgegenschlug, wenn jemand den griesgrämigen Exsoldaten mit dem alternden Rockstar in Verbindung brachte, was dieser Tage nicht mehr allzu häufig vorkam – aber wenn doch, dann dachten alle sofort an Treuhandfonds und großzügige Geschenke, Privatjets und VIP-Lounges und die nie versiegende Freigiebigkeit eines Multimillionärs, und angesichts der Bescheidenheit seines Lebensstils und der endlosen Überstunden, die er machte, fragten sie sich dann: Was hatte Strike nur getan, um es sich mit seinem Vater zu verscherzen? War seine Armut nur vorgetäuscht, um Rokeby mehr Geld aus den Rippen zu leiern? Was hatte er mit den Millionen angestellt, die seine Mutter aus ihrem reichen Liebhaber herausgequetscht haben musste?

In solchen Augenblicken dachte Strike wehmütig an die Army, an die Anonymität eines Berufsstandes, in dem die eigene Herkunft gegenüber der Befähigung und Pflichterfüllung so gut wie keine Rolle spielte. Das Persönlichste während seines Vorstellungsgesprächs bei der Special Investigation Branch war die Bitte gewesen, ob er wohl die beiden seltsamen Namen noch einmal wiederholen könne, die ihm seine übertrieben unkonventionelle Mutter aufgebürdet hatte.

Als Strike wieder aus dem Untergrund auftauchte, herrschte auf der Charing Cross Road bereits starker Verkehr. Die graue, halbherzige Novemberdämmerung war immer noch voller düsterer Schatten. Erschöpft und todmüde bog er in die Denmark Street ein und sehnte sich nach einem kurzen Nickerchen, das er sich noch gönnen wollte, ehe um neun Uhr dreißig der erste Klient bei ihm auftauchte. Er winkte der jungen Verkäuferin im Gitarrenladen zu, mit der er hin und wieder auf der Straße eine Zigarette rauchte, schloss die schwarze Tür neben dem 12 Bar Café auf und nahm die schmiedeeiserne Wendeltreppe in Angriff, die sich um den Schacht eines defekten Aufzugs wand. Vorbei am Büro des Grafikdesigners im ersten Stock, vorbei an seinem eigenen Büro mit der gravierten Glastür im zweiten und hinauf auf den dritten und schmalsten Treppenabsatz, der zu seiner derzeitigen Behausung führte.

Der vorherige Bewohner, dem die Kneipe im Erdgeschoss gehörte, hatte sich ein anderes, komfortableres Quartier gesucht. Strike, der gezwungen gewesen war, mehrere Monate in seinem Büro zu übernachten, hatte die Gelegenheit beim Schopfe gepackt und die Wohnung gemietet. Er war dankbar dafür gewesen, seiner Obdachlosigkeit auf so einfache Weise ein Ende setzen zu können. Platz war unter den Dachbalken in jeder Hinsicht knapp bemessen, ganz besonders für einen Mann von eins zweiundneunzig. In der Dusche konnte er sich kaum umdrehen. Küche und Wohnzimmer gingen ungünstig ineinander über, und das Schlafzimmer war fast vollständig von einem Doppelbett ausgefüllt. Trotz der Proteste des Vermieters befanden sich noch immer mehrere Kisten mit Strikes Habseligkeiten auf dem Treppenabsatz.

Durch die kleinen Fenster hoch über der Denmark Street waren die Dächer der Nachbarhäuser zu erkennen. Das ständige Basswummern aus der Kneipe im Erdgeschoss war hier so weit gedämpft, dass Strike es mit seiner eigenen Musik größtenteils übertönen konnte.

Strikes angeborene Ordnungsliebe war unübersehbar: Das Bett war gemacht, das Geschirr sauber und alles an seinem Platz. Er hatte dringend eine Dusche und eine Rasur nötig, doch das konnte warten; nachdem er seinen Mantel aufgehängt hatte, stellte er den Wecker auf neun Uhr zwanzig und streckte sich voll bekleidet auf dem Bett aus.

Binnen Sekunden war er eingeschlafen und nach einigen weiteren – zumindest kam es ihm so vor – wieder hellwach, weil jemand an seine Tür klopfte.

»Cormoran, tut mir leid, wirklich ...«

Draußen stand seine Assistentin, eine hochgewachsene junge Frau mit langem rotblondem Haar. Ihre zerknirschte Miene verwandelte sich bei seinem Anblick in einen Ausdruck milden Entsetzens.

»Alles in Ordnung?«

»Hab geschlafen ... War die ganze Nacht unterwegs – zwei Nächte sogar.«

»Tut mir wirklich leid«, wiederholte Robin. »Aber es ist schon zwanzig vor zehn, und William Baker ist hier und will ...«

»Scheiße«, murmelte Strike. »Der verdammte Wecker is' wohl ... Ich brauch noch fünf Min ...«

»Außerdem«, fiel Robin ihm ins Wort, »wartet eine Frau auf Sie. Sie hat keinen Termin, und ich habe ihr gesagt, dass Sie keine Zeit für eine weitere Klientin haben, aber sie weigert sich zu gehen.«

Strike gähnte und rieb sich die Augen.

»Fünf Minuten. Machen Sie ihnen Tee oder so.«

Sechs Minuten später betrat der immer noch unrasierte, aber nach Zahncreme und Deodorant duftende und mit einem frischen Hemd bekleidete Strike das Vorzimmer, wo Robin an ihrem Computer saß.

»Na ja, besser spät als nie«, sagte William Baker mit einem steifen Lächeln. »Zum Glück haben Sie eine so gut aussehende Sekretärin, sonst hätte ich längst vor Langeweile das Weite gesucht.«

Strike sah, wie Robin vor Zorn errötete, sich abwandte und demonstrativ die Post sortierte. Baker hatte das Wort »Sekretärin« mit einem unverkennbar beleidigenden Unterton ausgesprochen. Der Geschäftsführer in dem makellosen Nadelstreifenanzug hatte Strike angeheuert, um zwei seiner Aufsichtsratsmitglieder durchleuchten zu lassen.

»Morgen, William«, sagte Strike.

»Keine Entschuldigung?«, murmelte Baker, die Augen zur Decke gerichtet.

Strike beachtete ihn nicht weiter, sondern wandte sich an die dünne Frau mittleren Alters, die in einem abgetragenen braunen Mantel auf dem Sofa saß: »Hallo, und wer sind Sie?«

»Leonora Quine«, antwortete sie. Strikes feines Ohr glaubte einen vertrauten West-Country-Akzent zu hören.

»Strike, ich habe heute Morgen einen sehr straffen Terminplan«, sagte Baker und marschierte, ohne dazu aufgefordert worden zu sein, schnurstracks in Strikes Büro. Als er bemerkte, dass Strike ihm nicht folgte, bekam seine aalglatte Fassade Risse. »Ich glaube kaum, dass Sie in der Army mit Unpünktlichkeit weit gekommen sind, Mr. Strike. Wenn ich Sie jetzt bitten dürfte?«

Strike schien ihn nicht zu hören.

»Was genau kann ich für Sie tun, Mrs. Quine?«, fragte er die schäbig gekleidete Frau auf dem Sofa.

»Also, es geht um meinen Mann …«

»Mr. Strike, ich habe in knapp einer Stunde einen Termin«, sagte William Baker, diesmal etwas lauter.

»… und Ihre Sekretärin hat gesagt, dass sie eigentlich keine Zeit mehr haben, aber ich wollte trotzdem warten.«

»Strike!«, bellte William Baker, als wollte er einen Hund zurückpfeifen.

»Robin«, knurrte der übermüdete Strike, der nun doch die Geduld verlor. »Schreiben Sie Mr. Baker eine Rechnung, und geben Sie ihm seine Akte. Sie ist auf dem neuesten Stand.«

»Wie bitte?« Fassungslos kehrte William Baker in das Vorzimmer zurück.

»Er hat Sie abgesägt«, bemerkte Leonora Quine zufrieden.

»Noch haben Sie Ihren Auftrag nicht erfüllt«, sagte Baker. »Sie sagten, es gebe noch mehr …«

»Das kann jemand anderes für Sie erledigen. Jemand, dem es nichts ausmacht, blöde Wichser als Klienten zu haben.«

Die Atmosphäre im Büro kühlte merklich ab. Mit versteinerter Miene holte Robin Bakers Akte aus dem Schrank und hielt sie Strike hin.

»Wie können Sie es wagen …«

»Hier steht massenhaft brauchbares Zeug drin, das vor Gericht Bestand haben wird«, sagte Strike und reichte die Akte an den Firmenchef weiter. »Sie ist Ihr Geld wert.«

»Sie haben Ihren Auftrag …«

»Er hat die Schnauze voll von Ihnen«, warf Leonora Quine ein.

»Wollen Sie wohl die Klappe halten, Sie dumme …«, begann Baker, machte dann jedoch schnell einen Schritt zurück, als Strike seinerseits einen Schritt auf ihn zutrat. Niemand sagte etwas. Der ehemalige Soldat schien auf einmal doppelt so viel Raum einzunehmen wie noch Sekunden zuvor.

»Bitte nehmen Sie in meinem Büro Platz, Mrs. Quine«, sagte Strike leise.

Sie tat wie geheißen.

»Glauben Sie wirklich, dass so eine Ihr Honorar bezahlen kann?«, spöttelte William Baker, der bereits auf dem Rückzug war und die Hand auf die Türklinke gelegt hatte.

»Wenn ich den Klienten leiden kann«, sagte Strike, »ist mein Honorar Verhandlungssache.«

Er folgte Leonora Quine in sein Büro und zog die Tür mit Nachdruck hinter sich zu.